Île de Mon
D1284610
L'ouest
Rosemont
Outremont et le Mile-End
Hochelaga-Maisonneuve
Westmount
Autour du canal de Lachine
PLATEAU MONT-ROYAL
MONT-ROYAL
SHERBROOKE
BERRI-UQAM
BEAUDRY
PAPINEAU
CHAMP-DE-MARS
QUARTIER LATIN
SPECTACLES
LE VILLAGE GAY
CENTRE-SUD
VIEUX-PORT
Parc La Fontaine
Stade olympique, Jardin botanique, Insectarium, Biodôme, Planétarium
Hôpital Notre-Dame
Square Saint-Louis
Écomusée du fier monde
Parc des Faubourgs
Gare d'autocars de Montréal
Grande Bibliothèque
Cinémathèque québécoise
Place Émilie-Gamelin
UQAM
Église Saint-Jean-Baptiste
Église Saint-Pierre-Apôtre
Cathédrale St. Peter and St. Paul
Hochelaga-Maisonneuve
Prison Au-Pied-du-Courant
Village au Pied-du-Courant
Centre hospitalier de l'Université de Montréal (CHUM)
Maison de Radio-Canada
Square Viger
Brasserie Molson
Longueuil (en saison)
Lieu historique national Sir-George-Étienne-Cartier
Hôtel de ville
Château Ramezay
Édifice Ernest-Cormier
Place Jacques-Cartier
Chapelle Notre-Dame-de-Bon-Secours
Marché Bonsecours
Vieux-Port
Bassin de l'Horloge
Tour de l'Horloge
Quai de l'Horloge
Bassin Bonsecours
Bassin Jacques-Cartier
Quai Jacques-Cartier
Quai King-Edward
Fleuve Saint-Laurent
Pont Jacques-Cartier
La Ronde
Musée Stewart
Parc Jean-Drapeau
Île Sainte-Hélène
Parc de la Cité-du-Havre
Marché Jean-Talon
av. du Mont-Royal E.
rue Marie-Anne E.
rue Rachel E.
av. Duluth E.
rue Roy
av. des Pins E.
rue Bousquet
rue Cherrier
rue Sherbrooke E.
rue Ontario
rue Robin
rue La Fontaine
rue Logan
boul. De Maisonneuve E.
rue Sainte-Catherine E.
boul. René-Lévesque E.
rue De La Gauchetière E.
av. Viger E.
Autoroute Ville-Marie
rue Saint-Antoine E.
rue du Champ-de-Mars
rue Notre-Dame E.
rue de la Commune
rue de Rouen
rue Saint-Denis
rue Berri
rue Boyer
rue De Bullion
av. de l'Hôtel-de-Ville
av. Laval
av. Henri-Julien
rue Drolet
rue Rivard
av. De Chateaubriand
rue Saint-Hubert
rue Saint-Christophe
rue Saint-André
rue de Mentana
av. du Parc-La Fontaine
rue Sanguinet
rue Saint-Thimotée
rue Amherst
rue Wolfe
rue De Montcalm
rue Beaudry
rue de la Visitation
rue Panet
rue Plessis
rue Alexandre-De Sève
rue De Champlain
av. Papineau
rue Cartier
rue Dorion
rue de Bordeaux
av. De Lorimier
rue Parthenais
rue Fullum
rue Sainte-Élisabeth
rue Labelle
rue Bonsecours
335
138
720
ITHQ
TVA

Le monument à Maisonneuve
devant la basilique Notre-Dame.

Montréal

Le printemps était revenu et avec lui le renouveau du soleil, des fleurs et des couleurs. Montréal reverdie, ses arbres déjà lourds de bourgeons gras, semblait en proie à quelque ardente fièvre. Jamais les filles n'y avaient été aussi belles, les hommes aussi désinvoltes.

Le long des trottoirs, les eaux couraient qui venaient de la montagne par les pentes, jusque dans les rues des plateaux successifs d'où elles allaient ensuite se perdre au grand égout du fleuve. Géographies inexorables, hydrauliques aux destins prévus, immuables. Aaron y songeait en longeant la Place d'Armes.

Yves Thériault
***Aaron*, 1954**

Mise à jour de la 18e édition: Pierre Ledoux
Éditeur: Claude Morneau
Adjoints à l'édition: Julie Brodeur, Ambroise Gabriel
Correcteur: Pierre Daveluy
Révision supplémentaire: Claude-Victor Langlois
Recherche et rédaction originales: Benoit Prieur, François Rémillard
Collaboration aux éditions antérieures: Julie Brodeur, Pascale Couture, Daniel Desjardins, Rodolphe Lasnes, Alain Legault, Benoit Legault, Élodie Luquet, Stéphane G. Marceau, Sybille Pluvinage, Marc Rigole, Yves Séguin, Vincent Vichit-Vadakan

Cartographie: Isabelle Lalonde
Conception graphique et mise en page: Philippe Thomas
Conception graphique de la page couverture: Judy Tan
Photographies: Première de couverture: *Palais des congrès de Montréal* © Dreamstime.com/ Chantelle516.
Quatrième de couverture: *Demeures victoriennes autour du square Saint-Louis* © iStockphoto.com/ Pgiam. *Le centre-ville* © iStockphoto.com/Nicolas McComber. *La rue Sainte-Catherine dans le Village gay* © Eric Sehr [CC BY-SA 4.0 (http://creativecommons.org/licenses/by-sa/4.0)], via Wikimedia Commons.

Cet ouvrage a été réalisé sous la direction de Claude Morneau.

Remerciements
Merci à Catherine Boily de la Société de transport de Montréal et à Patricia Lachance du Musée des beaux-arts de Montréal pour leur aide. Merci également à Isabelle Miralles, Annie Gilbert, Geneviève Décarie et Alyne Précourt pour leurs suggestions et contributions.

Nous reconnaissons l'appui financier du gouvernement du Canada.

Nous tenons également à remercier le gouvernement du Québec – Programme de crédit d'impôt pour l'édition de livres – Gestion SODEC.

Canada Québec

Guides de voyage Ulysse est membre de l'Association nationale des éditeurs de livres.

Note aux lecteurs
Tous les moyens possibles ont été pris pour que les renseignements contenus dans ce guide soient exacts au moment de mettre sous presse. Toutefois, des erreurs peuvent toujours se glisser, des omissions sont toujours possibles, des adresses peuvent disparaître, etc.; la responsabilité de l'éditeur ou des auteurs ne pourrait s'engager en cas de perte ou de dommage qui serait causé par une erreur ou une omission.

Écrivez-nous
Nous apprécions au plus haut point vos commentaires, précisions et suggestions, qui permettent l'amélioration constante de nos publications. Il nous fera plaisir d'offrir un de nos guides aux auteurs des meilleures contributions. Écrivez-nous à l'une des adresses suivantes, et indiquez le titre qu'il vous plairait de recevoir.

Guides de voyage Ulysse
4176, rue Saint-Denis, Montréal (Québec), Canada H2W 2M5, www.guidesulysse.com, texte@ulysse.ca

Les Guides de voyage Ulysse, sarl
127, rue Amelot, 75011 Paris, France, voyage@ulysse.ca

Catalogage avant publication de Bibliothèque et Archives nationales du Québec et Bibliothèque et Archives Canada
Vedette principale au titre :
Montréal
(Guide de voyage Ulysse)
Comprend un index.
ISBN 978-2-89464-127-9
1. Montréal (Québec) - Guides. I. Collection : Guide de voyage Ulysse.
FC2947.18.M66 917.14'28045 C97-302252-3

Bibliothèque et Archives nationales du Québec
Dépôt légal – troisième trimestre 2017
ISBN 978-2-89464-127-9 (version imprimée)
ISBN 978-2-76581-833-5 (version numérique PDF)
ISBN 978-2-76581-786-4 (version numérique ePub)
Imprimé au Canada

Maisons typiques du Plateau Mont-Royal.

Le meilleur de Montréal

Vous souhaitez vous imprégner de l'atmosphère envoûtante de sa vieille ville, arpenter les musées de son centre-ville, profiter de ses restaurants gastronomiques, faire la fête pendant l'un de ses nombreux festivals ou simplement siroter un verre sur une terrasse ensoleillée? Que vous projetiez une visite éclair de quelques heures ou un voyage de plusieurs jours, cette sélection d'attraits et d'adresses incontournables vous permettra d'explorer Montréal en vrai connaisseur!

Vue du centre-ville depuis le belvédère Kondiaronk sur le mont Royal.

10 icônes architecturales à découvrir

- Habitat 67 p. 213
- Le Stade olympique p. 222
- La Biosphère p. 216
- La basilique Notre-Dame p. 52
- La Banque de Montréal p. 50
- La Place Ville Marie p. 80
- La gare Windsor p. 78
- La cathédrale Marie-Reine-du-Monde p. 78
- L'édifice Sun Life p. 76
- L'édifice Ernest-Cormier p. 58

7 endroits où profiter d'une vue exceptionnelle

- Les belvédères Camillien-Houde et Kondiaronk du parc du Mont-Royal p. 168
- Au Sommet Place Ville Marie p. 80
- La Tour de Montréal du Stade olympique p. 222
- Les bateaux de croisière sur le fleuve p. 284
- Le parc de la Cité-du-Havre p. 213
- La terrasse de l'Oratoire Saint-Joseph p. 170
- La tour de l'Éperon du musée de Pointe-à-Callière p. 55

6 espaces verts où s'offrir une pause nature

- Le parc du Mont-Royal p. 168
- Le Jardin botanique p. 218
- Le parc Jean-Drapeau p. 213
- Le parc La Fontaine p. 150
- Le parc Maisonneuve p. 220
- Le parc-nature de l'Île-de-la-Visitation p. 209

8 occasions de combler les passionnés de culture

- Le Musée des beaux-arts de Montréal p. 110
- Le Musée d'art contemporain de Montréal p. 85
- Un spectacle extérieur ou en salle lors des nombreux festivals de musique (jazz, FrancoFolies, Nuits d'Afrique, Pop Montréal ...) p. 286
- Un opéra ou une pièce de théâtre à la Place des Arts p. 84
- Un concert à la Maison symphonique de Montréal p. 84
- Les galeries de l'édifice Belgo p. 82
- Une exposition, un film ou une installation au Centre Phi ou au DHC/ART p. 55
- L'art contemporain émergent à la Fonderie Darling p. 56

Balade à vélo aux abords du canal de Lachine.

10 expériences typiquement montréalaises

- Manger une poutine classique chez Poutineville (p. 196) ou de luxe au restaurant Au Pied de Cochon (p. 158)
- Goûter les meilleurs produits du Québec au marché Jean-Talon (p. 201) ou au marché Atwater (p. 235)
- En été, danser aux *Tam-Tams* (p. 169) du parc du Mont-Royal ou au Piknic Électronik (p. 287) du parc Jean-Drapeau
- En hiver, aller patiner sur l'étang du parc La Fontaine (p. 150) ou du parc du Mont-Royal (p. 172)
- Manger un *bagel* chaud à la Fairmount Bagel Bakery (p. 186) ou au St. Viateur Bagel Shop (p. 186)
- Assister à un match du Canadien, des Alouettes ou de l'Impact p. 277
- Vivre la Nuit blanche avec des milliers de Montréalais lors du festival Montréal en lumière p. 286
- Enfourcher son vélo pour participer au Tour la nuit ou au Défi métropolitain pendant le Festival Go vélo Montréal p. 277
- Explorer le réseau de galeries intérieures le plus vaste au monde p. 83
- Braver la file d'attente pour manger un *smoked meat* chez Schwartz p. 127

10 attraits pour faire plaisir aux enfants

- Le Biodôme p. 222
- L'Insectarium p. 220
- Le Jardin botanique p. 218
- Le Planétarium p. 223
- Le Centre des sciences de Montréal p. 58
- Pointe-à-Callière, musée d'archéologie et d'histoire de Montréal p. 55
- Voiles en voiles p. 64
- La Ronde p. 216
- La plage Jean-Doré p. 216
- Tyrolienne MTL Zipline p. 64

5 endroits où enfourcher un vélo

- Les bords du canal de Lachine p. 241
- Le parc du Mont-Royal p.168
- La piste du boulevard Gouin p. 210
- La piste cyclable des Berges p. 241
- La piste qui se rend du Vieux-Montréal aux îles Notre-Dame et Sainte-Hélène p. 217

8 bonnes tables pour une occasion spéciale

- Bouillon Bilk p. 91
- Chez Sophie p. 236
- Joe Beef p. 236
- L'Atelier de Joël Robuchon p. 217
- Le Club Chasse et Pêche p. 68
- Le Filet p. 129
- Maison Boulud p. 107
- Toqué! p. 92

Schwartz's Montréal Hebrew Delicatessen.

9 adresses où déguster une cuisine créative

- Cadet p. 90
- Graziella p. 69
- Lawrence p. 189
- Le Fantôme p. 235
- Le Mousso p. 148
- Le Serpent p. 66
- Montréal Plaza p. 205
- Park p. 176
- Vin Papillon p. 236

9 endroits où goûter la cuisine locale

- Au Pied de Cochon p. 158
- La Binerie Mont-Royal p. 154
- Chez ma grosse truie chérie p. 148
- Chez Tousignant p. 205
- Fairmount Bagel Bakery p. 186
- Poutineville p. 196
- Schwartz's Montréal Hebrew Delicatessen p. 127
- St. Viateur Bagel Shop p. 186
- Wilensky p. 187

12 agréables terrasses où s'offrir un verre ou une bouchée

- Agrikol p. 147
- Au Sommet Place Ville Marie p. 80
- Boris Bistro p. 66
- Jatoba p. 92
- Le Sainte-Élisabeth p. 140
- Le Saint-Sulpice p. 140
- Monsieur Smith p. 227
- Santropol p. 128
- Société des arts technologiques (SAT) p. 86
- Terrasse Nelligan p. 71
- Terrasse Place d'Armes p. 71
- Terrasse sur l'Auberge p. 71

10 bars où prendre l'apéro

- Buvette chez Simone p. 187
- Canal Lounge p. 237
- EtOH Brasserie p. 207
- Furco p. 95
- Le Cheval Blanc p. 140
- Le Lab p. 164
- Le Plan B p. 164
- Le Réservoir p. 131
- Pullman p. 132
- Terrasse Nelligan p. 71

9 endroits où dénicher le parfait cadeau ou souvenir

- La rue Saint-Denis entre le boulevard Saint-Joseph et la rue Sherbrooke, parsemée de librairies et de boutiques de mode p. 159
- Boutique-librairie du Musée des beaux-arts p. 108
- Marché des Saveurs du Québec p. 206
- Marché Bonsecours p. 69
- L'avenue du Mont-Royal, pour ses friperies et autres boutiques de vêtements à prix abordable p. 159
- L'avenue Laurier pour ses boutiques chics p. 190
- La rue Saint-Paul pour ses galeries d'art et ses boutiques d'artisanat p. 54
- La rue Sainte-Catherine, principale artère commerciale de Montréal p. 92
- Le boulevard Saint-Laurent pour ses adresses éclectiques p. 129

10 magnifiques hôtels où poser ses valises

- Fairmont Le Reine Elizabeth p. 98
- Hôtel Le St-James p. 72
- Ritz-Carlton Montréal p. 109
- Loews Hôtel Vogue p. 109
- Hôtel Renaissance Montréal Centre-Ville p. 98
- Le Petit Hôtel p. 72
- Hôtel Gault p. 72
- LHotel Montréal p. 73
- Hôtel Chez Swann p. 109
- Hôtel Le Germain p. 98

Montréal...
en temps et lieux

L'Espace Culturel Georges-Émile-Lapalme à l'intérieur de la Place des Arts.

LE MEILLEUR DE MONTRÉAL

Un jour

Pour un amuse-gueule de la métropole québécoise, arpentez le **Vieux-Montréal** et sa **rue Saint-Paul**, charmante rue pavée bordée de galeries d'art; visitez la **basilique Notre-Dame**, chef-d'œuvre de style néogothique, et **Pointe-à-Callière, musée d'archéologie et d'histoire de Montréal** pour vous plonger dans les origines de Ville-Marie. Offrez-vous un apéro dans un des bars branchés du quartier, puis rendez-vous au **centre-ville** pour vivre la frénésie de la **rue Sainte-Catherine**, l'incontournable artère commerciale de la ville. Si vous souhaitez découvrir les artistes qui ont marqué l'histoire de l'art canadien, visitez le **Musée des beaux-arts** ainsi que le **Musée d'art contemporain**, et pour embrasser la ville d'un seul coup d'œil, rendez-vous à l'observatoire **Au Sommet Place Ville Marie**.

Deux jours

Un séjour de deux jours vous permettra de dîner au moins un soir dans un des nombreux et délicieux restaurants dont la ville regorge. Ne manquez pas de remonter le boulevard Saint-Laurent, dit la ***Main***, cette voie essentielle dont la foule bigarrée suffit à elle seule à animer plusieurs quartiers, puis de longer les rues résidentielles du **Plateau Mont-Royal** avant d'aboutir sur la très animée **avenue du Mont-Royal**, qui a donné son nom à ce quartier panaché et incontournable. Dirigez-vous ensuite vers le **parc du Mont-Royal**, pour une virée nature au cœur de l'île et une vue imprenable sur la ville. Les dévots et les curieux apprécieront une halte à l'**Oratoire Saint-Joseph**, l'un des lieux de pèlerinage les plus fréquentés au Canada.

Une semaine

Ajoutez à ce qui précède la découverte des deux secteurs « chics » de la métropole : l'un est anglophone, **Westmount**, parsemé de demeures résidentielles de style néo-Tudor qui lui donnent un cachet indéniablement britannique; l'autre, son pendant francophone, est **Outremont**, dont les artères commerciales, bordées d'épiceries fines et de boutiques à la mode, longent le quartier des « bourgeois bohèmes » montréalais : le **Mile-End**.

Si ce sont davantage les prouesses architecturales qui vous attirent, rendez-vous dans le quartier d'**Hochelaga-Maisonneuve** pour grimper au sommet de la plus haute tour penchée du monde, celle du **Stade olympique** : vous y dominerez alors l'Est montréalais ainsi que le célèbre **pont Jacques-Cartier**. Le **Jardin botanique** et le **Biodôme**, tous deux voisins du stade, offrent une plongée fascinante au cœur des microcosmes végétaux, grâce à la reproduction de nombreux écosystèmes, de jardins thématiques et de serres d'exposition. Et pour toucher les étoiles, profitez de votre présence dans le quartier pour visiter le **Planétarium**. Vous pourrez également visiter un (voire plusieurs!) des bars et restaurants le long de la rue Ontario.

Quant à l'**ouest de l'île** et au **Vieux-Port**, ils se prêtent idéalement au cyclotourisme. Vous pourrez aussi enfourcher votre vélo pour explorer les berges du **canal de Lachine**, berceau de l'industrie canadienne, ou les **îles Sainte-Hélène et Notre-Dame**, où s'élève la surprenante **Biosphère**, ce dôme géodésique qui date d'Expo 67. Une fois vos mollets déliés, rendez-vous dans le quartier **Griffintown** pour vous offrir un repas mémorable dans l'un des bons restaurants de la rue Notre-Dame.

Derrière les mots

La plus récente mise à jour du guide Ulysse ***Montréal*** a été confiée à **Pierre Ledoux**.

Né de père francophone et de mère anglophone, passionné de musique, de littérature et de voyage, Pierre est dans son élément aussi bien dans une petite salle de concerts bondée de New York ou une brasserie parisienne que dans les déserts de l'Arizona ou en camping au beau milieu de la nature au Québec.

Après avoir fait ses débuts chez Ulysse il y a plus de 15 ans, Pierre s'est joint à l'équipe des éditions où il a fait de la traduction et de la mise en page avant de finalement devenir éditeur. Le plus souvent occupé à planifier et à encadrer les voyages des rédacteurs d'Ulysse, il aime parfois délaisser son bureau pour aller sur le terrain. Il a notamment participé à la mise à jour et à la rédaction des guides ***New York***, ***Escale à New York***, ***Le Québec***, ***Nouvelle-Angleterre*** et ***Grand Canyon et Arizona***.

Pierre Ledoux

En couverture

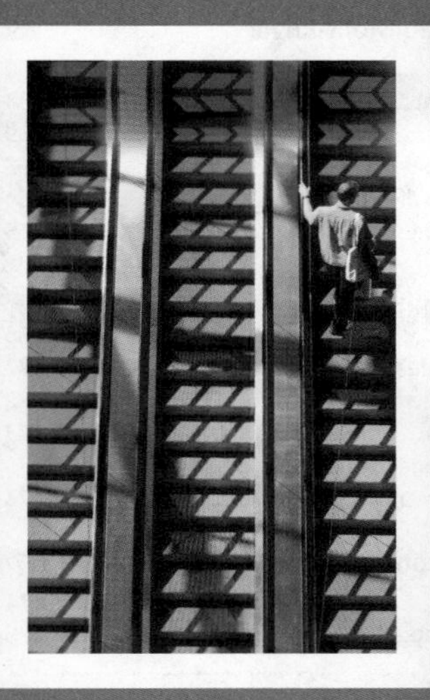

La paroi multicolore du Palais des congrès de Montréal projette sa mosaïque bleue, jaune, rose et verte sur l'escalier mobile à l'entrée de l'édifice.

Sommaire

Comprendre Montréal 21

Explorer Montréal 47

Liste des cartes

Liste des encadrés

Situation géographique dans le monde

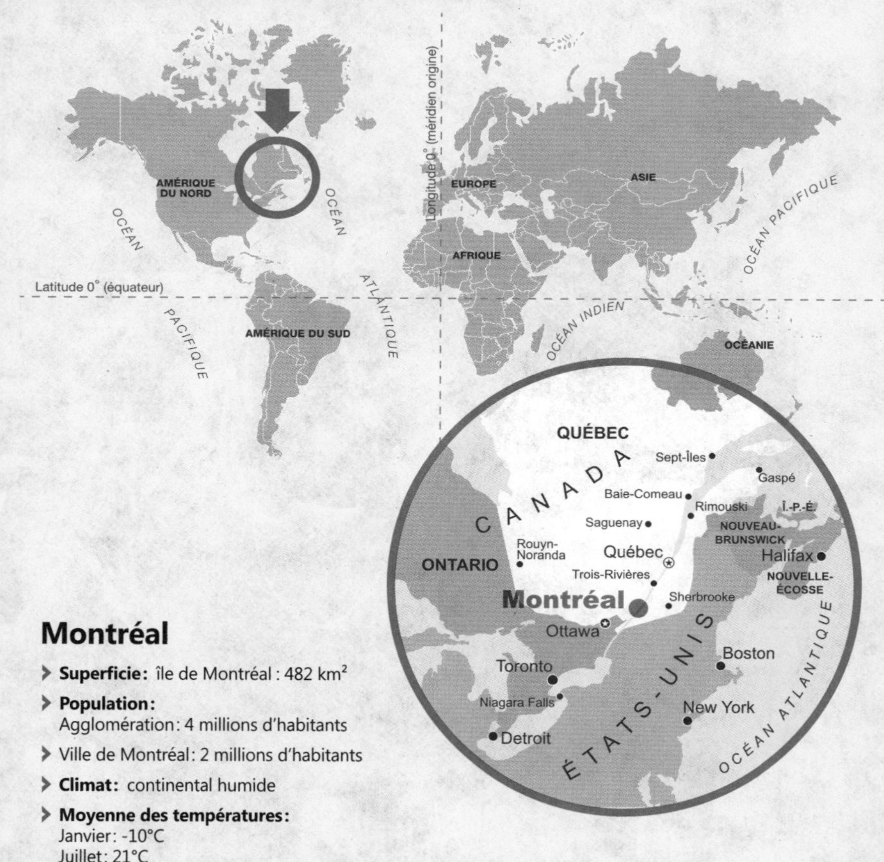

Montréal

- **Superficie :** île de Montréal : 482 km²
- **Population :**
  Agglomération : 4 millions d'habitants
- Ville de Montréal : 2 millions d'habitants
- **Climat :** continental humide
- **Moyenne des températures :**
  Janvier : -10°C
  Juillet : 21°C
- **Moyenne annuelle des précipitations :**
- Neige : 217 cm
  Pluie : 763 cm
- **Fuseau horaire :** UTC -5
- **Point le plus haut :**
  Naturel : le mont Royal, avec 233 m
  Urbain : le sommet de l'Oratoire Saint-Joseph, avec 263 m
- **Langues :** Montréal est la deuxième ville francophone du monde après Paris, par sa population de langue maternelle française.
- **Diversité culturelle :** Environ le tiers de la population montréalaise est issue de l'immigration. Les plus importantes communautés sont les Italiens, les Irlandais, les Anglais, les Écossais, les Haïtiens, les Chinois et les Grecs.

Une calèche dans le Vieux-Montréal.

Comprendre Montréal

Ville exceptionnelle, latine, nordique et cosmopolite, Montréal est avant tout la métropole du Québec et la seconde ville francophone du monde après Paris, par sa population de langue maternelle française. Ceux qui la visitent l'apprécient d'ailleurs pour des raisons souvent fort diverses, si bien que, tout en parvenant à étonner les voyageurs d'outre-Atlantique par son caractère anarchique et sa nonchalance, Montréal réussit à charmer les touristes américains par son cachet européen.

Il faut dire qu'on y trouve d'abord ce qu'on y recherche, et assez facilement d'ailleurs, car la ville est bien souvent en équilibre entre plus d'un monde : solidement amarrée à l'Amérique du Nord tout en regardant du côté de l'Europe, revendiquée par le Québec et le Canada, et toujours, semble-t-il, en pleine mutation économique, sociale et démographique.

Elle est donc plutôt difficile à cerner, cette ville. Si Paris possède ses Grands Boulevards et sa tour Eiffel, New York, ses gratte-ciel et sa célèbre statue de la Liberté, qu'est-ce qui symbolise le mieux Montréal? Ses nombreuses et belles églises? Ses espaces verts? Son Stade olympique? Ses somptueuses demeures victoriennes?

En fait, bien que son patrimoine architectural soit riche, on l'aime sans doute d'abord et avant tout pour son atmosphère unique et attachante. De plus, si l'on visite Montréal avec ravissement, c'est avec enivrement qu'on la découvre, car elle est généreuse, accueillante et pas mondaine pour un sou.

Aussi, lorsque vient le temps d'y célébrer le jazz, le cinéma, l'humour, la chanson ou la fête nationale des Québécois, c'est par centaines de milliers qu'on envahit ses rues pour faire de ces événements de chaleureuses manifestations populaires. Montréal, une grande ville restée à l'échelle humaine? Certainement. D'ailleurs, derrière les airs de cité nord-américaine que projette sa haute silhouette de verre et de béton, Montréal cache bien mal le fait qu'elle est d'abord une ville de quartiers, de « bouts de rue », qui possèdent leurs propres églises, leurs commerces, leurs restaurants, leurs brasseries artisanales, bref, leurs caractères, façonnés au fil des années par l'arrivée d'une population aux origines diverses.

Fuyante et mystérieuse, la magie qu'opère Montréal n'en demeure pas moins véritable. Et elle se vit avec passion au jour le jour ou à l'occasion d'une simple visite.

Géographie

Pour saisir la place qu'occupe Montréal dans l'histoire du continent américain, il faut avant tout s'attarder aux formidables avantages que présente son emplacement. Établie sur une île du fleuve Saint-Laurent, principale voie de pénétration du Nord-Est américain, Montréal s'étend à un endroit où la circulation maritime rencontre un premier obstacle majeur : les rapides de Lachine. Ces rapides, qui bloquent alors toute navigation, ont jadis imposé un arrêt obligé à Montréal à quiconque voulait aller plus en amont sur le fleuve.

Le Vieux-Port et le centre-ville de Montréal.

D'un point de vue économique, ce caprice de la géographie a conféré à ce site, tant à l'époque amérindienne que sous les régimes français et britannique, un atout indéniable : celui d'avoir été le premier lieu de transbordement obligatoire sur le fleuve. La nature a ainsi irrémédiablement choisi la vocation de Montréal, en faisant d'elle la clef de voûte d'un vaste territoire, et nécessairement un lieu d'échanges d'envergure continentale.

Montréal bleu

L'île de Montréal est formée par le fleuve Saint-Laurent et la rivière des Prairies, qui se jette dans le fleuve à l'est de l'île. Ces deux superbes cours d'eau sont reconnus pour les nombreuses îles qui les parsèment.

Entre le lac Saint-Louis, à l'ouest de l'île, et le quartier de Pointe-aux-Trembles, à l'est, le fleuve Saint-Laurent, qui coule vers l'océan Atlantique, longe la côte sud de l'île. Il se voit soudainement transformer, devant l'arrondissement LaSalle, en eaux tumultueuses : les rapides de Lachine.

Entre le lac des Deux Montagnes, à l'ouest de l'île, et le quartier de Rivière-des-Prairies, à l'est, la rivière des Prairies borde quant à elle la côte nord de l'île. Elle voit son débit contrôlé par la centrale hydroélectrique de la Rivière-des-Prairies devant le secteur historique du Sault-au-Récollet.

Par ailleurs, plusieurs ponts routiers ou ferroviaires, incluant le pont-tunnel Louis-Hippolyte-La Fontaine, desservent l'île de Montréal depuis l'île Jésus et les régions de la Montérégie et de Lanaudière. De plus, deux tunnels pour le métro relient l'île aux deux grandes villes qui l'avoisinent : Laval, au nord, et Longueuil, au sud.

Montréal vert

Tout autour de l'île de Montréal, une partie des berges du fleuve Saint-Laurent et de la rivière des Prairies ont été depuis quelques années converties en espaces verts. Ces parcs riverains publics, connus sous le nom de « parcs-nature », s'ajoutent aux grands parcs urbains et à la multitude de petits parcs qui ponctuent chacun des quartiers de Montréal.

Le plus connu et le plus visible des grands parcs de Montréal est, bien sûr, le parc du Mont-Royal, dont la masse spectaculaire, au centre de l'île, attire inévitablement l'œil. En toutes saisons, les citadins grimpent au sommet de la « montagne », pour le plaisir, pour la vue qu'elle offre depuis ses belvédères, ou encore pour garder la forme.

Mariant la nature sauvage et la nature domestiquée, le Jardin botanique de Montréal, l'un des plus grands du monde, situé dans le centre-est de l'île, accueille les visiteurs, mais aussi de nombreuses espèces d'oiseaux tout au long de l'année. Pour sa part, l'Arboretum Morgan, une immense réserve forestière située dans l'ouest de l'île, abrite divers animaux à l'état sauvage en plus de magnifiques arbres.

Histoire

Les origines

Avant que l'équilibre territorial ne soit rompu par l'arrivée des explorateurs européens, ce qu'on nomme aujourd'hui l'île de Montréal était peuplé d'Amérindiens de la nation iroquoise. Ceux-ci avaient vraisemblablement saisi les possibilités exceptionnelles de cet emplacement, qui leur permettait alors de prospérer en dominant la vallée du Saint-Laurent à titre d'intermédiaire commercial pour toute la région.

D'abord en 1535, puis en 1541, Jacques Cartier, navigateur malouin au service du roi de France, devient le premier Européen à parcourir ce site. Lors de ces voyages, il en profite pour gravir la montagne occupant le centre de l'île, qu'il baptise « mont Royal ».

Dans son journal de bord, Cartier note également une courte visite qu'il effectue dans un grand village amérindien situé, semble-t-il, sur les flancs de la montagne. Regroupant environ 1 500 Iroquois, ce village est constitué d'une cinquantaine de grandes habitations que protège une haute palissade de bois. Tout autour, on cultive le maïs, les courges et les haricots, qui assurent l'essentiel de l'alimentation de cette population sédentaire. Malheureusement, Cartier ne laisse qu'un témoignage incomplet, et parfois contradictoire, sur cette communauté amérindienne. On ignore donc encore actuellement où s'élevait exactement ce village, de même que le nom par lequel les Amérindiens le désignaient : Hochelaga ou Tutonaguy?

Un autre mystère qui subsiste concerne les raisons de l'étonnante et rapide disparition de ce village à la suite des visites de Cartier. De fait, quelque 70 ans plus tard, en 1603, lorsque Samuel de Champlain parcourt la région, il ne retrouve aucune trace de la communauté iroquoise rencontrée par Jacques Cartier. L'hypothèse la plus courante veut que les Amérindiens de l'île de Montréal aient été victimes, entre-temps, des pressions de rivaux commerciaux, qui les auraient finalement évincés de l'île.

Quoi qu'il en soit, Champlain, le père de la Nouvelle-France, s'intéresse très tôt au potentiel du site. Trois années seulement après la fondation de la ville de Québec (1608), il ordonne le défrichement d'une aire de l'île, désignée du nom de « Place Royale », afin d'y établir une nouvelle colonie ou un avant-poste pour la traite des fourrures.

Ce projet doit cependant être remis à plus tard, car les Français, alliés aux Algonquins et aux Hurons, font face aux offensives de la Confédération des Cinq Nations iroquoises. Soutenue par les marchands hollandais de La Nouvelle-Amsterdam (qui allait devenir New York), la Confédération tente de s'approprier le contrôle exclusif du commerce des fourrures sur le continent, au détriment des Français et de leurs alliés.

La fondation de Montréal sera donc retardée de plusieurs années et ne pourra être attribuée aux efforts de Samuel de Champlain, décédé en 1635.

Ville-Marie (1642-1665)

D'abord baptisé « Ville-Marie », l'établissement de la ville est plutôt l'œuvre d'un groupe de dévots français. Maisonneuve aborde les côtes de l'Amérique en 1641 et fonde Ville-Marie en mai de l'année suivante. Dès le départ, de grands efforts sont entrepris pour que soient très tôt érigées les principales institutions sociales et religieuses qui formeront le cœur de cette ville. En 1645 commence la construction de l'Hôtel-Dieu, cet hôpital dont avait rêvé Jeanne Mance. Quelques années plus tard, la première école est ouverte sous la direction de Marguerite Bourgeoys. Puis, en 1657, s'installent les premiers prêtres du Séminaire de Saint-Sulpice de Paris, qui auront par la suite, et pour longtemps, une influence déterminante sur le développement de la ville et de l'île. Par contre, le but premier de la fondation de Ville-Marie, la conversion des Amérindiens, doit rapidement être mis de côté; seulement un an après leur arrivée, les Français doivent déjà affronter les Iroquois, qui craignent que la présence des colons ne perturbe le commerce des fourrures avec les Anglais.

Très tôt, un état de guerre permanent s'installe, menaçant à plusieurs reprises la survie même de la colonie. Mais finalement, après presque un quart de siècle d'une existence périlleuse, le roi Louis XIV, qui, depuis deux ans, administre lui-même la Nouvelle-France, y envoie des troupes pour en garantir la protection. Dès lors, Ville-Marie, qu'on a déjà pris l'habitude de désigner du nom de « Montréal », peut commencer à se tourner vers les richesses du continent.

Les fortifications de Montréal vers 1750
Quai de l'Horloge
Bassin Bonsecours
Quai Jacques-Cartier
Fleuve Saint-Laurent
Quai King-Edward
Quai Alexandra
QUAIS DU VIEUX-PORT
rue de la Commune
Pointe-à-Callière
CHAMP-DE-MARS
PLACE-D'ARMES
SQUARE-VICTORIA-OACI
Tunnel Ville-Marie
rue Saint-Antoine
rue Saint-Louis
rue Notre-Dame
rue Berri
rue Saint-Denis
Bonsecours
rue du Champ-de-Mars
Gosford
av. Viger
rue Le Royer
rue Saint-Paul
rue Saint-Vincent
rue De Vaudreuil
rue Saint-Gabriel
rue Saint-Jean-Baptiste
boul. Saint-Laurent
rue Saint-Jacques
rue Saint-Dizier
rue De Brésoles
rue Saint-Sulpice
rue de la Capitale
rue Saint-Urbain
côte de la Place-d'Armes
Palais des congrès
rue Saint-François-Xavier
ruelle des Fortifications
rue de l'Hôpital
rue Saint-Jean
rue Saint-Nicolas
rue Saint-Alexis
rue De Bleury
rue Saint-Pierre
rue Le Moyne
Centre de commerce mondial
rue McGill
rue De La Gauchetière
Square Victoria
Place Victoria
rue Saint-Maurice
rue William
rue Ottawa
rue Wellington
0
100
200m
©ULYSSE

Monument à Paul de Chomedey, sieur de Maisonneuve.

Maisonneuve, fondateur de Montréal

La traite des fourrures est, au XVIIe siècle, le motif essentiel qui pousse la France à coloniser le Canada. Pourtant, ce n'est pas ce lucratif commerce qui sera à l'origine de la fondation de Montréal, mais plutôt la conversion des Amérindiens.

Pour mener cette entreprise à bien, on choisit Paul de Chomedey, sieur de Maisonneuve, né en 1612 au sud-est de Paris, qui sera également désigné comme premier gouverneur de la nouvelle colonie. C'est à la tête d'une expédition d'une cinquantaine de personnes, les Montréalistes de la Société de Notre-Dame dont fait partie Jeanne Mance, que Maisonneuve quitte la France en mai 1641. Le navire de Jeanne Mance atteint Québec trois mois plus tard, sans graves problèmes.

Maisonneuve ne fut pas aussi chanceux et rencontra de violentes tempêtes. Il arriva si tard que la fondation de Montréal fut remise à l'année suivante. Les Montréalistes passèrent l'hiver à Québec. Le 17 mai 1642, Maisonneuve fonde Ville-Marie, dans l'île de Montréal, avec Jeanne Mance, première infirmière laïque au Nouveau Monde et première Européenne à fouler le sol de Ville-Marie, qui fonde l'Hôtel-Dieu en 1645. Quelques années plus tard, le nom de Montréal supplantera celui de Ville-Marie.

En 1665, le gouverneur de Montréal est rappelé en France indéfiniment. Il quitte ses fonctions et sa ville bien-aimée dans une atmosphère de tristesse. Il se retire alors à Paris, chez les pères de la Doctrine chrétienne, et y meurt en 1676. Il est inhumé sous la chapelle (aujourd'hui disparue) des pères, qui se trouvait au 10, rue Rollin, dans le 5e arrondissement.

Un monument à Paul de Chomedey, sieur de Maisonneuve, érigé en 1895, s'élève sur la place d'Armes au cœur du Vieux-Montréal.

Jeanne Mance, cofondatrice de Montréal

La Ville de Montréal souhaitant corriger une « erreur historique », Jeanne Mance a été reconnue officiellement comme fondatrice de Montréal, au même titre que Paul de Chomedey, sieur de Maisonneuve. Il faut savoir que Jeanne Mance, dès son entrée à la Société de Notre-Dame de Montréal en avril 1641, à La Rochelle, se voit confier toute la partie économique et financière de l'entreprise de colonisation de Montréal.

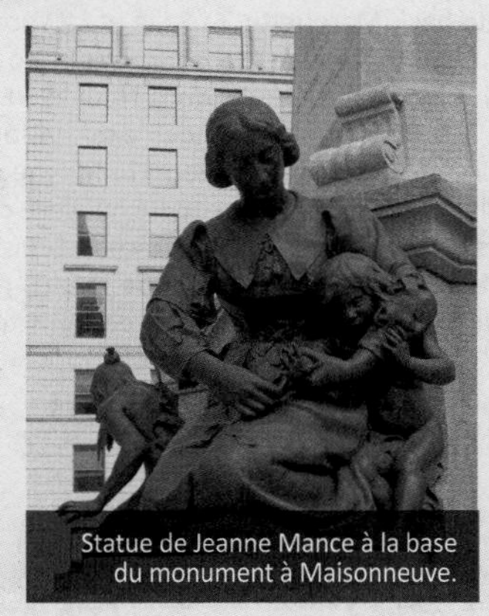
Statue de Jeanne Mance à la base du monument à Maisonneuve.

Née à Langres en 1606, Jeanne Mance est champenoise tout comme Maisonneuve, natif de Neuville-sur-Vannes. Elle quitte la France en mai 1641 avec Maisonneuve et un groupe de colons, d'ouvriers et de soldats, puis arrive au cours de l'été au poste de Québec, où elle passe l'hiver. Ce n'est que le 17 mai 1642 que le groupe fondateur atteint l'île de Montréal. Trois ans plus tard, Jeanne Mance fonde l'Hôtel-Dieu de Ville-Marie. Lors d'un de ses voyages en France, elle assure même la survie de la colonie en recrutant des familles, des soldats, des religieuses et de nouveaux colons. Elle obtient aussi argent et soutien de volontaires pour payer les dépenses de la colonie et résister aux attaques des Iroquois. Cette femme d'exception est décédée à Montréal en 1673.

Tout comme Maisonneuve, qui a son monument sur la place d'Armes, devant la basilique Notre-Dame, Jeanne Mance a le sien devant l'entrée de l'Hôtel-Dieu de Montréal. Première Européenne à fouler le sol de Ville-Marie et première infirmière laïque du Nouveau Monde, Jeanne Mance mérite largement l'honneur d'être considérée comme la cofondatrice de Montréal.

La traite des fourrures (1665-1760)

À partir de 1665, bien que la hiérarchie ecclésiastique conserve toujours son autorité et que la vocation mystique de la ville persiste dans les esprits, la protection offerte par l'administration royale permet à Montréal de prospérer en tant que centre militaire et commercial.

L'envoi de troupes françaises et la « pacification » des Iroquois qui s'ensuit, surtout à partir de 1701, année de la signature du traité de la Grande Paix de Montréal, permettent enfin de tirer parti des avantages de la ville en ce qui concerne la traite des fourrures. Montréal étant l'agglomération la plus en amont sur le fleuve, une fois la paix assurée, elle dame aisément le pion à la ville de Québec pour devenir le pivot de ce lucratif commerce.

À cette époque, la traite des fourrures prend un nouvel essor grâce à de jeunes Montréalais, surnommés « coureurs des bois », qui sont nombreux à quitter la ville pour s'aventurer profondément dans l'arrière-pays, souvent pour plus d'une année, afin de négocier directement avec les fournisseurs autochtones de fourrures. Légalisée dès 1681, cette pratique organisée s'intensifie progressivement, les « coureurs des bois » devenant, pour la plupart, des travailleurs salariés à la solde de grands marchands montréalais. Dans la même foulée, Montréal, située à la porte du continent, devient nécessairement le point de départ d'explorations intensives de l'Amérique du Nord.

Les expéditions françaises, notamment celles menées par Jolliet (né dans la région de Québec), Marquette, La Salle et La Vérendrye (né à Trois-Rivières), repoussent toujours plus loin les frontières de la Nouvelle-France. À la faveur de ces grandes explorations, un Montréalais d'origine, Pierre Le Moyne d'Iberville, fonde en 1699 une toute nouvelle colonie française, plus au sud, nommée la « Louisiane ». De fait, la France revendique la plus grande part de ce qui est alors connu de l'Amérique du Nord, un immense territoire lui permettant de contenir l'expansion des colonies anglaises du Sud, beaucoup plus peuplées, entre l'Atlantique et les Appalaches.

Belvédère Kondiaronk.

La Grande Paix de Montréal de 1701

Au moment où Antoine Laumet de Lamothe, sieur de Cadillac, fonde le poste militaire de Détroit à l'été 1701, le traité de la Grande Paix de Montréal mettait fin aux conflits qui opposent les Français et leurs alliés – les nations de la région des Grands Lacs – aux Cinq Nations de la Ligue iroquoise. Pendant les négociations se sont rassemblés quelque 1 300 délégués amérindiens représentant 40 nations autochtones, Iroquois inclus, avec qui tous étaient en guerre depuis un siècle. La paix durera 50 ans.

Kondiaronk, le chef des Hurons-Wendat, décédé le 2 août 1701, soit deux jours avant la ratification du traité (sur lequel la marque de Kondiaronk a été probablement inscrite par un autre chef huron), fut l'un des grands artisans de cette paix. En son hommage, la Ville de Montréal a donné son nom au belvédère du chalet du Mont-Royal en 1997.

Soutenue par l'administration royale, Montréal continue à se développer au long de ces années. Dès 1672, on la dote d'un plan délimitant précisément pour la première fois certaines de ses artères, dont les principales sont la rue Notre-Dame et la rue Saint-Paul, plus ancienne rue de Montréal. Puis, entre 1717 et 1741, on renforce sa protection en remplaçant la palissade de bois qui l'entoure par une muraille de pierres de plus de 5 m de haut.

La croissance démographique, somme toute assez lente, entraîne néanmoins l'émergence de faubourgs à l'extérieur de l'enceinte à compter des années 1730. Aussi, graduellement, une nette distinction sociale s'établit entre les habitants de ces faubourgs et ceux du centre, où, à la suite d'incendies dévastateurs, seules les constructions en pierre seront autorisées. Le centre de la ville, protégé par ses murailles (voir la carte « Les fortifications de Montréal vers 1750 »), est surtout constitué de splendides demeures des membres de la noblesse locale et des riches marchands, ainsi que des institutions religieuses et sociales, alors que les faubourgs sont principalement peuplés d'artisans et de paysans. Bref, dès le milieu du XVIIIe siècle, Montréal a l'allure et l'atmosphère d'une paisible petite ville française. Lié au lucratif commerce des fourrures, son avenir semble assuré.

La guerre de Sept Ans, qui fait rage en Europe, entre 1756 et 1763, a toutefois des répercussions colossales en Amérique. Les puissances européennes en conflit sur le Vieux Continent, principalement la France et l'Angleterre, luttent également pour le contrôle de l'Amérique. Québec (en 1759) et Montréal (en 1760) tombent alors aux mains de troupes anglaises. Lorsqu'en Europe la guerre se termine, la France, par le traité de Paris, cède officiellement à l'Angleterre le contrôle de la quasi-totalité de ses possessions en Amérique du Nord, signant par là la fin de la Nouvelle-France. Le destin de Montréal et de sa population, qui s'élève alors à 5 733 habitants, s'en trouve irrémédiablement changé.

Des années de transition (1763-1850)

Les premières décennies suivant la Conquête s'écoulent sous le signe de l'incertitude pour la communauté montréalaise. D'abord, bien qu'un gouvernement civil soit rétabli en 1764, les citoyens de langue française sont officiellement exclus des hautes sphères décisionnelles jusqu'en 1774, alors que le contrôle du commerce des fourrures tombe très vite entre les mains des conquérants, notamment d'un petit groupe de marchands d'origine écossaise.

L'incertitude s'accentue lorsqu'en 1775-1776 la ville est une fois de plus envahie, mais cette fois par des troupes américaines, qui ne restent que quelques mois. La guerre de l'Indépendance américaine a toutefois de plus importantes conséquences : c'est avec la fin de cette guerre et la défaite britannique qu'arrivent à Montréal et au Canada les premières vagues importantes d'immigrants de langue anglaise, les loyalistes, ces colons américains désirant rester fidèles à la Couronne britannique. Suivent plus tard, à partir de 1815, de considérables contingents provenant des îles Britanniques, particulièrement de l'Irlande, qui est alors durement frappée par la famine. Parallèlement à ces vagues migratoires, la population canadienne-française connaît une hausse démographique remarquable, à la faveur d'un taux de natalité très élevé.

La population de Montréal et du Bas-Canada connaît donc une croissance importante, aux effets bénéfiques sur l'économie montréalaise, alors que se resserrent les liens d'interdépendance entre la ville et la campagne. Ainsi, le monde rural, en pleine expansion, surtout dans le Haut-Canada, cette partie du territoire qui allait devenir l'Ontario, constitue désormais un marché suffisamment lucratif pour une foule de produits fabriqués à Montréal. La production agricole du pays, notamment le blé, qui transite obligatoirement par le port de Montréal avant d'être expédié vers la Grande-Bretagne, assure de son côté une croissance des activités portuaires montréalaises. D'ailleurs, dans les années 1820, un vieux rêve est réalisé lorsqu'on inaugure un canal permettant d'éviter les rapides de Lachine.

L'économie montréalaise est déjà, à cette époque, très diversifiée, et elle ne se ressent presque aucunement de l'absorption, en 1821, de la Compagnie du Nord-Ouest, qui représente les intérêts montréalais dans la traite des fourrures, par la Compagnie de la Baie d'Hudson. Longtemps le pivot de son économie, le commerce des fourrures ne devient pour Montréal plus qu'une activité marginale.

Au cours des années 1830, Montréal mérite le titre d'agglomération la plus peuplée du pays, surpassant à ce chapitre la ville de Québec. L'arrivée massive de colons de langue anglaise en fait basculer l'équilibre linguistique, et c'est ainsi que pendant 35 ans, à compter de 1831, la population de Montréal sera majoritairement anglophone.

Les communautés culturelles ont d'ailleurs déjà tendance à se regrouper selon un modèle qui persistera longtemps par la suite : les francophones habitent principalement l'est de la ville, les Irlandais, le sud-ouest, et les Anglais et Écossais, l'ouest. La cohabitation sur un même territoire ne se fait toutefois pas sans heurt. Ainsi, lorsque éclatent les rébellions des Patriotes en 1837-1838, Montréal devient le théâtre de violents affrontements opposant les membres du Doric Club, regroupant des Britanniques loyaux, aux Fils de la Liberté, composés de jeunes Canadiens français. C'est d'ailleurs à la suite d'une « émeute interethnique », provoquant un incendie qui détruit son parlement, que Montréal perd en 1849 le titre de capitale du Canada-Uni, qu'elle détenait depuis six ans seulement.

Enfin, si le paysage urbain montréalais n'a pas connu d'altérations importantes au cours des premières années du Régime anglais, les années 1840 voient graduellement apparaître des constructions d'inspiration britannique. C'est également à cette époque que les plus riches commerçants de la ville, principalement des Anglais et des Écossais, quittent peu à peu le quartier Saint-Antoine (dans les environs actuels des rues Sainte-Catherine et Atwater) pour aller s'établir au pied du mont Royal. Ainsi, moins d'un siècle après la Conquête, la présence britannique est désormais un élément incontournable de la dynamique montréalaise, alors que commence une période cruciale du développement de la ville.

Industrialisation et puissance économique (1850-1914)

En raison de l'industrialisation rapide qu'elle connaît au cours des années 1840, laquelle se poursuivra en plusieurs vagues successives, Montréal vit, de la seconde moitié du XIXe siècle jusqu'à la Première Guerre mondiale, la plus forte croissance de son histoire. Elle s'élève dès lors au rang de métropole incontestée du Canada et devient le véritable centre du développement du pays.

L'élargissement du marché interne canadien, d'abord avec la création du Canada-Uni en 1840, puis, surtout avec l'avènement de la Confédération canadienne de 1867, renforce l'industrie montréalaise, dont les produits se substituent de plus en plus aux importations. Les principales forces qui seront longtemps le cœur de l'économie de la ville sont alors les secteurs de la chaussure, du vêtement, du textile, de l'alimentation et des industries lourdes, en particulier le matériel roulant de chemin de fer et les produits du fer et de l'acier. La concentration géographique de ces industries, à proximité des installations portuaires et des voies ferrées, a pour effet de modifier considérablement l'aspect de la ville.

Les abords du canal de Lachine, berceau de la révolution industrielle au Canada, puis les quartiers Sainte-Marie et Hochelaga, se couvrent d'usines, et par la suite de résidences bon marché destinées à loger les ouvriers. L'industrialisation de Montréal bénéficie largement de la position favorable de la ville, en tant que pôle des systèmes de transport et de communication pour l'ensemble du territoire canadien, une position qu'elle s'efforce d'accentuer tout au long de cette période. Ainsi, à compter des années 1850, un chenal est creusé dans le fleuve entre Montréal et Québec, permettant, dès lors, à de plus grands océaniques de remonter le fleuve jusqu'à la métropole et éliminant du coup la plupart des avantages dont bénéficiaient encore les installations portuaires de Québec.

De plus, le réseau ferroviaire qui commence à s'étendre sur le territoire canadien favorise Montréal, en faisant de la ville le centre de ses activités. La production industrielle montréalaise profite en effet d'un accès privilégié aux marchés du sud du Québec et de l'Ontario par le réseau du Grand Tronc, et de l'ouest du Canada grâce à celui du Canadien Pacifique qui atteint Vancouver en 1887. Tant en ce qui a trait au commerce intérieur qu'au commerce international, Montréal occupe une place dominante au Canada pendant cette période.

Sur le plan démographique, son essor est tout aussi exceptionnel, car, entre 1852 et 1911, sa population passe de 58 000 à 468 000 personnes (528 000 si l'on inclut la banlieue). Cette poussée remarquable tient du fabuleux pouvoir d'attraction qu'exerce désormais cette ville en pleine croissance économique. Les vagues d'immigration massive en provenance des îles Britanniques, qui avaient pris forme au début du XIXe siècle, se poursuivent pendant quelques années encore, avant de ralentir notablement au cours des années 1860. Elles sont par la suite largement compensées par l'exode des paysans de la campagne québécoise, attirés à Montréal par le travail offert dans les usines.

L'arrivée de cette population principalement de langue française est d'ailleurs à l'origine d'un nouveau renversement de l'équilibre linguistique de Montréal, qui redevient définitivement une ville à majorité française à partir de

Silo à grain n° 5.

1866. D'autre part, un phénomène tout à fait nouveau commence à voir le jour vers la fin du XIXe siècle, lorsque Montréal devient le théâtre d'une immigration extérieure autre que française ou britannique. Les plus nombreux à venir tenter leur chance à Montréal sont d'abord des Juifs d'Europe de l'Est, fuyant les persécutions dont ils faisaient l'objet dans leur pays; ils se regroupent, dans un premier temps, surtout le long du boulevard Saint-Laurent.

Un nombre appréciable d'Italiens s'établissent également à Montréal et se retrouvent, quant à eux, dans le nord de la ville. Ces vagues migratoires font en sorte qu'avec plus de 10% de sa population d'origine autre que française ou britannique, Montréal est déjà, en 1911, une ville à caractère fortement multiethnique.

L'urbanisation résultant de cette croissance démographique a pour conséquence un étalement urbain sans cesse grandissant, un phénomène que la mise en place d'un réseau de tramways électriques permet d'accentuer à partir de 1892. La ville sort ainsi, à plusieurs reprises, de ses anciennes limites, annexant

Principaux événements historiques

- Ve siècle: des populations nomades viennent s'installer dans la vallée du fleuve Saint-Laurent et sur l'île qu'on nomme aujourd'hui Montréal.
- 1535: dans son second voyage en Amérique du Nord, Jacques Cartier remonte le fleuve jusqu'à l'île de Montréal. Il y visite un village amérindien et escalade la montagne, qu'il baptise «mont Royal».
- 1642: Paul de Chomedey, sieur de Maisonneuve, fonde avec Jeanne Mance une colonie française sur l'île, d'abord nommée «Ville-Marie». Cette petite communauté survivra très difficilement pendant près d'un quart de siècle et abandonnera très tôt son projet initial d'évangéliser les Amérindiens.

jusqu'à 34 nouveaux territoires et villes entre 1883 et 1918.

Des efforts d'aménagement sont parallèlement entrepris pour offrir à la population certains espaces de loisirs, entre autres, en 1876, avec la création du parc du Mont-Royal. Dans le domaine de la construction résidentielle, les styles d'inspiration britannique s'imposent, notamment dans les quartiers populaires où dominent désormais les maisons en rangée, au toit plat et à la devanture en brique.

En outre, pour offrir des logements bon marché aux familles ouvrières, ces maisons sont de plus en plus souvent construites sur deux ou trois étages, et conçues pour loger au moins autant de familles. De leur côté, les riches Montréalais sont toujours plus nombreux à s'installer sur les flancs du mont Royal, y développant un quartier qu'on aura tôt fait de nommer le Golden Square Mile (le « Mille carré doré ») en raison de la prodigieuse richesse dont disposent ses habitants. La révolution industrielle a d'ailleurs eu pour effet d'accroître les clivages socioéconomiques au sein de la société montréalaise. Ce phénomène oppose en outre, de façon presque dichotomique, les principales communautés culturelles en cause, car, alors que la haute bourgeoisie est presque essentiellement constituée de protestants anglais, la masse des ouvriers non spécialisés se compose surtout de Canadiens français et d'Irlandais catholiques.

De la Première à la Seconde Guerre mondiale

De 1914 à 1945, plusieurs événements d'envergure internationale viennent modifier l'évolution et la croissance de la ville. D'abord, avec le début de la Première Guerre mondiale, en 1914, l'économie montréalaise stagne pendant un certain temps à la suite de la chute des investissements; mais elle reprend très tôt de la vigueur grâce à l'exportation de produits agricoles et de matériel militaire destinés à la Grande-Bretagne.

Cette période de guerre est toutefois surtout marquée, à Montréal, par l'affrontement politique que se livrent anglophones et francophones au sujet de l'effort de guerre, un domaine où les deux groupes linguistiques ne s'entendent vraiment pas. En fait, les francophones se sont depuis longtemps élevés contre toute participation canadienne dans les guerres

- 1672: Montréal, dont la survie est maintenant assurée, se dote d'un premier plan délimitant ses principales artères.
- 1701: un traité est signé entre Français et Amérindiens, inaugurant une période de paix favorable à l'intensification d'un commerce de fourrures ayant pour pôle Montréal.
- 1760: comme Québec en 1759, Montréal tombe aux mains des troupes britanniques. La destinée de la ville et de sa population s'en voit irrémédiablement bouleversée.
- 1775-1776: alors que la guerre de l'Indépendance fait rage aux États-Unis, l'armée américaine occupe Montréal pendant quelques mois.
- 1831: Montréal dépasse Québec en population, pour devenir le principal centre urbain du Canada.
- 1837: des émeutes éclatent à Montréal, opposant les Fils de la Liberté, mouvement composé de jeunes Canadiens français, au Doric Club, qui regroupe des Britanniques loyaux.
- 1849 : une nouvelle émeute provoque un incendie qui détruit le parlement, et Montréal perd son titre de capitale du Canada-Uni, qu'elle détenait depuis six ans seulement.
- 1867: la Confédération canadienne élargit le marché national, ce qui, dans les années ultérieures, profite grandement au développement et à l'industrialisation de Montréal.
- 1876: on crée le parc du Mont-Royal, qu'aménage Frederick Law Olmsted, concepteur du Central Park de New York.
- 1911: en raison de l'immigration récente, plus de 10% de la population montréalaise est désormais d'origine autre que britannique ou française.

de l'Empire britannique, envers lequel ils entretiennent des sentiments plutôt mitigés. Ils s'opposent donc farouchement à une conscription obligatoire des citoyens canadiens.

À l'opposé, les anglophones, dont les liens avec la Grande-Bretagne sont souvent restés très tenaces, se montrent favorables à un engagement total du Canada. Lorsque, en 1917, le gouvernement canadien tranche finalement et impose la conscription obligatoire, la colère des francophones éclate et Montréal est secouée par de vives tensions.

Quelques années de réajustement économique succèdent à la guerre, suivies de ce qu'on a appelé les « années folles », une phase de croissance soutenue s'étalant de 1921 à 1929. Montréal poursuit alors son développement, amorcé dans la période d'avant-guerre, tout en conservant son rôle de métropole canadienne, bien que Toronto, favorisée par les investissements américains et par le développement de l'Ouest canadien, commence déjà à revendiquer une place plus importante.

Dans le centre des affaires montréalais, on voit graduellement apparaître des immeubles de plus en plus hauts, qui s'inspirent, dans leur conception, des courants architecturaux américains. La ville reprend également sa croissance démographique, si bien qu'elle abrite, à la fin des années 1920, une population de plus de 800 000 personnes, alors que l'île a déjà dépassé le million d'habitants. Tant par l'importance de sa population que par l'aspect de son centre des affaires, Montréal a donc, dès cette époque, tous les attributs d'une grande cité nord-américaine.

Mais la crise qui frappe durement l'économie mondiale dès 1929 a des effets dévastateurs à Montréal, dont la fortune repose en bonne partie sur les exportations. Pendant toute une décennie, la misère se généralise dans la métropole, où le chômage touche jusqu'au tiers de la population en âge de travailler.

Cette période sombre ne prendra fin qu'avec le début de la Seconde Guerre mondiale, en 1939. Mais, dès le début de ce conflit, la polémique entourant l'effort de guerre refait surface et divise encore une fois les populations francophone et anglophone de la ville. Le maire de Montréal, Camillien Houde, qui s'oppose publiquement à la conscription obligatoire, sera d'ailleurs arrêté pour sédition et interné entre 1940 et 1944. Finalement, le Canada s'engage pleinement aux côtés de la Grande-Bretagne, en mettant à sa disposition sa production industrielle et son armée de conscrits.

- 1951: Montréal passe le cap du million d'habitants, sans compter sa banlieue, toujours en pleine croissance.
- 1966: inauguration du métro de Montréal.
- 1967: la Ville de Montréal organise avec succès l'Exposition universelle.
- 1970: en octobre, une crise éclate lorsque le Front de libération du Québec (FLQ) enlève le diplomate britannique James Cross et le ministre Pierre Laporte. Le gouvernement canadien, dirigé alors par le premier ministre Pierre Elliott Trudeau, réagit en promulguant la Loi sur les mesures de guerre. L'armée canadienne prend alors position à Montréal.
- 1976: les Jeux olympiques d'été se tiennent à Montréal.
- 2002: les villes de la Communauté urbaine de Montréal (CUM) fusionnent pour former une seule et même grande ville sur l'île: Montréal.
- 2004: référendum sur les fusions municipales. Quelques anciennes villes de la CUM redeviennent autonomes, le slogan «Une île, une ville» devenant ainsi chose du passé.
- 2005: Montréal est désignée «capitale mondiale du livre» par l'UNESCO pour 2005-2006.
- 2006: Montréal est couronnée du titre «Ville UNESCO de design» par l'Alliance globale pour la diversité culturelle, devenant ainsi la première ville d'Amérique du Nord à être reconnue par l'UNESCO dans le domaine du design.
- 2009: début du système de location de vélos en libre-service Bixi et inauguration de la place des Festivals dans le Quartier des spectacles.
- 2017: 375e anniversaire de la fondation de Montréal.

Le manifeste du *Refus global*

Paul-Émile Borduas.

Les amis du régime nous soupçonnent de favoriser la « Révolution ». Les amis de la « Révolution » de n'être que des révoltés : « ...nous protestons contre ce qui est, mais dans l'unique désir de le transformer, non de le changer. »

Extrait du *Refus global*, 1948 Paul-Émile Borduas et 15 autres signataires

Le *Refus global*, germe de la Révolution tranquille des années 1960, se présente comme un manifeste dénonçant le conformisme politique et religieux des années 1940, qui faisait du Québec un milieu étouffant et hostile aux manifestations de créativité individuelle ou collective. Signé en 1948 par le peintre Paul-Émile Borduas (1905-1960) et 15 autres artistes dont Marcelle Ferron et Jean Paul Riopelle, il marqua le début de grandes transformations dans la société québécoise. À la suite de la publication, sévèrement condamnée, de sa profession de foi, Borduas, à l'époque professeur à l'École du meuble de Montréal, sera congédié, puis, quelques années plus tard, s'exilera à Paris.

Un retour à la croissance (1945-1960)

Après tant d'années de pénurie et de bouleversements défavorables, l'économie montréalaise, sortie de la guerre plus forte et plus diversifiée que jamais, donne enfin lieu à une période faste où les désirs de consommation de la population peuvent être assouvis. Ainsi, pendant plus d'une décennie, le chômage est presque inexistant à Montréal, alors que le niveau de vie général de la population monte en flèche.

D'un point de vue démographique, la croissance est tout aussi remarquable, si bien qu'entre 1941 et 1961 la population de l'agglomération montréalaise double littéralement, passant de 1 140 000 à 2 110 000 habitants, la ville en tant que telle franchissant le cap du million en 1951. Cette explosion démographique procède de plusieurs sources. Tout d'abord, le mouvement séculaire d'exode des populations rurales vers la ville reprend de plus belle après une pause presque complète pendant les années de la Grande Dépression et de la Seconde Guerre mondiale. Mais l'immigration reprend aussi de la vigueur, les plus importants contingents provenant désormais principalement de l'Europe du Sud, particulièrement de l'Italie et de la Grèce.

Enfin, cette augmentation de la population montréalaise tient également d'une forte poussée des naissances, d'un véritable *baby boom* qui touche tout autant le Québec que le reste de l'Amérique du Nord. Pour parvenir à loger cette population, des quartiers situés légèrement en périphérie se couvrent rapidement de milliers de nouvelles résidences. De plus, une banlieue toujours plus éloignée du centre-ville émerge, favorisée par la popularité de l'automobile comme objet de consommation de masse, et commence même à se développer à l'extérieur de l'île, sur la rive sud du fleuve, aux abords des ponts d'accès, et au nord, sur l'île Jésus. Durant la même période, le centre-ville connaît lui aussi des changements importants, alors que le quartier des affaires quitte graduellement le Vieux-Montréal pour se déplacer près du boulevard Dorchester (aujourd'hui le boulevard René-Lévesque), où s'élèvent des gratte-ciel toujours plus imposants.

À cette époque, la métropole est touchée par un vent de réformes sociales visant notamment à mettre fin « au règne de la pègre ». Car Montréal a alors la réputation, d'ailleurs bien fondée, d'être depuis des années un lieu où fleurissent la prostitution et les maisons de jeux grâce à l'assentiment de policiers et de politiciens corrompus. Une enquête publique, menée entre 1950 et 1954, où s'illustrent particulièrement les avocats Pacifique (dit Pax) Plante et Jean Drapeau, conduit à une série de condamnations et à un assainissement notable du climat social.

D'autre part, les aspirations au changement ne s'arrêtent pas là. Chez les intellectuels, les journalistes et les artistes montréalais francophones, on cherche par tous les moyens à ébranler l'autorité toute-puissante de l'Église catholique et du conservatisme ambiant. Le phénomène le plus marquant de l'époque reste néanmoins la prise de conscience naissante des Montréalais de langue française de toute origine face à leur aliénation. En effet, au fil des années, hormis certaines exceptions, s'est tissé un clivage socioéconomique très clair entre les deux principaux groupes linguistiques de la ville.

Les francophones ont, de fait, des revenus moyens moins élevés que leurs compatriotes anglophones, occupent plus souvent des postes subalternes et sont bafoués dans leur ascension sociale. Montréal, dont la population est en grande majorité de souche française, projette du reste l'image d'une ville anglo-saxonne par son affichage commercial, souvent uniquement en anglais, et par la domination de la langue anglaise dans les principales sphères de l'activité économique. Il faudra cependant attendre le début des années 1960 pour que les aspirations au changement prennent la forme d'une série de mutations accélérées.

De 1960 à nos jours

Les années 1960 connaissent un vent de réforme sans précédent au Québec, une véritable course à la modernisation et aux transformations dans différentes sphères d'activité, qu'on aura tôt fait de désigner du nom de la « Révolution tranquille ». Il faut dire que le baby-boom des décennies précédentes a fait augmenter considérablement la population québécoise, tant dans la métropole que dans les régions. Les banlieues de plusieurs villes accueillent ainsi un nombre considérable de jeunes couples. Or, pour Montréal notamment, il devient impératif de réaménager l'espace urbain pour maintenir une économie florissante. Toutefois, au milieu des années 1970, Montréal se fait ravir son titre de métropole canadienne par Toronto, qui bénéficie, depuis longtemps déjà, d'une croissance plus forte. En revanche, comme en témoigne l'émergence de gratte-ciel de plus en plus nombreux au centre-ville, l'économie montréalaise poursuit néanmoins son essor.

Outre l'exode vers les banlieues, on assiste au phénomène du retour à la terre. En effet, cette mode, qui perdure jusqu'au début des années 1980, réunit en « communes » des jeunes de tous les horizons, principalement ceux des villes. Ces communes renferment généralement plusieurs familles qui se partagent les travaux de la ferme dans un esprit d'ouverture et de partage.

Parallèlement, Montréal, alors dirigée par le maire Jean Drapeau, rayonne de plus en plus sur la scène internationale grâce à la mise sur pied du métro et à la tenue de plusieurs événements d'envergure, les plus remarquables étant l'Exposition universelle de 1967, les Jeux olympiques d'été de 1976 et les Floralies internationales de 1980.

Dans la mouvance des changements économiques, le rayonnement linguistique et culturel francophone prend de l'ampleur. Au fil des années, le poids de la population d'expression française se fait de plus en plus sentir à Montréal. Plusieurs manifestations de mécontentement sont menées par des groupes syndicaux et étudiants. De plus, la célèbre phrase *« Vive le Québec libre! »*, lancée en 1967 par le général de Gaulle du balcon de l'hôtel de ville de Montréal, cristallisera l'idée maintenant bien définie d'un Québec souverain.

Depuis 1963, le Front de libération du Québec (FLQ) mène dans la métropole une série d'attentats terroristes. Le point culminant de sa lutte sera la crise d'Octobre en 1970, avec l'enlèvement du diplomate britannique James Cross, qui sera libéré deux mois plus tard, et la mort du ministre du gouvernement québécois Pierre Laporte. Plus de 40 ans après son avènement, cette sombre page de l'histoire du Québec nourrit encore des débats passionnés.

L'image de la ville se modifie sensiblement, lorsque l'affichage commercial, qui se faisait jusqu'alors en anglais, ou au mieux dans les deux langues, devient exclusivement français grâce à l'adoption de lois linguistiques par les gouvernements québécois successifs. Mais pour plusieurs anglophones, ces lois combinées à l'ascension du nationalisme et de l'entrepreneuriat québécois sont des changements trop difficiles à accepter, et plusieurs quittent définitivement Montréal pour d'autres villes canadiennes ou américaines.

Durant les années 1980 et 1990, de nombreux secteurs d'activité ayant marqué depuis plus d'un siècle l'infrastructure industrielle de la ville déclinent, puis se voient partiellement remplacés par des investissements massifs dans des secteurs de pointe tels que l'aéronautique, l'informatique et les produits pharmaceutiques. Cette croissance profite cependant davantage à une banlieue toujours plus éloignée du centre.

D'autre part, en accueillant aux cours des dernières décennies des immigrants provenant désormais d'un peu partout dans le monde, la ville de Montréal s'enrichit d'une mosaïque culturelle de plus en plus complexe. Plus que jamais, elle est donc devenue un véritable carrefour des nations, tout en étant couronnée du titre enviable de « capitale francophone des Amériques ».

Au début du XXIe siècle, Montréal mène, par l'entremise de chantiers divers, une politique de revitalisation à la fois urbaine et culturelle. Elle s'emploie à réaménager des secteurs en élargissant les trottoirs, en plantant des arbres et en installant un nouveau mobilier urbain.

Pour plusieurs, l'aménagement du Quartier des spectacles, signé à coups de gros sous, redonnera au secteur de la Place des Arts une place de choix et un rayonnement international, que lui a subtilisé d'année en année la ville de Toronto, l'éternelle rivale.

Depuis 2012 et les révélations de la commission Charbonneau, les instances politiques municipales sont gravement ébranlées par de graves cas de corruption. Ceux-ci ont entraîné les démissions en série du maire de Montréal, Gérald Tremblay, puis de son successeur, Michael Applebaum.

Le nouveau maire de Montréal élu en 2013, Denis Coderre, prépare, quant à lui, les célébrations en vue du 375e anniversaire de la ville en 2017. La métropole est en voie d'embellissement : elle accueillera tous les convives et invités qui voudront bien se joindre aux Montréalais pour fêter leur histoire, leur culture et leurs réalisations.

Des communautés montréalaises

Samedi soir, rue Durocher, à Outremont, des dizaines de Juifs hassidiques (orthodoxes), habillés de leurs vêtements traditionnels, se pressent vers la synagogue toute proche. Quelques heures plus tôt, comme d'habitude, une partie de la grande communauté italienne montréalaise s'était donné rendez-vous à deux pas du marché Jean-Talon afin de faire le plein de café et de pâtes importés d'Italie ou simplement pour discuter du dernier match de foot opposant le Milan à la Juve. Dans les quartiers avoisinants, des familles indiennes, maghrébines, sud-américaines et asiatiques font leurs courses hebdomadaires dans des magasins spécialisés dans les produits de leurs pays respectifs.

Ces scènes bien connues de tous les Montréalais ne sont que des exemples parmi tant d'autres de la vie communautaire, souvent très intense, de plusieurs groupes culturels de la ville. En fait, on compte à Montréal d'innombrables lieux de rencontre et associations destinés aux membres des diverses communautés culturelles. D'ailleurs, il suffit d'une brève incursion sur le boulevard Saint-Laurent, la *Main*, servant de limite entre l'ouest et l'est de la ville, bordée de restaurants, d'épiceries et d'autres commerces aux couleurs et spécialités internationales, pour se convaincre de la richesse et de la diversité de la population montréalaise.

Montréal projette d'ailleurs souvent l'image d'un regroupement hétéroclite de villages qui, sans être des ghettos, sont principalement habités par les membres de l'une ou l'autre des communautés. En fait, ce découpage de l'espace territorial avait déjà été amorcé dès le XIXe siècle par les Montréalais de souches française et anglaise, une division qui, dans une certaine mesure, marque toujours la ville.

Ainsi, l'Est demeure encore aujourd'hui largement francophone, alors que l'Ouest est plutôt anglophone et que les nantis des deux communautés occupent souvent les versants opposés du mont Royal, d'un côté, Outremont, et de l'autre, Westmount. Mais plusieurs nouveaux « villages » sont graduellement venus s'imbriquer dans cette mosaïque avec l'arrivée d'une population aux origines diverses. Très tôt, une petite communauté chinoise, venue travailler au pays lors de la construction des chemins de fer, a élu domicile aux abords de

Une des portes d'entrée du Quartier chinois.

Célébrations dans la Petite Italie.

la rue De La Gauchetière et des rues voisines autour du boulevard Saint-Laurent, créant ainsi un quartier chinois qui conserve toujours aujourd'hui une atmosphère un peu mystérieuse pour les non-initiés.

L'importante communauté juive, pour sa part, s'est d'abord regroupée un peu plus haut sur le boulevard Saint-Laurent, pour ensuite se concentrer dans certains secteurs d'Outremont, de Côte-des-Neiges et de Snowdon, et vers l'ouest de l'île, à Côte-Saint-Luc et Hampstead, où ses institutions fleurissent. De son côté, la Petite Italie, un endroit souvent très animé et coloré où prospèrent de multiples cafés, restaurants et boutiques, occupe un large secteur près de la rue Jean-Talon, cette artère qui mène vers l'est à l'arrondissement de Saint-Léonard, habité par un bon nombre d'Italiens.

Les Italiens forment d'ailleurs l'une des plus importantes communautés culturelles de Montréal et donnent une impulsion indéniable à cette ville. Enfin, certaines autres communautés ont aussi eu tendance à se regrouper dans certains endroits de la ville, comme les Grecs le long de l'avenue du Parc, les Haïtiens dans le quartier Saint-Michel, les Portugais aux abords de la rue Saint-Urbain et les Jamaïquains dans la Petite-Bourgogne. À Montréal, on peut presque passer d'un pays à un autre, d'un univers à un autre, par la langue, les odeurs, l'aménagement, les commerces, subitement, en l'espace de quelques rues seulement.

Théâtre et littérature

L'essentiel des débuts de la littérature de langue française en Amérique du Nord est constitué d'écrits des premiers explorateurs (dont ceux de Jacques Cartier) et des communautés religieuses. Sous forme de récits, ces textes relatent différentes observations destinées principalement à faire connaître le pays aux autorités de la métropole. Le mode de vie des Autochtones, la géographie du pays et les débuts de la colonisation française comptent parmi les principaux thèmes abordés par des auteurs comme le père Sagard (*Le grand voyage au pays des Hurons*, 1632) ou par le baron de Lahontan (*Nouveaux voyages en Amérique septentrionale*, 1703).

La tradition orale domine la vie littéraire durant tout le XVIIIe siècle et le début du XIXe siècle. Les légendes issues de cette tradition (revenants, feux follets, loups-garous, chasse-galerie) sont par la suite consignées par écrit. Plusieurs années s'écoulent donc avant que le mouvement littéraire ne prenne un véritable envol, qui aura lieu à la fin du XIXe siècle. La majorité des créations d'alors, fortement teintées de la rhétorique de la « survivance », encensent les valeurs nationales, religieuses et conservatrices. L'éloge de la vie à la campagne, loin de la ville et de ses tentations, devient l'un des thèmes centraux de la littérature de l'époque. En poésie, l'École littéraire de Montréal, et plus particulièrement Émile Nelligan, qui a été le premier à s'inspirer des œuvres de Baudelaire, Rimbaud, Verlaine et Rodenbach, font contrepoids au courant dominant pendant quelque temps. Encore aujourd'hui une figure mythique, Nelligan a écrit sa poésie très jeune, avant de sombrer dans la folie. Dans le roman québécois de cette époque, le monde rural reste toujours le principal thème abordé, bien que certains auteurs commencent à le traiter d'une manière différente. Mais jusqu'en 1930, le traditionalisme continue de marquer profondément la création littéraire, quoique soient perceptibles certains mouvements innovateurs.

C'est au cours des années de la crise économique et de la Seconde Guerre mondiale que la création littéraire amorce un début de modernisation. Dans le roman du terroir, qui domine toujours, on voit graduellement apparaître le thème de l'aliénation des individus. On sent enfin qu'un grand pas a été franchi lorsque Montréal, où en réalité la majorité de la population québécoise réside, devient le cadre de romans, comme c'est le cas de *Bonheur d'occasion* (1945) de la Franco-Manitobaine Gabrielle Roy, qui dépeint avec justesse le désarroi d'une famille nombreuse du quartier Saint-Henri, aujourd'hui encore l'un des plus pauvres de Montréal. Du côté anglophone, des écrivains comme Hugh McLennan (*Two Solitudes*, 1945), Mordecai Richler, dont la plume n'épargne en rien la communauté juive dont il est issu, et Mavis Gallant, qui écrit principalement des nouvelles, se taillent une place de choix dans la sphère littéraire montréalaise, voire internationale.

Le modernisme s'affirme franchement à partir de la fin de la guerre, et ce, malgré le régime politique de Maurice Duplessis. En ce qui a trait au roman, deux courants dominent : le roman urbain tel qu'*Au pied de la pente douce* de Roger Lemelin ou *Les Vivants, les morts et les autres* (1959) de Pierre Gélinas et le roman psychologique tel que *La Fin des songes* (1950) de Robert Élie ou *Le Gouffre a toujours soif* (1953) d'André Giroux. Un peu en marge de ces deux courants, Yves Thériault, auteur très prolifique, publie, de 1944 à 1962, contes et romans (*Agaguk* en 1958, *Ashini* en 1960) qui marqueront toute une génération de Québécois. La poésie connaît une période d'or grâce à une multitude d'auteurs, notamment Alain Grandbois, Rina Lasnier, Anne Hébert, Gaston Miron et Claude Gauvreau. On assiste également à la véritable naissance du théâtre québécois grâce à la pièce *Tit-Coq* de Gratien Gélinas, qui sera suivie d'œuvres variées, dont celles de Marcel Dubé et de Jacques Ferron. Pour ce qui est des essais, le *Refus global* (1948), signé par un groupe de peintres automatistes, fut sans contredit le plus incisif des nombreux réquisitoires contre le régime duplessiste.

La Révolution tranquille, dont l'effervescence politique et sociale encourage la création littéraire des années 1960, « démarginalise » les auteurs. Plusieurs essais, tels *Nègres blancs d'Amérique* (1968) de Pierre Vallières, témoignent de cette période de remise en question, de contestation et de bouillonnement culturel à Montréal. Au cours de cette époque, de nouveaux noms surgissent dans le paysage littéraire, entre autres ceux de Marie-Claire Blais (*Une saison dans la vie d'Emmanuel*, 1965), d'Hubert Aquin (*Prochain épisode*, 1965) et de Réjean Ducharme (*L'avalée des avalés*, 1966).

Théâtre Rialto.

La poésie triomphe, grâce à l'émergence des poètes de la contre-culture, rassemblés pour un instant d'éternité en 1970 durant la désormais célèbre *Nuit de la poésie*, filmée par le cinéaste Jean-Claude Labrecque. Le théâtre, auréolé par les œuvres classiques de Marcel Dubé et de Françoise Loranger, et par l'ascension de nouveaux dramaturges comme Michel Tremblay (*Les belles-sœurs*, 1968) et Jean Barbeau (*Ben-Ur*, 1971), s'affirme avec éclat. Dans la mouvance de ce renouveau théâtral, plusieurs romanciers, poètes et dramaturges n'hésitent plus à faire usage de la langue populaire (le joual) dans leurs écrits. En 1969, la dramaturgie anglophone est dignement représentée avec la fondation de la Centaur Theatre Company, qui emménage dans l'ancien bâtiment de l'Old Stock Exchange, siège de la première place boursière au Canada, dans le Vieux-Montréal.

La création littéraire contemporaine s'est diversifiée et enrichie. De nouvelles figures sont venues se joindre aux auteurs de la période antérieure. Par ailleurs, le théâtre se distingue au cours des années 1980 par un foisonnement de productions d'une remarquable qualité, dont plusieurs intègrent d'autres formes d'expression artistique (danse, chant, vidéo). À Montréal, on assiste étonné à la fondation de la Ligue nationale d'improvisation (en 1977, par Robert Gravel et Yvon Leduc), qui oblige les comédiens à improviser dans un décor et avec des règlements calqués sur ceux de la Ligue nationale de hockey, et qui regroupe à ce jour des émules dans toute la Francophonie. Fondé en 1986, Imago Théâtre demeure une référence en matière de théâtre alternatif anglophone. De brillants représentants de la dramaturgie contemporaine continuent de surprendre les spectateurs et de remplir les salles des nombreux théâtres montréalais.

Danse

On ne saurait passer sous silence l'incroyable effervescence de la danse classique et contemporaine à Montréal. De nombreuses compagnies et troupes, petites et grandes, assurent une vitalité qui fait de la métropole québécoise une hôte de choix pour les danseurs et chorégraphes d'ici ou d'ailleurs.

Fondés à Montréal en 1957 grâce à Ludmilla Chiriaeff, Les Grands Ballets Canadiens de Montréal ont su conserver depuis leurs débuts un rayonnement artistique sans pareil. Le ballet classique y est certes à l'honneur, sans cesse renouvelé par l'esprit de découverte qui anime cette troupe exceptionnelle. Les Ballets Jazz de Montréal, fondés en 1972 par Geneviève Salbaing, explorent des territoires uniques et actuels. Dès les années 1980, une explosion de créativité et d'exploration se cristallise avec l'arrivée sur la scène montréalaise de troupes comme La La La Human Steps (Édouard Lock, 1980), O Vertigo (Ginette Laurin, 1984), Montréal Danse (Paul-André Fortier et Daniel Jackson, 1986) et la compagnie Marie Chouinard (1990).

Cinéma

Pionnier du cinéma, Léo-Ernest Ouimet entre dans l'histoire de la cinématographie montréalaise en ouvrant en 1906 le Ouimetoscope dans un théâtre loué, la Salle Poiré. L'année suivante, il rase l'immeuble et construit l'une des premières grandes salles de cinéma en Amérique du Nord, avec 1 200 places. À cette époque, les films produits et tournés à Montréal abordent pour la plupart des thèmes liés à l'actualité ou au voyage. Entre 1947 et 1953, des producteurs privés adaptent à l'écran des œuvres romanesques et théâtrales ayant connu un succès populaire à la radio, comme *Un homme et son péché* (1948), *Séraphin* (1949), *La petite Aurore l'enfant martyre* (1951) et *Tit-Coq* (1952).

Fondé le 2 mai 1939, l'Office national du film (ONF), d'abord situé à Ottawa, déménage à Montréal en 1956 sous la direction d'Albert Trueman. Or, pendant plusieurs années, la production d'œuvres francophones est plutôt mince à l'ONF, qui est vite perçu comme un objet de propagande fédéraliste aux yeux des Montréalais. En 1964, l'ONF est divisé en deux secteurs linguistiques (anglophone et francophone) après la nomination du premier commissaire de langue française, Guy Roberge. C'est le début d'un temps nouveau pour la création cinématographique dans la métropole.

La renaissance du cinéma, au cours des années 1960, est largement tributaire du soutien de l'Office national du film (ONF). Des documentaires, des films d'animation inventifs, des fictions tournées avec la technique du « cinéma direct » et des critiques de la société québécoise, alors dominée par le clergé, constituent les principales réalisations des premiers cinéastes liés à l'ONF. Gilles Groulx, Claude Jutra, Norman McLaren, Pierre Perrault, Michel Brault et Jean-Pierre Lefebvre figurent parmi les pionniers de cette cinématographie. Le film de Pierre Perrault et Michel Brault, *Pour la suite du monde* (1963), fut sans doute le plus marquant par son caractère innovateur. Par la suite, le long métrage de fiction devient un genre dominant, et quelques cinéastes, comme Gilles Carle, connaissent le succès.

Parmi les films des dernières décennies qui ont marqué l'imaginaire montréalais, notons ceux des oscarisés Denys Arcand (*Le Déclin de l'empire américain*, 1986; Jésus de Montréal, 1989; *Les Invasions barbares*, 2003, premier film canadien à recevoir l'Oscar du meilleur film en langue étrangère) et Frédéric Back (*Crac!* en 1981 et *L'homme qui plantait des arbres* en 1987, qui ont obtenu l'Oscar du meilleur film d'animation, le premier étant connu pour ses critiques sociales et le second pour son point de vue sur les causes environnementales). Notons aussi Claude Fournier (*Bonheur d'occasion*, 1983) et Jean Beaudin (*Le Matou*, 1985) pour leur traitement du quotidien montréalais, et Pierre Falardeau (*Octobre* en 1994 et *15 février 1839* en 2001, deux films portant sur les épisodes tragiques vécus par le peuple québécois).

Le jeune réalisateur montréalais Xavier Dolan a également fait belle figure sur la scène internationale, depuis son premier long-métrage *J'ai tué ma mère* (2009) jusqu'à *Mommy* (2014), Prix du Jury au Festival de Cannes et plus grand succès de tous les temps du cinéma québécois dans les salles françaises, et *Juste la fin du monde* (2016), Grand Prix à Cannes. Les cinéastes Denis Villeneuve (*Polytechnique*, 2009; *Incendies*, 2010; *Prisoners*, 2013; *Enemy*, 2013; *Sicario*, 2015; *Arrival*, 2016) et Philippe Falardeau (*Monsieur Lazhar*, 2011; *The Good Lie*, 2014; *Guibord s'en va-t-en-guerre*, 2015), tous deux finalistes aux Oscars dans la catégorie du meilleur film en langue étrangère, ou encore Jean-Marc Vallée (*C.R.A.Z.Y.*, 2005; *Dallas Buyers Club*, 2013; *Wild*, 2014; *Demolition*, 2015), ont entamé des carrières hollywoodiennes après l'intérêt suscité par leurs films tournés au Québec. Un autre finaliste aux Oscars, Kim Nguyen (*Rebelle*, 2012; *Two Lovers and a Bear*, 2016), s'est consacré à un documentaire (*Le nez*, 2014).

Mentionnons aussi la contribution de Daniel Langlois, acteur important sur la scène du cinéma utilisant les nouvelles technologies. Il est notamment le créateur du cinéma Excentris (fermé en 2015) et le fondateur de Softimage (vendu à Microsoft en 1994), qui crée des logiciels d'animation infographique ayant servi à la réalisation de plusieurs longs métrages remarqués ces dernières années.

La ville de Montréal se démarque dans le milieu du cinéma sur un autre plan. Non seulement elle compte de nombreux cinéphiles, mais elle est également l'hôte de plusieurs festivals de cinéma. Depuis quelques décennies déjà, Montréal constitue aussi un lieu de tournage hors pair pour des réalisateurs venus du monde entier en raison de la qualité jamais démentie de la main-d'œuvre et des services qu'ils y obtiennent.

Gilles Vigneault.

Norman McLaren.

Musique et chanson

En ce qui a trait à la musique, il faut attendre les années d'après-guerre pour que le modernisme puisse commencer à s'afficher au Québec. Cette tendance s'affirme résolument à partir des années 1960, alors qu'on tient pour la première fois, en 1961, une Semaine internationale de la musique actuelle. Les grands orchestres, notamment l'Orchestre symphonique de Montréal (OSM), commencent dès lors à intéresser un plus vaste public. Il faut souligner le travail ambitieux d'Alain Lefèvre et de Marie-Andrée Ostiguy, des pianistes classiques aujourd'hui reconnus internationalement.

La chanson, qui a toujours été un élément important du folklore québécois, connaît un nouvel essor dans l'entre-deux-guerres, avec la généralisation de la radio et l'amélioration de la qualité des enregistrements. Des artistes comme Ovila Légaré s'illustrent, mais le plus grand succès de l'époque appartient incontestablement à La Bolduc (Mary Travers), qui, grâce à des chansons originales en langue populaire, connaît la gloire pendant de longues années. Au cours de la guerre, le Soldat Lebrun occupe aussi une place appréciable dans le monde de la chanson locale. Puis, durant les années 1950, la mode de l'adaptation de succès américains ou de l'interprétation de chansons françaises éclipse le travail de chansonniers tels que Raymond Lévesque et Félix Leclerc, qui ne seront reconnus qu'au cours de la décennie suivante.

Avec la Révolution tranquille, la chanson dite québécoise s'affiche avec éclat. Des chansonniers comme Claude Léveillée, Jean-Pierre Ferland, Gilles Vigneault et Claude Gauthier font vibrer les « boîtes à chansons » du Québec par des textes fortement teintés d'affirmation nationale et culturelle. Un événement d'une grande portée survient en 1968, lorsque Robert Charlebois lance le premier album rock en français. La chanson québécoise connaît par la suite des succès retentissants. Pour la Saint-Jean-Baptiste, fête nationale des Québécois, des artistes parviennent à rassembler des centaines de milliers de personnes lors de grands spectacles extérieurs se transformant en véritables événements.

Aux dizaines de figures déjà connues dans le monde de la musique populaire québécoise se sont joints au cours des 20 dernières années des artistes d'envergure de tous horizons comme Jean Leloup, Richard Desjardins, Daniel Bélanger, Yann Perrault, Ariane Moffatt, Les Cowboys Fringants, Malajube, Cœur de pirate et Pierre Lapointe. Certains artistes anglophones comme Leonard Cohen (décédé en 2016) et Rufus Wainwright jouissent d'une solide réputation internationale, sans oublier les groupes rock Arcade Fire, The Besnard Lakes, The Dears, Godspeed You! Black Emperor ou Wolf Parade, souvent associés à la nouvelle scène musicale montréalaise qui a bonne cote à l'étranger. Finalement, on ne saurait passer sous silence l'incontournable Céline Dion.

La ville de Montréal est fière de ses deux grands orchestres de renommée internationale, qui demeurent d'excellents ambassadeurs sur les scènes canadiennes et mondiales de la musique classique. Tous deux ont remporté au fil des décennies des prix prestigieux aussi bien pour leurs performances en salle que pour la qualité de leurs enregistrements. Fondé en 1981, l'Orchestre Métropolitain, dirigé depuis l'an 2000 par Yannick Nézet-Séguin, qui est aussi le nouveau directeur musical du Metropolitan Opera (MET) de New York, compte en son sein une soixantaine de musiciens qui proviennent des conservatoires et des facultés de musique du Québec. L'Orchestre symphonique de Montréal (OSM), quant à lui, bénéficie depuis 1934, l'année de sa fondation, d'un important rayonnement musical, à l'instar des plus grands orchestres de ce monde. Depuis la saison 2006-2007, Kent Nagano est devenu le huitième directeur musical de l'OSM en succédant à Charles Dutoit. Nouvelle salle de concerts de l'OSM, la Maison symphonique de Montréal a ouvert ses portes en septembre 2011, au nord-est de l'esplanade de la Place des Arts.

Arts visuels

Ayant pour toile de fond idéologique le clérico-nationalisme, les œuvres d'art québécoises du XIXe siècle s'illustrent par leur attachement à un esthétisme désuet. Néanmoins encouragés par de grands collectionneurs montréalais, des peintres locaux adhèrent à des courants quelque peu novateurs à la fin du XIXe siècle et au début du XXe siècle.

Les peintures d'Ozias Leduc, qui s'inscrivent dans le courant symboliste, démontrent aussi une tendance à l'interprétation subjective de la réalité, tout comme les sculptures d'Alfred Laliberté réalisées au début du XXe siècle. Quelques créations de l'époque laissent entrevoir une certaine perméabilité aux courants européens, comme c'est le cas des tableaux de Marc-Aurèle de Foy Suzor-Coté. Toutefois, la peinture de James Wilson Morrice, inspirée de Matisse, permet de mieux sentir l'empreinte des écoles européennes. Mort en 1924, Morrice est perçu par plusieurs comme le précurseur de l'art moderne au Québec. Il faudra néanmoins attendre plusieurs années, marquées notamment par les peintures très attrayantes de Marc-Aurèle Fortin, paysagiste mais aussi peintre urbain, avant que l'art visuel québécois ne se place au diapason des courants contemporains.

L'art moderne québécois commence d'abord à s'affirmer au cours de la Seconde Guerre mondiale grâce aux œuvres avant-gardistes d'Alfred Pellan et de Paul-Émile Borduas. Dans les années 1950, on distingue deux courants artistiques d'après-guerre importants. Le premier est le non-figuratif, que l'on divise en deux tendances : l'expressionnisme abstrait, dont se réclament Marcelle Ferron, Marcel Barbeau, Pierre Gauvreau et surtout Jean Paul Riopelle, et l'abstraction géométrique, où s'illustrent particulièrement Jean-Paul Jérôme, Fernand Leduc, Fernand Toupin, Louis Belzile et

Maison symphonique de Montréal.

Montréal Complètement Cirque

Rodolphe de Repentigny. Le second, le nouveau figuratif, comprend des peintres tels que Jean Dallaire et surtout Jean Paul Lemieux.

Les tendances de l'après-guerre s'imposent toujours dans les années 1960, quoique l'arrivée de nouveaux créateurs cristallise la sphère de l'abstraction géométrique. Par ailleurs, le domaine de la gravure et de l'estampe connaît un essor certain, les *happenings* se multiplient et l'on n'hésite plus à mettre les artistes à contribution dans l'aménagement des lieux publics. La diversification des procédés et des écoles devient réelle à partir du début des années 1970, jusqu'à présenter aujourd'hui une image très éclatée des arts visuels grâce à l'intégration de la vidéo, de l'audio et des nouvelles technologies.

Arts du cirque

Le Québec peut s'enorgueillir d'une reconnaissance *de facto* sur la scène internationale du cirque. Depuis quelques années, les spectacles des troupes de cirque québécoises sont en effet présentés à travers le monde à des millions de personnes de tous les âges. Les talentueux artistes circassiens ont acquis, avec raison, une excellente réputation partout où ils se sont exécutés sous les chapiteaux. Et, précisons-le, sans animaux...

Montréal Complètement Cirque, le festival international des arts du cirque de la métropole, se déroule sur différents sites à travers l'île de Montréal chaque mois de juillet pendant 10 jours et connaît un succès toujours grandissant.

Le Cirque du Soleil

La naissance du Cirque du Soleil remonte à 1984. L'idée de sa conception a germé à Baie-Saint-Paul, dans la région de Charlevoix, où des saltimbanques visionnaires s'étaient réunis pour animer une fête foraine; parmi eux se trouvaient Gilles Sainte-Croix et Guy Laliberté, le fondateur.

L'univers onirique du Cirque du Soleil renferme un alliage savant d'éléments liés à l'art du cirque, du théâtre, de la danse et de la musique, pour former de merveilleux tableaux vivants et poétiques.

Aujourd'hui, plus de 5 000 employés de 50 nationalités différentes s'affairent dans les domaines de la diffusion, de la création et de la production des spectacles. Plusieurs chapiteaux permanents ont été déployés dans le monde. Le siège social international du Cirque du Soleil se trouve toujours à Montréal, malgré la vente du Cirque du Soleil à un consortium étranger.

Les 7 doigts de la main

Ayant œuvré auparavant au sein du Cirque du Soleil, les sept artistes de la compagnie Les 7 doigts de la main, dont le siège social est à Montréal, ont formé un collectif de cirque en 2002. Cette année-là, ils ont créé le spectacle *Loft*, suivi entre autres de *Traces* en 2006, de *La vie* en 2007, de *Psy* en 2010, de *Séquence 8* en 2012 et de *Réversible* en 2016. Déjà en 2003, ils entamaient une tournée mondiale et remportaient des prix. Et leur étoile ne pâlit pas depuis, les invitations à présenter leurs spectacles à travers le monde se multipliant.

Le Cirque Éloize

Fondé en 1993 par des jeunes des îles de la Madeleine diplômés de l'École nationale de cirque de Montréal, notamment Jeannot Painchaud, le Cirque Éloize ne cesse depuis de faire parler de lui, et ce, à travers le monde entier. Reconnus dès leurs débuts pour leurs prouesses techniques empreintes de poésie et d'originalité, les saltimbanques de la troupe tiennent le cap : émouvoir le spectateur par les numéros d'acrobatie, la danse, le chant, la musique, le rêve et la beauté.

En 2005, le Cirque Éloize a emménagé dans l'ancienne gare Dalhousie, dans le Vieux-Montréal, sur les lieux mêmes où les membres fondateurs avaient fait leurs premières armes – cette gare abrita de 1986 à 2003 l'École nationale de cirque de Montréal.

Le Cirque Alfonse

Après avoir parcouru plusieurs horizons avec son premier spectacle, *La Brunante*, le Cirque Alfonse est devenu très populaire en 2010 avec *Timber!*, qui s'inspire des camps de bûcherons québécois. Le succès de cette création originale ne s'est pas démenti depuis, avec plus de 250 représentations dans 13 pays. Le Cirque Alfonse a créé son troisième spectacle en 2014. Offert en formule cabaret inventive et déjantée, *Barbu : foire électro-trad* s'inspire des foires d'antan.

TOHU, la Cité des arts du cirque.

TOHU, la Cité des arts du cirque

TOHU est un organisme à but non lucratif fondé à Montréal en 1999 par En Piste (le Regroupement québécois des professionnels de cirque), l'École nationale de cirque et le Cirque du Soleil. Ses objectifs sont de faire de la métropole québécoise une capitale internationale des arts du cirque, de participer à la remise en état du site de l'ancienne carrière Miron, aujourd'hui le Complexe environnemental de Saint-Michel, où elle est implantée, et de ranimer le quartier Saint-Michel qui l'entoure.

Au départ, l'idée d'une cité des arts du cirque est de concentrer, sur un même site, les infrastructures de création, de formation, de production et de diffusion des arts du cirque. Plus de 15 ans après la fondation de l'organisme, le rêve est devenu réalité. On trouve aujourd'hui à la TOHU, la Cité des arts du cirque : le siège social international du Cirque du Soleil et son centre d'hébergement des artistes; l'École nationale de cirque, qui renferme également les locaux du regroupement En Piste; ainsi que le pavillon de la TOHU. Seul édifice public sur le territoire de la TOHU, le pavillon de la TOHU se présente comme un exemple unique d'architecture verte. En plus de loger la toute première salle de spectacle circulaire au Canada, il tient lieu de porte d'entrée pour le Complexe environnemental de Saint-Michel, et la grande place extérieure qui l'avoisine permet l'installation d'un chapiteau démontable pouvant accueillir 1 700 spectateurs.

Cathédrale Marie-Reine-du-Monde.

Explorer Montréal

Le Vieux-Montréal

Attraits

une journée

Une promenade au gré des rues étroites du **Vieux-Montréal** ★★★ vous fera découvrir un environnement historique et culturel qui donnera du relief à votre escapade.

Au XVIIIe siècle, Montréal était, tout comme Québec, entourée de fortifications en pierre (voir le plan des fortifications de Montréal vers 1750, p. 25). Entre 1801 et 1817, cet ouvrage défensif fut démoli à l'instigation des marchands qui y voyaient une entrave au développement de la ville. Cependant, la trame des rues anciennes, comprimée par près de 100 ans d'enfermement, est demeurée en place. Ainsi, le Vieux-Montréal d'aujourd'hui correspond à peu de chose près au territoire couvert par la ville fortifiée.

Au XIXe siècle, ce secteur devient le noyau commercial et financier du Canada. On y construit de somptueux sièges sociaux de banques et de compagnies d'assurances, ce qui entraîne la destruction de la quasi-totalité des bâtiments du Régime français.

Puis, au XXe siècle, après une période d'abandon de 40 ans au profit du centre-ville moderne, le long processus visant à redonner vie au Vieux-Montréal a été enclenché avec les préparatifs de l'Exposition universelle de 1967 et se poursuit, de nos jours, à travers de nombreux projets de recyclage et de restauration. Cette revitalisation connaît même un second souffle depuis la fin des années 1990. Des hôtels de marque sont aménagés dans des édifices historiques, alors que plusieurs Montréalais renouent avec la vieille ville en y déménageant leurs pénates.

Le circuit débute à l'extrémité ouest du Vieux-Montréal, rue Saint-Jacques (métro Square-Victoria–OACI). Derrière vous se trouve le ***square Victoria*** *(voir p. 88), décrit dans le circuit portant sur le centre-ville de Montréal.*

La **rue Saint-Jacques** a été pendant plus de 100 ans l'artère de la haute finance canadienne. Cette particularité se reflète dans son architecture riche et variée, véritable encyclopédie des styles de la période 1830-1930. Les banques et les compagnies d'assurances, tout comme les grands magasins et les sociétés ferroviaires ou maritimes du pays, étaient alors contrôlées, pour une bonne part, par des Écossais devenus Montréalais, attirés par les perspectives d'enrichissement qu'offraient les colonies.

Il faut pénétrer dans le hall de l'**ancien siège social de la Banque Royale** ★★ *(360 rue St-Jacques; www.360stjacques.com; métro*

À ne pas manquer

Attraits

Basilique Notre-Dame p. 52

Place d'Armes p. 49

Cité Mémoire p. 54

Marché Bonsecours p. 63

Château Ramezay – Musée et site historique de Montréal p. 61

Pointe-à-Callière, musée d'archéologie et d'histoire de Montréal p. 55

Hôtel de ville de Montréal p. 59

Restaurants

Café Luna d'Oro p. 65

Chez L'Épicier p. 67

Olive + Gourmando p. 66

Auberge Saint-Gabriel p. 67

Le Club Chasse et Pêche p. 68

Le Serpent p. 66

Graziella p. 69

Achats

L'Empreinte coopérative p. 69

Espace Pepin p. 70

Delano Design p. 70

Boutique Denis Gagnon p. 70

Marché des éclusiers p. 69

Librarie Bertrand p. 70

Sorties

Terrasse Nelligan p. 71

Le café dans le hall de l'ancien siège social de la Banque Royale.

Square-Victoria–OACI) pour admirer les hauts plafonds de ce « temple de la finance », construit à une époque où les banques devaient se doter de bâtiments imposants afin de donner confiance à l'épargnant. Inauguré en 1928 après avoir été réalisé selon les plans de spécialistes du gratte-ciel new-yorkais, cet édifice demeure un des derniers immeubles de cette période faste. La succursale de la Banque Royale a quitté les lieux, aujourd'hui occupés par l'entreprise collective Crew. Tout en respectant le décor et l'architecture, Crew y loue des bureaux et des salles de conférences, en plus d'y tenir un café qui permet à tous de profiter du magnifique hall.

La **Banque Molson** ★ *(288 rue St-Jacques; métro Square-Victoria–OACI)* a été fondée en 1853 par la famille Molson, célèbre pour sa brasserie mise sur pied par l'ancêtre John Molson (1763-1836) en 1786. À l'instar d'autres banques de l'époque, la Banque Molson imprimait son propre papier-monnaie. C'est dire la puissance de ses propriétaires, qui ont beaucoup contribué au développement de Montréal. L'édifice, achevé en 1866, est un des premiers exemples du style Second Empire à avoir été construit au Canada. On remarque, au-dessus de l'entrée, les têtes de Thomas Molson (deuxième des trois fils de John) et de deux de ses enfants, sculptées dans le grès.

En face, l'ancien siège social québécois de la Banque CIBC, avec ses six imposantes colonnes corinthiennes de granit, est récemment devenu le **Théâtre St-James** *(265 rue St-Jacques; http://theatrestjames.ca; métro Square-Victoria–OACI)*, qui accueille des événements privés de toutes sortes, des conférences aux mariages.

››› *Longez la rue Saint-Jacques jusqu'à la place d'Armes, que l'on découvre soudainement.*

Sous le Régime français, la **place d'Armes** ★★ *(métro Place-d'Armes)* constituait le cœur de la cité. Utilisée pour des manœuvres militaires et des processions religieuses, elle comportait aussi le puits Gadois, principale source d'eau potable de l'agglomération. En 1847, la place se transforme en un joli jardin victorien, ceinturé d'une grille, qui disparaîtra au début du XXe siècle pour faire place au terminus des tramways. Entre-temps, on y installe en 1895 le **monument à Maisonneuve** ★★ du sculpteur Louis-Philippe Hébert, qui représente le fondateur de Montréal, Paul de Chomedey, sieur de Maisonneuve, entouré de personnages ayant marqué les débuts de la ville, soit Jeanne Mance, cofondatrice de Montréal et fondatrice de l'Hôtel-Dieu, Lambert Closse avec sa chienne *Pilotte*, ainsi que Charles Le Moyne, chef d'une famille d'explorateurs célèbres. Un guerrier iroquois complète le tableau. Le réaménagement récent de la place d'Armes lui donne un bel air contemporain. Du côté ouest de la place, aux extrémités nord et sud, remarquez les deux sculptures satiriques de l'artiste Marc-André Jacques Fortier, *Le Caniche français* et *Le Carlin anglais*, symboles de la relation parfois tendue entre les communautés francophone et anglophone de Montréal.

La place est entourée de plusieurs édifices dignes de mention. La **Banque de Montréal** ★★ *(119 rue St-Jacques; métro Place-d'Armes)*, fondée en 1817 par un groupe de marchands, est la plus vieille institution bancaire du pays. Le siège social de la Banque de Montréal occupe tout un quadrilatère au nord de la place d'Armes, au centre duquel trône le magnifique édifice construit en 1847 sur le modèle du Panthéon romain. À l'intérieur, le splendide hall est aménagé dans le goût des basiliques romaines, où se mêlent colonnes de syénite verte, ornements de bronze doré et comptoirs de marbre beige.

Au 511 place d'Armes, l'**édifice New York Life** ★, une surprenante tour de grès rouge réalisée en 1888 pour la compagnie d'assurances New York Life, est considéré comme le premier gratte-ciel montréalais, avec seulement huit étages. Sa pierre de parement fut importée d'Écosse. On acheminait alors ce type de pierres dans les cales des navires, où elles servaient de ballast avant d'être vendues à quai aux entrepreneurs en construction.

Édifice Aldred.

L'**édifice Aldred** ★ *(501-507 place d'Armes)* arbore de beaux détails Art déco. Il est un des premiers immeubles montréalais à avoir dépassé 10 étages, à la suite de l'abrogation, en 1927, du règlement limitant la hauteur des édifices.

››› *Du côté sud de la place d'Armes, on retrouve la basilique Notre-Dame ainsi que le Vieux Séminaire de Saint-Sulpice.*

★ Attraits

1. BW Rue Saint-Jacques
2. BX Banque Royale
3. BX Banque Molson
4. BX Théâtre St-James
5. CX Place d'Armes/Monument à Maisonneuve
6. CW Banque de Montréal
7. CW Édifice New York Life
8. CX Édifice Aldred
9. CX Basilique Notre-Dame
10. CX Vieux Séminaire de Saint-Sulpice
11. CX Cours Le Royer
12. CX Rue Saint-Paul
13. CX Place Royale
14. CY Maison de la Douane/Pointe-à-Callière, musée d'archéologie et d'histoire de Montréal
15. CX DHC/ART
16. BX Centre Phi
17. BY Centre d'histoire de Montréal
18. BY Hôpital général des Sœurs Grises/Maison de Mère d'Youville
19. AY Fonderie Darling
20. DX Vieux-Port de Montréal
21. EX Quais du Vieux-Port
22. BZ Embouchure du canal de Lachine
23. BZ Silo à grain no 5
24. CZ Gare maritime Iberville du Port de Montréal
25. DY Centre des sciences de Montréal
26. DX Auberge Saint-Gabriel
27. DW Palais de justice de Montréal
28. DX Édifice Ernest-Cormier
29. DW Ancien palais de justice
30. EX Place Jacques-Cartier/Colonne Nelson
31. EY Quai Jacques-Cartier
32. DX Rue Saint-Amable/Cour des Arts du Vieux-Montréal
33. EW Hôtel de ville de Montréal
34. EW Place Vauquelin
35. EW Champ-de-Mars
36. EX Place De La Dauversière
37. EX Château Ramezay – Musée et site historique de Montréal
38. FX Lieu historique national de Sir-George-Étienne-Cartier
39. FW Gare Viger
40. FX Gare Dalhousie
41. EX Chapelle Notre-Dame-de-Bon-Secours/Musée Marguerite-Bourgeoys
42. EX Maison Pierre du Calvet
43. EX Maison Papineau
44. EX Marché Bonsecours
45. EX Musée de la mode
46. EY Pavillon Jacques-Cartier
47. EY Parc du Bassin-Bonsecours
48. FY Tour de l'Horloge
49. FY Plage de l'Horloge

● Restaurants

50. CX Accords
51. DX Auberge Saint-Gabriel
52. CX Bonaparte
53. BX Boris Bistro
54. BX Brit & Chips
55. CX Café Luna d'Oro
56. EX Chez L'Épicier
57. AZ Da Emma
58. CX Gandhi
59. BY Gibbys
60. BY Graziella
61. BX Helena
62. BY Ikanos
63. CW Kyo
64. BY Le Cartet
65. EX Le Club Chasse et Pêche
66. CX Le Garde-Manger
67. AY Le Serpent
68. EX Les 400 coups
69. EX Les Filles du Roy
70. CX Ming Tao Xuan
71. BX Olive + Gourmando
72. AW Portus 360
73. CX Stash Café
74. BX Titanic
75. BW XO Le Restaurant

■ Achats

76. BX À table tout le monde
77. DX Bonaldo
78. CX Boutique Denis Gagnon
79. CY Boutique du Musée Pointe-à-Callière
80. CX Delano Design
81. BX Dubuc Mode de Vie
82. BX Espace Pepin
83. DX Galerie d'art Le Bourget
84. EX Galerie d'art Michel-Ange
85. CX Galerie Le Luxart
86. DX Galerie LeRoyer
87. AZ Galerie René Blouin
88. DX Galerie Saint-Dizier
89. DX Images Boréales
90. DX L'Empreinte coopérative
91. DX La Cour des Arts du Vieux-Montréal
92. EW Le Chariot
93. BX Librairie Bertrand
94. EX Marché Bonsecours
95. BZ Marché des éclusiers
96. BY Salmo Nature
97. CX U & I

Bars et boîtes de nuit

98. EX Le Balcon café-théâtre
99. DX Les Deux Pierrots
100. CW Suite 701/Terrasse Place d'Armes
101. CX Terrasse Nelligan
102. DX Terrasse sur l'Auberge

▲ Hébergement

103. BY Auberge Alternative
104. CX Auberge Bonaparte
105. DX Auberge du Vieux-Port
106. EX Hostellerie Pierre du Calvet
107. CX Hôtel Épik Montréal
108. BX Hôtel Gault
109. BW Hôtel Le St-James
110. CX Hôtel Nelligan
111. DX Hôtel William Gray
112. CX Le Petit Hôtel
113. CW Le Place d'Armes Hôtel & Suites
114. CW LHotel Montréal

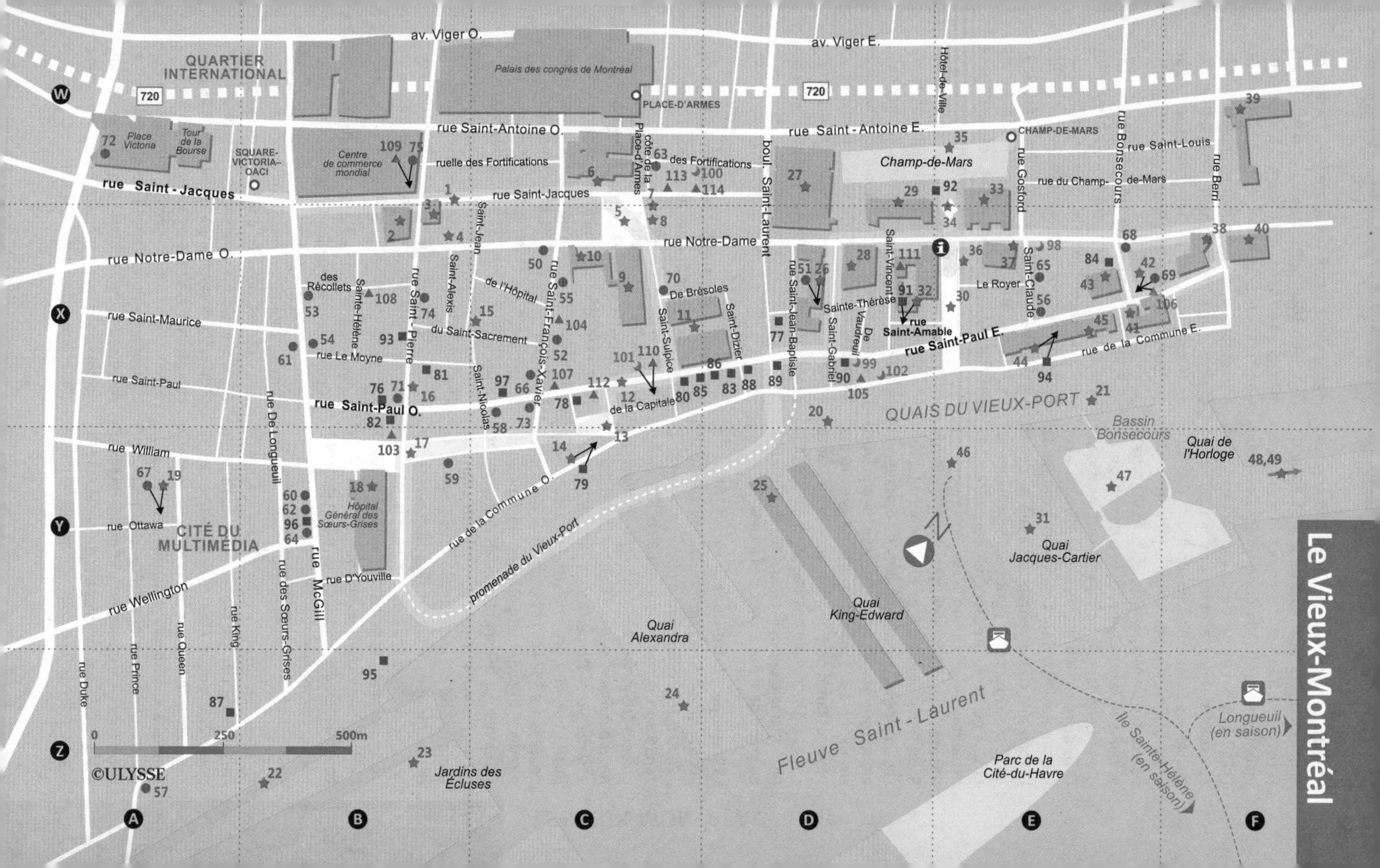

Le Vieux-Montréal
av. Viger O.
av. Viger E.
QUARTIER INTERNATIONAL
Palais des congrès de Montréal
720
PLACE-D'ARMES
Hôtel-de-Ville
rue Saint-Antoine O.
rue Saint-Antoine E.
CHAMP-DE-MARS
Place Victoria
Tour de la Bourse
SQUARE-VICTORIA-OACI
Centre de commerce mondial
ruelle des Fortifications
côte de la Place-d'Armes
des Fortifications
boul. Saint-Laurent
Champ-de-Mars
rue Saint-Louis
rue du Champ-de-Mars
rue Bonsecours
rue Berri
rue Gosford
rue Saint-Jacques
rue Notre-Dame O.
rue Notre-Dame
des Récollets
Sainte-Hélène
rue Saint-Pierre
Saint-Alexis
Saint-Jean
de l'Hôpital
rue Saint-François-Xavier
De Brésoles
Saint-Sulpice
Saint-Dizier
rue Saint-Jean-Baptiste
Sainte-Thérèse
Saint-Gabriel
De Vaudreuil
Saint-Vincent
rue Saint-Amable
Le Royer
Saint-Claude
rue Saint-Maurice
du Saint-Sacrement
rue Le Moyne
rue Saint-Paul
rue Saint-Paul O.
Saint-Nicolas
de la Capitale
rue Saint-Paul E.
rue de la Commune E.
QUAIS DU VIEUX-PORT
Bassin Bonsecours
Quai de l'Horloge
rue William
rue de la Commune O.
Hôpital Général des Sœurs-Grises
rue Ottawa
CITÉ DU MULTIMÉDIA
rue De Longueuil
rue McGill
rue D'Youville
promenade du Vieux-Port
rue Wellington
rue Duke
rue Prince
rue Queen
rue King
rue des Sœurs-Grises
Quai Alexandra
Quai King-Edward
Quai Jacques-Cartier
Fleuve Saint-Laurent
Parc de la Cité-du-Havre
Île Sainte-Hélène (en saison)
Longueuil (en saison)
Jardins des Écluses
0
250
500m
©ULYSSE
W
X
Y
Z
A
B
C
D
E
F

En 1663, la seigneurie de l'île de Montréal est acquise par les Messieurs de Saint-Sulpice de Paris. Ces derniers en demeureront les maîtres incontestés jusqu'à la Conquête britannique (1759-1760). En plus de distribuer des terres aux colons et de tracer les premières rues de la ville, les Sulpiciens font construire de nombreux bâtiments, notamment la première église paroissiale de Montréal en 1673. Placé sous le vocable de Notre-Dame, ce lieu de culte, orné d'une belle façade baroque, s'inscrivait dans l'axe de la rue du même nom, formant ainsi une agréable perspective, caractéristique de l'urbanisme classique français. Mais, au début du XIXe siècle, cette petite église villageoise faisait piètre figure, lorsque comparée à la cathédrale anglicane de la rue Notre-Dame et à la nouvelle cathédrale catholique de la rue Saint-Denis, deux édifices aujourd'hui disparus. Les Sulpiciens décidèrent alors de marquer un grand coup afin de surpasser pour de bon leurs rivaux. En 1823, ils demandent à l'architecte new-yorkais d'origine irlandaise protestante James O'Donnell de dessiner la plus vaste et la plus originale des églises au nord du Mexique, au grand dam des architectes locaux.

La **basilique Notre-Dame** ★★★ *(5$; fin juin à début sept lun 8h à 17h, mar-sam 8h à 20h, dim 12h30 à 16h, début sept à fin juin lun-ven 8h à 16h30, sam 8h à 16h, dim 12h30 à 16h; visites guidées 10$ incluant les frais d'entrée, durée 1h, fin juin à mi-oct ven à 13h30 et dim à 14h30; 110 rue Notre-Dame O., 514-842-2925, www.basiliquenddm.org; métro Place-d'Armes)*, érigée entre 1824 et 1829, est un véritable chef-d'œuvre du style néogothique en Amérique. O'Donnell fut tellement satisfait de son œuvre qu'il se convertit au catholicisme avant de mourir, afin d'être inhumé sous l'église. Le décor intérieur d'origine, jugé trop sévère, fut remplacé entre 1874 et 1880 par le fabuleux décor polychrome actuel entre 1874 et 1880. Exécuté par Victor Bourgeau, champion de la construction d'églises dans la région de Montréal, et par une cinquantaine d'artisans, il est, entièrement de bois peint et doré à la feuille.

On remarque en outre le baptistère, décoré de fresques du peintre Ozias Leduc, le puissant orgue Casavant de 7 000 tuyaux, fréquemment mis à contribution lors des nombreux concerts donnés à la basilique, ainsi que les vitraux du maître-verrier limousin Francis Chigot, qui dépeignent des épisodes de l'histoire de Montréal et qui furent installés lors du centenaire de l'église. À droite du chœur, un passage conduit à la chapelle du Sacré-Cœur, greffée à l'arrière de l'église en 1888. Surnommée la « chapelle des mariages » en raison des innombrables cérémonies nuptiales qui s'y tiennent chaque année, elle comprend une belle voûte compartimentée et percée de puits de lumière, un grand retable de bronze de Charles Daudelin et un orgue mécanique Guilbault-Thérien.

Le **Vieux Séminaire de Saint-Sulpice** ★ *(130 rue Notre-Dame O.; métro Place-d'Armes)* fut construit en 1683 sur le modèle des hôtels particuliers parisiens, édifiés entre cour et jardin. C'est le plus vieil édifice de la ville. Depuis plus de trois siècles, il est habité par les Messieurs de Saint-Sulpice, qui en ont fait, sous le Régime français, le manoir d'où ils administraient leur vaste seigneurie. À l'époque de sa construction, Montréal comptait à peine 500 habitants, terrorisés par les attaques incessantes des Iroquois. Le séminaire, même s'il semble somme toute modeste, représentait dans ce contexte un précieux morceau de civilisation européenne au milieu d'une contrée sauvage et isolée.

››› *Empruntez la rue Saint-Sulpice, qui longe la basilique.*

Les immenses entrepôts du **Cours Le Royer** ★ *(angle des rues St-Paul et St-Sulpice; métro Place-d'Armes)* ont été conçus entre 1860 et 1871 par Michel Laurent et Victor Bourgeau, dont c'est une des seules réalisations commerciales, pour les religieuses hospitalières de Saint-Joseph, qui les louaient à des importateurs. Ils sont situés sur l'emplacement même du premier Hôtel-Dieu de Montréal, fondé par Jeanne Mance en 1642 et inauguré en 1645. L'ensemble de 43 000 m^2 a été recyclé en appartements et en bureaux entre 1977 et 1986. À cette occasion, la petite rue Le Royer a été excavée pour permettre l'aménagement d'un stationnement souterrain, recouvert d'un agréable passage piétonnier.

Le Vieux-Montréal recèle un grand nombre de ces entrepôts à ossature de pierre du XIXe siècle, destinés à emmagasiner les biens transbordés dans le port tout proche. Leurs importantes surfaces vitrées, prévues pour réduire l'éclairage artificiel au gaz et conséquemment le risque d'incendie, leurs vastes espaces intérieurs dégagés et surtout la sobriété de leurs parements dans le contexte victorien en font, tout comme leur contrepartie américaine à ossature de fonte, des ancêtres de l'architecture moderne. De plus, nombre de ces anciens entrepôts ont récemment été reconvertis en hôtels luxueux.

Basilique Notre-Dame.

››› *Tournez à droite dans la rue Saint-Paul, puis rejoignez la place Royale, sur votre gauche.*

Plus vieille rue montréalaise, tracée en 1672 selon le plan de l'urbaniste et historien Dollier de Casson, la **rue Saint-Paul** fut pendant longtemps la principale artère commerciale de Montréal. C'est probablement la rue la plus emblématique du Vieux-Montréal, avec ses beaux immeubles en pierre datant du XIXe siècle, ses galeries d'art et ses boutiques d'artisanat.

Cité Mémoire et les legs du 375e anniversaire de Montréal

Alors que Montréal célèbre en 2017 le 375e anniversaire de sa fondation, plusieurs projets entrepris pour commémorer cet événement historique deviendront des attraits et des installations urbaines dont les Montréalais et les visiteurs pourront jouir au cours des années à venir. Parmi ceux-ci se trouve ***Cité Mémoire*** ★★ *(gratuit; dim-mer de la tombée de la nuit à 22h, jeu-sam jusqu'à 23h; www.montrealenhistoires.com/cite_memoire)*, un parcours multimédia conçu par les metteurs en scène Michel Lemieux et Victor Pilon en collaboration avec le scénariste Michel Marc Bouchard. Diffusées sur une vingtaine de lieux extérieurs dans le Vieux-Montréal, les superbes vidéos qui composent le parcours invitent à découvrir différents événements qui ont marqué l'histoire de la ville. Aussi lyriques et émouvantes que ludiques et amusantes, les vidéos sont projetées sur une multitude de surfaces, allant des murs aux arbres en passant par le sol. Pour profiter pleinement des paroles et musiques qui accompagnent les images, téléchargez l'application gratuite *Montréal en Histoires*.

Plusieurs autres projets étaient en chantier au moment de mettre sous presse – voir notamment nos textes sur l'**Oratoire Saint-Joseph** (p. 170), le réaménagement du boulevard Robert-Bourassa et l'illumination du **pont Jacques-Cartier** (p. 146). Voici quelques autres initiatives dont on pourra bénéficier au cours des prochaines années :

- Promenade Fleuve-Montagne : un circuit urbain de 3,8 km reliant le fleuve Saint-Laurent au mont Royal, avec aires de repos et œuvres d'art public.
- Parc Jean-Drapeau : un important projet de réaménagement du secteur sud de l'île Sainte-Hélène comprend notamment la construction d'un amphithéâtre en plein air de 65 000 places.
- *Lumières sur le canal* : des mêmes concepteurs que *Cité Mémoire*, ce parcours de ponts et passerelles illuminera le canal de Lachine avec ses projections commémorant l'histoire du quartier Saint-Henri.
- Plage urbaine de Verdun : baigneurs et bronzeurs pourront envahir cette nouvelle plage de sable qui sera aménagée derrière l'Auditorium de Verdun, à l'extrémité sud de la rue de l'Église.
- Réhabilitation de la jetée Alexandra et de la gare maritime Iberville : ces installations portuaires pour les bateaux de croisière seront remodelées pour accueillir à la fois les croisiéristes et les Montréalais qui pourront jouir d'un meilleur accès visuel au fleuve.

Plus vieille place publique de Montréal, la **place Royale** *(métro Place-d'Armes)* existe depuis 1657. D'abord place de marché, elle devient, à son tour, un joli square victorien entouré d'une grille, avant d'être surélevée pour permettre l'aménagement d'une crypte archéologique pour le musée Pointe-à-Callière en 1991.

À l'extrémité nord de la place Royale, la **maison de la Douane** est un bel exemple d'architecture néoclassique britannique telle que transposée au Canada. Les lignes sévères du bâtiment, accentuées par le revêtement de pierres grises locales, sont compensées par ses proportions agréables et ses allusions simplifiées à l'Antiquité. L'édifice, construit en 1836, fait aujourd'hui partie du musée Pointe-à-Callière, qui l'a renommé « pavillon de l'Ancienne-Douane ».

L'établissement muséal nommé **Pointe-à-Callière, musée d'archéologie et d'histoire de Montréal** ★★ *(adultes 20$, enfants 8$ à 10$; sept à juin mar-ven 10h à 17h, sam-dim 11h à 17h, fin juin à début sept lun-ven 10h à 18h, sam-dim 11h à 18h; 350 place Royale, 514-872-9150, www.pacmusee.qc.ca; métro Place-d'Armes)* se trouve sur l'emplacement même où Montréal fut fondée le 17 mai 1642, soit la pointe à Callière. Son spectacle multimédia retrace l'histoire de Montréal, depuis la naissance du fleuve Saint-Laurent à nos jours. Dans les sous-sols et sous la place Royale, on déambule entre les vestiges découverts sur le site, mis en perspective grâce à de belles maquettes représentant différents stades du développement de la place Royale et à des animations remarquables.

Dans le pavillon de la Maison-des-Marins se trouvent des expositions temporaires, un atelier d'archéologie pour les enfants et la boutique du musée. Le pavillon de l'Ancienne-Douane renferme quant à lui l'exposition *Pirates ou corsaires?*. Ne manquez pas de grimper dans la tour de l'Éperon pour avoir une vue magistrale sur le Vieux-Port. Au moment de mettre sous presse, un projet était en cours pour mettre en valeur le site archéologique sous la place D'Youville afin de marquer les 375 ans de la fondation de la ville en 2017. L'ambitieux projet, dont les premières phases auront été inaugurées au moment où vous lirez ces lignes, permettra de découvrir les vestiges d'une douzaine de lieux historiques, dont le marché Sainte-Anne, le parlement du Canada-Uni, le fort de Ville-Marie et le château de Callière, grâce à un parcours souterrain immersif aménagé à même l'ancien égout collecteur William.

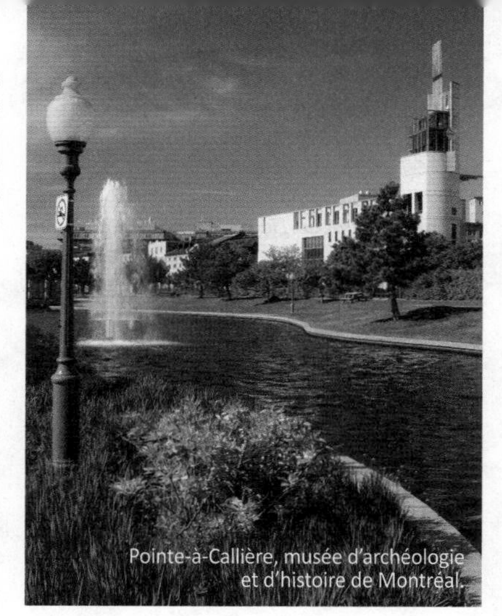
Pointe-à-Callière, musée d'archéologie et d'histoire de Montréal.

››› 🚶 *Dirigez-vous vers la rue Saint-Jean, en remontant la rue Saint-François-Xavier, puis en prenant la rue Saint-Sacrement à gauche.*

DHC/ART ★ *(entrée libre; mer-ven 12h à 19h, sam-dim 11h à 18h; 451 et 465 rue St-Jean, 514-849-3742, www.dhc-art.org)* est une fondation privée financée par la mécène Phoebe Greenberg, également fondatrice et directrice du Centre Phi (voir ci-dessous). Ce centre d'exposition ultracontemporain dévoile, sur deux sites distincts dans la même rue, des expositions consacrées à de jeunes artistes internationaux dont les œuvres sont souvent exposées pour la première fois au Canada.

Le **Centre Phi** ★ *(billetterie : lun-ven 10h à 17h, sam 12h à 17h; 407 rue St-Pierre, 514-225-0525, www.phi-centre.com)* est un lieu de rencontre pluridisciplinaire qui accueille des expositions contemporaines et bien d'autres événements culturels (concerts, spectacles) tout en proposant, dans sa salle de cinéma sophistiquée, une programmation de fictions et documentaires qui sortent de l'ordinaire. L'immeuble, qui date de 1861, a été rénové selon des normes internationales environnementales strictes, qui l'ont rendu vert et durable.

››› 🚶 *Dirigez-vous vers la place D'Youville au sud.*

Au milieu de la place D'Youville se dresse l'ancienne caserne de pompiers n° 1, rare exemple d'architecture d'inspiration flamande au Québec. Le bâtiment abrite le **Centre d'histoire de Montréal** ★ *(6$; fin juin à début sept mar-dim 10h à 17h, début sept à fin juin merdim 10h à 17h; 335 place D'Youville, 514-872-3207, www.ville.montreal.qc.ca/chm)*. À travers l'exposition *Traces. Lieux. Mémoires*, l'histoire de la ville est racontée, depuis sa fondation jusqu'à nos jours. Cette excellente introduction à la mémoire de Montréal explore l'évolution sociale et politique de la métropole grâce à des films, des objets anciens, des maquettes, des photos d'époque et des archives audio. Les deux étages supérieurs de l'édifice abritent des expositions temporaires liées à la ville et à ses communautés. Au dernier étage, une passerelle vitrée permet d'observer les toits du Vieux-Montréal.

››› *Tournez à gauche dans la rue Saint-Pierre.*

La congrégation des Sœurs de la Charité est mieux connue sous le nom de Sœurs Grises, sobriquet dont on avait affublé les religieuses – on les associait au trafic d'eau-de-vie de François d'Youville, époux décédé de Marguerite d'Youville –, accusées, à tort, de vendre de l'alcool aux Amérindiens et ainsi de les « griser ». En 1747, la fondatrice de la congrégation, Marguerite d'Youville, prend en main l'ancien hôpital des frères Charon, fondé en 1693, qu'elle transforme en **Hôpital général des Sœurs Grises** ★ *(138 rue St-Pierre; métro Square-Victoria–OACI)*, où sont hébergés les « enfants trouvés » de la ville. Seule l'aile ouest et les ruines de la chapelle subsistent de ce complexe des XVIIe et XVIIIe siècles, aménagé en forme de *H*. On peut y visiter la **Maison de Mère d'Youville** *(entrée libre; mar-dim 9h30 à 11h30 et 13h30 à 16h, sur rendez-vous hors saison; 514-842-9411)*, qui retrace l'histoire de Marguerite d'Youville. L'autre partie, qui composait auparavant une autre des belles perspectives classiques de la vieille ville, fut éventrée lors du prolongement de la rue Saint-Pierre en plein milieu de la chapelle.

Il est intéressant de sortir quelque peu du circuit pour se retrouver à la **Fonderie Darling** ★ *(5$, entrée libre jeu; mer-dim 12h à 19h, jeu jusqu'à 22h; 745 rue Ottawa, 514-392-1554, www.fonderiedarling.org; métro Square-Victoria–OACI)*. L'ancienne Fonderie Darling, située dans ce qui est aujourd'hui la Cité du multimédia de Montréal, a été reconvertie en centre d'art sur

Quelques adresses où se détendre et se ressourcer

Montréal compte plusieurs spas où vous pourrez vous faire dorloter, corps et âme. En voici quelques-uns qui se démarquent.

- **Bota Bota** *(358 rue de la Commune O., 514-284-0333, www.botabota.ca)*: un ancien traversier apponté dans le Vieux-Port est ici transformé en un luxueux centre de soins flottant. On profite de la vue époustouflante sur le port et la ville depuis les ponts et terrasses.
- **Espace Nomad** *(4650 boul. St-Laurent, 514-842-7279, www.espacenomad.ca)*: un espace inédit où l'on peut lâcher prise pendant quelques heures. Soins et massages de qualité ne feront pas mentir la devise du lieu: *Le temps que l'on prend pour soi aujourd'hui embellit celui de demain.*
- **Le Saint-Jude Espace Tonus** *(3988 rue St-Denis, 514-357-4222, http://lesaintjude.ca)*: le Saint-Jude est rapidement devenu le choix des résidents du Plateau pour ses soins de qualité et le charme de l'architecture de l'ancienne église Saint-Jude qui l'abrite.
- **Le Spa de l'Hôtel Le St-James** *(Hôtel Le St-James, 355 rue St-Jacques, 514-841-5030, www.hotellestjames.com)*: le Spa de l'Hôtel Le St-James se démarque par son atmosphère romantique, quasi magique, et son intimité inégalée.
- **Rainspa** *(Le Place d'Armes Hôtel & Suites, 55 rue St-Jacques, 514-282-2727, www.rainspa.ca)*: la décoration impeccable et naturelle du Rainspa enveloppe la clientèle d'une chaleur méditerranéenne et lui fait vivre une expérience teintée d'exotisme.
- **Scandinave Spa Vieux-Montréal** *(71 rue de la Commune O., 514-288-2009, www.scandinavemontreal.com)*: fidèle au concept de la thermothérapie, le design contemporain du Scandinave Spa réunit des éléments chauds (bois) et froids (pierre et marbre) pour créer un espace apaisant et distingué.

Vieux-Port de Montréal.

l'initiative de Quartier Éphémère, organisme d'intervention en sauvegarde du patrimoine industriel. Installée dans le quartier industriel en 1880, elle a contribué entre autres au développement portuaire de Montréal. Après avoir été abandonné pendant plusieurs années, le bâtiment a été restauré et se veut désormais un centre de création, de production et de diffusion d'œuvres d'art contemporain, et renferme des bureaux, des ateliers, un studio de son, une galerie d'art doublée d'une salle d'exposition et un restaurant, **Le Serpent** (voir p. 66), exploité par la brigade du Club Chasse et Pêche.

La **Cité du multimédia de Montréal** occupe un grand secteur au sud-ouest du Vieux-Montréal, soit l'ancien faubourg des Récollets; les édifices logent diverses entreprises œuvrant dans le milieu du cinéma et du multimédia, ce qui donne beaucoup de vie au quartier maintenant arpenté toute la journée par une foule de jeunes travailleurs.

Revenez où vous étiez et traversez la rue de la Commune pour rejoindre le Vieux-Port de Montréal, en bordure du fleuve.

Le port de Montréal est l'un des plus importants ports intérieurs du continent. Il s'étend sur 25 km le long du fleuve, de la Cité du Havre aux raffineries de l'est de l'île. Le **Vieux-Port de Montréal** ★ *(www.vieuxportdemontreal.com; métro Place-d'Armes ou Champ-de-Mars)* correspond à la portion historique du havre, située devant la ville ancienne. Délaissé à cause de sa vétusté, il a été réaménagé entre 1983 et 1992 pour accueillir les promeneurs. Le Vieux-Port comporte un agréable parc linéaire, aménagé sur les remblais et doublé d'une promenade le long des quais offrant une « fenêtre » sur le fleuve de même que sur les quelques activités maritimes qui ont heureusement été préservées. L'agencement met en valeur les vues sur l'eau, sur le centre-ville et sur la rue de la Commune, qui dresse devant la ville sa muraille d'entrepôts néoclassiques en pierres grises.

Du Vieux-Port, on peut faire une excursion sur le fleuve avec **Le Bateau-Mouche**, pourvu d'un toit vitré, lors d'une visite commentée ou d'un souper-croisière (voir p. 284). On peut aussi utiliser les **Navettes Maritimes du Saint-Laurent** (voir p. 272) pour se rendre à l'île Sainte-Hélène et Longueuil, lesquelles permettent d'avoir une vue d'ensemble sur le Vieux-Port et le Vieux-Montréal. D'autres croisières thématiques proposent aussi de découvrir le port et le fleuve (voir p. 284).

Sur la droite, dans l'axe de la rue McGill, est située l'embouchure du **canal de Lachine** ★, inauguré en 1825. Cette voie navigable permettait enfin de contourner les infranchissables rapides de Lachine, en amont de Montréal, donnant ainsi accès aux Grands Lacs et au Midwest américain. Le canal devint en outre le berceau de la révolution industrielle canadienne, les filatures et les minoteries tirant profit de son eau comme force motrice tout en bénéficiant d'un système d'approvisionnement et d'expédition direct, du bateau à la manufacture. Fermé en 1970, soit 11 ans après l'ouverture de la Voie maritime du Saint-Laurent en 1959, le canal a été pris en charge par le Service canadien des parcs, qui a aménagé sur ses berges une piste cyclable entre le Vieux-Port et Lachine. Les écluses qui se trouvent dans le Vieux-Port, restaurées en 1991, sont adjacentes à un parc.

En face se dresse le dernier des grands silos à grains du Vieux-Port, le **Silo à grain n° 5**. Cette structure de béton armé, construite en 1905, avait suscité l'admiration de Walter Gropius et Le Corbusier lors de leur voyage d'études. La nuit, elle est maintenant éclairée tel un monument. Derrière, on aperçoit l'étrange amoncellement de cubes d'**Habitat 67** (voir p. 213) alors que, sur la gauche, se trouve la **gare maritime Iberville du Port de Montréal**, où accostent les paquebots en croisière sur le fleuve Saint-Laurent.

À l'est, le quai King-Edward accueille le **Centre des sciences de Montréal** ★ *(adultes 15$, enfants 8,50$, frais additionnels pour certaines expositions, des forfaits comprenant un ou deux films IMAX sont aussi offerts; juin à août tlj 10h à 17h, sept à mai lun-ven 9h à 16h, sam-dim 10h à 17h; quai King-Edward, 514-496-4724 ou 877-496-4724, www.centredessciencesdemontreal.com; métro Place-d'Armes)*, un complexe récréotouristique et interactif de sciences et de divertissement installé dans un hangar recyclé en un bâtiment d'architecture moderne. Le Centre vous invite à pénétrer les secrets du monde scientifique et technologique tout en vous amusant. En plus de présenter des expositions temporaires, il compte plusieurs salles d'expositions interactives où les participants peuvent prendre part à des expériences scientifiques, à des jeux collectifs ou d'adresse et à plusieurs activités culturelles et éducatives. Il abrite aussi un cinéma IMAX ainsi que huit restaurants et une boutique.

››› *Longez la promenade des Quais jusqu'au* ***boulevard Saint-Laurent*** *(voir p. 123 et 202).*

Le boulevard Saint-Laurent constitue la démarcation entre l'est et l'ouest de Montréal, tant sur le plan de la toponymie et des adresses civiques que sur le plan culturel. En effet, traditionnellement, l'ouest de la ville est davantage anglophone, et l'est, davantage francophone, alors que les minorités culturelles de toutes origines se concentrent dans l'axe même du boulevard Saint-Laurent.

››› *Remontez le boulevard Saint-Laurent jusqu'à la rue Saint-Paul. Tournez à droite puis à gauche dans l'étroite rue Saint-Gabriel.*

C'est dans cette rue que Richard Dulong ouvre en 1754 une auberge. L'**Auberge Saint-Gabriel** *(426 rue St-Gabriel; métro Place-d'Armes)*, la plus vieille du pays encore en exploitation, n'est aujourd'hui qu'un restaurant (voir p. 67). Elle regroupe des bâtiments du XVIIIe siècle aux solides murs de moellons.

››› *Tournez à droite dans la rue Notre-Dame.*

Après les secteurs des affaires et des entrepôts, on aborde maintenant le quartier des institutions civiques et judiciaires, où pas moins de trois palais de justice se côtoient en bordure de la rue Notre-Dame. Le **palais de justice de Montréal** *(1 rue Notre-Dame E.; métro Champ-de-Mars)*, inauguré en 1971, écrase les alentours par ses volumes massifs. La sculpture de son parvis, une « main de la Justice » stylisée intitulée *Allegrocube*, a été réalisée par l'artiste Charles Daudelin.

De son inauguration en 1926 jusqu'à sa fermeture en 1970, le bâtiment qui était appelé à l'époque le « nouveau » palais de justice a reçu les causes criminelles, puis a accueilli le conservatoire de musique et d'art dramatique de 1975 à 2001. Aujourd'hui complètement restauré, l'**édifice Ernest-Cormier** ★★ *(100 rue Notre-Dame E.; métro Champ-de-Mars)* est retourné à sa vocation première comme Cour d'appel du Québec en 2004. Il porte le nom de son architecte depuis 1980, année du décès d'Ernest Cormier. On doit entre autres à l'illustre Ernest Cormier le pavillon principal de l'Université de Montréal et les portes de l'Assemblée générale des Nations Unies à New York. L'édifice Ernest-Cormier comporte d'exceptionnelles torchères en bronze, coulées à Paris aux ateliers d'Edgar Brandt. Leur installation, en 1925, marqua les débuts de l'Art déco au Canada. Le hall principal, revêtu de travertin et percé de trois puits de lumière en forme de coupole, mérite une petite visite.

L'**ancien palais de justice** ★ *(155 rue Notre-Dame E.; métro Champ-de-Mars)*, doyen des palais de justice montréalais, a été édifié entre 1849 et 1856 sur l'emplacement du premier palais de justice de 1800. Il s'agit d'un bel exemple d'architecture néoclassique. À la suite de la division des tribunaux en 1926, le vieux Palais a hérité des causes civiles. Remplacé par le nouveau palais de justice voisin en 1971, le vieux Palais a logé jusqu'en 2006 le Service des finances de la Ville de Montréal. Il attend toujours sa nouvelle vocation.

La place Jacques-Cartier et l'hôtel de ville de Montréal.

Poursuivez vers l'est dans la rue Notre-Dame. Vous trouverez la place Jacques-Cartier sur votre droite.

La **place Jacques-Cartier** ★ *(métro Champ-de-Mars)* a été aménagée sur l'emplacement du château de Vaudreuil, incendié en 1803. La forme allongée de la place Jacques-Cartier lui vient de ce que les marchands, ayant racheté la propriété, ont choisi de donner au gouvernement de la Ville une languette de terre, à condition qu'un marché public y soit aménagé, augmentant du coup la valeur des terrains limitrophes, demeurés entre des mains privées.

Rapidement plus nombreux à Montréal qu'à Québec, ville du gouvernement et des troupes d'occupation, les marchands d'origine britannique trouveront différents moyens pour assurer leur visibilité et exprimer leur patriotisme au grand jour. Ainsi, ils seront les premiers au monde, en 1809, à ériger un monument à la mémoire de l'amiral Horatio Nelson, vainqueur de la flotte franco-espagnole à Trafalgar en 1805. La base de la **colonne Nelson** fut dessinée et exécutée à Londres. Elle regroupe des bas-reliefs relatant les exploits du célèbre amiral à Aboukir, à Copenhague et, bien sûr, à Trafalgar. La statue de Nelson, au sommet, était à l'origine en pierre artificielle Coade, mais elle fut à maintes reprises endommagée par des manifestants, jusqu'à son remplacement par une réplique en fibre de verre en 1981 (l'original se trouve au **Centre d'histoire de Montréal**, voir p. 56). La colonne Nelson est le plus vieux monument commémoratif qui subsiste à Montréal.

À l'autre extrémité de la place, on aperçoit le **quai Jacques-Cartier** et le fleuve, alors que, sur la droite, à mi-course, se cache la petite **rue Saint-Amable**, où se trouve la belle **Cour des Arts du Vieux-Montréal** *(166 rue St-Amable, 514-847-1400; voir p. 69)*, qui, au milieu des vieilles maisons en pierre, accueille chaque été d'originaux artisans locaux.

Sous le Régime français, Montréal avait, à l'instar de Québec et de Trois-Rivières, son propre gouverneur, qui ne doit pas être confondu avec le gouverneur de la Nouvelle-France dans son ensemble. Il en sera de même sous le Régime anglais. Il faut attendre 1833 pour qu'un premier maire élu prenne en main la destinée de la ville. Ce sera Jacques Viger (1787-1858), homme féru d'histoire qui donnera à Montréal sa devise (*Concordia Salus*) et ses armoiries, formées des quatre symboles des peuples « fondateurs », soit le castor canadien-français, auquel a été substitué le lys français, le trèfle irlandais, le chardon écossais et la rose anglaise.

Après avoir logé dans des bâtiments inadéquats pendant des décennies (mentionnons simplement l'incident de l'aqueduc Hayes, dont la maison abritait un immense réservoir d'eau sous lequel se trouvait la salle du Conseil et qui se fissura un jour en pleine séance; on imagine la suite), l'administration municipale put enfin emménager dans l'édifice actuel en 1878 : l'**hôtel de ville de Montréal** ★★ *(275 rue Notre-Dame E.; métro Champ-de-Mars)*. Bel exemple du style Second Empire ou Napoléon III, il est l'œuvre d'Henri-Maurice Perrault, auteur de l'ancien palais de justice voisin. En 1922, un incendie (encore un!) détruisit l'intérieur et la toiture. Celle-ci fut rétablie en 1926 en prenant pour modèle l'hôtel de ville de Tours en France. Des expositions se tiennent sporadiquement dans le hall d'honneur, qu'on atteint par l'entrée principale. Notons enfin que c'est du balcon de l'hôtel de ville que le général de Gaulle a lancé son célèbre *« Vive le Québec libre »* en 1967, au plus grand plaisir de la foule massée devant l'édifice.

Rendez-vous derrière l'hôtel de ville en passant par la jolie **place Vauquelin**, située dans le prolongement de la place Jacques-Cartier. Réalisée en 1930 par le sculpteur français Paul-Eugène Bénet, originaire de Dieppe, la statue à la mémoire de l'amiral Jean Vauquelin (1728-1772), défenseur de Louisbourg à la fin du Régime français, fut probablement installée à cet endroit pour faire contrepoids à la colonne Nelson, symbole du contrôle britannique sur le Canada. La place Vauquelin a profité d'un réaménagement en 2016 en prévision des célébrations du 375e anniversaire de la ville en 2017.

Descendez l'escalier qui conduit au **Champ-de-Mars**, dont le réaménagement, en 1991, a permis de dégager une partie des vestiges des fortifications qui entouraient jadis Montréal. Tout comme à Québec, Gaspard Chaussegros de Léry est responsable de cet ouvrage bastionné, construit entre 1717 et 1745. Cependant, les murs de Montréal ne connurent jamais la bataille, la vocation commerciale et le site même de la ville interdisant ce genre de geste téméraire. Les grandes pelouses bordées de quelques arbres rappellent, quant à elles, que le Champ-de-Mars a été utilisé comme terrain de manœuvre et de parades militaires jusqu'en 1924. On remarque aussi le dégagement qui dévoile une belle vue sur le centre-ville et ses gratte-ciel.

Retournez dans la rue Notre-Dame.

Un musée à ciel ouvert

La collection d'art public de la Ville de Montréal compte quelque 315 œuvres intégrées à l'architecture d'édifices municipaux ou installées sur des sites extérieurs. Véritable musée en plein air, elle se fond avec le paysage urbain et participe au décor quotidien des Montréalais, qui peuvent ainsi admirer des projets de création devenus réalité.

La colonne Nelson, sur la place Jacques-Cartier.

Les œuvres d'art contemporain, monuments, bustes et sculptures de la collection s'empreignent d'une grande diversité d'expressions artistiques. Ils embellissent à leur façon les centres culturels et les bibliothèques ou se retrouvent dans les parcs et sur les places publiques, entre autres lieux.

L'œuvre la plus ancienne de la collection est la colonne Nelson, érigée en 1809 sur la place Jacques-Cartier, dans le Vieux-Montréal (voir p. 59). Depuis quelques années, une trentaine d'œuvres majeures d'artistes québécois et étrangers se sont ajoutées au paysage montréalais. Visitez le site Internet *http://artpublic.ville.montreal.qc.ca* pour voir la collection d'art public de la Ville de Montréal.

Château Ramezay – Musée et site historique de Montréal.

Devant l'hôtel de ville s'étend, du côté sud de la rue Notre-Dame, la belle **place De La Dauversière** ★. Son nom rappelle Jérôme Le Royer de La Dauversière (1597-1659), fondateur de la Société de Notre-Dame, elle-même à l'origine de l'établissement de Montréal. La place accueille entre autres la statue d'un des anciens maires de Montréal, Jean Drapeau. Très populaire, M. Drapeau régna sur « sa » ville pendant près de 30 ans.

Le **Château Ramezay – Musée et site historique de Montréal** ★★ *(11$; juin à mi-oct tlj 9h30 à 18h, mi-oct à mai mar-dim 10h à 16h30; 280 rue Notre-Dame E., 514-861-3708, www.chateauramezay.qc.ca; métro Champ-de-Mars)* est aménagé dans le plus humble des « châteaux » construits à Montréal, et pourtant le seul qui subsiste. Le Château Ramezay a été édifié en 1705 pour le gouverneur de Montréal, Claude de Ramezay, et sa famille. En 1745, il passe entre les mains de la Compagnie des Indes occidentales, qui le reconstruit en 1756. On conserve alors dans ses voûtes les précieuses fourrures du Canada, avant qu'elles ne soient expédiées en France. Après la Conquête, des commerçants britanniques s'installent au château avant d'être délogés temporairement par l'armée des insurgés américains, qui voudraient bien que la province de Québec se joigne aux États-Unis en formation. Benjamin Franklin établit même ses bureaux au château pendant quelques mois, en 1775, alors qu'il tentait de convaincre les Montréalais de devenir citoyens américains.

Après avoir accueilli les premiers locaux de la succursale montréalaise de l'Université Laval de Québec, le bâtiment devient musée en 1895 sous les auspices de la Société d'archéologie et de numismatique de Montréal, fondée par Jacques Viger. On y présente toujours une riche collection de tableaux et d'objets ethnologiques européens, canadiens et amérindiens, datant de la période précolombienne jusqu'au début du XXe siècle. À l'arrière du musée se trouve le Jardin du Gouverneur, un jardin « à la française » développé dans l'esprit des jardins montréalais du XVIIIe siècle. Pendant les fêtes de fin d'année, on peut s'y essayer à la marche en raquettes traditionnelles.

▸▸▸ *Longez la rue Notre-Dame jusqu'à l'intersection avec la rue Berri.*

À l'angle de la rue Berri se trouve le **Lieu historique national de Sir-George-Étienne-Cartier** ★ *(3,90$; mi-juin à début sept mer-dim 10h à 17h, reste de l'année ven-dim 10h à 17h; 458 rue Notre-Dame E., 514-283-2282, www.pc.gc.ca; métro Champ-de-Mars)*, composé de deux maisons jumelées, habitées successivement par George-Étienne Cartier, l'un des pères de la Confédération canadienne. On y a recréé un intérieur bourgeois canadien-français du milieu du XIXe siècle. Des bandes sonores éducatives et originales accompagnent avec authenticité la visite des lieux.

La rue Berri marque approximativement la frontière est du Vieux-Montréal, et donc de la ville fortifiée du Régime français, au-delà de laquelle s'étendait le faubourg Québec, excavé au XIXe siècle pour permettre l'installation de voies ferrées, ce qui explique la brusque dénivellation entre le coteau Saint-Louis et les gares Viger et Dalhousie.

La **gare Viger** *(angle des rues Berri et St-Antoine)* a été inaugurée par le Canadien Pacifique en 1897 pour desservir l'est du pays. Sa ressemblance avec le Château Frontenac de Québec n'est pas fortuite, puisqu'elle a été dessinée pour la même société ferroviaire et par le même architecte, l'Américain Bruce Price. La gare de style château, fermée en 1935, comprenait également un hôtel prestigieux et de grandes verrières, maintenant disparues. Sa transformation en complexe résidentiel et commercial est actuellement en cours.

La petite **gare Dalhousie** *(514 rue Notre-Dame; métro Champ-de-Mars)*, en contrebas de la maison George-Étienne-Cartier, a été la première gare du Canadien Pacifique, une entreprise formée pour la construction d'un chemin de fer transcontinental canadien. Elle a été le théâtre du départ du premier train transcontinental, à destination de Port Moody (à 20 km de Vancouver), le 28 juin 1886. La gare Dalhousie a longtemps abrité l'École nationale de cirque de Montréal, qui a emménagé dans un bâtiment de ce qui est désormais appelé **TOHU, la Cité des arts du cirque** (voir p. 209), dans le nord de l'île de Montréal. C'est le **Cirque Éloize** (voir p. 44) qui loge maintenant dans la gare Dalhousie.

On aperçoit, du sommet de la rue Notre-Dame, l'ancien entrepôt frigorifique du port en briques brunes, aujourd'hui transformé en condos, et au milieu du fleuve, l'île Sainte-Hélène, qui a accueilli, avec l'île Notre-Dame (voir p. 212), l'Exposition universelle de 1967.

››› *Tournez à droite dans la rue Berri, puis encore à droite dans la rue Saint-Paul, qui offre une belle perspective sur le dôme du Marché Bonsecours. Continuez tout droit jusqu'à la chapelle Notre-Dame-de-Bon-Secours.*

Une première chapelle fut érigée à cet endroit en 1658, à l'instigation de Marguerite Bourgeoys, fondatrice de la Congrégation de Notre-Dame. La **chapelle Notre-Dame-de-Bon-Secours** ★ *(400 rue St-Paul E.; métro Champ-de-Mars)* actuelle date de 1771 (une première chapelle en bois fut incendiée en 1754), alors que les Messieurs de Saint-Sulpice voulurent établir une desserte de la paroisse mère dans l'est de la ville fortifiée. La chapelle a été mise au goût du jour vers 1890, au moment où l'on a ajouté la façade actuelle en pierres bossagées ainsi que la chapelle aérienne donnant sur le port, d'où l'on bénissait autrefois les navires et leur équipage en partance pour

l'Europe. L'intérieur, refait à la même époque, contient de nombreux ex-voto offerts par des marins sauvés d'un naufrage. Certains prennent la forme de maquettes de navires, suspendues au plafond de la nef. La chapelle est aujourd'hui le lieu de divers concerts et activités, en collaboration avec le Musée Marguerite-Bourgeoys (voir ci-dessous).

En 1996-1997 et en 2015, on a effectué des fouilles sous la nef de la chapelle qui ont mis au jour plusieurs objets amérindiens préhistoriques. Aujourd'hui le **Musée Marguerite-Bourgeoys** ★ *(12$; mai à mi-oct mar-dim 10h à 18h, mi-oct à mi-jan et mars-avr mar-dim 11h à 16h, fermé mi-jan à fin fév; 400 rue St-Paul E., 514-282-8670, www.marguerite-bourgeoys.com)* expose ces intéressantes pièces archéologiques, mais il y a encore plus à découvrir. Occupant le sous-sol et tout l'arrière de la chapelle Notre-Dame-de-Bon-Secours et une partie de l'ancienne école Bonsecours voisine, il nous entraîne dans les dédales de l'histoire, depuis le haut de la tour de son clocher, d'où la vue est imprenable, jusqu'aux profondeurs de sa crypte, où les vieilles pierres parlent d'elles-mêmes. Vous en apprendrez plus sur la vie de Marguerite Bourgeoys, pionnière de l'éducation au Québec, et pourrez voir son authentique portrait et découvrir l'énigme l'entourant... Des visites guidées permettent également de découvrir le site archéologique abritant les fondations de cette chapelle de pierre, la plus vieille de Montréal.

››› *Tournez à droite dans la rue Bonsecours.*

Le Marché Bonsecours et le parc du Bassin-Bonsecours.

Datant de 1771, la **maison Pierre du Calvet** ★ *(401 rue Bonsecours)* est représentative de l'architecture urbaine française du XVIIIe siècle, adaptée au contexte local, puisque l'on y retrouve les épais murs de moellons noyés dans le mortier, les contre-fenêtres extérieures apposées devant des fenêtres à vantaux à petits carreaux de verre importé de France, mais surtout les hauts murs coupe-feu, imposés par les intendants afin d'éviter la propagation des flammes d'un bâtiment à l'autre. Elle abrite depuis plusieurs années l'**Hostellerie Pierre du Calvet** (voir p. 72).

La **maison Papineau** ★ *(440 rue Bonsecours; métro Champ-de-Mars)* fut autrefois habitée par Louis-Joseph Papineau (1786-1871), avocat, politicien et chef des mouvements nationalistes canadiens-français jusqu'à l'insurrection de 1837. La maison (1785), revêtue d'un parement de bois imitant la pierre de taille, a été l'un des premiers bâtiments du Vieux-Montréal à être restauré (1962).

Entre 1845 et 1850, on construit entre la rue Saint-Paul et la rue de la Commune le **Marché Bonsecours** ★★ *(300 rue St-Paul E., www.marchebonsecours.qc.ca)*, un bel édifice néoclassique en pierres grises, doté de fenêtres à guillotine à l'anglaise. Il comporte un portique, dont les colonnes doriques en fonte furent coulées en Angleterre, et un dôme argenté, qui a longtemps été le symbole de la ville à l'entrée du port. Le marché public a été fermé au début des années 1960 à la suite de l'apparition des supermarchés d'alimentation, puis transformé en bureaux municipaux et enfin rouvert en 1996. On peut aujourd'hui y déambuler au milieu d'une exposition et de diverses boutiques (voir p. 69). À l'origine, l'édifice logeait également l'hôtel de ville de Montréal ainsi qu'une salle de concerts à l'étage. Le long de la rue Saint-Paul, on peut voir les anciens celliers du marché, alors que, du grand balcon de la rue de la Commune, on aperçoit le bassin Bonsecours, en partie reconstitué, où accostaient les bateaux à aubes à bord desquels les agriculteurs venaient vendre leurs produits en ville.

Situé au sous-sol du Marché Bonsecours, le **Musée de la mode** *(7$; mar-dim 10h à 17h; 363 rue de la Commune E., 514-419-2300, http://museedelamode.ca)* occupe un espace restreint, mais sa collection est riche de quelque 7 500 pièces (vêtements, tissus...) historiques et actuelles.

››› 🚶 *Rendez-vous sur la place Jacques-Cartier.*

À l'extrême sud de la place Jacques-Cartier et de l'autre côté de la rue de la Commune, sur le quai Jacques-Cartier du Vieux-Port se dresse le **pavillon Jacques-Cartier**, aux multiples pointes métalliques. Il abrite l'espace Scena, où se déroulent différents événements ponctuels et privés, ainsi qu'un un bistro-terrasse dominé par un point d'observation.

Juste à côté, le **parc du Bassin-Bonsecours** offre des espaces gazonnés, parfaits pour se poser, entourant un bassin où l'on se promène en pédalo *(21,45$ pour 30 min; juin à août tlj 10h à 22h, mai et sept sam-dim et jours fériés 11h à 20h; www.ecorecreo.ca)* l'été et en patins l'hiver (voir plus loin).

Tout près se trouvent deux attraits qui plairont aux petits et grands enfants : **Voiles en Voiles** *(12$ à 39$ selon les forfaits; mi-juin à fin août tlj 9h à 23h, fin août à mi-oct sam-dim 10h à 20h; place des Vestiges, Vieux-Port, 514-473-1458, www.voilesenvoiles.com)*, qui propose aux jeunes de découvrir l'univers des pirates tout en s'amusant dans des répliques de bateaux du XVIIIe siècle, et **SOS Labyrinthe** *(adultes 16$, enfants 12$ à 14$; mi-mai à mi-juin sam-dim 10h à 20h, mi-juin à fin août lun 12h à 22h, mar-dim 10h à 22h, fin août à mi-oct sam-dim 11h à 17h30; Hangar 16, quai de l'Horloge, Vieux-Port, 514-499-0099, www.soslabyrinthe.com)*, un parcours de 2 km modifié chaque semaine et ponctué d'obstacles, de pièges farfelus et de culs-de-sac inattendus.

À partir du quai Jacques-Cartier, on aperçoit à l'est la **tour de l'Horloge** ★ *(entrée libre; fin mai à début sept tlj 10h à 19h; au bout du quai de l'Horloge, 514-496-7678 ou 800-971-7678, www.vieuxportdemontreal.com; métro Champ-de-Mars)*, qui se dresse sur le quai de l'Horloge. Cette structure est en réalité un monument érigé en 1922 à la mémoire des marins de la marine marchande morts au cours de la Première Guerre mondiale, et inauguré par le prince de Galles (futur Édouard VIII) lors de l'une de ses nombreuses visites à Montréal. Au sommet de la tour se trouve un observatoire permettant d'admirer l'île Sainte-Hélène, le pont Jacques-Cartier et l'est du Vieux-Montréal.

Ouverte l'été depuis 2012, la **plage de l'Horloge** ★ *(2$; fin mai à mi-juin ven-dim 11h à 21h, mi-juin à début sept lun-mar 11h à 17h, mer-dim 11h à 21h; au pied de la tour de l'Horloge, , au bout du quai de l'Horloge, www.vieuxportdemontreal.com; métro Champ-de-Mars)* est aménagée sur le quai de l'Horloge face au courant du fleuve. Avec son sable fin, ses chaises longues et ses parasols, elle offre une ambiance de vacances avec vue sur la ville. Même si on ne peut pas s'y baigner, des brumisateurs permettent de se rafraîchir et une buvette permet de boire un verre. Après 17h, des événements y prennent place presque tous les soirs, entre autres de nombreux concerts (payants). Accès libre les soirs du concours de feux d'artifice (voir p. 288). Au moment de mettre sous presse, la Ville projetait d'installer un « bain portuaire » près de la plage de l'Horloge qui permettrait de se baigner dans les eaux du fleuve. D'abord prévu pour 2017, le projet a été repoussé et aucun échéancier de travaux précis n'avait encore été adopté. Une histoire à suivre.

Pour retourner vers le métro, remontez la place Jacques-Cartier, traversez la rue Notre-Dame, la place Vauquelin, puis le Champ-de-Mars jusqu'à la station du même nom.

Activités de plein air

Descente de rivière

Au départ du Vieux-Port, l'entreprise **Saute-Moutons** *(rafting adultes 67$, enfants 47$ à 57$,* jet boating *adultes 27$, enfants 20$ à 22$; 47 rue de la Commune O., départ du quai de l'Horloge, Vieux-Port; 514-284-9607, www.jetboatingmontreal.com)* propose des excursions estivales au cœur des bouillonnants rapides de Lachine.

Patin à glace

En hiver, dans plusieurs parcs, des patinoires sont aménagées pour le plus grand plaisir de tous. Parmi les plus belles se trouve celle du **parc du Bassin-Bonsecours** *(adultes 6$, enfants 4$; location de patins 8$; Vieux-Port, 514-496-7678, www.vieuxportdemontreal.com)* dans le Vieux-Port.

Tyrolienne

Seul circuit urbain de tyrolienne au pays, **Tyrolienne MTL Zipline** *(Hangar 16, quai de l'Horloge, Vieux-Port, 514-947-5463, www.mtlzipline.com)* permet de voir Montréal d'un point de vue unique : à 25 m dans les airs, le long d'un parcours qui survole l'île Bonsecours sur plus de 370 m dans le Vieux-Port. La descente en duo est possible, car deux câbles sont installés côte à côte pour un plaisir partagé.

Vélo

Pour de l'information sur la piste cyclable qui longe le **canal de Lachine** depuis le Vieux-Port, voir p. 241. Il est également possible de se rendre aux **îles Sainte-Hélène et Notre-Dame** depuis le Vieux-Port (voir p. 212).

Plage de l'Horloge.

Restaurants

Café Luna d'Oro $
469 rue St-François-Xavier, 514-288-1999

Ce café italien est aussi convivial que gourmand. Quelques tables, un bar minuscule et, au menu, des soupes, des paninis, des salades et des pâtes. Le matin, si vous arrivez assez tôt, vous aurez droit à de délicieux muffins. L'accueil est tout simplement charmant.

Ming Tao Xuan $
451 rue St-Sulpice, 514-845-9448,
www.mingtaoxuan.com

On pourrait se croire chez un antiquaire chinois en passant la porte de ce magnifique salon de thé. Entouré de meubles en bois, confortablement installé près des énormes fenêtres, on choisit parmi une centaine de variétés de thés, disponibles également pour emporter. La carte propose aussi une petite sélection de mets végétariens.

Titanic $
445 rue St-Pierre, 514-849-0894

Voilà un restaurant tout petit et très achalandé à découvrir en semaine pour le déjeuner. Installé dans un demi-sous-sol, le Titanic offre une myriade de sandwichs sur pain baguette et de salades aux accents de la Méditerranée : feta et autres fromages, poisson fumé, pâtés, légumes marinés... Délicieux!

Tour de l'Horloge.

Brit & Chips $-$$
433 rue McGill, 514-840-1001,
www.britandchips.com

Avis aux anglophiles, Brit & Chips propose l'un des meilleurs *fish and chips* à Montréal, ainsi que quelques variantes intéressantes sur le même thème, comme celle préparée avec une panure à saveur d'Orange Crush. Le décor et les accompagnements (bières anglaises, *scotch eggs, mushy peas*) vous donneront l'impression de vous retrouver dans un vrai *chippy* londonien.

Olive + Gourmando $-$$
351 rue St-Paul O., 514-350-1083,
www.oliveetgourmando.com

Voilà une halte sans prétention, mais charmante et gourmande, dans le Vieux-Montréal. Au menu, de délicieux sandwichs, salades et soupes, ainsi que des desserts et viennoiseries réputés.

Le Cartet $$
106 rue McGill, 514-871-8887, www.lecartet.com

La lumineuse boutique Le Cartet comprend un comptoir de plats cuisinés et de sandwichs, et propose aussi des produits fins dont une vaste sélection de chocolats. La section restaurant, quant à elle, se démarque par ses brunchs animés la fin de semaine et sa cuisine de style bistro, abordable et savoureuse.

Boris Bistro $$-$$$
465 rue McGill, 514-848-9575,
www.borisbistro.com

La grande terrasse, aménagée sur deux niveaux, confère un charme certain à ce restaurant. Sa cuisine de bistro toute simple et son service décontracté en font également une halte très agréable, le midi comme le soir.

Gandhi $$-$$$
230 rue St-Paul O., 514-845-5866,
www.restaurantgandhi.com

Le décor sobre et lumineux ainsi que les plats faisant honneur aux plus pures traditions de la cuisine indienne font de cette adresse une véritable perle dans l'univers gastronomique du Vieux-Montréal. Les tandouris sont particulièrement recommandés.

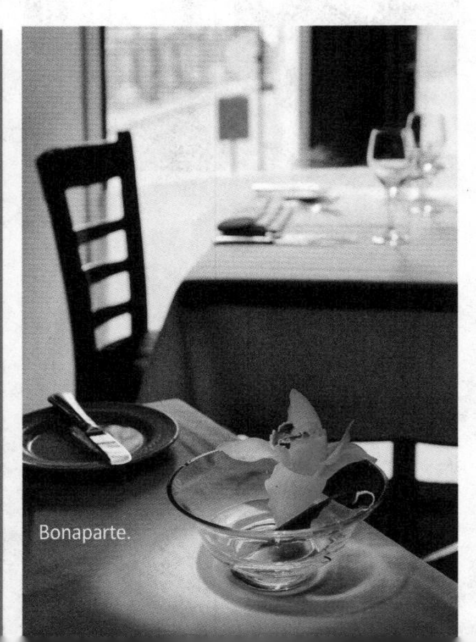
Bonaparte.

Kyo $$-$$$
Place d'Armes Hôtel & Suites, 711 côte de la Place-d'Armes, 514-282-2711, http://kyobar.com

Installé au sous-sol du chic **Place d'Armes Hôtel & Suites** (voir p. 73), ce resto-bar japonais reprenant la tradition des *izakaya* propose une sélection de mets allant des sushis aux soupes de nouilles en passant par des spécialités moins connues (langue de bœuf grillée, joue de porc sautée au yuzu...), tout aussi délicieuses.

Stash Café $$-$$$
200 rue St-Paul O., 514-845-6611,
http://restaurantstashcafe.ca

Avec ses beaux murs de pierres typiques du quartier, le Stash Café, un charmant petit restaurant polonais, s'avère tout indiqué pour les amateurs de pierogis farcis de fromage, de saucisse et de choucroute. Et la vodka est excellente.

Helena $$-$$$$
438 rue McGill, 514-878-1555,
www.restauranthelena.com

La chef Helena Loureiro, qui œuvre aussi au restaurant **Portus 360** (voir p. 69), élabore ici une fine cuisine portugaise classique dans un décor moderne, coloré et lumineux. C'est l'occasion de se régaler des incontournables de cette gastronomie qui met en avant les poissons et fruits de mer.

Bonaparte $$$
Auberge Bonaparte, 443 rue St-François-Xavier, 514-844-4368, www.restaurantbonaparte.ca

Le restaurant de l'**Auberge Bonaparte** (voir p. 72) est l'endroit tout indiqué pour renouer avec une cuisine française classique dans un cadre élégant. Les convives s'attablent dans une des trois salles de l'établissement, toutes richement décorées dans le style Empire.

Le Serpent $$$
Fonderie Darling, 257 rue Prince, 514-316-4666,
www.leserpent.ca

Le dernier-né de la famille, qui comprend aussi **Le Club Chasse et Pêche** (voir p. 68) et **Le Filet** (voir p. 129), ne déçoit pas. Le menu, à fort accent italien, permet de moduler son repas selon ses envies et son appétit. L'espace, dans l'enceinte de la **Fonderie Darling** (voir p. 56), est un parfait exemple de design industriel chic.

Les grandes tables à petit prix

Il n'est pas toujours besoin de grever son budget pour profiter des meilleurs restaurants en ville. Le midi ou plus tard en soirée, certaines grandes tables s'offrent à petit prix. Profitez-en!

Le midi

- Auberge Saint-Gabriel p. 67
- Chez Sophie p. 236
- La Chronique p. 189
- Milos p. 189
- Portus 360 p. 69
- Graziella p. 69
- Toqué! p. 92

En fin de soirée

- Ikanos p. 67
- Taverne F p. 90
- Ferreira Café p. 107
- Leméac p. 189
- Le Valois p. 226
- Milos p. 189

Les Filles du Roy $$$
Hostellerie Pierre du Calvet, 405 rue Bonsecours, 514-282-1725, www.pierreducalvet.ca

Fleuron de l'hôtellerie montréalaise, l'**Hostellerie Pierre du Calvet** (voir p. 72) abrite un restaurant réputé pour sa cuisine classique qui célèbre les produits du terroir. Son cadre de style victorien et ses antiquités vous feront passer une soirée agréable dans l'historique **maison Pierre du Calvet** (voir p. 63), qui date de 1771.

Accords $$$-$$$$
212 rue Notre-Dame O., 514-282-2020, www.accords.ca

Accords porte très bien son nom. Non seulement on vous y propose un accord mets-vin pour chaque plat affiché au menu, mais en plus on vous invite à sortir des sentiers battus en choisissant plutôt un « désaccord », donc un vin dont l'agencement peut être étonnant. Le menu fait la part belle aux fruits de mer et au gibier. Terrasse très agréable.

Auberge Saint-Gabriel $$$-$$$$
426 rue St-Gabriel, 514-878-3561, www.lesaint-gabriel.com

La plus vieille auberge du pays (voir p. 58) a bien changé depuis 1754. Les poutres et les gros murs de pierres soutiennent toujours la structure de ce vénérable établissement, mais le décor éclaté et contemporain lui vole quelque peu la vedette. Au plan culinaire, le classique français est lui aussi revisité d'une manière souvent inattendue et colorée, en prenant toujours pour base des produits locaux et saisonniers. Une belle expérience à découvrir aussi le midi.

Chez L'Épicier $$$-$$$$
311 rue St-Paul E., 514-878-2232, www.chezlepicier.com

L'Épicier, qui fait effectivement office d'épicerie fine, est surtout un restaurant où l'on déguste la formidable cuisine créative du chef montréalais Laurent Godbout. Pour le dessert, ne manquez pas le *club sandwich* au chocolat avec ses frites d'ananas! Murs de pierres et grandes fenêtres qui donnent sur la magnifique architecture du Marché Bonsecours.

Gibbys $$$-$$$$
298 place D'Youville, 514-282-1837, www.gibbys.com

Le restaurant Gibbys est installé dans une ancienne étable rénovée et propose de généreuses portions de viandes grillées, poissons et fruits de mer. Belle et grande cour intérieure en été.

Ikanos $$$-$$$$
112 rue McGill, 514-842-0867, www.restaurantikanos.com

Dans un décor original, Ikanos sert une cuisine grecque maîtrisée qui sort des sentiers battus. En plus des mezzés, le menu affiche des plats de viande et de poisson grillés dans un four à braise, ce qui leur confère un délicieux goût fumé. Belle sélection de vins grecs. Service impeccable et menu de fin de soirée (après 22h) à prix doux.

La cuisine de rue

Interdite depuis 1947, la cuisine de rue est enfin réapparue à Montréal en 2013. Oui, mais pas n'importe quelle cuisine! Oubliez les petits stands à hot-dog d'autrefois et préparez-vous à vivre de véritables expériences gastronomiques. Les camions bariolés qui servent cette cuisine doivent répondre à des normes strictes tant en matière d'hygiène qu'au niveau de la sélection des aliments et de la conception des plats. Le résultat : la variété et la qualité de cette cuisine de rue confirment bien la réputation gastronomique de Montréal. Les prix varient d'un camion à l'autre, mais restent généralement raisonnables *($-$$)*.

Une quarantaine de camions se retrouvent à des endroits prédéfinis de la ville de mai à octobre, et certains prennent aussi part à des événements spéciaux pendant l'hiver. Pour savoir en tout temps où se garent les camions et connaître les événements auxquels ils participent, visitez les sites *http://montreal.streetfoodquest.com* ou *www.camionderue.com*.

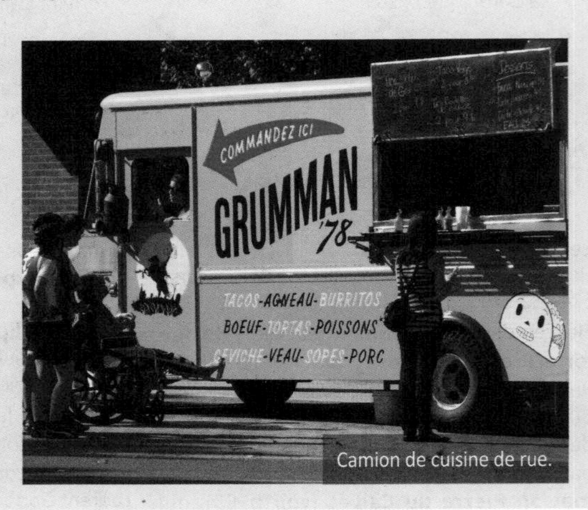

Camion de cuisine de rue.

Le Club Chasse et Pêche $$$-$$$$

423 rue St-Claude, 514-861-1112, www.leclubchasseetpeche.com

Un nom surprenant pour un décor qui l'est tout autant, tout en rusticité et finesse, comme sa table, dont la créativité étonne, du risotto au foie gras aux plats de poisson et fruits de mer. Belle carte des vins, réservations recommandées.

Le Garde-Manger $$$-$$$$

408 rue St-François-Xavier, 514-678-5044, http://crownsalts.com/gardemanger

Probablement la table la plus éclatée et la plus amusante du Vieux-Montréal. On vous y servira principalement des fruits de mer variés, apprêtés et présentés de manière simple mais originale, sans omettre quelques spécialités inusitées, telle la poutine au homard.

XO Le Restaurant $$$-$$$$

Hôtel Le St-James, 355 rue St-Jacques, 514-841-5000, www.hotellestjames.com

Le restaurant de l'**Hôtel Le St-James** (voir p. 72) est à la hauteur de cet établissement de haute voltige. Chic, spacieux et cossu, le décor du XO (pour *Extra Old,* tels les bons cognacs) ne laisse pas indifférent. Produits du terroir et service impeccable : une expérience que les gourmets pourront s'offrir aussi à moindre coût le midi. Par contre, le brunch de fin de semaine que nous avons essayé n'était pas de la même qualité.

Da Emma $$$$

777 rue de la Commune O., 514-392-1568

Autrefois la première prison montréalaise pour femmes, cet établissement est à la fois charmant, soigné et chic, avec ses poutres massives et ses pierres grises. La cuisine italienne traditionnelle de Madame Emma vaut le détour, et le service est impeccable. Essayez la spécialité de la famille : les tripes à la romaine.

Les 400 coups $$$$

400 rue Notre-Dame E., 514-985-0400, www.les400coups.ca

Maintenant sous la houlette du jeune chef Jonathan Rassi, la brigade que l'on entrevoit au fond de la salle concocte des plats originaux qui s'inspirent de la cuisine française tout en empruntant à plusieurs autres traditions culinaires. La carte des vins donne aussi envie, d'autant plus qu'un grandiose cellier vitré trône dans un coin de la salle à manger.

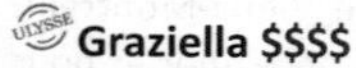

Graziella $$$$
116 rue McGill, 514-876-0116,
www.restaurantgraziella.ca

Superbe établissement éclairé d'une luminosité enveloppante, Graziella affiche un design harmonieux et inspirant. Les gastronomes et les amoureux de la cuisine italienne trouveront ici un menu qui se démarque par la fraîcheur des mets et le mariage de saveurs classiques et insolites des plats. Déjeuner à prix fixe *($$)*.

Portus 360 $$$-$$$$
777 boul. Robert-Bourassa, 514-849-2070,
www.portus360.com

Autrefois nommé Portus Calle et situé sur le boulevard Saint-Laurent, ce restaurant de la réputée chef Helena Loureiro est maintenant installé au 31e étage de la tour EVO et offre une vue panoramique sur Montréal, en plus de proposer une cuisine lusitanienne modernisée et raffinée. Le Portus 360 séduit les convives avec ses poissons et fruits de mer, servis en plats ou en portions de type tapas, et toujours disponibles dans la formule avantageuse du midi.

Achats

Alimentation

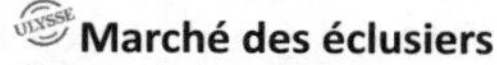

Marché des éclusiers
400 rue de la Commune O., 438-795-8265,
www.marche514.com

Marchand de fruits et légumes, épicerie fine, boucherie, boulangerie, bar à vin, café et grilladerie composent ce superbe marché aménagé en bordure du fleuve en plein cœur du Vieux-Port. Belle terrasse en été.

Articles de cuisine

À table tout le monde
361 rue St-Paul O., 514-750-0311,
www.atabletoutlemonde.com

Dans un décor épuré et une atmosphère feutrée, cette boutique de la rue Saint-Paul célèbre les arts de la table et du design à travers une collection singulière d'articles de cuisine faits de matières nobles et pour la plupart fabriqués à la main.

Artisanat

Images Boréales
4 rue St-Paul E., 514-439-1987,
www.imagesboreales.com

Cette grande galerie se spécialise dans l'art inuit, et de nombreuses sculptures de toutes les tailles (et de tous les prix) y sont exposées.

La Cour des Arts du Vieux-Montréal
mai à oct; 166 rue St-Amable, 514-847-1400

Dans le Vieux-Montréal, nichée entre les vieilles maisons en pierre, cette cour accueille des artisans locaux proposant des bijoux, accessoires et œuvres originales qui font d'excellents cadeaux.

Le Chariot
446 place Jacques-Cartier, 514-875-4994

Le Chariot mérite bien une visite, ne serait-ce que pour contempler les belles pièces d'art amérindiennes et inuites qui y sont en montre.

L'Empreinte coopérative
88 rue St-Paul E., 514-861-4427,
www.lempreintecoop.com

L'Empreinte, une coopérative représentant plus de 85 artisans québécois, propose accessoires, vêtements et objets d'art décoratifs pour la maison. Une visite de cette galerie-boutique donne l'occasion de découvrir les dernières créations des artisans du Québec.

Marché Bonsecours
350 rue St-Paul E., 514-872-7730,
www.marchebonsecours.qc.ca

Le Marché Bonsecours est l'endroit tout indiqué pour magasiner si vous êtes friand d'artisanat, si vous aimez les produits des métiers d'art ou si vous préférez les objets très design.

Cadeaux et souvenirs

Boutique du musée Pointe-à-Callière
165 place D'Youville, 514-872-9149,
www.pacmusee.qc.ca

La boutique du musée Pointe-à-Callière propose de nombreuses créations québécoises et une belle collection de livres en tout genre sur Montréal, le Québec et les Premières Nations.

Déco

Bonaldo
2 rue Le Royer, 514-287-9222, www.bonaldo.ca

Que vous possédiez ou non un portefeuille bien garni, n'hésitez pas à entrer chez Bonaldo. Les passionnés de design rétro ou contemporain seront renversés par leurs meubles et objets inusités d'un esthétisme des plus inspirants.

Galeries d'art

Des œuvres des grands maîtres québécois aux créations d'artistes émergents d'ici et d'ailleurs, les amateurs d'art contemporain trouveront leur compte dans ces galeries d'art réputées du Vieux-Montréal :

Galerie LeRoyer : 60 rue St-Paul O., 514-287-1351, www.galerieleroyer.com

Galerie d'art Michel-Ange : 430 rue Bonsecours, 514-875-8281, www.michel-ange.net

Galerie René Blouin : 10 rue King, 514-393-9969, www.galeriereneblouin.com

Galerie Saint-Dizier : 24 rue St-Paul O., 514-845-8411, www.saintdizier.com

Galerie d'art Le Bourget : 34 rue St-Paul O., bureau B, 514-845-2525, www.galerielebourget.com

Galerie Le Luxart : 66 rue St-Paul O., 514-848-8944, www.leluxart.com

Librairies

ULYSSE Librairie Bertrand

430 rue St-Pierre, 514-849-4533, http://librairiebertrand.com

Superbe avec ses murs de pierres et son décor d'époque, cette librairie indépendante bien garnie, fondée en 1952, a été récemment relocalisée dans le Vieux-Montréal.

Plein air

Salmo Nature

110 rue McGill, 514-871-8447, www.salmonature.com

Les pêcheurs ne manqueront pas l'occasion de visiter ce véritable temple qui leur est dédié. La boutique est la représentante locale de la célèbre marque Orvis, et l'on trouve sur place absolument tout ce qu'il faut pour prendre toute espèce de poisson.

Vêtements et accessoires

ULYSSE Boutique Denis Gagnon

170-B rue St-Paul O., 514-935-6360, www.denisgagnon.ca

Le célèbre désigner montréalais possède sa propre boutique dans le Vieux-Montréal. Vêtements sur mesure et prêt-à-porter pour femmes. On y trouve aussi des pièces griffées d'autres désigners québécois.

ULYSSE Delano Design

70 rue St-Paul O., 514-286-5005, www.delanodesign.com

L'essence de la créativité montréalaise. Collections de vêtements, d'accessoires (sacs à main, ceintures et bijoux), de meubles et d'objets décoratifs.

Dubuc Mode de Vie

417 rue St-Pierre, 514-282-1465, www.dubucstyle.com

Prêt-à-porter pour hommes modernes créé par Philippe Dubuc.

U & I

215 rue St-Paul O., 514-508-7704, www.boutiqueuandi.com

Parmi les endroits les plus tendance à Montréal, cette boutique de mode réunit les désigners en vogue du moment. Pour hommes et femmes.

ULYSSE Espace Pepin

350 rue St-Paul O., 514-844-0114, www.pepinart.com

Cette boutique-atelier donne l'impression au visiteur de pénétrer dans un véritable appartement, celui de l'artiste Lysanne Pepin, où se mêlent tableaux, meubles design, objets décoratifs, et surtout vêtements griffés, bijoux et accessoires.

Bars et boîtes de nuit

Le Balcon café-théâtre

304 rue Notre-Dame E., 514-528-9766, www.lebalcon.ca

Dans une salle intimiste à l'ambiance feutrée, Le Balcon café-théâtre présente des dîners-spectacles variés qui allient arts visuels, musique et théâtre. Les dîners incluent une table d'hôte à quatre services.

Delano Design.

Les Deux Pierrots
ven-sam et veille de jours fériés dès 20h30;
104 rue St-Paul E., 514-861-1270,
https://2pierrots.com

Si votre idéal de soirée consiste à vous mettre debout sur votre chaise et à danser sur des airs populaires chantés par un chansonnier tout en buvant de la bière, voilà l'endroit rêvé pour vous. Une institution montréalaise.

Suite 701
Le Place d'Armes Hôtel & Suites, 701 côte de la Place-d'Armes, 514-904-1201,
www.suite701.com

L'ancien hall de l'hôtel Le Place d'Armes a été transformé en une salle au design contemporain léché, percée de fenêtres immenses. Une clientèle nantie venue prendre un verre et une bouchée après le travail déambule dans cet établissement réputé pour la qualité de ses cocktails et son service professionnel. Sur le toit, la **Terrasse Place d'Armes** *(juin à oct)* offre la même ambiance, la vue en plus.

ULYSSE **Terrasse Nelligan**
mer-dim; Hôtel Nelligan, 100 rue St-Paul O.,
514-788-4021, www.terrassenelligan.com

Idéalement située sur le toit de l'**Hôtel Nelligan** (voir p. 72), voilà l'une des terrasses parmi les plus agréables du Vieux-Montréal. On y vient en été à l'heure de l'apéro pour se délecter d'une sangria maison et prendre une bouchée ou un repas complet dans une ambiance décontractée tout en s'offrant un bain de soleil.

Terrasse sur l'Auberge
mai à sept; 97 rue de la Commune E.,
514-876-1649, http://terrassesurlauberge.com

La terrasse située sur le toit de l'**Auberge du Vieux-Port** (voir p. 72) offre une vue imprenable sur le Vieux-Port, que l'on admire en sirotant un cocktail agrémenté de petites bouchées.

Culture et divertissement

Cinémas

IMAX Telus
Centre des sciences de Montréal, quai King-Edward, Vieux-Port, 514-496-4724 ou 877-496-4724,
www.centredessciencesdemontreal.com

On y présente des films sur écran géant, principalement en 3D.

Salles de spectacle

Centaur Theatre
453 rue St-François-Xavier, 514-288-3161,
www.centaurtheatre.com

Théâtre en anglais.

Hébergement

 Auberge Alternative $-$$

358 rue St-Pierre, 514-282-8069,
www.auberge-alternative.qc.ca

L'Auberge Alternative est installée dans un immeuble rénové datant de 1875. Les lits des chambres privées et des dortoirs sont rudimentaires mais confortables et les salles de bain communes sont très propres. Vaste et colorée salle de « repos-cuisine », ambiance conviviale. Une véritable aubaine dans le quartier.

Auberge Bonaparte $$$$

447 rue St-François-Xavier, 514-844-1448,
www.bonaparte.ca

Le restaurant **Bonaparte** (voir p. 66) se double d'une auberge. Une trentaine de chambres occupent donc ses étages supérieurs et toutes offrent un bon confort ainsi qu'une décoration classique. Celles situées à l'arrière de l'édifice, qui date de 1886, ont vue sur le jardin des Sulpiciens, derrière la basilique Notre-Dame.

 Le Petit Hôtel $$$$

168 rue St-Paul O., 514-940-0360,
www.petithotelmontreal.com

Aménagé dans une ancienne manufacture de cuir, le Petit Hôtel a su garder le cachet historique du bâtiment qui l'abrite. Les chambres, spacieuses et chaleureuses, combinent un design moderne avec des éléments anciens.

 Hôtel Épik Montréal $$$$

171 rue St-Paul O., 514-842-2634,
www.epikmontreal.com

L'Épik affiche un design moderne tout en étant garni d'antiquités. Dans cette maison construite en 1723, certaines chambres arborent de magnifiques murs de pierres et une cheminée, qu'on retrouve aussi dans le splendide *penthouse* qui couronne l'hôtel.

 Hôtel Gault $$$$-$$$$$

449 rue Ste-Hélène, 514-904-1616 ou
866-904-1616, www.hotelgault.com

L'Hôtel Gault est un petit établissement de 30 chambres qui dégage une ambiance d'hôtel particulier et dans lequel on peut rapidement prendre ses habitudes. Les chambres offrent de beaux espaces chics et confortables. Restaurant sur place.

Auberge du Vieux-Port $$$$$

97 rue de la Commune E., 514-876-0081 ou
888-660-7678, http://aubergeduvieuxport.com

Situé juste en face du Vieux-Port, dans un bâtiment construit en 1882. Les chambres sont décorées dans un esprit historique, et la terrasse sur le toit offre une vue splendide sur le fleuve.

Hostellerie Pierre du Calvet $$$$$

405 rue Bonsecours, 514-282-1725 ou
866-544-1725, www.pierreducalvet.ca

L'Hostellerie Pierre du Calvet accueille sa clientèle dans une des plus anciennes maisons de Montréal (1771). Entièrement restaurées, ses chambres ont su conserver leur charme d'époque. L'Hostellerie abrite également le restaurant **Les Filles du Roy** (voir p. 67).

 Hôtel Le St-James $$$$$

355 rue St-Jacques, 514-841-3111 ou
866-841-3111, www.hotellestjames.com

Le St-James comble une clientèle fortunée qui désire visiter Montréal tout en prenant ses aises dans un environnement somptueux et raffiné. L'architecture de l'édifice, avec ses frises et ses moulures, est rehaussée par la chaleur et l'opulence du décor qui s'accompagne de services à la hauteur des attentes, tel le spa pour les soins du corps (voir p. 56) ou le restaurant **XO** (voir p. 68).

Hôtel Nelligan $$$$$

106 rue St-Paul O., 514-788-2040 ou
877-788-2040, www.hotelnelligan.com

Cet hôtel-boutique de luxe nommé à la mémoire du grand poète propose une centaine de chambres et de suites tout confort. Entre le hall et le restaurant s'étend une agréable petite cour intérieure où est servi le petit déjeuner. Sur le toit de l'édifice se trouve la **Terrasse Nelligan** (voir p. 71), l'une des plus belles terrasses du quartier.

Hôtel William Gray $$$$$

421 rue St-Vincent, 514-656-5600 ou
844-576-5600, http://hotelwilliamgray.com

Nouveau joueur important parmi les hôtels du Vieux-Montréal, cet hôtel-boutique de luxe a ouvert ses portes en 2016. Confort contemporain, décor sobre et de bon goût, vues spectaculaires depuis la terrasse panoramique sur le toit, restaurant haut de gamme, café branché... voilà le nouveau point de chute branché à Montréal. Seul bémol : sans être tape-à-l'œil, l'architecture moderne de l'édifice détonne dans ce quartier historique.

Hôtel Le St-James.

Le Place d'Armes Hôtel & Suites $$$$$
55 rue St-Jacques, 514-842-1887 ou 888-450-1887, www.hotelplacedarmes.com

Cet hôtel-boutique se dresse à l'un des angles de la place d'Armes, devant laquelle s'élève la magnifique basilique Notre-Dame. Équipées de cinéma maison et de salles de bain modernes, les chambres ont un beau cachet. On trouve aussi sur place le **Rainspa** (voir p. 56), un agréable spa avec hammam, deux chics restaurants, dont le **Kyo** (voir p. 66), et la **Terrasse Place d'Armes** (voir p. 71), qui trône sur le toit.

LHotel Montréal $$$$$
262 rue St-Jacques, 514-985-0019 ou 877-553-0019, www.lhotelmontreal.com

Aménagé dans une ancienne banque à l'architecture Second Empire, LHotel Montréal a non seulement gardé tout le cachet de l'endroit, mais le rehausse d'un cran grâce à sa fabuleuse collection d'œuvres d'art contemporain et pop art exposées entre ses murs. Les chambres sont spacieuses, avec de hauts plafonds et de grandes fenêtres, et meublées dans un style en adéquation avec le décor.

Le centre-ville

Bon à savoir

Le lundi, la plupart des grands musées sont fermés.

Attraits

une journée

Les gratte-ciel du **centre-ville** ★★★ donnent à Montréal son visage typiquement nord-américain. Toutefois, à la différence d'autres villes du continent, un certain esprit latin s'infiltre entre les tours pour animer ce secteur de jour comme de nuit. Au centre-ville, les bars, les cafés, les grands magasins, les boutiques, les sièges sociaux, deux universités (Concordia et McGill) et de multiples collèges sont tous intégrés à l'intérieur d'un périmètre restreint au pied du mont Royal.

Au début du XXe siècle, le centre de Montréal s'est déplacé graduellement de la vieille ville vers ce qui était, jusque-là, le quartier résidentiel huppé de la bourgeoisie canadienne, baptisé le **Golden Square Mile** (voir p. 99). De grandes artères comme la rue Dorchester, qui deviendra boulevard, lequel portera plus tard le nom de René-Lévesque, étaient alors bordées de demeures palatiales entourées de jardins ombragés. Le centre-ville a connu une transformation radicale en un très court laps de temps, soit entre 1960 et 1967, période qui voit se construire la Place Ville Marie, le métro, la ville souterraine, la Place des Arts et plusieurs autres infrastructures qui influencent encore le développement du secteur.

››› *Pour entreprendre le circuit, empruntez le réseau souterrain à partir du métro Peel en direction des Cours Mont-Royal et de la rue Peel.*

Les **galeries intérieures** ★ de Montréal (la « ville souterraine », voir l'encadré p. 83) sont les plus étendues au monde avec leur réseau piétonnier de plus de 30 km. Très appréciées pendant les jours de mauvais temps, elles donnent accès par des tunnels, des atriums et des places intérieures, à plus de 2 000 boutiques et restaurants, à des cinémas, des immeubles résidentiels, des bureaux, des hôtels, des gares, entre autres la gare Centrale, ainsi qu'à la Place des Arts et l'Université du Québec à Montréal (UQAM).

Les Cours Mont-Royal ★ *(1455 rue Peel, www.lcmr.ca; métro Peel)* sont reliées à ce réseau tentaculaire qui gravite autour des stations de métro. Il s'agit d'un complexe multifonctionnel comprenant quatre niveaux de boutiques, des bureaux et des appartements aménagés dans l'ancien hôtel Mont-Royal. Ce palace des années

À ne pas manquer

Vue du centre-ville de Montréal depuis le mont Royal.

folles, inauguré en 1922, était, avec ses quelque 1 100 chambres, le plus vaste hôtel de l'Empire britannique. Mis à part l'extérieur, seule une portion du plafond du hall, auquel est suspendu l'ancien lustre du casino de Monte Carlo, a été conservée lors du recyclage de l'immeuble en 1987.

››› *Poursuivez vers le sud dans la rue Peel jusqu'au square Dorchester.*

Le **Centre Infotouriste** *(tlj 9h à 17h, début mai à début oct jusqu'à 18h; 1255 rue Peel, angle rue Ste-Catherine O., 514-873-2015 ou 877-266-5687, www.quebecoriginal.com; métro Peel)* abrite, en plus des bureaux d'information touristique du gouvernement du Québec, les comptoirs de plusieurs intervenants du domaine touristique dont la Sépaq (Société des établissements de plein air du Québec), les tours de ville Gray Line et un bureau de change.

Alors qu'il était situé depuis 1799 en plein milieu de l'actuel centre-ville, le cimetière catholique de Montréal fut transféré en partie sur le mont Royal (cimetière Notre-Dame-des-Neiges, voir p. 170) en 1854. En 1872, la Ville fait de l'espace libéré deux squares de part et d'autre de la rue Dorchester (actuel boulevard René-Lévesque). La portion nord porte le nom de « square Dorchester » (anciennement le square Dominion), alors que la portion sud fut rebaptisée « place du Canada » lors du centenaire de la Confédération (1967). Plusieurs monuments ornent le **square Dorchester** ★ *(métro Peel)*, dont une statue équestre à la mémoire des soldats canadiens tués lors de la guerre des Boers en Afrique du Sud et un monument du sculpteur Émile Brunet en l'honneur de Sir Wilfrid Laurier, premier ministre du Canada de 1896 à 1911. Des travaux de réaménagement effectués en 2011 rendent ce square encore plus attrayant, avec de nombreux bancs et des parterres de pelouse qui accueillent les employés de bureau des alentours à l'heure du lunch. D'autres travaux d'embellissement sont prévus pour la fin 2017.

Le **Windsor** ★ *(1170 rue Peel, www.lewindsor.com; métro Peel)*, l'hôtel où descendaient les membres de la famille royale lors de leurs visites en terre canadienne, n'existe plus. Seule l'annexe de 1906 subsiste, transformée depuis 1986 en immeuble de bureaux. La jolie Peacock Alley, de même que les salles de bal, ont cependant été conservées. Un impressionnant atrium, visible des étages supérieurs, a été aménagé pour les locataires. Sur l'emplacement du vieil hôtel se dresse la **tour CIBC**. Ses parois sont revêtues d'ardoise verte, respectant ainsi les couleurs dominantes des bâtiments du square, soit le gris beige de la pierre et le vert du cuivre oxydé.

L'**édifice Sun Life** ★★ *(1155 rue Metcalfe; métro Peel)*, construit entre 1913 et 1933 pour la puissante compagnie d'assurances Sun Life, fut pendant longtemps le plus vaste édifice de l'Empire britannique. C'est dans cette « forteresse » de l'*establishment* anglo-saxon, aux colonnades dignes de la mythologie antique, que l'on dissimula les joyaux de la Couronne britannique au cours de la Seconde Guerre mondiale. On trouve à l'intérieur quelques boutiques et restaurants.

L'édifice Sun Life et la statue équestre du square Dorchester.

››› *La place du Canada est un prolongement du square Dorchester vers le sud.*

La **place du Canada** ★ *(métro Bonaventure)* accueille le 11 novembre de chaque année la cérémonie du Souvenir, à la mémoire des soldats canadiens tués au cours de la guerre de Corée et des deux guerres mondiales. Les anciens combattants se réunissent autour du monument aux morts, qui trône au centre de la place. Un monument plus imposant, à la mémoire de Sir John A. Macdonald, premier à avoir été élu premier ministre du Canada en 1867, est situé en bordure du boulevard René-Lévesque. Des travaux ont été effectués en 2015 pour revitaliser la place.

★ Attraits

1. CX Les Cours Mont-Royal
2. CX Centre Infotouriste
3. BX Square Dorchester
4. BY Windsor/Tour CIBC
5. CX Édifice Sun Life
6. BY Place du Canada
7. CY Cathédrale Marie-Reine-du-Monde
8. BY Église anglicane St. George
9. BY Gare Windsor
10. BY Centre Bell
11. BY Château Champlain
12. CZ 1000 De La Gauchetière/ Atrium
13. CZ Place Bonaventure
14. CY Gare Centrale
15. CY Fairmont Le Reine Elizabeth
16. CX Place Ville Marie/ Au Sommet Place Ville Marie
17. CW Tours jumelles BNP et Banque Laurentienne
18. CX Rue Sainte-Catherine
19. CX Centre Eaton/ Grévin Montréal
20. DX Christ Church/ Promenades Cathédrale
21. DX Square Phillips
22. DX La Baie
23. DY Maison olympique canadienne
24. DX Église St. James United
25. EX Édifice Belgo
26. EX Église du Gesù
27. DY Basilique St. Patrick
28. EX Place des Festivals
29. EX Maison du Festival de jazz/Galerie Lounge TD/Expo Bell des Légendes du Festival
30. EX Place des Arts/Maison symphonique de Montréal (MSM)
31. EX Musée d'art contemporain de Montréal
32. EX Complexe Desjardins
33. FX Maison du développement durable
34. FX Art actuel 2-22/La Vitrine
35. FX SAT
36. FX Monument-National
37. FY Place Sun-Yat-sen
38. EZ Palais des congrès de Montréal
39. EZ Maison de l'architecture du Québec
40. EZ Place Jean-Paul-Riopelle
41. DZ Édifice Jacques-Parizeau
42. DZ Tour de la Bourse
43. DZ Square Victoria
44. DZ Centre de commerce mondial de Montréal

● Restaurants

45. DY Beaver Hall
46. FW Bouillon Bilk
47. EX Brasserie T!
48. FX Cachitos
49. FX Cadet
50. DY Café Daylight Factory
51. FX Café du Nouveau Monde
52. AX Copper Branch
53. BY Decca 77
54. DX Escondite
55. BX Europea
56. FY Hoàng Oanh
57. DY Jatoba
58. FY Niu Kee Restaurant
59. FY Nouilles de Lan Zhou
60. FX Ong Cả Cần
61. FY Orange Rouge
62. FY Pâtisserie Harmonie
63. FY Qing Hua Dumpling
64. FY Restaurant Noodle Factory
65. CX Taverne Dominion
66. EX Taverne F
67. EY Tiradito
68. EZ Toqué!

■ Achats

69. DX Birks
70. EX Boutique du Musée d'art contemporain
71. CX Camper
72. CX Centre Eaton
73. CW Cheap Thrills
74. BX Clio blue
75. DZ Clusier Habilleur
76. EX Complexe Desjardins
77. CX Les Cours Mont-Royal
78. EX Édifice Belgo
79. EW Fou d'Ici
80. FX Henri Henri
81. FY IGA Louise Ménard
82. CX Indigo
83. DX La Baie
84. DW Librairie Ulysse
85. FX Omer DeSerres
86. CW Paragraphe
87. CX Place Montréal Trust
88. CX Place Ville Marie
89. DX Promenades Cathédrale
90. DX Roland Dubuc
91. AX Rudsak
92. DX Rue Sainte-Catherine
93. AW Shan
94. CX Simons
95. DW The Word

☽ Bars et boîtes de nuit

96. AX Brutopia
97. BX Club Salsathèque
98. DX Furco
99. AX Hurley's Irish Pub
100. FY Le Mal Nécessaire
101. FX Les Foufounes Électriques
102. FY Luwan
103. EX Place Deschamps
104. FX Société des Arts Technologiques (SAT)
105. AX Upstairs Jazz Bar & Grill

▲ Hébergement

106. AY Auberge de jeunesse HI-Montréal
107. FW Auberge de l'Ouest de l'UQAM
108. FY B&B Couette et Chocolat
109. DW Castel Durocher
110. CY Fairmont Le Reine Elizabeth
111. CY Hôtel Bonaventure Montréal
112. BY Hôtel Le Crystal
113. CW Hôtel Le Germain
114. CX Hôtel Renaissance Montréal Centre-Ville
115. DX Le Square Phillips Hôtel & Suites
116. CX Le St-Martin
117. EY Marriott Courtyard Montréal Centre-Ville
118. DW Université McGill
119. DZ W Montréal
120. FY Zero 1

Le centre-ville
rue Saint-Dominique
boul. Saint-Laurent
rue Clark
rue Ontario
SAINT-LAURENT
rue Saint-Urbain
QUARTIER CHINOIS
rue De La Gauchetière
boul. René-Lévesque O.
rue Sainte-Catherine O.
PLACE-D'ARMES
Place d'Armes
rue Jeanne-Mance
rue Anderson
rue Saint-Jacques
rue De Bleury
PLACE-DES-ARTS
av. Viger O.
rue Mayor
rue Dowd
av. du Président-Kennedy
rue Saint-Alexandre
City Councillors
rue McGill
SQUARE-VICTORIA-OACI
rue Aylmer
côte du Beaver Hall
rue Union
boul. Robert-Bourassa
McGILL
Université McGill
rue Sherbrooke O.
rue Cathcart
avenue McGill College
rue Belmont
rue De La Gauchetière O.
rue Mansfield
rue Metcalfe
rue Montfort
rue de la Cathédrale
PEEL
rue Peel
Square Dorchester
Place du Canada
BONAVENTURE
rue Stanley
rue Drummond
rue de la Montagne
boul. De Maisonneuve O.
rue Saint-Antoine O.
rue Crescent
LUCIEN-L'ALLIER
rue Lucien-L'Allier
rue Bishop
rue Overdale
av. Argyle
rue Mackay
720
0
200
400m
©ULYSSE

Siège de l'archevêché de Montréal, la **cathédrale Marie-Reine-du-Monde** ★★ *(entrée libre; lun-ven 7h à 19h, sam-dim 7h30 à 19h, en dehors des heures de messe; 1085 rue de la Cathédrale, angle boul. René-Lévesque O., 514-866-1661, www.cathedralecatholique-demontreal.org; métro Bonaventure)* est une réduction au tiers de la basilique Saint-Pierre-de-Rome. La construction, entreprise en 1870, sera finalement achevée en 1894. Les statues de cuivre des 13 saints patrons des paroisses de Montréal seront, quant à elles, installées en 1900. L'intérieur, modernisé au cours des années 1950, ne présente plus la même cohésion qu'autrefois. Il faut cependant remarquer le beau baldaquin, réplique de celui du Bernin, exécuté par le sculpteur Victor Vincent. Dans la chapelle mortuaire, sur la gauche, sont inhumés les évêques et archevêques de Montréal, la place d'honneur étant réservée au gisant de Mgr Bourget.

››› *En sortant de la cathédrale, empruntez le boulevard René-Lévesque sur votre gauche, puis prenez la rue Peel à gauche et marchez jusqu'à la très jolie église anglicane St. George.*

L'**église anglicane St. George** ★★ *(1001 av. des Canadiens-de-Montréal, 514-866-7113, www.st-georges.org; métro Bonaventure)*, de style néogothique, affiche un extérieur de grès délicatement sculpté. On remarque à l'intérieur l'exceptionnel plafond à charpente apparente et les boiseries du chœur, ainsi qu'une tapisserie provenant de l'abbaye de Westminster ayant servi lors du couronnement de la reine Elizabeth II.

En 1887, le directeur du Canadien Pacifique, William Cornelius Van Horne, demande à son ami new-yorkais Bruce Price (1845-1903) d'élaborer les plans de la **gare Windsor** ★★ *(angle rue De La Gauchetière et rue Peel; métro Bonaventure)*, une gare moderne qui agira comme terminal du chemin de fer transcontinental, achevé l'année précédente. L'allure massive qui se dégage de la gare, ses arcades en série, ses arcs cintrés soulignés dans la pierre et ses contreforts d'angle en font le meilleur exemple montréalais du style néoroman. Délaissée au profit de la gare Centrale après la Seconde Guerre mondiale, la gare Windsor ne fut plus utilisée que par les passagers des trains de banlieue jusqu'en 1993. Reliée au Montréal souterrain, elle abrite des commerces et des bureaux. La salle des pas perdus de la gare sert entre autres à présenter divers événements.

››› *Prenez la rue De La Gauchetière en direction ouest.*

Édifié sur l'emplacement des quais de la gare Windsor et inauguré en 1996 sous le nom de Centre Molson, le **Centre Bell** *(adultes 24$, enfants 20$; visites guidées tlj à 11h30, 13h30 et 15h, durée entre 45 min et 1h; entrée et billetterie au Temple de la renommée, 1909 av. des Canadiens-de-Montréal, 514-989-2841 ou 800-363-3723, www.centrebell.ca; métro Bonaventure ou Lucien-L'Allier)* a succédé au Forum de la rue Sainte-Catherine en tant que patinoire du club de hockey Le Canadien. C'est le plus grand amphithéâtre de la Ligue nationale de hockey avec ses 21 273 sièges et 135 loges vitrées. C'est également le plus bruyant : la clameur de la foule pendant un match de hockey est inoubliable! La saison régulière de hockey s'étend d'octobre à avril et les éliminatoires peuvent se prolonger jusqu'en juin. La plupart des billets sont vendus à l'avance et peu de places restent disponibles les soirs de matchs. Le Centre Bell accueille aussi de fréquents concerts populaires et des spectacles familiaux.

››› *Revenez sur vos pas. Le Château Champlain se trouve au sud de la place du Canada.*

Aujourd'hui un hôtel de la chaîne Marriott, le **Château Champlain** ★ *(1 place du Canada; métro Bonaventure)*, surnommé « la râpe à fromage » par les Montréalais à cause de ses multiples ouvertures cintrées et bombées, a été réalisé en 1966 par les Québécois Jean-Paul Pothier et Roger D'Astous.

La tour du **1000 De La Gauchetière** *(1000 rue De La Gauchetière O.; métro Bonaventure)*, un gratte-ciel de 51 étages, a été terminée en 1992. Les architectes ont voulu démarquer l'immeuble de ses voisins en le dotant d'un couronnement en pointe recouvert de cuivre. Sa hauteur totale atteint le maximum permis par la Ville, soit la hauteur du mont Royal, symbole ultime de Montréal, qui ne peut en aucun cas être dépassé. La tour renferme le terminus des autobus qui relient Montréal à la Rive-Sud ainsi que l'**Atrium** *(adultes 7,50$, enfants 5$, location de patins 7$; tlj horaire variable; 1000 rue De La Gauchetière O., 514-395-0555, www.le1000.com)*, une grande patinoire intérieure de 900 m² ouverte toute l'année et coiffée d'une superbe coupole vitrée qui diffuse les rayons du soleil.

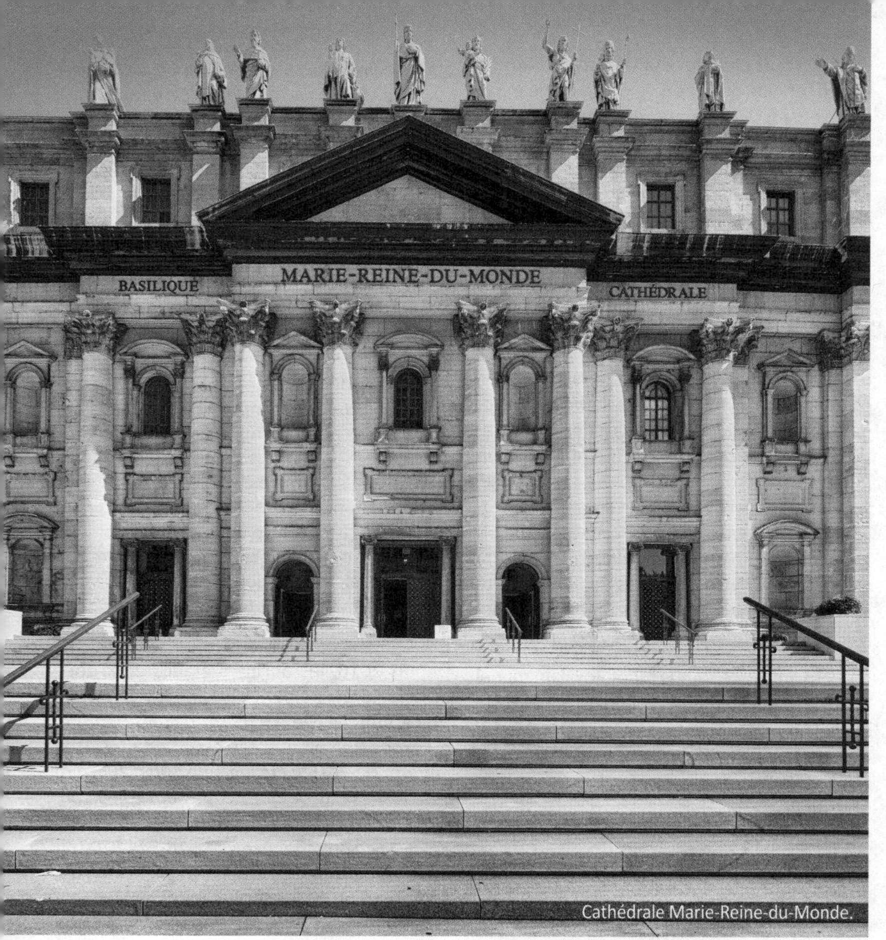

Cathédrale Marie-Reine-du-Monde.

Engagez-vous dans la rue De La Gauchetière. Vous apercevrez sur votre droite la Place Bonaventure.

La **Place Bonaventure** ★ *(1 Place Bonaventure, www.placebonaventure.com; métro Bonaventure)*, un immense cube de béton strié sans façade, était, au moment de son achèvement en 1966, l'une des réalisations de l'architecture moderne parmi les plus révolutionnaires de son époque. Ce complexe multifonctionnel du Montréalais Raymond Affleck est édifié au-dessus des voies ferrées qui mènent à la gare Centrale, où se superposent un stationnement, un centre commercial à deux niveaux relié au métro et à la ville souterraine, un vaste centre d'exposition et de foire, des salles de vente en gros, des bureaux et, aux

Gare Windsor.

étages supérieurs, l'**Hôtel Bonaventure** (voir p. 98), avec sur le toit un charmant jardin urbain qui mérite une petite visite.

Du côté est de la Place Bonaventure s'étire le boulevard Robert-Bourassa, qui donne accès au centre-ville. Au moment de mettre sous presse, un important chantier était en cours dans ce secteur afin de doter la métropole d'une porte d'entrée aussi grandiose que fonctionnelle à temps pour le 375e anniversaire de Montréal en 2017. Ce boulevard à huit voies, qui remplace un tronçon surélevé de l'autoroute Bonaventure démoli en 2016, se verra notamment embelli d'un large espace vert en son centre, et une œuvre d'art monumentale de l'artiste catalan Jaume Plensa, intitulée *Source*, sera installée à l'intersection avec la rue Wellington d'ici l'automne 2017. L'œuvre sera constituée d'un entrelacement des alphabets latin, grec, chinois, arabe, cyrillique, hindi, hébreu et japonais en hommage à la diversité de sa population, rassemblées en une forme humaine. Un peu plus au nord, à la hauteur de la rue Duke, sera installée une autre œuvre de grande envergure, celle-ci réalisée par l'artiste montréalais Michel de Broin. Intitulée *Dentrites*, elle sera composée de deux sculptures de 6 m et 8,2 m symbolisant le désir d'ascension de l'homme; d'ailleurs, les curieux pourront y grimper.

En 1913, on perce sous le mont Royal un tunnel ferroviaire qui aboutit au centre-ville. Les voies souterraines courent sous l'avenue McGill College, puis se multiplient au fond d'une large tranchée à l'air libre qui s'étend entre les rues Mansfield et University (aujourd'hui le boulevard Robert-Bourassa). En 1938, on construit la **gare Centrale** en sous-sol. Elle présente une intéressante salle des pas perdus de style Art déco aérodynamique, aussi appelé Streamline Deco.

La gare est camouflée par l'immense hôtel **Fairmont Le Reine Elizabeth** *(900 boul. René-Lévesque O.; métro Bonaventure; voir p. 98)*, le premier complexe hôtelier ultramoderne du centre-ville, ouvert en avril 1958. Carrément campé au-dessus de la gare Centrale, l'hôtel aux lignes épurées est alors l'un des premiers hôtels nord-américains dotés d'escaliers roulants, d'une climatisation centrale et d'une téléphonie à ligne directe dans chaque chambre. John Lennon et Yoko Ono ont attiré les regards du monde entier sur l'hôtel en 1969, alors qu'ils demeurent durant une semaine dans la chambre 1742 pour leur fameux *Bed-In For Peace*, en protestation contre la guerre du Vietnam. L'ex-Beatle en profite alors pour écrire et enregistrer l'hymne pacifiste *Give Peace a Chance* dans cette chambre.

››› *Prenez la rue Mansfield, qui longe la cathédrale Marie-Reine-du-Monde. On aperçoit à l'arrière-plan l'imposant édifice Sun Life. Tournez à droite dans le boulevard René-Lévesque.*

La construction de la **Place Ville Marie ★★★** *(1 Place Ville Marie, www.placevillemarie.com; métro Bonaventure)* a lieu dans la portion nord de la tranchée du tunnel ferroviaire dès 1959 et se termine en 1962. Avec ses associés, le célèbre architecte sino-américain Ieoh Ming Pei (pyramide du Louvre de Paris) conçoit, au-dessus des voies ferrées, un complexe multifonctionnel comprenant des galeries marchandes et différents édifices de bureaux, notamment la fameuse tour cruciforme en aluminium. Sa forme particulière en croix, tout en permettant d'obtenir un meilleur éclairage naturel jusqu'au centre de la construction, est devenue l'emblème incontesté du centre-ville de Montréal, avec en son sommet un puissant faisceau lumineux qui tourne au-dessus de la ville.

Depuis 2016, les derniers étages de la tour principale accueillent l'attrait **Au Sommet Place Ville Marie ★★** *(accès à l'observatoire, à l'exposition et à la terrasse : adultes 19$, enfants 13$ à 15$; été lun-sam 10h à 20h, dim 11h à 20h, reste de l'année lun-sam 10h à 18h, dim 11h à 18h; entrée et billetterie au niveau -01 de la galerie commerciale, 514-544-8200 ou 844-544-8282, http://ausommetpvm.com)*, qui comprend un observatoire à 360° (46e étage) offrant une vue à couper le souffle sur la ville et le fleuve Saint-Laurent, ainsi que l'exposition intitulée *#MTLGO* (46e étage), constituée de 55 écrans où sont projetés des portraits vidéo d'une vingtaine de secondes portant sur différentes facettes de la ville (histoire, quartiers, gastronomie, littérature, danse, musique, sports, etc.). Des images d'archives bien choisies sont également présentées sur chaque thème. Ensemble, l'observatoire et l'exposition constituent une excellente introduction au paysage, au patrimoine et à l'art de vivre montréalais (seul bémol : le vestiaire, où il faut payer 2$ par article; pensez donc à laisser vos sacs à l'hôtel). Au 44e étage se trouvent une terrasse où l'on peut prendre un verre et profiter du panorama (accès compris dans le droit d'entrée de l'observatoire) et une succursale de la chaîne de restaurants Les Enfants Terribles (auquel on peut accéder sans payer l'accès à l'observatoire).

Au Sommet Place Ville Marie.

Cathédrale anglicane Christ Church.

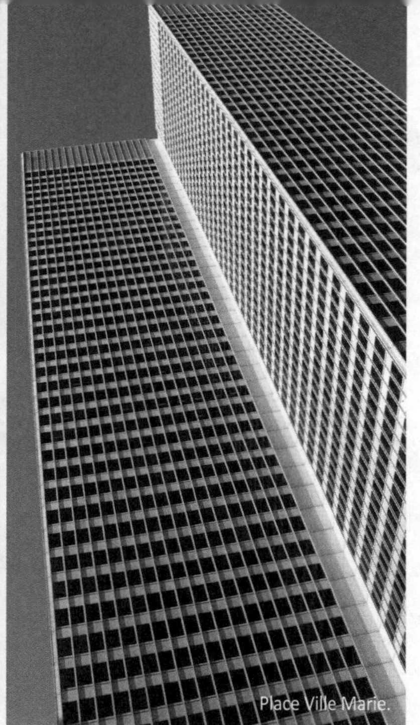
Place Ville Marie.

Traversez la Place Ville Marie, puis empruntez l'avenue McGill College jusqu'à la rue Sainte-Catherine Ouest.

L'avenue McGill College a été élargie et entièrement réaménagée au cours des années 1980. On peut y voir plusieurs exemples d'une architecture postmoderne éclectique et polychrome, où le granit poli et le verre réfléchissant abondent. Les **tours jumelles BNP** et **Banque Laurentienne** ★ *(1981 av. McGill College; métro McGill)*, les immeubles les plus réussis de l'avenue, ont été construites en 1981. Leurs parois de verre bleuté mettent en valeur la sculpture intitulée *La foule illuminée* de l'artiste franco-britannique Raymond Mason.

Revenez dans la rue Sainte-Catherine.

La **rue Sainte-Catherine** est la principale artère commerciale de Montréal. Longue de 15 km, elle change de visage à plusieurs reprises sur son parcours. Vers 1870, elle était encore bordée de maisons en rangée, mais en 1920 elle était déjà au cœur de la vie montréalaise. Depuis les années 1960, un ensemble de centres commerciaux reliant l'artère aux lignes de métro adjacentes s'est ajouté aux commerces ayant pignon sur rue dans le centre-ville. Parmi ceux-ci, le **Centre Eaton** *(705 rue Ste-Catherine O., www.centreeatondemontreal.com; métro McGill)* comprend une longue galerie à l'ancienne, bordée de cinq niveaux de magasins, de restaurants, d'un cinéma et même d'un musée (voir ci-dessous). Un tunnel piétonnier le relie à la Place Ville Marie.

Au cinquième et dernier étage du Centre Eaton, le musée **Grévin Montréal** *(adultes 19,50$, enfants 13,50$; lun-sam 10h à 18h, dim 11h à 17h; 705 rue Ste-Catherine O., 5e étage, 514-788-5210, www.grevin-montreal.com)* a fait son apparition en 2013. À l'instar de son homologue parisien, on côtoie ici les copies conformes, en cire, des célébrités du spectacle et de l'histoire, tant québécoises qu'internationales, mises en scène dans différents univers (patinoire de hockey, Nouveau Monde...). Un atelier virtuel permet d'en savoir plus sur la conception des statues et de créer sa propre effigie de cire.

La cathédrale anglicane **Christ Church** ★★ *(635 rue Ste-Catherine O., angle boul. Robert-Bourassa, 514-843-6577; métro McGill)* fut construite sur le modèle de celle de Salisbury

(Angleterre), la ville natale de l'architecte Frank Wills, qui réalisa cet ouvrage flamboyant doté d'un seul clocher aux transepts. La sobriété de l'intérieur contraste avec la riche ornementation des églises catholiques que l'on retrouve dans le même circuit. Seuls quelques beaux vitraux ajoutent un peu de couleur. La flèche de pierre du clocher fut démolie en 1927 et remplacée par une copie en aluminium, car elle aurait éventuellement entraîné l'affaissement de l'édifice. Le problème lié à l'instabilité des fondations ne fut pas réglé pour autant, et il fallut la construction du centre commercial **Promenades Cathédrale** *(www.promenadescathedrale.com)*, sous l'édifice, en 1987, pour solidifier le tout. Ainsi, la cathédrale anglicane Christ Church repose maintenant sur le toit d'un centre commercial. Par la même occasion, une tour de verre postmoderne, coiffée d'une « couronne d'épines », fut édifiée à l'arrière. À son pied se trouve une petite place dédiée à l'architecte Raoul Wallenberg, diplomate suédois qui sauva de la déportation nazie plusieurs centaines de juifs hongrois durant la Seconde Guerre mondiale.

C'est autour du **square Phillips** ★ *(angle rue Union et rue Ste-Catherine O.; métro McGill)* qu'apparurent les premiers magasins de la rue Sainte-Catherine, autrefois strictement résidentielle. Henry Morgan y transporta sa Morgan's Colonial House, aujourd'hui **La Baie** *(585 rue Ste-Catherine O., www.thebay.com)*, à la suite des inondations de 1886 dans la vieille ville. Henry Birks, issu d'une longue lignée de joailliers anglais, suivit bientôt, en installant sa célèbre bijouterie dans un bel édifice de grès beige, sur la face ouest du square.

Au sud du square Phillips se trouve la **Maison olympique canadienne** *(500 boul. René-Lévesque O.)*, dont la mission première est de faire découvrir le sport d'élite. Devant l'édifice se trouve un monument représentant une flamme olympique sur lequel ont été gravés les noms des 1 300 médaillés olympiques canadiens. Sur le toit trônent les fameux anneaux olympiques, illuminés en permanence. Malgré son inauguration en 2015, le lieu, qui renfermera un musée consacré à l'olympisme canadien, n'était toujours pas ouvert au public au moment de mettre sous presse. Aux dernières nouvelles, il commencerait à accueillir les visiteurs vers la fin de 2017.

L'**église St. James United** ★ *(463 rue Ste-Catherine O., 514-288-9245; métro McGill)*, une

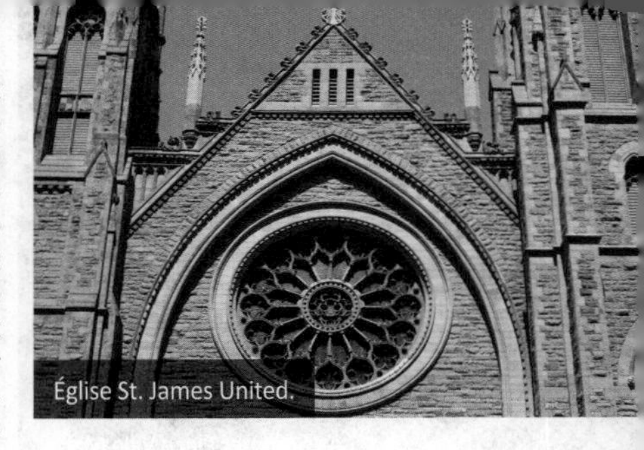
Église St. James United.

ancienne église méthodiste construite entre 1887 et 1889, fut longtemps cachée derrière un ensemble de commerces et de bureaux sur le front de la rue Sainte-Catherine. Toutefois, à la suite d'heureux travaux de rénovation réalisés en 2005, son impressionnante façade, avec rosace et verrières, et ses tours néogothiques sont de nouveau visibles.

Construit en 1912 en tant que grand magasin, l'**édifice Belgo** ★ *(entrée libre; les horaires varient en fonction des événements et des galeries; 372 rue Ste-Catherine O., 514-861-2953, www.thebelgoreport.com; métro Place-des-Arts)* abrite aujourd'hui une trentaine de galeries et d'ateliers d'artistes et offre un bel aperçu des arts contemporains à Montréal.

››› *Tournez à droite dans la rue De Bleury.*

Après 40 ans d'absence, les Jésuites reviennent à Montréal en 1842 à l'invitation de Mgr Ignace Bourget. Six ans plus tard, ils fondent le collège Sainte-Marie, où plusieurs générations de garçons recevront une éducation exemplaire. L'**église du Gesù** ★★ *(1200 rue De Bleury, 514-861-4378, www.legesu.com; métro Place-des-Arts)* fut conçue, à l'origine, en tant que chapelle du collège. Le projet grandiose, entrepris en 1864, ne put être achevé faute de fonds. Ainsi, les tours de l'église néo-Renaissance n'ont jamais reçu de clochers. Quant au décor intérieur, il fut exécuté en trompe-l'œil par l'artiste Damien Müller. On remarque les beaux exemples d'ébénisterie que sont les sept autels principaux ainsi que les parquets marquetés qui les entourent. Le collège des Jésuites, qui était situé au sud de l'église, fut démoli en 1975, mais l'église du Gesù a heureusement pu être sauvée puis restaurée en 1983. Depuis, elle accueille un centre de créativité qui porte son nom (voir p. 96). Le Vivier, organisme dédié aux musiques nouvelles, y présente également des concerts.

Passage souterrain à la station de métro Square-Victoria–OACI.

La ville souterraine

L'inauguration de la Place Ville Marie, en 1962, avec sa galerie marchande au sous-sol, marque le point de départ de ce que l'on appelle aujourd'hui les galeries intérieures ou le Montréal souterrain. Le développement de cette «cité sous la cité» est accéléré par la construction du métro, qui débute la même année. Rapidement, la plupart des commerces, des tours de bureaux et quelques hôtels du centre-ville seront reliés au réseau piétonnier souterrain (le RÉSO) et, par extension, au métro. À chaque station de métro qui y est rattaché, vous trouverez des plans du RÉSO affichés aux murs, qui permettent de se diriger dans ce dédale de couloirs et galeries.

Aujourd'hui, les galeries intérieures sont les plus étendues du monde avec leur réseau piétonnier de plus de 30 km. Très appréciées pendant les jours de mauvais temps, elles donnent accès par des tunnels, des atriums et des places intérieures à plus de 2 000 boutiques et restaurants, ainsi qu'à des cinémas, des immeubles résidentiels, des bureaux, des hôtels, des gares...

Voici les zones principales:

- Autour de la station Berri-UQAM, accès aux bâtiments de l'Université du Québec à Montréal (UQAM), à la Place Dupuis et à la Grande Bibliothèque.
- Entre les stations Place-des-Arts et Place-d'Armes, formée de la Place des Arts, du Musée d'art contemporain, des complexes Desjardins et Guy-Favreau, ainsi que du Palais des congrès.
- La station Square-Victoria–OACI, le centre des affaires.
- La plus fréquentée et la plus importante, autour des stations McGill, Peel et Bonaventure, englobant la gare Centrale ainsi que des centres commerciaux comme La Baie et le Centre Eaton.

››› *Faites un crochet pour aller visiter la basilique St. Patrick. Pour vous y rendre, suivez la rue De Bleury vers le sud. Puis tournez à droite dans le boulevard René-Lévesque et enfin à gauche dans la petite rue Saint-Alexandre. Entrez dans l'église par les accès situés sur les côtés.*

Fuyant la misère et la maladie de la pomme de terre, les Irlandais arrivent nombreux à Montréal entre 1820 et 1860, où ils participent aux chantiers du canal de Lachine et du pont Victoria. La construction de la **basilique St. Patrick** ★★ *(460 boul. René-Lévesque O., 514-866-7379; métro Square-Victoria–OACI)*, qui servira de lieu de culte à la communauté catholique irlandaise, répond donc à une demande nouvelle et pressante. Au moment de son inauguration en 1847, l'église dominait la ville située en contrebas. Elle est, de nos jours, bien dissimulée entre les gratte-ciel du centre des affaires. Le père Félix Martin, supérieur des Jésuites, et l'architecte Pierre-Louis Morin se chargèrent des plans de l'édifice néogothique, style préconisé par les Messieurs de Saint-Sulpice, qui financèrent le projet. Chacune des colonnes en pin qui divisent la nef en trois vaisseaux est un tronc d'arbre taillé d'un seul morceau.

››› *Revenez dans la rue Sainte-Catherine.*

Délimité par les rues City Councillors à l'ouest, Saint-Hubert à l'est, Sherbrooke au nord et le boulevard René-Lévesque au sud, le **Quartier des spectacles** ★ *(www.quartierdesspectacles.com)* couvre 1 km^2. On y trouve quelque 80 lieux de diffusion culturelle et huit places publiques qui accueillent différents festivals et événements au cours de l'année. Parmi ces places publiques se trouve la **place des Festivals** *(du côté ouest de la rue Jeanne-Mance, entre le boulevard De Maisonneuve et la rue Ste-Catherine)*, dotée des plus importants jeux d'eau et de lumière au Canada en été (et de belles œuvres d'art interactives en hiver). Les façades qui donnent sur la place (et celles d'autres édifices du Quartier des spectacles) servent également de toile de fond à des projections artistiques régulièrement renouvelées.

Le Complexe des sciences Pierre-Dansereau

Partie intégrante du campus de l'Université du Québec à Montréal (UQAM), le **Complexe des sciences Pierre-Dansereau** ★★, du nom d'un grand scientifique québécois décédé en 2011 à l'âge de 99 ans, s'inscrit dans la continuité du développement urbain de l'UQAM. Délimité par les rues Sherbrooke, Saint-Urbain, Jeanne-Mance et l'avenue du Président-Kennedy, le quadrilatère qui l'abrite se trouve à deux pas de la place des Festivals et du Quartier des spectacles de Montréal. Le complexe regroupe quatre pavillons à vocation scientifique, un centre de diffusion et de vulgarisation et des résidences universitaires. Les jeux des façades en harmonie avec l'aménagement paysager en font un ensemble architectural résolument moderne. En partie revêtu des briques chamois des bâtiments anciens, le complexe arbore du verre coloré dans des tons de gris, de vert et de jaune. De splendides vidéoprojections architecturales, sans cesse changeantes, animent sa façade en soirée du jeudi au dimanche tout au long de l'année.

Au sud-ouest de la place, la **Maison du Festival de jazz** s'est installée dans l'ancien édifice Blumenthal, entièrement rénové. Outre les bureaux du **Festival international de jazz de Montréal** (voir l'encadré à ce sujet) et le bistro-club de jazz Le Balmoral, elle renferme une boutique, une salle de spectacle (voir p. 96) et la **Galerie Lounge TD** *(entrée libre; mar-mer 11h30 à 17h, jeu-ven 11h30 à 21h, sam 11h30 à 18h, dim 11h30 à 17h; 305 rue Ste-Catherine O., 514-288-8882)*, qui expose des photos, peintures, sérigraphies et dessins réalisés par des musiciens, ou ayant un rapport au jazz ou à la musique en général. Dans le même édifice, l'**Expo Bell des Légendes du Festival** *(mêmes horaires que la Galerie Lounge TD)* retrace à travers une collection d'objets en tout genre les grands moments du Festival de jazz.

Inspiré par des ensembles culturels comme le Lincoln Center de New York, le gouvernement du Québec a fait édifier, dans la foulée de la Révolution tranquille, la **Place des Arts** ★ *(175 rue Ste-Catherine O., entre les rues Jeanne-Mance et Saint-Urbain et le boulevard De Maisonneuve, 514-842-2112 ou 866-842-2112, www.pda.qc.ca; métro Place-des-Arts)*, un complexe de six salles consacré aux arts de la scène. La Salle Wilfrid-Pelletier, au centre, fut inaugurée en 1963 (2 990 places). Elle accueille entre autres l'Opéra de Montréal et différents événements artistiques majeurs. L'édifice des théâtres, sur la droite, adopte une forme cubique. Il renferme trois salles : le Théâtre Maisonneuve (1 453 places), le Théâtre Jean-Duceppe (755 places) et la Salle Claude-Léveillée, baptisée en souvenir du premier chansonnier québécois tête d'affiche à la Place des Arts, une petite salle intimiste de 128 places. Quant à la Cinquième Salle (350 places), elle a été aménagée en 1992 dans le cadre de la construction du Musée d'art contemporain. En face du Théâtre Maisonneuve se trouve le bar à vin **Place Deschamps** (voir p. 96), où l'on peut prendre un verre ou un repas avant ou après un spectacle. Devant ce bar à vin, vous pourrez admirer une amusante sculpture métallique de Pierre Granche, intitulée *Comme si le temps... de la rue*, qui représente la trame de rues montréalaise envahie par des oiseaux casqués. Enfin, au nord-est de l'îlot de la Place des Arts, la **Maison symphonique de Montréal (MSM)**, la salle de l'Orchestre sym-

Maison du Festival de jazz.

phonique de Montréal, est le nouveau joyau de ce complexe culturel. Inaugurée en 2011, elle accueille 2 100 personnes dans un environnement contemporain et grandiose, aux qualités acoustiques exceptionnelles.

L'esplanade de la Place des Arts joue également le rôle d'une agora culturelle au cœur du centre-ville. Hiver comme été, le secteur de la Place des Arts se transforme en un grand pôle animé.

Le **Musée d'art contemporain de Montréal** ★★ *(15$, demi-tarif mer 17h à 21h; mar 11h à 18h, mer-ven 11h à 21h, sam-dim 10h à 18h; 185 rue Ste-Catherine O., angle rue Jeanne-Mance, 514-847-6226, www.macm.org; métro Place-des-Arts)* a ouvert ses portes sur son emplacement actuel en 1992. Il s'agit du premier (1964) musée d'art contemporain au Canada. Il possède une collection de plus de 7 600 œuvres réalisées après 1940. L'intérieur, nettement plus réussi que l'extérieur, s'organise autour d'un hall circulaire. L'exposition permanente du musée présente la plus importante collection des œuvres de Paul-Émile Borduas. Les expositions temporaires font, quant à elles, surtout la part belle aux créations multimédias (pour la saison 2017-2018, l'institution projette

Le Festival international de jazz de Montréal

Du premier Festival de jazz lancé modestement en 1980 par Alain Simard, André Ménard et Denyse McCann, sur l'île Sainte-Hélène, à la très dynamique Équipe Spectra (du Groupe CH), qui fait vibrer le centre-ville de Montréal au rythme de nombreux événements et concerts chaque année, la conception montréalaise fait recette et a su élever le **Festival international de jazz de Montréal** (voir aussi p. 91) au rang du plus important rendez-vous du jazz au monde : une programmation éclectique, des artistes du monde entier, allant des grandes pointures du jazz aux découvertes locales, et un volet important de concerts gratuits en plein air qui attirent plus d'un million de festivaliers.

d'organiser une exposition dédiée au grand chanteur et poète montréalais Leonard Cohen, décédé en novembre 2016 à l'âge de 82 ans). Le musée compte également une boutique de produits tendance et un bon restaurant, Le Contemporain, qui domine l'esplanade de la Place des Arts. Notez que, quatre fois par an, le musée présente ses Nocturnes, avec cocktail, musique en direct et visites guidées des expositions.

Le vaste **complexe Desjardins** ★ *(150 rue Ste-Catherine O., au sud de la Place des Arts, www.complexedesjardins.com; métro Place-des-Arts)* renferme plusieurs sociétés et services du Mouvement Desjardins depuis 1976. Il est doté d'un vaste atrium, très couru durant les mois d'hiver, où ont lieu divers événements culturels au cours de l'année. L'atrium est entouré entre autres de boutiques et d'une aire de restauration à comptoirs multiples. Plus grand immeuble de la métropole avec ses 371 000 m², le complexe comprend aussi l'hôtel Hyatt Regency Montréal.

De la rue Saint-Urbain au boulevard Saint-Laurent, c'est une tout autre rue Sainte-Catherine que l'on parcourt : la Sainte-Catherine nocturne avec ses bars de danseuses nues et ses sex-shops. Toutefois, l'aménagement du Quartier des spectacles fait perdre peu à peu le caractère singulier de ce secteur.

Remarquez en passant la **Maison du développement durable** *(entrée libre; lun-ven 10h30 à 18h; 50 rue Ste-Catherine O., www.maisondeveloppementdurable.org)*, un formidable modèle de bâtiment écologique achevé en 2011, qui loge des organismes tels qu'Équiterre et Amnistie internationale. Un parcours d'interprétation et des visites guidées gratuites du bâtiment permettent d'en savoir plus sur ce type de construction.

À l'intersection de la rue Sainte-Catherine et du boulevard Saint-Laurent, le complexe **Art actuel 2-22** *(2 rue Ste-Catherine E., www.artactuel2-22.com)* abrite derrière ses façades modernes plusieurs organismes culturels et d'art actuel, les studios de la radio communautaire CIBL et **La Vitrine** *(mar-sam 11h à 20h, dim-lun 11h à 18h; 514-285-4545 ou 866-924-5538, www.lavitrine.com)*, un guichet central d'information et de vente de billets de dernière minute (à prix réduit ou régulier) pour de nombreux événements culturels du Grand Montréal.

››› *Tournez à droite dans le boulevard Saint-Laurent.*

La **SAT** *(1201 boul. St-Laurent, 514-844-2033, www.sat.qc.ca; métro St-Laurent)*, ou **Société des arts technologiques**, se présente comme un centre disciplinaire de création et de diffusion voué au développement et à la conservation de la culture numérique. La SAT propose régulièrement des événements artistiques, dont de nombreux concerts et des soirées animées par des DJ renommés. Sa Satosphère, une salle de projection immersive à 360° dont l'éclairage extérieur du dôme est visible de partout aux alentours, offre une expérience unique. La SAT renferme également le resto-bar le **Labo Culinaire** (voir p. 96) et organise tous les ans le bazar créatif souk @ sat.

Construit en 1893 pour la Société Saint-Jean-Baptiste, vouée à la défense des droits des francophones, le **Monument-National** ★ *(1182 boul. St-Laurent, 514-871-9883 ou 514-871-2224, www.monument-national.qc.ca; métro St-Laurent)* constituait un centre culturel dédié à la cause du Canada français. Au cours des années 1940, on y a aussi monté des spectacles de cabaret et des pièces à succès qui ont lancé la carrière de plusieurs artistes québécois, notamment les Olivier Guimond père et fils. L'édifice, vendu à l'École nationale de théâtre du Canada en 1971, a fait l'objet d'une restauration complète lors de son centenaire; à cette occasion, on a mis en valeur la plus ancienne salle de spectacle du Canada, la Salle Ludger-Duvernay. On y présente aujourd'hui aussi bien des pièces de théâtre que divers spectacles.

››› *Traversez le boulevard René-Lévesque, puis tournez à droite dans la rue De La Gauchetière.*

Le **Quartier chinois** ★ *(rue De La Gauchetière; métro Place-d'Armes)* de Montréal, malgré son exiguïté, n'en demeure pas moins un lieu de promenade agréable. Les Chinois venus au Canada pour la construction du chemin de fer transcontinental, terminé en 1886, s'y sont installés en grand nombre à la fin du XIXe siècle. Bien qu'ils n'habitent plus le quartier, ils y viennent toujours pour flâner et faire provision de produits exotiques. La rue De La Gauchetière a été transformée en artère piétonne, bordée de restaurants et d'échoppes. Les beaux portails qui l'encadrent, et que l'on retrouve également sur le boulevard Saint-Laurent, ont été offerts par la Chine dans les années 1990. La **place Sun-Yat-sen**, nommée en l'honneur du « père

L'une des portes qui marquent l'entrée du Quartier chinois.

Le circuit culturel du Quartier international de Montréal

Le Quartier international de Montréal offre un circuit culturel composé d'une trentaine œuvres d'art public. Les piétons peuvent le parcourir à leur guise et découvrir ou redécouvrir des artistes hors des infrastructures muséales traditionnelles. Ils y verront des œuvres magistrales comme *Le Grand Jean Paul* (2005) de Roseline Granet, *Le miroir aux alouettes* (1975) de Marcelle Ferron, sans oublier *La Joute* (1974) de Jean Paul Riopelle. Pour en savoir plus, visitez le *http://societeagil.org/fr/info-visiteurs.*

Palais des congrès de Montréal.

de la Chine moderne », est le lieu de rassemblement des gens du quartier. Elle accueille un beau pavillon qui reprend le style du Palais impérial de Beijing et dont les finitions furent exécutées par des artisans venus spécialement de Chine. De mai à octobre, ce pavillon accueille un magasin de souvenirs et cadeaux.

››› *Tournez à gauche dans la rue Saint-Urbain et pénétrez à l'intérieur du Palais des congrès de Montréal, à l'angle de l'avenue Viger. Cet édifice fait partie de ce que l'on appelle le* ***Quartier international de Montréal****, un secteur qui se veut la vitrine économique internationale de la métropole québécoise.*

Le **Palais des congrès de Montréal** ★★ *(trois entrées : 201 av. Viger O.; 1001 place Jean-Paul-Riopelle; 301 rue St-Antoine, 514-871-8122 ou 800-268-8122, www.congresmtl.com; métro Place-d'Armes)*, édifié en partie au-dessus de l'autoroute Ville-Marie, contribuait d'une certaine manière à isoler le Vieux-Montréal du centre-ville. À la suite d'aménagements importants en 2002, le Palais des congrès a doublé sa surface et s'intègre mieux en continuité entre ces deux secteurs. Des œuvres d'art contribuent aussi à enjoliver le lieu, entre autres *Translucide*, un diptyque des artistes multimédias Michel Lemieux et Victor Pilon, et *Nature*

Légère/Lipstick Forest, un jardin surréel de 52 troncs d'arbres en béton rose créé par l'architecte Claude Cormier.

Juste à l'extérieur du Palais des congrès, la **Maison de l'architecture du Québec** *(entrée libre; mer-ven 13h à 18h, sam 12h à 17h; 181 rue St-Antoine O., 514-868-6691, www.maisondelarchitecture.ca)* a pour mission de stimuler et diffuser la création architecturale et paysagiste. Ses diverses expositions temporaires explorent des thématiques variées, à travers des maquettes, des plans ou des photos.

La façade ouest du Palais des congrès, avec son immense surface de verre coloré qui crée des effets de lumière tant à l'intérieur qu'à l'extérieur du Palais, donne sur la **place Jean-Paul-Riopelle** ★★ *(entre le Palais des congrès et l'édifice Jacques-Parizeau)*, où est installée une immense sculpture-fontaine en bronze signée par l'artiste, intitulée *La Joute*. Durant la belle saison *(mi-mai à mi-oct, toutes les heures de 18h30 à 23h)*, un mécanisme, avec brume et cercle de feu, anime l'œuvre. Devant s'élève un bâtiment à l'architecture imposante, l'**édifice Jacques-Parizeau** ★ (anciennement le Centre CDP Capital), bureau d'affaires de la Caisse de dépôt et placement du Québec.

Jean Paul Riopelle

Jean Paul Riopelle est né à Montréal en 1923. Sa carrière prend son envol au sein du groupe des Automatistes, dans les années 1940. Il fut sans doute l'un des peintres parmi les plus importants du Québec et celui jouissant de la plus grande renommée internationale au sein de ses contemporains. Plusieurs du nombre impressionnant d'œuvres qu'il a signées (sa fille Yseut en a répertorié autour de 8 840) font aujourd'hui partie de collections privées ou de musées d'art nationaux et internationaux. Personnage légendaire aimant les belles voitures et la vitesse, peintre abstrait connu pour ses immenses toiles, Riopelle a certainement marqué l'art moderne de son empreinte distinctive.

L'un des 16 signataires du manifeste *Refus global* rédigé par Paul-Émile Borduas en 1948, Riopelle vécut à Paris pendant de nombreuses années, mais c'est au Québec qu'il est revenu s'installer vers la fin de sa vie. Il est décédé le 12 mars 2002 dans son manoir de l'île aux Grues, le long du corridor de migration des oies blanches qu'il affectionnait particulièrement.

››› *Tournez à gauche dans l'avenue Viger et marchez jusqu'au square Victoria. Il vous est également possible de rejoindre le square en traversant l'édifice Jacques-Parizeau.*

La **tour de la Bourse** ★ *(Place Victoria; métro Square-Victoria–OACI)* est le bâtiment qui domine le paysage dès votre arrivée. Construite en 1964, l'élégante tour noire de 47 étages, qui abrite les bureaux et le parquet de la Bourse, était censée redonner vie au quartier des affaires de la vieille ville, alors délaissé depuis le krach de 1929 au profit des environs du square Dorchester.

Au XIXe siècle, le **square Victoria** ★★ *(métro Square-Victoria–OACI)* adoptait la forme d'un jardin victorien entouré de magasins et de bureaux Second Empire ou néo-Renaissance. Seul l'étroit édifice du 751 de la rue McGill subsiste de cette époque. Toutefois, le square Victoria a retrouvé sa forme historique, avec ses dimensions d'origine et sa statue restaurée de la reine Victoria, et les voies de circulation qui le bordent en font l'un des axes importants du Quartier international de Montréal.

En 2003, dans le cadre des travaux d'aménagement du Quartier international de Montréal, la bouche de métro de la station Square-Victoria–OACI (sortie Saint-Antoine) s'est vue ornée de la grille d'entrée restaurée (elle y était depuis 1967) du « métropolitain » parisien – œuvre d'Art nouveau que l'architecte Hector Guimard avait conçue au début des années 1900.

››› *Pénétrez dans le passage couvert du Centre de commerce mondial.*

Le **Centre de commerce mondial de Montréal** ★ *(747 rue du Square-Victoria; métro Square-Victoria–OACI)* couvre un quadrilatère complet constitué de façades anciennes apposées sur une nouvelle structure traversée en son centre par un impressionnant passage vitré

Square Victoria.

long de 180 m. Celui-ci occupe une section de la ruelle des Fortifications, voie qui suit l'ancien tracé du mur nord de la ville fortifiée.

En bordure du passage se trouvent une fontaine et un élégant escalier de pierre servant de cadre à une sculpture d'Amphitrite, épouse de Poséidon, provenant de la fontaine municipale de Saint-Mihiel, en France. Il s'agit d'une œuvre du milieu du XVIIIe siècle réalisée par le sculpteur nîmois Barthélemy Guibal, à qui l'on doit également les fontaines de la place Stanislas à Nancy. On peut aussi y voir une portion du « mur de Berlin », don de la Ville de Berlin à l'occasion du 350e anniversaire de la fondation de la ville de Montréal.

››› 🚶 Ⓜ *Vous pouvez reprendre le métro à la station Place-d'Armes, accessible à partir des galeries du Centre de commerce mondial.*

Restaurants

Cachitos $

3 rue Ste-Catherine O., 514-500-6259, www.cachitos.ca

Un petit creux en passant? Faites un arrêt dans cette boulangerie vénézuélienne pour goûter leurs petits pains. À mi-chemin entre pain et croissant, ils sont fourrés de délices salés (jambon-fromage, ricotta, chorizo) ou sucrés, et se dégustent sur place ou en continuant votre promenade.

Hoàng Oanh $

1071 boul. St-Laurent, 514-954-0053

Cette petite épicerie est surtout connue pour ses *bánh mì*, des sandwichs vietnamiens faits avec une baguette et fourrés de viande, légumes marinés et herbes fraîches. À dévorer en se promenant.

Nouilles de Lan Zhou $

1006 boul. St-Laurent, 514-397-8828

On s'attarde devant la vitrine pour le spectacle des « nouilles tirées » à la main; puis, on y entre, attiré par les parfums de bouillon; au final, on en ressort repu et content, après s'être offert une excellente soupe aux nouilles de son choix. Argent comptant uniquement.

Pâtisserie Harmonie $

85 rue De La Gauchetière O., 514-875-1328

Dans le même style que les belles pâtisseries de Hong Kong, Harmonie propose toute une variété de petits pains frais, sucrés ou salés, froid ou chauds, que l'on peut accompagner d'un *bubble tea* (un thé au lait et aux perles de tapioca). Parfait pour un petit creux ou pour s'ajouter au sandwich vietnamien de chez Hoàng Oanh (voir ci-dessus).

Qing Hua Dumpling $

1019 boul. St-Laurent, 514-903-9887;
1676 av. Lincoln, 438-288-5366

Comme son nom l'indique, Qing Hua Dumpling sert des *dumplings*, ces raviolis chinois farcis de viande, de fruits de mer ou de légumes. Mais ce que son nom ne dit pas, c'est qu'ils sont particulièrement juteux et savoureux ici. La succursale de l'avenue Lincoln, dans le Village Shaughnessy, est plus simple mais aussi plus chaleureuse que celle, plus moderne, du Quartier chinois.

Restaurant Noodle Factory $
1018 rue St-Urbain, 514-868-9738,
www.restonoodlefactory.com

La réputation de ce petit restaurant du Quartier chinois tient à une chose : ses excellentes nouilles et pâtes fraîches faites à la main, ici même, dans la cuisine à aire ouverte donnant sur la salle à manger. Les soupes, les *dumplings* et, bien sûr, les plats de nouilles sont délicieux et à des prix défiant toute concurrence. Le nombre de tables restreint rend souvent l'attente obligatoire, surtout à l'heure du déjeuner. Argent comptant uniquement.

Copper Branch $-$$
1245 rue Bishop, 514-303-1800,
www.copperbranch.ca

Ce restaurant végétalien attire une clientèle friande de ses petits déjeuners, de ses burgers et de ses plats de riz, de nouilles ou de salades, tous bien garnis. En plus d'être sans produits animaliers, chaque mets peut être apprêté sans gluten.

Niu Kee Restaurant $-$$
1163 rue Clark, 514-868-1866

L'entrée du Niu Kee est peu engageante et la salle à l'étage, avec ses fenêtres barricadées, n'est guère plus accueillante. Par contre, la cuisine chinoise qu'on y sert vaut vraiment le détour. Les trois chefs se relaient pour concocter les spécialités de différentes régions du nord et de l'ouest de la Chine qu'on trouve rarement sur d'autres cartes. Service attentif et souriant.

Café Daylight Factory $$
1030 rue St-Alexandre, 514-871-4774,
www.daylightfactory.ca

Le décor minimaliste du Café Daylight Factory a su intégrer le cachet historique de l'ancien édifice Unity (1913) qui l'abrite. Dans un décor sobre, presque austère, on y sert des salades et des sandwichs, parfaits pour un repas rapide le midi, ainsi que de bons plats du jour plus élaborés. L'été, l'immense terrasse attire bon nombre de travailleurs du centre-ville.

Beaver Hall $$-$$$
1073 côte du Beaver Hall, 514-866-1331,
www.beaverhall.ca

Tenu par la même équipe qui dirige le réputé **Europea** (voir p. 92), le Beaver Hall sert les classiques des bistros français, parfaitement exécutés. Le Beaver Hall offrant un bon rapport qualité/prix, il est nettement préférable de réserver, le midi comme le soir.

Ong Cả Cần $$-$$$
79 rue Ste-Catherine E., 514-844-7817

L'intérêt de la carte réside dans les spécialités authentiquement vietnamiennes comme les *bò bảy món*, ces repas de fête qui comportent sept différents plats de bœuf (en soupe, à la vapeur, grillades...), les uns plus savoureux que les autres. Avec sa salle au décor contemporain, qui aurait cru que Ong Cả Cần régalait les Montréalais depuis 1982?

Orange Rouge $$-$$$
106 rue De La Gauchetière O., 514-861-1116,
http://orangerouge.ca

Orange Rouge, situé dans une vieille bâtisse aux abords du Quartier chinois, est un restaurant inclassable qui a de quoi remuer nos habitudes en cuisine asiatique. Et c'est une très bonne chose. Le midi, une carte moins élaborée et moins onéreuse *($-$$)* est adaptée à la clientèle venant des bureaux du quartier.

Cadet $$$
1431 boul. St-Laurent, 514-903-1631,
www.restaurantcadet.com

Dans un local sobre doté d'un long bar invitant, le frère cadet du Bouillon Bilk (voir plus bas) propose des petits plats à partager, comme autant de bijoux, réalisés avec délicatesse et savoir-faire. Les mariages de saveurs, parfois audacieux, ne présentent aucun faux pas. Ambiance décontractée, service efficace et avenant, excellent choix de vins au verre ou à la bouteille.

Brasserie T! $$$
1425 rue Jeanne-Mance, 514-282-0808,
www.brasserie-t.com

Taverne F $$$
1485 rue Jeanne-Mance, 514-289-4558,
www.fbar.ca

Difficile de ne pas remarquer ces deux bâtiments tout en longueur situés directement sur la place des Festivals. Ils offrent tous deux un environnement lumineux et une agréable terrasse qui permet de zieuter les passants. Mais

Musée d'art contemporain de Montréal.

là s'arrête la comparaison. La Brasserie T!, sous la houlette de Normand Laprise, chef-propriétaire du **Toqué!** (voir p. 92), propose bavette, tartare, foie gras et autres classiques de bistro, tous bien apprêtés, ainsi qu'un délicieux hamburger. Quant à la Taverne F, la petite sœur du **Ferreira Café** (voir p. 107), son menu affiche une savoureuse cuisine portugaise.

Café du Nouveau Monde $$$

Théâtre du Nouveau Monde,
84 rue Ste-Catherine O., 514-866-8669,
www.tnm.qc.ca/cafe-du-nouveau-monde

Il n'est pas nécessaire d'assister à un spectacle pour profiter du Café du Nouveau Monde, où il fait bon simplement prendre un verre, un café ou un dessert dans le décor déconstructiviste du rez-de-chaussée ou encore un bon repas à l'étage, dont l'atmosphère rappelle les brasseries parisiennes. Le menu s'associe au décor et affiche les classiques de la cuisine française de bistro. Service impeccable, belle présentation et cuisine irréprochable, que demander de plus?

Escondite $$$

1206 rue Union, 514-419-9755,
www.escondite.ca

Une ambiance festive et une cuisine mexicaine revisitée (sans tomber dans la triste variante tex-mex) sont au menu dans ce restaurant où les saveurs sont aussi ensoleillées et éclatées que le décor. Cocktails originaux et variés.

Taverne Dominion $$$

1243 rue Metcalfe, 514-564-5056,
www.tavernedominion.com

Dans un superbe décor de taverne montréalaise typique des années 1920, on a implanté ici un bistro branché qui respecte l'atmosphère des lieux jusque dans les moindres détails. Les plats sont tous bien présentés, bien apprêtés et authentiques. Le menu recèle quelques curiosités, parfois d'inspiration britannique comme le *ploughman's* (copieuse « assiette du travailleur ») ou le *sticky toffee pudding* au dessert. Le service est efficace et attentionné, ce qui permet de faire un bon repas d'affaires entre deux réunions. Descendez au sous-sol jeter un coup d'œil aux toilettes pour faire un voyage dans le temps!

ULYSSE Tiradito $$$

1076 rue Bleury, 514-866-6776,
http://tiraditomtl.com

Inauguré à la fin 2016, Tiradito tire son nom d'un plat de poisson cru péruvien qui peut rappeler les sashimis japonais. D'ailleurs, la carte affiche des plats péruviens façon « nouvelle cuisine latine » qui s'inspirent souvent des techniques et présentations japonaises. Les savoureuses petites assiettes à partager (comptez deux ou trois plats par personne) sont un régal pour les yeux et pour le palais. Relativement bruyante, c'est une bonne adresse pour un repas entre amis.

ULYSSE Bouillon Bilk $$$-$$$$

1595 boul. St-Laurent, 514-845-1595,
www.bouillonbilk.com

Dans un décor simple et épuré, le chef François Nadon propose l'une des cuisines parmi les plus créatives en ville. Les plats sont raffinés et originaux, les accords mets-vins sont intelligents et les desserts sont toujours à la hauteur. Le menu varie selon les saisons, mais propose toujours des combinaisons de produits qui étonnent (omble et boudin noir, bœuf et oursin, cardeau et radis japonais...). Sans doute une des meilleures nouvelles adresses des dernières années à Montréal. N'oubliez pas de réserver.

Decca 77 $$$-$$$$
1077 rue Drummond, 514-934-1077,
www.decca77.com

Tout près de la gare Windsor et du Centre Bell, le très moderne Decca 77 offre une ambiance chic côté restaurant (très prisé par les gens d'affaires) et plus décontractée à la brasserie (très populaire les soirs de matchs de hockey). Vous aurez donc le choix entre une cuisine contemporaine très bien travaillée et des plats plus classiques, mais tout aussi bien présentés.

Jatoba $$$-$$$$
1184 place Phillips, 514-871-1184,
www.jatobamontreal.com

Nouveau restaurant d'Antonio Park (voir **Park** et **Lavanderia** p. 176) ouvert en 2015 avec le chef Olivier Vigneault aux commandes en cuisine, Jatoba affiche un décor chaleureux et un menu de cuisine japonaise qui ne déçoit pas. *Dumplings*, salades originales, soupes et plats de poisson et viandes sont tous savoureux, joliment présentés et d'une fraîcheur exemplaire. Superbe et grande terrasse en été.

Europea $$$$
1227 rue de la Montagne, 514-398-9229,
www.europea.ca

Installé dans une grande maison victorienne, Europea étend son décor sobre et moderne sur trois étages. Ce digne représentant de la haute gastronomie française a su se tailler une place enviable sur la scène culinaire montréalaise grâce à sa qualité constante et aux meilleurs produits québécois. Malgré l'addition relativement salée, le rapport qualité/prix demeure excellent. Les réservations sont requises.

Toqué! $$$$
édifice Jacques-Parizeau, 900 place Jean-Paul-Riopelle, 514-499-2084,
www.restaurant-toque.com

Si la gastronomie vous intéresse, le Toqué! est sans contredit l'adresse à retenir à Montréal. Le chef, Normand Laprise (qui fait partie des Grands Chefs Relais & Châteaux), insiste sur la fraîcheur des aliments et officie dans la cuisine, où les plats sont toujours préparés avec grand soin, puis admirablement bien présentés. Il faut voir les desserts, de véritables sculptures modernes. De plus, le service est classique, le décor est élégant et les vins sont bien choisis pour rehausser les saveurs des plats. L'une des grandes tables de Montréal.

Achats

La **rue Sainte-Catherine** entre les rues Berri et Guy constitue l'artère commerciale principale du centre-ville de Montréal. Avec son lot de grands magasins, de boutiques en tout genre et de restaurants, elle est très animée et agréable à parcourir. Notez que six stations de métro la desservent au centre-ville.

Alimentation

Fou d'Ici
360 boul. De Maisonneuve O., 514-600-3424,
www.foudici.com

Un bel endroit où trouver des délices du Québec (fromages, produits de l'érable...) et d'autres contrées pour préparer un pique-nique lors des festivals (la place des Festivals est juste à côté) ou manger sur place un petit repas de qualité.

IGA Louise Ménard
complexe Desjardins, 150 rue Ste-Catherine O.,
514-843-6116, http://igalouisemenard.com

Si vous louez un appartement au centre-ville ou dans le Vieux-Montréal, vous pourrez trouver dans cette épicerie tout ce qu'il vous faut pour cuisiner.

Artisanat

Tous les ans, quelques jours avant Noël, se tient, à la **Place Bonaventure** *(1 Place Bonaventure)*, le **Salon des métiers d'art du Québec** *(www.metiersdart.ca)*, une belle foire qui est l'occasion pour les artisans québécois d'exposer et de vendre les fruits de leur travail.

Bijoux

Birks
1240 rue du Square-Phillips, 514-397-2511,
www.birks.com

Véritable institution à Montréal, Birks a tout pour combler l'amant romantique en quête d'un diamant, pour fêter les noces d'or, pour offrir une alliance ou pour célébrer les événements qui méritent d'être soulignés par un beau bijou. L'intérieur de l'édifice est splendide. Nous apprenions au moment de mettre sous presse qu'il accueillerait également un hôtel et un bistro d'ici le printemps 2018.

La rue Sainte-Catherine au centre-ville.

Clio blue
1468 rue Peel, 514-281-3112, www.clioblue.com
Cette boutique fait partie d'une chaîne française et se spécialise dans les bijoux en argent.

Roland Dubuc
620 rue Cathcart, local 408, 514-844-1221, www.rolanddubuc.com
Dans son atelier-boutique, ce joaillier innovateur propose ses créations uniques (ou à quelques exemplaires) de grande qualité, faites d'argent ou d'or et minutieusement travaillées, pliées ou texturées, rappelant les techniques liées à l'origami et à la sculpture.

Cadeaux et souvenirs

Boutique du Musée d'art contemporain
185 rue Ste-Catherine O., 514-847-6904, www.macm.org
Un bon endroit pour trouver un cadeau original qui plaira aux amateurs d'art et d'objets décoratifs qui sortent de l'ordinaire.

Centres commerciaux

Au centre-ville, plusieurs centres commerciaux offrent une bonne sélection de créations de couturiers d'ici et d'ailleurs, en plus des habituelles marques internationales. Certains proposent des comptoirs de restauration rapide. La plupart de ces centres sont reliés au réseau de galeries intérieures (voir p. 74) ainsi qu'au métro.

Complexe Desjardins: 150 rue Ste-Catherine O., en face de la Place des Arts, 514-281-1870, www.complexedesjardins.com

Centre Eaton: 705 rue Ste-Catherine O., 514-288-3710, www.centreeatondemontreal.com

Cours Mont-Royal : 1455 rue Peel, 514-842-7777, www.lcmr.ca

Promenades Cathédrale : 625 rue Ste-Catherine O., 514-845-8230, www.promenadescathedrale.com

Place Montréal Trust : 1500 av. McGill College, 514-843-8000, www.placemontrealtrust.com

Place Ville Marie : 1 Place Ville Marie, 514-866-6666, www.placevillemarie.com

Chapeaux

Henri Henri
189 rue Ste-Catherine E., 514-288-0109, www.henrihenri.ca
Chapeau melon, de fourrure ou ornée de ruban, casquette de laine ou béret, petit ou grand, noir, beige ou blanc... Henri Henri demeure la référence en matière de chapeaux à Montréal depuis 1932! C'est grâce à eux que fut popularisée la fameuse expression « Le tour du chapeau » utilisée lorsqu'un des joueurs de hockey marque trois buts ou plus dans une joute. Dans les années 1950-1960, ce chapelier offrait un chapeau au joueur concerné lors des matchs se déroulant au défunt Forum de Montréal.

Chaussures

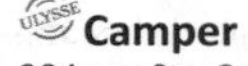
Camper
904 rue Ste-Catherine O., 514-87-5833, www.camper.com
Nous craquons pour les chaussures confortables et originales de cette marque espagnole fondée à Majorque en 1975. L'entreprise tient deux boutiques au Canada, celle-ci à Montréal et une autre à Vancouver.

Galeries d'art

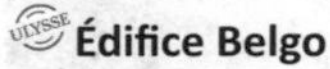 Édifice Belgo

372 rue Ste-Catherine O., www.thebelgoreport.com

Cet ancien édifice commercial abrite aujourd'hui un centre d'art dynamique qui rassemble plusieurs studios de théâtre et de danse, mais également une vingtaine de galeries d'art, entre autres le **Centre des arts actuels Skol** *(espace 314, 514-398-9322, www.skol.ca)*, la **Galerie Graff** *(espace 216, 514-526-2616, www.graff.ca)* et la **Galerie Dominique Bouffard** *(espace 508, 514-678-7054, www.galeriedominiquebouffard.com)*, tous trois reconnus dans les arts contemporains, et **Arprim** *(espace 426, 514-525-2621, www.arprim.org)*, spécialisé dans les estampes, les éditions d'art et autres imprimés.

Galerie Claude Lafitte : 2160 rue Crescent, 514-842-1270, www.lafitte.com

Landau Fine Art : 1456 rue Sherbrooke O., local 200, 514-849-3311, www.landaufineart.ca

Galerie Jean-Pierre Valentin : 1490 rue Sherbrooke O., local 200, 514-939-0500, www.galerievalentin.com

Galerie MX : 333 av. Viger O., 514-890-8900, www.galeriemx.com

Grands magasins

La Baie

585 rue Ste-Catherine O., 514-281-4422, www.labaie.com

Anciennement le grand magasin Morgans avant son acquisition par l'historique Compagnie de la Baie d'Hudson en 1972, La Baie offre une importante variété de marchandises : vêtements pour toute la famille, produits de beauté, articles de décoration, jouets, bijoux, meubles et appareils électroménagers.

Simons

977 rue Ste-Catherine O., 514-282-1840, www.simons.ca

Vous trouverez dans ce grand magasin originaire de Québec de quoi habiller hommes, femmes et enfants des pieds à la tête, dans plusieurs styles différents, et ce, à très bon prix. On y vend aussi des accessoires de mode et de la literie.

Librairies

Indigo : *francophone et anglophone;* Place Montréal Trust, 1500 av. McGill, 514-281-5549, www.chapters.indigo.ca

Paragraphe : *anglophone;* 2220 McGill College, 514-845-5811, www.paragraphbooks.com

The Word : *anglophone (d'occasion);* 469 rue Milton, 514-845-5640, www.wordbookstore.ca

Librairie Ulysse : *voyage;* 560 av. du Président-Kennedy, 514-843-7222, www.guidesulysse.com

Matériel d'artiste

Omer DeSerres

334 rue Ste-Catherine E., 514-842-3021; Place Montréal Trust, 1500 McGill College, 514-938-4777, www.deserres.ca

Pour des fusains, pastels, gouache, cahiers à dessin, encre de Chine, chevalets et autres produits nécessaires à la réalisation de tout chef-d'œuvre.

Musique

Cheap Thrills

2044 rue Metcalfe, 514-844-8988, www.cheapthrills.ca

Au centre-ville, Cheap Thrills présente depuis 1971 une grande sélection de disques de blues, de jazz, de hip-hop et de musique actuelle et alternative, neufs ou de seconde main. On y trouve aussi des livres d'occasion en anglais.

Vêtements et accessoires

Clusier Habilleur

432 rue McGill, 514-842-1717, www.clusier.com

Voilà le temple de la mode masculine. En plus des collections haut de gamme contemporaines aux coupes et aux tissus impeccables, on y propose un service de conception sur mesure.

Rudsak

1400 rue Ste-Catherine O., 514-399-9925; 705 rue Ste-Catherine O., 514-844-1014, www.rudsak.com

Prêt-à-porter pour hommes et femmes. Accessoires, vêtements de cuir et autres tissus.

Shan

2150 rue Crescent, 514-287-7426, www.shan.ca

Cette boutique expose les collections québécoises de maillots de bain haut de gamme pour

La Baie.

hommes et femmes de la marque éponyme, et aussi des accessoires et des vêtements de plage.

Bars et boîtes de nuit

Brutopia

1219 rue Crescent, 514-393-9277,
www.brutopia.net

Ce chouette petit pub irlandais tranche avec l'ambiance m'as-tu-vu qui caractérise la rue Crescent. Cet établissement sans prétention brasse sa propre bière et propose un intéressant menu de tapas. Des musiciens viennent régulièrement égayer les soirées. Terrasse en été.

Club Salsathèque

1220 rue Peel, 514-875-0016,
www.salsatheque.ca

Pour se trémousser au son de rythmes latinos endiablés, rien ne vaut cette discothèque où les soirées sont souvent très chaudes.

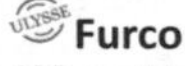 Furco

425 rue Mayor, 514-764-3588,
http://barfurco.com

Cet ancien entrepôt de fourrures transformé en bar à vin attire, avec son décor brut et urbain, une clientèle de jeunes professionnels branchés. De bons petits plats originaux qui se renouvellent toutes les semaines viennent accompagner la bonne sélection de crus, que l'on déguste dans une ambiance souvent très bruyante.

Hurley's Irish Pub

1225 rue Crescent, 514-861-4111,
www.hurleysirishpub.com

Discrètement caché au sud de la rue Sainte-Catherine parmi l'innombrable quantité de restaurants et de bars de la rue Crescent, le Hurley's Irish Pub réussit à créer une atmosphère digne des traditionnels pubs irlandais grâce notamment à d'excellents musiciens amateurs de folklore irlandais. Terrasse en été.

Le Mal Nécessaire

1106B boul. St-Laurent, 514-439-9199,
www.lemalnecessaire.com

Une carte de cocktails digne d'un « tiki-bar » des années 1950 et les petits plats du restaurant au rez-de-chaussée font de ce local en sous-sol un rendez-vous incontournable pour les cinq à sept après le travail.

Les Foufounes Électriques

87 rue Ste-Catherine E., 514-844-5539,
www.foufounes.qc.ca

Autrefois haut lieu de la marginalité de Montréal, Les Foufounes Électriques ne sont plus ce qu'elles étaient. Le décor composé de graffitis et de sculptures étranges est toujours le même, mais le bar a vu sa clientèle changer et sa musique devenir un peu plus commerciale. L'établissement, fondé en 1983, demeure toutefois bondé et sa musique jamais reposante.

Luwan
1050 rue Clark, 514-629-6989,
www.facebook.com/luwanbar
Ce bar attire une faune de noctambules avides de cocktails et d'une programmation de DJ du moment au cœur du Quartier chinois qui renoue avec son passé fêtard.

Place Deschamps
lun-ven 11h30 à 14h, mar-sam 16h à 23h30, lun et dim soir selon les spectacles; 175 rue Ste-Catherine O., 514-564-3155,
www.placedeschamps.com
Situé sous le parvis de la Place des Arts, en face du Théâtre Maisonneuve, ce bar à vin au décor futuriste et au service sympathique permet de prendre un verre entre deux spectacles, avant ou après le concert. On y propose plusieurs vins québécois que le personnel sait bien présenter. Il est aussi possible d'y manger, que ce soit une bouchée ou un repas complet. Le menu affiche quelques spécialités régionales et ainsi qu'une formule avantageuse les midis en semaine.

ULYSSE **Société des Arts Technologiques (SAT)**
1201 boul. St-Laurent, 514-844-2033,
http://sat.qc.ca
Ce centre de création et de diffusion des arts numériques (voir aussi p. 287) est un incontournable pour les amateurs de musique électronique. En plus des soirées animées de DJ et VJ sous le dôme de la Satosphère, on y retrouve le resto-bar le **Labo Culinaire** *($$$; lun-ven dès 17h)*, qui propose une intéressante (mais plutôt onéreuse) carte qui évolue continuellement.

Upstairs Jazz Bar & Grill
1254 rue MacKay, 514-931-6808,
www.upstairsjazz.com
L'Upstairs présente des spectacles de blues et de jazz de qualité tous les jours de la semaine.

Culture et divertissement

Cinémas

Impérial
1430 rue De Bleury, 514-848-0300,
www.cinemaimperial.com
Il s'agit de la plus ancienne salle de cinéma à Montréal. Elle se consacre presque entièrement à de l'événementiel, des défilés de mode aux spectacles. Elle retrouve sa vocation de cinéma lors de certains festivals de films et de la projection d'avant-premières.

Salles de spectacle

L'Astral
Maison du Festival de jazz, 305 rue Ste-Catherine O., 514-790-1245, www.sallelastral.com
Concerts de jazz, rock et pop.

Le Gesù – Centre de créativité
1200 rue De Bleury, 514-861-4378,
www.legesu.com
Concerts et spectacles variés.

Monument-National
1182 boul. St-Laurent, 514-871-9883,
www.monument-national.qc.ca
Concerts et spectacles variés.

Place des Arts
175 rue Ste-Catherine O., 514-842-2112,
www.pda.qc.ca
Ce complexe culturel consacré aux arts de la scène réunit la Salle Wilfrid-Pelletier, qui accueille entre autres l'Opéra de Montréal et les événements majeurs, des théâtres, et la Maison symphonique de Montréal, résidence de l'Orchestre symphonique de Montréal, inaugurée en 2011.

Théâtre du Nouveau Monde
84 rue Ste-Catherine O., 514-866-8668,
www.tnm.qc.ca
Théâtre classique et contemporain.

Hébergement

Auberge de jeunesse HI-Montréal $-$$
1030 rue Mackay, 514-843-3317 ou 866-843-3317, www.hostellingmontreal.com
L'Auberge de jeunesse de Montréal, située à deux pas du centre-ville, abrite des dortoirs ainsi que des chambres privées équipées de salles de bain complètes. Bien tenue, elle offre tous les services (Internet gratuit, petit café, buanderie, cuisine commune) et propose d'intéressants tours pour découvrir la ville.

Auberge de l'Ouest de l'UQAM $-$$
mi-mai à mi-août; 2100 rue St-Urbain,
514-987-7747,
www.residences-uqam.qc.ca/hotel
L'Auberge de l'Ouest de l'UQAM représente une excellente option pour les voyageurs qui

Place des Arts.

L'Astral.

veulent se loger de façon économique. En plein cœur du Quartier des spectacles, des chambres fermées dans des appartements et de petits studios y sont proposés. Une autre résidence offre les mêmes services dans le Quartier latin (voir p. 141).

Université McGill $-$$
mi-mai à mi-août; 3425 rue University, 514-398-5200, www.mcgill.ca/accommodations/summer

Si vous désirez loger dans le centre-ville même, vous pouvez opter pour l'une des six résidences de l'Université McGill, situées sur le flanc du mont Royal et autour de l'université. Elles offrent divers types de confort et différentes tailles. Sur le campus, on peut profiter de la piscine, d'un gymnase et d'un court de tennis (frais supplémentaires).

B&B Couette et Chocolat $$$
1074 rue St-Dominique, 514-876-3960, www.couetteetchocolat.net

Tout près du Quartier chinois, le gîte Couette et Chocolat est niché dans une belle maison de ville victorienne. Le décor des chambres est de style champêtre et les pièces communes nous donnent l'impression d'être « comme à la maison ». Fruits et pâtisseries au petit déjeuner.

Zero 1 $$$-$$$$
1 boul. René-Lévesque E., 514-871-9696 ou 855-301-0001, www.zero1-mtl.com

Idéalement situé à proximité des principaux attraits de Montréal, cet hôtel offre un pied-à-terre urbain au tarif attractif. Le design est épuré, de style loft industriel, avec murs en béton, planchers de bois franc et mobilier sobre et moderne. Chaque chambre est équipée d'une cuisinette et dotée de grandes fenêtres assurant une belle luminosité et une vue imprenable sur la ville. La terrasse aérienne et les grandes aires communes sont invitantes.

Le Square Phillips Hôtel & Suites $$$$
1193 rue du Square-Phillips, 514-393-1193 ou 866-393-1193, www.squarephillips.com

Situé au sud de la rue Sainte-Catherine, cet établissement propose des appartements meublés, avec cuisinette équipée, pour de courts ou longs séjours. S'y trouve aussi une piscine intérieure flanquée d'une belle terrasse qui permet de jouir d'une vue intéressante sur le centre-ville.

Marriott Courtyard Montréal Centre-Ville $$$$
380 boul. René-Lévesque O., 514-398-9999, www.courtyardmarriottmontreal.com

L'hôtel occupe les 10 premiers étages du V, une tour de verre de 40 étages qui a vu le jour en 2014. On y trouve des chambres spacieuses pour gens d'affaires ou vacanciers, ainsi qu'une piscine couverte et une salle de sport dernier cri. Accueil professionnel.

Castel Durocher $$$$-$$$$$
3488 rue Durocher, 514-282-1697, www.casteldurocher.com

Construite en 1898 et située à deux pas de la rue Sainte-Catherine et de la Place des Arts, cette belle demeure de style Queen Anne a été reconvertie en gîte touristique. Les appartements (une ou deux chambres) sont loués avec une cuisine équipée. Les locations se font sur une base quotidienne (séjour d'au moins deux nuitées en haute saison) ou à long terme.

Le St-Martin $$$$-$$$$$
980 boul. De Maisonneuve O., 514-843-3000 ou 877-843-3003, www.lestmartinmontreal.com

Maillon d'une petite chaîne hôtelière québécoise, le St-Martin est un établissement résolument urbain, très bien situé en plein centre-ville. Les chambres classiques sont confortables sans être extravagantes, mais les suites « verrière », avec leur mur vitré, sont époustouflantes. L'Aromate, le restaurant de l'hôtel, est réputé pour ses déjeuners.

La cathédrale Marie-Reine-du-Monde et l'hôtel Fairmont Le Reine Elizabeth.

Hôtel Renaissance Montréal Centre-Ville $$$$-$$$$$
1250 boul. Robert-Bourassa, 514-657-5000 ou 855-567-5005, www.renmontreal.com
Ouvert en mai 2016, ce maillon de la célèbre chaîne internationale d'hôtels de prestige propose un environnement à la fois luxueux et branché, avec 142 chambres au confort impeccable, un bar-terrasse panoramique sur le toit et un restaurant aux saveurs asiatiques. Murales, graffitis, prestations de DJ et autres installations artistiques temporaires en font un lieu vibrant qui plaira aux jeunes et moins jeunes voyageurs dans le coup.

Hôtel Le Germain $$$$$
2050 rue Mansfield, 514-849-2050 ou 877-333-2050, www.hotelboutique.com
En plein cœur de l'animé centre-ville, l'Hôtel Le Germain fut l'un des premiers hôtels-boutiques à Montréal. Chacune de ses chambres est aménagée avec soin, dans un style chic et minimaliste.

Fairmont Le Reine Elizabeth $$$$$
900 boul. René-Lévesque O., 514-861-3511 ou 866-540-4483, www.fairmont.com
Un des symboles de Montréal (voir p. 80), le Reine Elizabeth était fermé au moment de mettre sous presse alors qu'il subissait une rénovation majeure (sa réouverture est prévue pour l'été 2017).

Hôtel Bonaventure Montréal $$$$$
900 rue De La Gauchetière O., 514-878-2332 ou 800-267-2575, www.hotelbonaventure.com
L'Hôtel Bonaventure est bien situé, aux limites du centre-ville et du Vieux-Montréal. Les chambres sont classiques, mais la piscine extérieure chauffée, le charmant jardin et l'accès à la « ville souterraine » en font un bon choix, surtout l'hiver.

Hôtel Le Crystal $$$$$
1100 rue de la Montagne, 514-861-5550 ou 877-861-5550, www.hotellecrystal.com
Très bien situé dans le quartier des affaires, cet établissement de luxe offre d'excellents services dans un décor urbain et contemporain. Le spa, la piscine intérieure et le bain à remous installé sur une terrasse au 12e étage rendent le séjour des plus agréables. Restaurant sur place.

W Montréal $$$$$
901 rue du Square-Victoria, 514-395-3100 ou 888-627-7081, www.whotels.com
Le W est installé dans l'imposant édifice de l'ancienne Banque du Canada. Confort et design résument l'esprit des chambres et des suites de l'hôtel. Les chambres, dont les fenêtres donnent sur le square Victoria, affichent une décoration moderne. Le spa Away, le Wunderbar, le Plateau Lounge, le Bartini et le restaurant Ê.A.T. (Être Avec Toi) font partie des nombreuses installations du W Montréal.

Le Golden Square Mile

Attraits

trois à quatre heures

Comme un écrin, ce parcours conserve jalousement des perles architecturales uniques grâce à son lot de maisons bourgeoises aux façades tantôt généreuses, tantôt mystérieuses...

Le **Golden Square Mile** ★★ a été, de 1850 à 1930, le quartier résidentiel de la grande bourgeoisie canadienne. Ses artères ombragées, bordées de demeures victoriennes somptueuses, ont graduellement fait place depuis le début du XXe siècle au centre des affaires moderne de Montréal. À son apogée, vers 1900, le Golden Square Mile était délimité par l'avenue Atwater à l'ouest, la rue De Bleury à l'est, la rue De La Gauchetière au sud et le mont Royal au nord. On estime que 70% des richesses du Canada tout entier étaient alors entre les mains des habitants du quartier, principalement d'origine écossaise. La plupart des maisons qui subsistent de cette époque sont concentrées au nord de la rue Sherbrooke, voie princière du Golden Square Mile.

De la station de métro McGill, empruntez l'avenue McGill College vers le nord, en direction du campus de l'Université McGill. Le circuit débute à la rue Sherbrooke.

La **maison William Alexander Molson** *(888 rue Sherbrooke O.; métro McGill)* donne une bonne idée de l'échelle modeste et du caractère résidentiel de la rue Sherbrooke au début du XXe siècle. Cette maison a été construite en 1906 selon les plans de Robert Findlay, l'architecte préféré de la célèbre famille Molson, nom qui, depuis plus de deux siècles, est associé au brassage de la bière. William Alexander Molson devait cependant choisir une voie différente, puisqu'il est devenu un éminent médecin. Après sa mort, en 1920, la maison de style néo-élisabéthain a logé le siège de l'entreprise de construction Anglin-Norcross, avant d'abriter divers autres instituts et entreprises privées.

Le **Musée McCord** ★ *(adultes 14$, 19$ avec l'entrée aux expositions temporaires, enfants gratuit, entrée libre mer 17h à 21h; mar-ven 10h à 18h, mer jusqu'à 21h, sam-dim 10h à 17h, lundis fériés et en été 10h à 18h; 690 rue Sherbrooke O., 514-398-7100, www.musee-mccord.qc.ca; métro McGill et autobus 24)* est installé dans l'ancien édifice de l'association étudiante de l'Université McGill, un beau bâtiment d'inspiration baroque anglais, conçu par l'architecte Percy Nobbs en 1906 et agrandi en 1991. Le musée se consacre à l'histoire canadienne et plus spécifiquement montréalaise. Il possède une importante collection ethnographique et photographique, notamment la fameuse collection « Notman », véritable portrait du Canada de la fin du XIXe siècle. Une infime partie de ce fonds est visible dans les deux expositions permanentes : *Porter son identité – La collection Premiers Peuples* (découverte de l'histoire et de la culture des peuples autochtones à travers leurs vêtements) et *Montréal – Points*

À ne pas manquer

Attraits

Université McGill p. 100

Ravenscrag p. 102

Maison Ernest-Cormier p. 103

Église presbytérienne St. Andrew and St. Paul p. 104

Musée des beaux-arts de Montréal p. 110

Restaurants

Ferreira Café p. 107

Sorties

McKibbin's Irish Pub p. 108

Achats

Boutique-librairie du Musée des beaux-arts de Montréal p. 108

Ogilvy p. 108

de vue (différentes facettes de l'histoire de la ville à travers des objets, témoignages, photos et vidéos). S'ajoutent à cela quatre expositions temporaires par an. En sortant du musée, on aperçoit, dans la rue Victoria, entre les parties nouvelles et anciennes du musée, une intéressante sculpture de Pierre Granche intitulée *Totem urbain/histoire en dentelle*. Boutique et café-bistro sur place, avec une agréable terrasse estivale.

L'**ancien collège Royal Victoria** *(555 rue Sherbrooke O.; métro McGill)* était autrefois une école professionnelle pour jeunes femmes de bonne famille. Le bâtiment (1899) est précédé d'une belle statue en bronze de la reine Victoria, réalisée par sa propre fille, la princesse Louise. Devenu le pavillon de musique Strathcona de l'Université McGill, il abrite l'**École de musique Schulich** – du nom de son généreux bienfaiteur – et sa salle Pollack de 300 places, parfaite pour les concerts de musique de chambre (voir p. 108). Construit en 2005, l'édifice voisin, l'**Elizabeth Wirth Music Building** *(572 rue Sherbrooke O.)*, partie intégrante de l'École de musique Schulich, comprend des studios d'enregistrement, des salles de récital et de concerts, une bibliothèque dédiée à la musique et des laboratoires de composition numérique et informatique.

L'**Université McGill** ★★ *(805 rue Sherbrooke O., www.mcgill.ca; métro McGill)* a été fondée en 1821 grâce à un don du marchand de fourrures James McGill, ce qui en fait la plus vieille des quatre universités de la ville. Le campus principal de l'université est caché dans la verdure au pied du mont Royal. On y pénètre, à l'extrémité nord de l'avenue McGill College, par le portail Roddick, qui renferme l'horloge et le carillon universitaire. Sur la droite, on aperçoit deux bâtiments néoromans de Sir Andrew Taylor, conçus pour accueillir les départements de physique (1893) et de chimie (1896). L'école d'architecture occupe maintenant le second édifice. Un peu plus loin se trouve l'édifice du département d'ingénierie, le Macdonald Engineering Building, un bel exemple du style néobaroque anglais. Au fond de l'allée se dresse le plus vieux bâtiment du campus, l'Arts Building de 1839. Il abrite le Moyse Hall, un beau théâtre antiquisant de 1926. On remarque aussi les gargouilles et les colonnettes abondamment sculptées de la bibliothèque Redpath, qui compte parmi les exemples du style néoroman les plus sophistiqués du Canada.

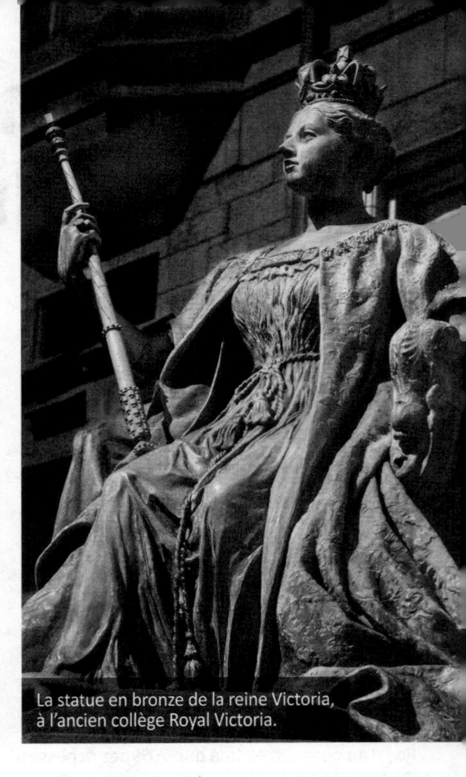

La statue en bronze de la reine Victoria, à l'ancien collège Royal Victoria.

Situé en plein cœur du campus de l'Université McGill, le **Musée Redpath** *(contribution suggérée 5$; lun-ven 9h à 17h, dim 11h à 17h; 859 rue Sherbrooke O., 514-398-4092, www.mcgill.ca/redpath; métro McGill)* possède les objets précieux accumulés au fil des années par les chercheurs et les enseignants de l'université. Les collections portent sur l'archéologie, la botanique, la géologie et la paléontologie.

››› *Empruntez le chemin qui conduit à la rue McTavish.*

Notez que l'accès au public à la plupart des maisons de cette partie du parcours est restreint, voire interdit.

La **maison Baumgarten** *(ouvert seulement aux membres et à leurs invités; 3450 rue McTavish; métro McGill)*, située un peu plus bas dans la rue McTavish, loge le cercle des professeurs de l'Université McGill (McGill Faculty Club). On y trouve un restaurant, des salons de lecture de même qu'une salle de billard où ont été regroupées les tables de billard des anciennes demeures du Golden Square Mile qui appartiennent aujourd'hui à l'Université McGill. La

Le Golden Square Mile

★ **Attraits**

1. DY Maison William Alexander Molson
2. DY Musée McCord
3. DY Ancien collège Royal Victoria/ École de musique Schulich
4. DY Elizabeth Wirth Music Building
5. DY Université McGill
6. DY Musée Redpath
7. CY Maison Baumgarten
8. CY Morrice Hall
9. CY Maison James Ross
10. CY Maison John Kenneth L. Ross
11. CX Maison Lady Meredith
12. CX Maison Mortimer B. Davis
13. CX Ravenscrag
14. CX Maison Hamilton
15. BX Maison James Thomas Davis
16. BX Maison Hosmer
17. BX Maison Rodolphe-Forget
18. BX Maison Clarence de Sola
19. AX Maison Ernest-Cormier
20. AX Maison Raymond
21. AY Chelsea Place
22. AY Maison Linton
23. AY Le Linton
24. AY Église presbytérienne St. Andrew and St. Paul
25. BY Musée des beaux-arts de Montréal
26. BY Le Château
27. BY Ritz-Carlton
28. BY Maison Reid Wilson
29. BY Résidence Forget
30. BY Club Mont-Royal
31. BY Maison Alcan
32. BY Maison Atholstan
33. BZ Magasin Ogilvy
34. BZ Rue Crescent
35. AZ Église St. James The Apostle
36. AZ Maison Peter Lyall
37. AZ Université Concordia

● **Restaurants**

38. BZ Burger Bar Crescent
39. AY Café des beaux-arts
40. AZ Café Myriade
41. CZ Café Vasco da Gama
42. AZ Crudessence
43. CZ Ferreira Café
44. BY Maison Boulud
45. AZ Pigeon Espresso Bar

■ **Achats**

46. BY Boutique-librairie du Musée des beaux-arts de Montréal
47. BZ Brown's
48. NZ Ogilvy
49. BY Tiffany & Co.

Bars ET boîtes de nuit

50. AZ McKibbin's Irish Pub

▲ **Hébergement**

51. AZ Auberge Bishop
52. CY Hôtel Ambrose
53. BZ Hôtel Chez Swann
54. BZ Loews Hôtel Vogue
55. BY Ritz-Carlton Montréal
56. CY Sofitel Montréal Le Carré Doré

maison fut construite par étapes, entre 1887 et 1902, pour Alfred Friedrich Moritz Baumgarten, fils du médecin personnel du roi Frédéric-Auguste de Saxe et fondateur de la raffinerie de sucre Saint-Laurent à Montréal. Sa maison se différencie d'autres demeures bourgeoises du Golden Square Mile à la fois par sa sobriété extérieure et par la répartition des pièces d'apparat sur trois niveaux. Du côté nord, on aperçoit le **Morrice Hall** *(3485 rue McTavish)*, un édifice néogothique de 1881 qui abritait autrefois le collège théologique presbytérien de Montréal.

Montez la côte de la rue McTavish. Remarquez la vue sur ***Ravenscrag*** *(voir p. 102), à flanc de colline, avant de tourner à gauche dans l'avenue du Docteur-Penfield, puis à droite dans la rue Peel.*

La **maison James Ross** ★ *(3644 rue Peel; métro Peel)*, aujourd'hui le pavillon Chancellor Day de l'Université McGill, fut construite en 1890 pour l'ingénieur principal du Canadien Pacifique et fut agrandie à plusieurs reprises. Son allure de château médiéval contribua au charme du Golden Square Mile. On remarque tout particulièrement sa polychromie, faite d'un mélange de grès chamois, de granit rose et d'ardoise rouge. Depuis 1948, le pavillon Chancellor Day accueille la faculté de droit de l'université.

La **maison John Kenneth L. Ross** ★ *(3647 rue Peel; métro Peel)* était à l'origine la résidence du fils Ross. Sa maison (1909), un bel exemple du style Beaux-Arts, est l'œuvre des frères Edward et William Sutherland Maxwell, les architectes favoris de la bourgeoisie écossaise de Montréal. Elle abrite dorénavant une annexe de la faculté de droit de l'Université McGill.

››› *Remontez la rue Peel jusqu'à l'avenue des Pins.*

La **maison Lady Meredith** ★ *(1110 av. des Pins O.)* est peut-être le meilleur exemple montréalais du courant pittoresque, éclectique et polychrome qui a balayé l'Amérique du Nord dans les deux dernières décennies du XIXe siècle. En effet, on y retrouve un mélange de styles allant de la période romane jusqu'au XVIIIe siècle finissant et des teintes fortes, en plus d'un merveilleux fouillis de tours, d'incrustations, de baies et de cheminées à mitrons. La maison fut construite en 1897 pour Andrew Allan, qui en fit don à sa fille lorsqu'elle épousa Henry Vincent Meredith, alors président de la Banque de Montréal. Elle loge aujourd'hui le Centre de médecine, d'éthique et de droit de l'Université McGill.

La **maison Mortimer B. Davis** ★ *(1020 av. des Pins O.)* était autrefois la résidence du fondateur de l'Imperial Tobacco Company, Mortimer Barnett Davis. Elle fut par la suite habitée par Sir Arthur Purvis, avant d'être cédée à l'Université McGill. Sir Arthur était responsable de l'acheminement en secret vers l'Europe des armements produits en Amérique au début de la Seconde Guerre mondiale. La maison Davis, aujourd'hui le Pavillon Purvis, qui renferme le département d'épidémiologie et de biostatistique de McGill, adopte le style Beaux-Arts, reconnaissable à sa balustrade de couronnement, à ses petits balcons en fer forgé supportés par des consoles et à sa composition grandiose et symétrique.

À l'époque, Montréal est avant tout une ville marchande dotée d'un port important. Son château n'est pas celui d'un roi, mais plutôt celui d'un magnat de la finance et du commerce. **Ravenscrag** ★★ *(1025 av. des Pins O.)* pourrait effectivement être catalogué comme le « château » de Montréal en raison de sa situation proéminente dominant la ville, de sa taille exceptionnelle (quelque 72 pièces à l'origine) et de son histoire riche en réceptions mémorables et en hôtes de prestige. Cette vaste demeure fut construite entre 1861 et 1864 pour le richissime Sir Hugh Allan, qui détenait à l'époque le quasi-monopole du transport maritime entre l'Europe et le Canada. De la tour centrale de sa maison, ce « monarque » écossais pouvait surveiller étroitement les allées et venues de ses navires dans le port. La maison est un des meilleurs exemples nord-américains du style néo-Renaissance inspiré des villas toscanes. Son intérieur fut presque entièrement détruit à la suite de la reconversion du bâtiment en institut psychiatrique (1943) qui fait toujours partie de la faculté de médecine de McGill, mais qui reste dans les annales comme l'un des sites utilisés par la CIA américaine dans les années 1950 et 1960 pour ses expériences psychotropes sur les comportements humains. On remarque, sur le pourtour de la maison, la très belle grille d'entrée en fonte, la maison du gardien et les luxueuses écuries transformées en bureaux. Une petite salle de photo retraçant l'historique du bâtiment accueille les visiteurs.

››› *Empruntez l'avenue des Pins vers l'ouest.*

La **maison Hamilton** *(1132 av. des Pins O.)* est une œuvre très personnelle des frères Maxwell, qui avaient développé leur propre style, marqué par un élargissement graduel de leurs structures vers la base et par de petites ouvertures fantaisistes, disposées dans un désordre savamment étudié. La maison (1903) arbore des éléments Arts & Crafts, mais aussi des composantes qui préfigurent l'Art déco, comme ce jeu de briques en zig-zag à l'étage. Aujourd'hui, elle fait également partie de la faculté de médecine de McGill.

››› *Descendez l'escalier qui conduit à la promenade Sir-William-Osler.*

La **maison James Thomas Davis** ★ *(3654 promenade Sir-William-Osler)* appartenait à l'origine à un entrepreneur en construction qui a doté sa maison d'une structure en béton armé. Ceux qui auront accès à l'intérieur verront les

Maison Ernest-Cormier.

belles tapisseries d'origine encore en place ainsi que des toiles marouflées du peintre canadien Maurice Cullen. La maison fait partie de l'École de physiothérapie et d'ergothérapie de McGill.

La **maison Hosmer** ★ *(3630 promenade Sir-William-Osler)* est sans contredit la plus exubérante des demeures de style Beaux-Arts à Montréal. Les plans ont été réalisés par Edward Maxwell à l'époque où son frère William étudiait à l'École des beaux-arts de Paris : les croquis envoyés d'outre-Atlantique ont grandement influencé le design de cette maison construite en 1900 pour Charles Hosmer, lié au Canadien Pacifique et à 26 autres entreprises canadiennes. Chaque pièce de l'intérieur a été conçue dans un style différent afin de servir d'écrin à la collection d'antiquités variée de la famille Hosmer, qui a habité les lieux jusqu'en 1969, date à laquelle la maison est devenue partie intégrante de la faculté de médecine de l'Université McGill.

››› *Tournez à droite dans l'avenue du Docteur-Penfield, puis encore à droite dans l'avenue du Musée.*

Rares sont les demeures du Golden Square Mile ayant été construites pour des bourgeois canadiens-français. Ceux-ci, en général moins nantis que leurs confrères anglo-saxons, préféraient encore les environs du square Saint-Louis. Rodolphe Forget (1861-1919) faisait donc figure d'exception. Cet homme distingué et francophile a fondé la Banque internationale du Canada, a été membre du conseil de la Société Générale et a participé à la fondation du Crédit Foncier Franco-Canadien. La **maison Rodolphe-Forget** ★ *(3685 av. du Musée)*, inspirée des hôtels particuliers parisiens d'époque Louis XV, fut dessinée en 1912 par Jean-Omer Marchand, premier diplômé canadien-français de l'École des beaux-arts de Paris. Le bâtiment fait maintenant partie du consulat russe de Montréal.

››› *Montez l'escalier de l'avenue du Musée pour bénéficier d'une belle vue sur le centre-ville et le fleuve.*

La **maison Clarence de Sola** ★ *(1374 av. des Pins O.)* est une demeure de style hispano-mauresque des plus exotiques qui tranche sur le bâti montréalais. Le contraste est encore plus amusant au lendemain d'une tempête de neige. La maison fut construite en 1913 pour Clarence de Sola, fils d'un rabbin d'origine juive espagnole.

››› *Suivez l'avenue des Pins vers l'ouest.*

La **maison Ernest-Cormier** ★★ *(1418 av. des Pins O.)* fut dessinée en 1930 par l'architecte Ernest Cormier pour son propre usage. L'auteur du pavillon principal de l'**Université de Montréal** (voir p. 172) et de la Cour suprême à Ottawa en a fait un laboratoire, donnant à chacune des faces de sa maison une allure différente, à savoir Art déco pour la façade, monumental pour le côté est et nettement moderniste pour l'arrière. La façade donnant sur l'avenue des Pins paraît bien petite, mais la maison compte, en réalité, quatre étages hors terre sur l'autre face en raison de la dénivellation prononcée du terrain au sud de l'avenue. L'ensemble, maintenant classé, a été restauré avec soin. Elle fut la propriété de l'ancien premier ministre du Canada, Pierre Elliott Trudeau, jusqu'en 2000, année de son décès.

Descendez l'escalier, sur votre gauche, pour rejoindre l'avenue Redpath, puis tournez à droite dans l'avenue du Docteur-Penfield.

La **maison Raymond** *(1507 av. du Docteur-Penfield; métro Guy-Concordia)* fut une des dernières demeures unifamiliales construites dans le Golden Square Mile (1930) et elle est toujours habitée de nos jours. Elle appartient à la famille de l'homme d'affaires Joseph-Aldéric Raymond, propriétaire, dans les années 1950, du Forum de Montréal ainsi que de plusieurs grands hôtels montréalais. Il s'agit d'un autre excellent exemple du style Beaux-Arts.

Descendez la petite rue Simpson jusqu'à la rue Sherbrooke.

Chelsea Place ★ *(du côté est de la rue Simpson; métro Guy-Concordia)* est un subtil ensemble de résidences néogeorgiennes de taille plus modeste que les demeures vues précédemment. Il fut construit en 1926, à l'époque où la bourgeoisie montréalaise d'origine écossaise amorçait son déclin. On note le beau jardin central qui confère à Chelsea Place un cachet particulier, à la fois communautaire et distingué. Summerhill Terrace est un ensemble similaire construit par le même architecte sur le côté ouest de la rue Simpson.

La **maison Linton** *(3424 rue Simpson; métro Guy-Concordia)* est l'une des plus belles réussites du style Second Empire à Montréal. Mais il ne faut pas s'y tromper : la façade de la rue Simpson est en réalité le côté est de la maison, dont la façade principale donnait, à l'origine, sur une vaste pelouse s'étendant jusqu'à la rue Sherbrooke. Le portique et son escalier furent démontés, puis reconstruits pour faire face à la rue Simpson lors de la construction de l'immeuble résidentiel **Le Linton** *(1509 rue Sherbrooke O.; métro Guy-Concordia)* en 1907. On remarque les petits cartouches, les ouvertures à arcs segmentaires et, surtout, la toiture en mansarde, caractéristiques du style Second Empire, appelé aussi Napoléon III. La maison date de 1867.

Tournez à gauche dans la rue Sherbrooke.

L'**église presbytérienne St. Andrew and St. Paul** ★★ *(angle rue Redpath; métro Guy-Concordia)* est l'une des principales institutions de la bourgeoisie écossaise de Montréal. Érigée en 1932, elle est le troisième temple de la communauté et illustre la persistance du vocabulaire d'inspiration médiévale dans la construction d'édifices religieux. L'intérieur en pierre recèle de magnifiques vitraux commémoratifs. Ceux des allées proviennent de la deuxième église et sont, pour la plupart, des œuvres britanniques d'importance.

Tout juste à l'est de l'église se trouvent les pavillons du **Musée des beaux-arts de Montréal**, que nous décrivons en détail dans le prochain circuit (voir p. 110).

Signe des temps, **Le Château** ★ *(1321 rue Sherbrooke O.; métro Guy-Concordia ou Peel)*, un bel immeuble de style château, a été construit en 1925 pour l'homme d'affaires canadien-français Pamphile du Tremblay, propriétaire du journal *La Presse*. Les architectes Ross et Macdonald ont réalisé ce qui était, à l'époque, le plus vaste immeuble résidentiel du Canada.

Dernier survivant des vieux hôtels de Montréal, l'hôtel **Ritz-Carlton** ★ *(1228 rue Sherbrooke O.; métro Guy-Concordia ou Peel; voir plus loin)* a été inauguré en 1912 par César Ritz lui-même. Il fut pendant longtemps le lieu de rassemblement favori de la bourgeoisie montréalaise. Certains y résidaient même toute l'année, menant la belle vie entre les salons, le jardin et la salle de bal. L'hôtel a accueilli de nombreuses célébrités au cours de son histoire. Après de longs travaux de rénovation et d'agrandissement, l'établissement a rouvert ses portes en 2012, juste à temps pour célébrer son centenaire. Il propose un luxe raffiné inégalé en ville et sert d'écrin au restaurant Maison Boulud ainsi qu'au légendaire joaillier Tiffany & Co. (voir plus loin).

En face, on aperçoit trois bâtiments dignes de mention. La **maison Reid Wilson** *(1201 rue Sherbrooke O.; métro Peel)*, sur la gauche, comporte un bel escalier en plusieurs volées. La **résidence Forget** *(1195 rue Sherbrooke O.; métro Peel)*, au centre, fut construite en 1883 pour Louis-Joseph Forget, l'un des seuls

Le Château.

magnats canadiens-français à habiter le quartier au XIXe siècle. Le bâtiment sur la droite abrite un club privé pour gens d'affaires, le **Club Mont-Royal** *(1175 rue Sherbrooke O.; métro Peel)*; il date de 1905.

Continuez dans la rue Sherbrooke jusqu'à l'entrée de la Maison Alcan.

La **Maison Alcan** ★ *(1188 rue Sherbrooke O.; métro Peel)* représente un bel effort de conservation du patrimoine et de créativité en matière de réaménagement urbain. Pour la réaliser, cinq bâtiments de la rue Sherbrooke, parmi lesquels on retrouve la belle **maison Atholstan** *(1172 rue Sherbrooke O.)*, premier exemple de style Beaux-Arts à Montréal (1894), ont été soigneusement restaurés, puis joints par l'arrière à un atrium qui relie la partie ancienne à un immeuble moderne en aluminium et qui donnait autrefois accès au hall de l'hôtel Berkeley. Siège mondial de la compagnie d'aluminium Rio Tinto Alcan jusqu'en 2016, la Maison Alcan fut rachetée en 2016 par une entreprise liée au fondateur du Cirque du Soleil Guy Laliberté, qui souhaite ajouter une tour de 30 étages à l'ensemble, projet toutefois vivement contesté en raison du caractère patrimonial du site. Au moment de mettre sous presse, aucun plan n'avait encore été approuvé par les instances gouvernementales.

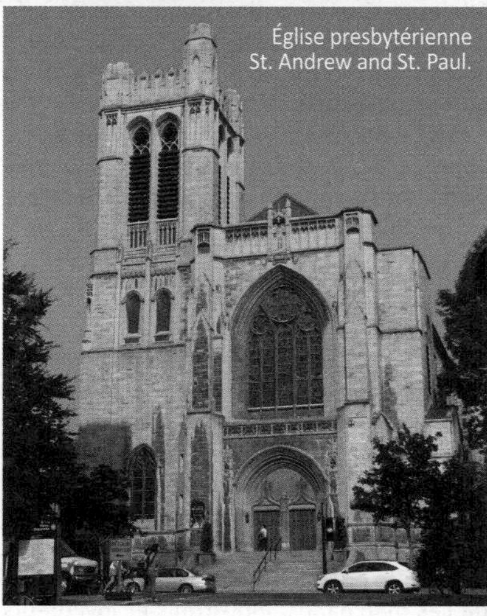
Église presbytérienne St. Andrew and St. Paul.

Tournez à gauche dans la rue de la Montagne, puis à droite dans la rue Sainte-Catherine.

Le grand **magasin Ogilvy** *(1307 rue Ste-Catherine O.; métro Peel)*, le plus écossais des grands magasins de Montréal, a conservé son cachet d'origine et est animé par un joueur de cornemuse chaque midi. Au dernier étage, la salle Tudor est le lieu de fréquents concerts et galas. Des travaux pour réunir les magasins historiques Ogilvy et Holt Renfrew de la rue

Sherbrooke avec l'ancien Hôtel de la Montagne, qui se trouve entre les deux, créeront l'un des plus grands magasins d'Amérique du Nord à l'horizon 2017.

La **rue Crescent** ★ *(métro Guy-Concordia)*, perpendiculaire à la rue Sainte-Catherine, a une double personnalité. Au nord du boulevard De Maisonneuve, elle accueille, à l'intérieur d'anciennes maisons en rangée, des antiquaires et des boutiques de luxe, alors qu'au sud on retrouve une concentration de boîtes de nuit, de restaurants et de bars, la plupart précédés de terrasses. Pendant longtemps, la rue Crescent fut connue comme le pendant anglophone de la rue Saint-Denis. Même s'il est vrai qu'elle est toujours la favorite des visiteurs américains, sa clientèle est aujourd'hui plus diversifiée.

L'**église St. James The Apostle** *(1439 rue Ste-Catherine O., angle rue Bishop; métro Guy-Concordia)* a été érigée en 1864. À l'époque, elle était située en plein champ, et les officiers d'un régiment britannique, en garnison à Montréal, avaient l'habitude de jouer au cricket autour, d'où son surnom de *St. Cricket in the Fields* (saint cricket des champs). Peu de temps après, la rue Sainte-Catherine se voyait bordée de maisons en rangée qui ont depuis fait place à des édifices commerciaux.

››› 🚶 *Tournez à droite dans la rue Bishop.*

La **maison Peter Lyall** *(1447 rue Bishop; métro Guy-Concordia)* se trouve au sud du boulevard De Maisonneuve. Tout au long du XIXe siècle, les Écossais ont immigré en grand nombre dans les colonies britanniques, parce qu'ils n'arrivaient pas à faire croître leurs modestes entreprises chez eux, le marché étant contrôlé par la grande bourgeoisie londonienne. Montréal représentait à cette époque le principal point d'arrivée de ces marchands, industriels et inventeurs de Glasgow ou d'Inverness, pressés d'ouvrir un magasin ou une usine dans ce pays neuf qui se peuplait rapidement et qui avait besoin de tout. Peter Lyall est un de ceux-là. Arrivé à Castleton (entre Kingston et Toronto) en 1870, il fonde aussitôt une entreprise de construction prospère, que l'on chargera même de rebâtir le Parlement canadien à la suite de l'incendie de 1916. Sa maison éclectique, polychrome et pittoresque à souhait, fait penser à un gros gâteau de pain d'épice. Elle abrite maintenant une auberge de jeunesse, l'**Auberge Bishop** (voir p. 108).

En face se trouve le campus principal de l'**Université Concordia** (voir p. 118), seconde université de langue anglaise à Montréal et dernière-née (1974) des quatre universités de la ville.

››› 🚶 Ⓜ *Pour retourner au point de départ, empruntez le boulevard De Maisonneuve ou la rue Sainte-Catherine, plus agréable, vers l'est jusqu'à l'angle de l'avenue McGill College, à proximité de laquelle est située l'entrée de la station de métro McGill. La station de métro Guy-Concordia est néanmoins plus proche; tournez à gauche dans le boulevard De Maisonneuve : l'entrée de la station se trouve à l'angle de la rue Guy.*

Restaurants

Café Myriade $

1432 rue Mackay, 514-939-1717,
www.cafemyriade.com

Ce petit local sympathique, prolongé d'une terrasse en été, est toujours plein à craquer d'étudiants de Concordia, l'université voisine, qui profitent ici d'un des meilleurs cafés en ville. Leur café en grain, importé directement des producteurs, est aussi disponible sur place.

Pigeon Espresso Bar $

1392 boul. De Maisonneuve O., 514-840-9191,
www.facebook.com/pigeonespressobar

Ce minuscule comptoir à café à l'italienne se targue de servir le pire café au monde. Heureusement, ce n'est que du bluff. Un bon endroit au centre-ville pour déguster un espresso ou un macchiato préparé selon les règles de l'art.

Café Vasco da Gama $-$$

1472 rue Peel, 514-286-2688,
www.vascodagama.ca

Une des plus chics sandwicheries de Montréal. On commande au comptoir et on se fait servir à table, dans un très beau décor qui rappelle le lointain Portugal. Vous aurez plaisir à découvrir le sandwich au confit de canard et figues, ou encore le burger de bœuf et foie gras. Tous les sandwichs sont accompagnés d'une excellente salade. En semaine, le petit déjeuner est servi dès 7h.

Crudessence $-$$

2157 rue Mackay, 514-664-5188,
www.crudessence.com

Crudessence, la plus tendance des options végétariennes, livres de cuisine et choco-

Ferreira Café.

lats maison à l'appui, joue la carte du cru et du vivant, telles les lamelles de légumes en « lasagne », les crêpes à base de germes et graines, et autres *smoothies* (frappés aux fruits) énergisants ou désaltérants.

Burger Bar Crescent $$-$$$
1465 rue Crescent, 514-903-5575,
www.montrealburger.com

Tout simplement un des meilleurs endroits en ville pour se régaler d'excellents hamburgers. La viande est grillée selon votre souhait, et les choix de garnitures vont du plus simple au plus décadent, comme le burger au foie gras et aux champignons ou le « burger du lendemain », qui cumule steak, bacon, œuf frit et poutine entre deux tranches de pain... Petite terrasse donnant sur la rue Crescent.

Café des beaux-arts $$-$$$
Musée des beaux-arts de Montréal, accès au café par le 1380 ou le 1384 de la rue Sherbrooke Ouest, 514-843-3233

Le Café des beaux-arts du Musée des beaux-arts de Montréal élabore une cuisine de type bistro de bon niveau. Le service empressé en fait un lieu très prisé par la clientèle d'affaires. L'ambiance est calme et raffinée.

Ferreira Café $$$-$$$$
1446 rue Peel, 514-848-0988,
www.ferreiracafe.com

Considéré comme le meilleur restaurant portugais à Montréal, le chic et sympathique Ferreira propose des spécialités de poisson et fruits de mer apprêtées avec un raffinement tout particulier. Il faut souligner la qualité du généreux riz aux fruits de mer. Les âmes esseulées peuvent manger au bar : on leur tiendra joyeuse compagnie. Menu fin de soirée à petit prix *($$)* après 22h.

Maison Boulud $$$$
1228 rue Sherbrooke O., 514-842-4224,
www.maisonboulud.com

En s'installant dans les murs du Ritz-Carlton (voir plus loin), l'enseigne du fameux chef français Daniel Boulud ne pouvait guère mieux choisir le lieu de son implantation montréalaise. Spacieux, élégant et contemporain, le restaurant offre différents espaces et autant d'ambiances pour savourer cette cuisine d'exception : animée avec vue directe sur la cuisine ouverte côté bar, plus feutrée en salle autour de la cheminée, toujours agréable sous la véranda qui donne sur le magnifique jardin du Ritz où barbotent les canetons en été. La cuisine est un mariage heureux entre traditions françaises et modernité nord-américaine, mâtinée d'intéressantes incursions italiennes reflétant les origines du talentueux chef exécutif, Riccardo Bertolino.

Achats

Bijoux

Tiffany & Co.
1290 rue Sherbrooke O., 514-842-6953,
http://fr.tiffany.ca

La célèbre bijouterie new-yorkaise a trouvé un écrin à sa mesure à Montréal dans l'enceinte du Ritz-Carlton.

Cadeaux et souvenirs

Boutique-librairie du Musée des beaux-arts de Montréal
1380 ou 1384 rue Sherbrooke O., 514-285-1600,
www.mbam.qc.ca

Très belle sélection d'objets design et de livres sur l'art.

Chaussures

Brown's
1191 rue Ste-Catherine O., 514-987-1206,
4 Place Ville Marie, 514-861-8925,
www.brownsshoes.com

Les modèles se suivent et se ressemblent chez les chausseurs montréalais. La chaîne Brown's fait exception : beaucoup de choix pour hommes et femmes.

Grands magasins

Ogilvy
1307 rue Ste-Catherine O., 514-842-7711,
www.ogilvycanada.com

Une institution du bon goût à Montréal depuis 1866, Ogilvy, un grand magasin spécialisé, ne cesse aujourd'hui de présenter à sa clientèle des produits haut de gamme : décoration intérieure, alimentation, bijoux, produits de beauté et prêt-à-porter pour tous les membres de la famille. Le commerce, qui fusionne avec l'ancien magasin **Holt Renfrew** de la rue Sherbrooke, subira d'importants travaux de rénovation au cours de l'année 2017, mais prévoit demeurer ouvert pendant le réaménagement.

Bars et boîtes de nuit

McKibbin's Irish Pub
1426 rue Bishop, 514-288-1580,
www.mckibbinsirishpub.com

Le McKibbin's Irish Pub est décoré dans la plus pure tradition irlandaise. Ses tabourets et banquettes de bois, ses murs de briques, ainsi que ses nombreux bibelots, trophées et photos d'époque, lui confèrent un aspect vieillot, non dénué de charme. Certains soirs, des groupes de musique traditionnelle irlandaise s'y produisent.

Culture et divertissement

Salles de spectacle

École de musique Schulich
555 rue Sherbrooke O., 514-398-4547,
www.mcgill.ca/music

L'école de musique de l'Université McGill propose à la salle Pollack de nombreux concerts de musique classique.

Hébergement

Auberge Bishop $-$$
1447 rue Bishop, 514-508-8870,
www.facebook.com/AubergeBishop/

Voilà une excellente auberge de jeunesse, centrale et installée dans un édifice historique (**maison Peter Lyall**, voir p. 106). Les 55 places de l'établissement se répartissent entre les dortoirs pour 4 à 10 personnes et quelques chambres doubles qui partagent des salles de bain. En plus des prestations habituelles (Internet gratuit, cuisine commune...), le petit déjeuner est offert au café de l'auberge. Propre, sympathique et accueillant.

Hôtel Ambrose $-$$$
3422 rue Stanley, 514-288-6922 ou
888-688-6922, http://hotelambrose.ca

L'Hôtel Ambrose se compose de deux maisons victoriennes voisines situées dans une rue tranquille. Des chambres de catégorie supérieure et d'autres beaucoup plus économiques y sont proposées. Un établissement classique à la décoration un peu surannée, mais offrant un bon rapport qualité/prix pour le quartier.

Ritz-Carlton Montréal.

 Hôtel Chez Swann $$$$

1444 rue Drummond, 514-842-7070, www.hotelchezswann.com

Cet hôtel-boutique cache derrière sa discrète entrée un espace au design contemporain remarquable. Les 23 chambres et suites sont décorées d'une manière artistique et sont emplies d'équipements de service aussi beaux qu'extravagants. Un hébergement de choix pour les visiteurs et les gens d'affaires en quête d'un hôtel de caractère.

 Loews Hôtel Vogue $$$$$

1425 rue de la Montagne, 514-285-5555 ou 800-465-6654, www.loewshotels.com

Au premier abord, le bâtiment de verre et de béton sans ornement qui abrite le Loews Hôtel Vogue peut sembler dénué de grâce. Le hall, agrémenté de boiseries aux couleurs chaudes, donne une idée plus juste du luxe et de l'élégance de l'établissement. Mais avant tout, ce sont les vastes chambres, garnies de meubles aux lignes gracieuses, qui révèlent le confort de cet hôtel.

Ritz-Carlton Montréal $$$$$

1228 rue Sherbrooke O., 514-842-4212 ou 800-363-0366, www.ritzmontreal.com

La cure de jouvence terminée en 2012 est réussie : le charme et l'élégance de cette institution montréalaise sont conservés, mais les chambres et suites à la décoration ultrachic et contemporaine s'agrémentent d'une fine technologie et de vastes salles de bain en marbre pour assurer à la riche clientèle un séjour mémorable. Aussi sophistiquée, la piscine d'eau salée, située au dernier étage (la vue sur le centre-ville est époustouflante), est chauffée avec les vapeurs des cuisines.

Sofitel Montréal Le Carré Doré $$$$$

1155 rue Sherbrooke O., 514-285-9000, www.sofitel-montreal.com

Le Sofitel propose des chambres à la fois élégantes et épurées, décorées de meubles en teck et baignées de couleur ambre. Les salles de bain modernes sont enjolivées de marbre italien. Le personnel multilingue est serviable. Le Renoir, le restaurant de l'hôtel, sert une cuisine française gastronomique.

Le Musée des beaux-arts de Montréal

Attraits

au moins deux heures

Le **Musée des beaux-arts de Montréal (MBAM)** ★★★ *(collection permanente : 30 ans et moins entrée libre, 31 ans et plus 12$; expositions temporaires : 30 ans et moins 12$, 31 ans et plus 20$, mer après 17h 10$ pour tous; mar-ven 10h à 17h, mer jusqu'à 21h pour les expositions temporaires, sam-dim 10h à 17h; 1380 rue Sherbrooke O., 514-285-2000 ou 800-899-6873, www.mbam.qc.ca; métro Guy-Concordia, autobus 24)*, situé au cœur du centre-ville, est le plus important et le plus vieux musée québécois. Il possède des collections variées qui dressent un portrait de l'évolution des arts dans le monde depuis l'Antiquité jusqu'à nos jours. L'institution est installée dans cinq pavillons : le pavillon Michal et Renata Hornstein et le pavillon Liliane et David M. Stewart adjacents au nº 1379 de la rue Sherbrooke, le pavillon Jean-Noël Desmarais au nº 1380, le pavillon Claire et Marc Bourgie au nº 1339 de cette même rue, et le Pavillon pour la Paix Michal et Renata Hornstein, inauguré en novembre 2016 dans un nouvel édifice situé au 2075 de la rue Bishop.

C'est en 1860 que des amateurs d'art issus de la bourgeoisie anglo-saxonne de Montréal, alors au faîte de sa gloire, fondent le Musée des beaux-arts, qui portera jusqu'en 1948 le nom de Art Association of Montreal. Le noyau de la collection permanente du musée reflète encore les goûts de ces riches familles d'origine anglaise et écossaise qui ont fait don de nombreuses œuvres à l'institution. Il faudra cependant attendre encore près de 20 ans pour que le musée s'installe dans son premier lieu d'exposition permanent. À la suite d'un don du mécène Benaiah Gibb, une modeste galerie, aujourd'hui disparue, est construite en 1879 à l'angle sud-est du square Phillips et de la rue Sainte-Catherine Ouest.

Une campagne de souscription est lancée en 1909 afin de doter le musée d'un bâtiment plus prestigieux. Il sera construit dans la rue Sherbrooke Ouest au cœur du Golden Square Mile, ce quartier résidentiel de la grande bourgeoisie canadienne qui allait devenir par la suite le centre-ville moderne de Montréal. L'édifice, l'actuel pavillon Michal et Renata Hornstein, fut inauguré en 1912 sous le nom de pavillon Benaiah Gibb. Ses architectes l'ont doté d'une élégante façade de marbre blanc du Vermont, dessinée dans le style Renouveau classique, dont les formes rappellent la Rome antique.

Les espaces du musée étant insuffisants, les dirigeants de l'institution se sont tournés vers l'îlot d'en face, proposant de la sorte une solution originale et un défi à leur architecte, Moshe Safdie, déjà connu pour son Habitat 67 et son Musée des beaux-arts du Canada à Ottawa. Le pavillon, baptisé en l'honneur de Jean-Noël Desmarais, père du mécène Paul Desmarais, a été inauguré en 1991. Il présente sur la gauche une façade de marbre blanc, alors qu'il intègre sur la droite la façade de briques rouges d'un ancien immeuble résidentiel (1905). Un passage souterrain aménagé sous la rue Sherbrooke permet de passer du pavillon Jean-Noël Desmarais aux pavillons situés au nord de la rue sans avoir à sortir à l'extérieur, et un passage intérieur situé au niveau 1 du pavillon Jean-Noël Desmarais donne accès au nouveau Pavillon pour la Paix Michal et Renata Hornstein.

Le pavillon Claire et Marc Bourgie *(1339 rue Sherbrooke O.)*, ouvert en 2011 et dédié à l'art québécois et canadien, est installé dans l'ancienne église Erskine and American, érigée en 1892 dans le style néoroman et entièrement restaurée pour l'occasion. La modernité de la rallonge arrière, toute de marbre et de verre, offre un contraste intéressant. Ce pavillon renferme six salles d'exposition et une salle de concerts qui occupe la nef de l'église. Cette dernière, rafraîchie, recèle de magnifiques vitraux de la célèbre maison américaine Tiffany, bien restaurés et parfaitement mis en valeur.

Le Pavillon pour la Paix Michal et Renata Hornstein est pour sa part aménagé dans un nouvel édifice qui fut inauguré en novembre 2016 dans la rue Bishop, tout juste au sud du pavillon Jean-Noël Desmarais. Conçu par un consortium d'architectes québécois, il compte quatre espaces d'exposition et l'Atelier international d'éducation et d'art-thérapie Michel de la Chenelière, qui se targue d'être le plus grand complexe éducatif dans un musée d'art en Amérique du Nord. Les différents niveaux du pavillon sont reliés par un magnifique escalier en chêne blanc le long d'une façade largement vitrée qui offre une vue inédite sur le centre-ville et confère une belle luminosité à l'édifice. Plus qu'un simple espace de transition entre les salles d'exposition, l'escalier est ponctué d'œuvres d'art contemporain et d'espaces de repos assez vastes pour accueillir des événements spéciaux.

La visite du Musée des beaux-arts de Montréal peut se faire de plusieurs façons selon vos intérêts et le temps dont vous disposez. Voici un survol des collections et services proposés dans chaque pavillon au moment de mettre sous presse; notez toutefois que le musée procède de temps à autre au réaménagement des galeries présentant ses collections.

Pavillon Jean-Noël Desmarais

Doté d'un hall lumineux, ce pavillon constitue l'entrée principale du musée. La billetterie, un vestiaire et une librairie-boutique se trouvent au niveau 1, qui renferme également un passage donnant accès au Pavillon pour la Paix Michal et Renata Hornstein. Un bistro et une cafétéria occupent le niveau 2. Au moment de mettre sous presse, les niveaux 3 et 4 étaient vacants, leurs collections ayant été transférées au nouveau Pavillon pour la Paix. Ils seront réaménagés et accueilleront éventuellement une partie de la collection des Cultures du monde du musée.

Le premier sous-sol (niveau S1) loge une partie des locaux de l'Atelier international d'éducation et d'art-thérapie Michel de la Chenelière mentionné précédemment, alors que les vastes salles du niveau S2 sont parfaitement adaptées pour recevoir les grands formats de la collection

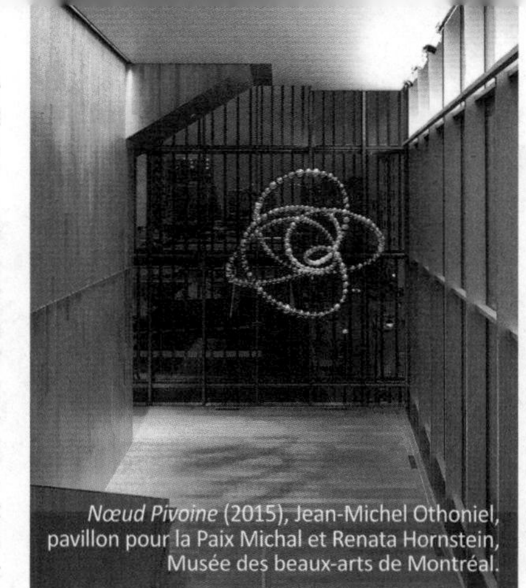

Nœud Pivoine (2015), Jean-Michel Othoniel, pavillon pour la Paix Michal et Renata Hornstein, Musée des beaux-arts de Montréal.

d'**Art contemporain international** ★, constituée surtout d'œuvres nord-américaines. Au même niveau, le **Centre des arts graphiques** et le **Carré d'art contemporain** présentent des expositions temporaires variées (photos, dessins, gravures, design, mode, installations vidéo…).

Pavillon pour la Paix Michal et Renata Hornstein

Au niveau 1 de ce nouveau pavillon se trouve la collection d'**Art moderne** ★, composée d'œuvres d'artistes européens des XIXe et XXe siècles. Les bourgeois du Golden Square Mile étant friands de l'école de Barbizon, on y voit des Corot (*L'île heureuse,* 1868) et aussi quelques toiles impressionnistes de Sisley, Pissaro et Monet. Parmi les œuvres plus récentes, on note l'intéressant *Portrait de l'avocat Hugo Simons* d'Otto Dix (1925), *Femme assise* de Matisse (vers 1922) et plusieurs œuvres de Picasso. Au même niveau sont exposées quelques autres œuvres grand format de la collection d'**Art contemporain international** ★ (Basquiat, Beuys, Richter, Miró), en complément à celles présentées dans le pavillon Jean-Noël Desmarais.

Les niveaux 2, 3 et 4 sont dédiés à la collection dite des **Maîtres anciens** ★★, qui comprend des toiles et des sculptures du Moyen Âge, de la Renaissance ainsi que des périodes baroques et classiques, soit un vaste panorama de l'histoire de l'art européen de l'an 1000 jusqu'à la fin du XVIIIe siècle. L'art médiéval est représenté entre autres par des fragments de vitraux provenant de l'abbaye de Saint-Germain-des-Prés (vers 1245) et par un beau *Couronnement de la Vierge* de Nicolò di Pietro Gerini (vers 1390).

Parmi les œuvres les plus significatives qui illustrent la Renaissance, on retrouve le *Portrait d'un homme* de Hans Memling (1490), le *Retour de l'auberge* de Pieter Bruegel le Jeune (vers 1620), le *Portrait d'un homme de la maison de Leiva* du Greco (vers 1580) de même qu'un superbe triptyque attribué à Jan de Beer, *L'Annonciation, L'Adoration des bergers* et *La fuite en Égypte* (vers 1510).

Les XVIIe et XVIIIe siècles sont représentés par de nombreuses œuvres flamandes telles que le *Portrait d'une jeune femme* de Rembrandt (vers 1665) et *L'Adoration des bergers* de Nicolaes Maes (1658). Les peintres anglais figurent en bonne place dans la dernière salle de cette section grâce à des œuvres comme *Les amours champêtres* (1755) et le *Portrait de madame George Drummond*, deux toiles de Thomas Gainsborough (1779). Y sont également accrochées des toiles de Canaletto et de Tiepolo.

Le Pavillon pour la Paix abrite également la collection **Napoléon**, qui propose une sélection de tableaux, de sculptures, de miniatures et d'objets d'art ainsi qu'un grand nombre d'estampes et divers documents de nature historique, liés au souvenir napoléonien, notamment le fameux bicorne – unique en Amérique du Nord – porté par Napoléon durant la campagne de Russie en 1812.

Pavillon Claire et Marc Bourgie

Le pavillon Claire et Marc Bourgie, situé du côté nord de la rue Sherbrooke, est dédié à la collection d'**Art québécois et canadien ★★★**, véritable fleuron du musée. La visite s'effectuant préférablement par ordre chronologique, aussi débute-t-elle au niveau 4, consacré à l'**Art inuit**. On y trouve une centaine d'œuvres montrant l'évolution de cet art de 1948 à nos jours, parmi lesquelles figurent *Le hibou enchanté*, gravure sur pierre de l'artiste Kenojuak Ashevak (1931), et *Histoire de chasse*, d'Alain Iyerack (1920), qui instruisent les visiteurs sur les coutumes de ce peuple arctique.

Au niveau 3, la salle des **Identités fondatrices** regroupe les œuvres de la période coloniale des années 1700 à 1880. On y trouve aussi bien des reliques religieuses que de l'art et de l'artisanat des Autochtones de la côte ouest du Canada, notamment du peuple Haïda. Les tableaux de Paul Kane représentant des Amérindiens (*Caw-Wacham*, 1848) sont particulièrement instructifs.

Au niveau 2, l'**Époque des salons** (1880 à 1930) témoigne de la professionnalisation des artistes canadiens. La scénographie de cette salle évoque la mode des salons parisiens du XVIIIe siècle, avec des tableaux serrés les uns aux autres et couvrant tout un pan de mur. Une intéressante rétrospective sur James Wilson Morrice (1865-1924) et de nombreuses sculptures d'Alfred Laliberté (1878-1953) y sont exposées.

La salle des **Chemins de la modernité** du niveau 1 retrace la production des années 1920 à 1940. Celle-ci se caractérise par une affirmation nationale canadienne, sous l'impulsion du Groupe des Sept (1920-1932), basé à Toronto, et de son pendant montréalais, le Groupe du Beaver Hall (1920-1923). Une section consacrée à Marc-Aurèle Fortin comprend des tableaux significatifs tels que *Arbre déraciné* (vers 1928) et *Commencement d'orage sur Hochelaga* (vers 1940). Ces œuvres donnent une vision complète des genres pratiqués par le peintre : portraits, natures mortes, scènes religieuses et paysages, de même que des représentations urbaines de Montréal.

Le **Temps des manifestes** (niveau S1) comprend les œuvres produites entre 1940 et 1960. C'est l'époque du manifeste *Refus global*, instigué par Paul-Émile Borduas en 1948, dont les répercussions sur l'art québécois furent majeures. Outre de nombreuses toiles de Paul-Émile Borduas (1905-1960), on y admire des œuvres surréalistes et colorées d'Alfred Pellan, dont *Sujet d'ambassade* (1950) et *Au soleil bleu* (1946). Un espace est entièrement voué à Jean Paul Riopelle et donne un aperçu de la variété de sa création : sont exposées des sculptures, des estampes et des peintures, dont la grandiose *Hommage à Grey Owl* (1970). L'entrée de la **salle de concert Bourgie** se trouve à cet étage.

La grande galerie située au niveau S2 du pavillon Claire et Marc Bourgie se nomme **Les champs libres** et est dédiée aux œuvres canadiennes des années 1960 et 1970. Sa taille permet aussi d'exposer des œuvres monumentales, entre autres un canot peint à la bombe par Jean Paul Riopelle, *Le canot de glace* (1992), et sa plus grande toile, *Iceberg n° 1* (1977).

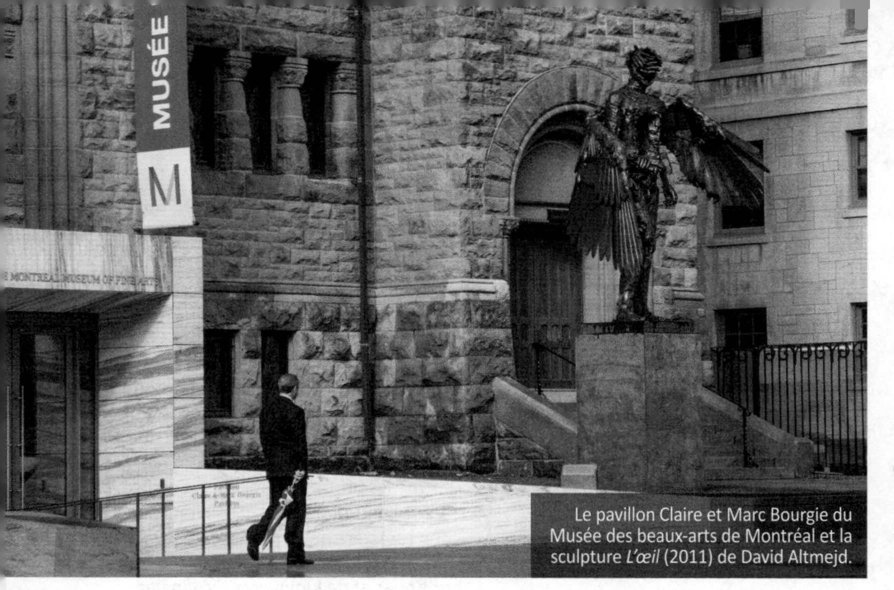

Le pavillon Claire et Marc Bourgie du Musée des beaux-arts de Montréal et la sculpture *L'œil* (2011) de David Altmejd.

Pavillon Michal et Renata Hornstein et pavillon Liliane et David M. Stewart

Conçu dans l'esprit de l'École des beaux-arts, le hall du pavillon Michal et Renata Hornstein conduit à l'escalier monumental qu'il faut gravir pour se rendre aux salles des expositions temporaires. Jusqu'à trois expositions d'envergure internationale y sont présentées simultanément, constituant ainsi un volet appréciable des activités du musée.

Le pavillon Liliane et David M. Stewart adjacent accueille la collection d'**Arts décoratifs de la Renaissance au XXIe siècle** ★★ (niveaux 1 et 2), qui permet de remonter dans le temps à travers six siècles de design. Elle est composée entre autres de meubles et d'objets décoratifs de style international (de 1935 à nos jours) de la collection de Liliane et David M. Stewart. On remarque des pièces de Niki de Saint-Phalle (*Table et tabouret*, 1980), d'Ettore Sottsass (*Chiffonnier Mobile Giallo*, 1988), de Pablo Picasso (*Vase Tripode*, 1951-53) ou encore des désigners Philippe Starck et Isamu Noguchi.

Dans les autres salles du pavillon se déploient les expositions tirées de la collection des Cultures du monde, dont une partie occupera éventuellement les niveaux 3 et 4 du pavillon Jean-Noël Desmarais. Cette collection comprend notamment de magnifiques objets d'**Art précolombien** ★ provenant du Mexique, d'Amérique centrale et d'Amérique du Sud. On peut y voir un panneau de tapisserie péruvienne vieux de 2 000 ans. Parmi les objets en céramique, on remarque un guerrier debout (Jalisco, 300-500 apr. J.-C.) et un beau récipient à « anse-étrier » avec représentation de tête (Mochica, 200-600 apr. J.-C.). La collection d'art précolombien est l'une des plus importantes au Canada avec ses quelque 1 200 œuvres.

Les salles **Afrique sacrée** proposent une sélection d'œuvres majeures provenant principalement de la collection de Guy Laliberté (fondateur du Cirque du Soleil), qui illustre les approches plastiques des peuples d'Afrique occidentale, équatoriale et centrale.

À la sortie, un hall secondaire du pavillon Michal et Renata Hornstein abrite la salle consacrée à l'**Archéologie méditerranéenne**, où sont présentés des sculptures, des vases corinthiens et un superbe tapis de mosaïques qui figure la décoration de sol des églises paléochrétiennes de l'Est méditerranéen.

La collection d'**Art asiatique** regroupe des œuvres et antiquités chinoises, japonaises, coréennes, indiennes et thaïlandaises, dont de belles boîtes à encens nippones.

En quittant le complexe muséal, ne manquez pas de vous promener dans la rue du Musée, qui longe les deux pavillons situés au nord de la rue Sherbrooke, pour admirer les nombreuses **sculptures** qui la bordent.

Le Village Shaughnessy

Attraits

trois heures

Lorsque les Messieurs de Saint-Sulpice prennent possession de l'île de Montréal en 1663, ils se réservent une partie des meilleures terres, sur lesquelles ils implanteront une ferme et un village amérindien en 1676. À la suite d'un incendie, le village est déplacé en différents endroits, avant de se fixer définitivement à Oka. Une section de la ferme, qui correspond à l'actuel territoire de Westmount, est alors concédée à des colons français. Sur la portion restante, les Sulpiciens aménagent un verger et un vignoble. Le lotissement de ces terres débute vers 1870 : une partie d'entre elles sert à la construction de demeures bourgeoises, alors que de larges parcelles sont accordées aux communautés religieuses catholiques alliées des Sulpiciens. C'est à cette époque que l'on construit la maison Shaughnessy, qui donnera son nom au quartier. Depuis 1960, la population du secteur a considérablement augmenté, faisant du **Village Shaughnessy** ★ l'une des zones les plus densément peuplées du Québec. Aujourd'hui, de nombreux étudiants y vivent, et la grande concentration de restaurants asiatiques dans ce secteur lui vaut l'appellation de « nouveau Quartier chinois ».

De la rue Guy (station de métro Guy-Concordia), prenez la rue Sherbrooke à gauche. Le circuit débute au 1850 Sherbrooke Ouest.

Les loges maçonniques, bien que déjà présentes en Nouvelle-France, prendront de l'ampleur avec l'immigration britannique. Ces associations de libres penseurs n'ont pas la faveur du clergé canadien, qui fustige leurs vues libérales. Ironiquement, le **Temple Maçonnique** ★ *(1850 rue Sherbrooke O.; métro Guy-Concordia, autobus 24)* des loges écossaises de Montréal est situé en face du Grand Séminaire, où l'on forme les prêtres catholiques. L'édifice, bâti en 1928, contribue à donner à la franc-maçonnerie son caractère mystique et secret avec sa façade hermétique sans fenêtres, dotée de vasques antiques et de luminaires bicéphales.

Il faut pénétrer à l'intérieur du **Grand Séminaire** ★★ *(7$, argent comptant seulement; visites guidées juin à août mar-ven à 13h et 15h, sam à 10h et 13h; 2065 rue Sherbrooke O., 514-935-7775, www.domainedesmessieursdesaintsulpice.com; métro Guy-Concordia, autobus 24)* pour voir la belle chapelle dessinée dans le style néoroman par Jean-Omer Marchand en 1905. Les 300 stalles en chêne, sculptées à la main, bordent la nef de 80 m de longueur, sous laquelle reposent les sulpiciens morts à Montréal depuis le XVIIe siècle. Rappelons que la compagnie des prêtres de Saint-Sulpice a été fondée à Paris par Jean-Jacques Olier en 1641 et que son église mère est la célèbre église parisienne Saint-Sulpice, sur la place du même nom. La maison de ferme des Sulpiciens était entourée d'un mur d'enceinte relié à quatre tours d'angle en pierre, ce qui lui a valu le nom de « Fort des Messieurs ». La maison a été détruite au moment de la construction (1854-1860) du Grand Séminaire, mais deux des tours édifiées au XVIIe siècle selon

★ **Attraits**

1. DW Temple Maçonnique
2. DW Grand Séminaire
3. AW Collège Dawson
4. BX Forum de Montréal
5. AX Place Alexis Nihon
6. BY Square Cabot
7. CY Avenue Seymour
8. CZ Centre Canadien d'Architecture/Maison Shaughnessy
9. CZ Jardin de sculptures du CCA
10. EZ Ancien couvent des Sœurs Grises
11. EY Pavillon intégré Génie, informatique et arts visuels de l'Université Concordia
12. FY École de gestion John-Molson

● **Restaurants**

13. CY Avesta
14. EZ Chez la Mère Michel
15. DY Restaurant Kazu

■ **Achats**

16. FW Guilde canadienne des métiers d'art
17. CZ Librairie du Centre Canadien d'Architecture

▲ **Hébergement**

18. EZ Université Concordia - Résidence des Sœurs Grises

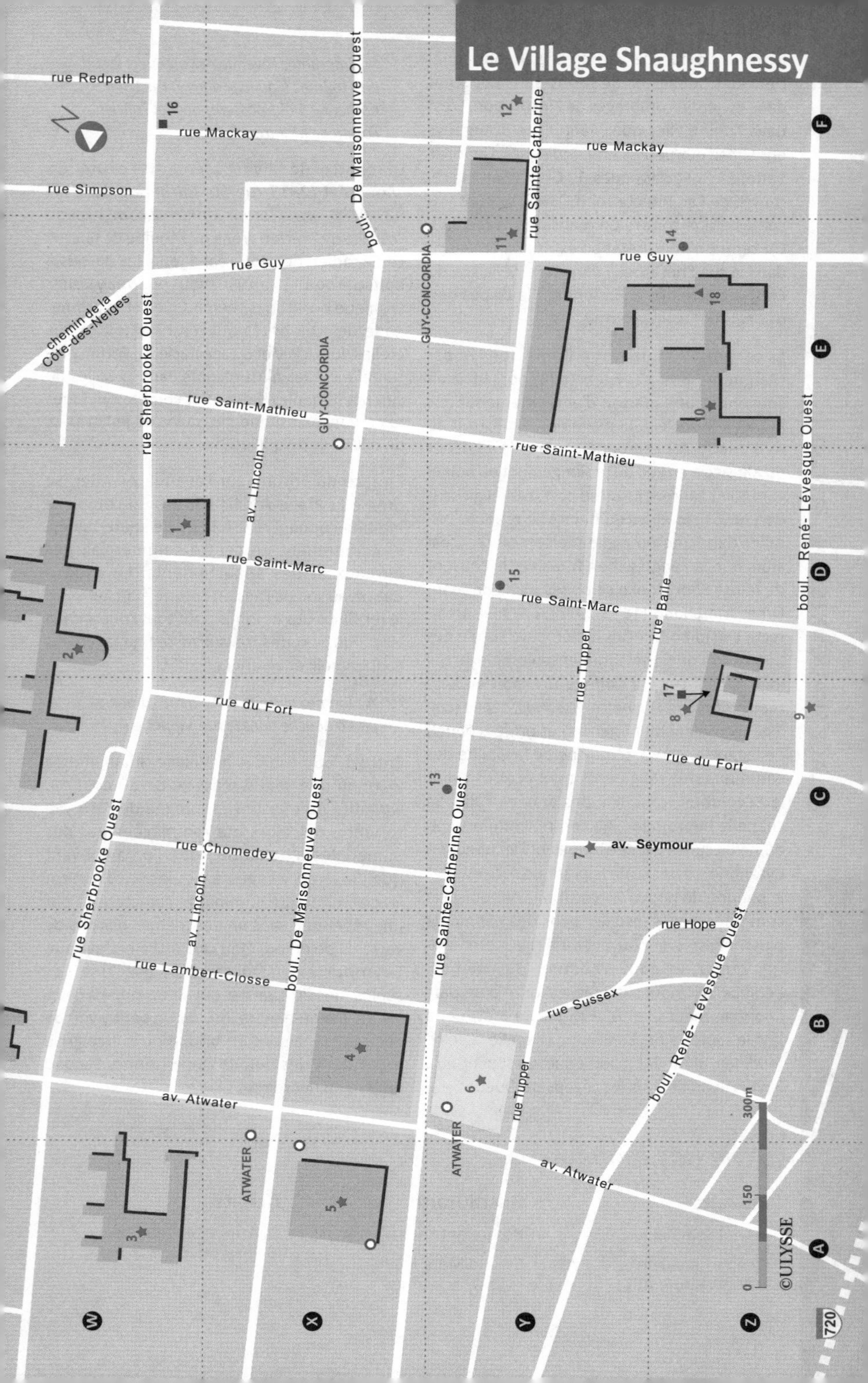

Le Village Shaughnessy
rue Redpath
rue Mackay
rue Simpson
rue Guy
chemin de la Côte-des-Neiges
rue Sherbrooke Ouest
rue Saint-Mathieu
av. Lincoln
rue Saint-Marc
rue du Fort
rue Chomedey
rue Lambert-Closse
av. Atwater
boul. De Maisonneuve Ouest
GUY-CONCORDIA
rue Sainte-Catherine
rue Sainte-Catherine Ouest
rue Tupper
rue Baile
boul. René-Lévesque Ouest
av. Seymour
rue Hope
rue Sussex
ATWATER
©ULYSSE
0
150
300m
720

les plans de François Vachon de Belmont, supérieur des Sulpiciens de Montréal, subsistent dans les jardins ombragés de l'institution. C'est dans l'une d'elles que Marguerite Bourgeoys enseignait aux petites Amérindiennes. Les longs bâtiments néoclassiques du Grand Séminaire, œuvre de l'architecte John Ostell, se sont vus coiffés d'une toiture en mansarde vers 1880. Un centre d'interprétation extérieur, aménagé dans la rue Sherbrooke dans l'axe de la rue du Fort, apporte des précisions sur la disposition des bâtiments de la ferme.

La congrégation de Notre-Dame, fondée par Marguerite Bourgeoys en 1671, possédait un couvent et une maison d'enseignement dans le Vieux-Montréal. L'ensemble, reconstruit au XVIIIe siècle, fut exproprié par la Ville au début du XXe siècle en vue du prolongement du boulevard Saint-Laurent jusqu'au port. Les religieuses durent se résoudre à quitter les lieux pour s'installer dans une nouvelle maison mère. C'est alors que la congrégation fit élever le couvent de la rue Sherbrooke selon les plans de Jean-Omer Marchand (1873-1936), premier architecte canadien-français diplômé de l'École des beaux-arts de Paris. L'immense complexe, qui loge depuis 1987 le **Collège Dawson** ★ *(3040 rue Sherbrooke O.; métro Atwater)*, cégep (collège d'enseignement général et professionnel) de langue anglaise, témoigne de la vitalité des communautés religieuses québécoises avant la Révolution tranquille des années 1960. Sa chapelle néoromane, au centre, comporte un dôme de cuivre allongé rappelant l'architecture byzantine. Le déclin de la pratique religieuse et la pénurie de nouvelles vocations ont obligé la communauté à s'installer dans des bâtiments plus modestes. Le couvent de la rue Sherbrooke fut vendu au gouvernement du Québec. L'édifice de briques jaunes, entouré d'un parc abondamment planté, est relié au métro et à la ville souterraine. L'ancienne chapelle, à peine modifiée, abrite la bibliothèque. C'est peut-être le plus beau de tous les cégeps du Québec.

››› *Empruntez l'avenue Atwater vers le sud, puis tournez à gauche dans la rue Sainte-Catherine. Vous passerez devant l'ancien Forum de Montréal.*

Le centre de divertissement **Forum de Montréal** *(2313 rue Ste-Catherine O., 514-933-6786, www.forum-montreal.com)* occupe l'espace de l'ancien aréna où l'équipe de hockey Le Canadien de Montréal a joué ses parties à domicile de 1926 à 1996. Vous pourrez y visiter la galerie de vitrines thématiques et la promenade des célébrités qui rend hommage aux étoiles du hockey et du spectacle. Le Forum présente aussi des films récents dans 22 salles de cinéma (Cineplex Odeon) et compte quelques restaurants ainsi que des salles de jeux vidéo, de billard et de quilles.

En face du Forum, sur l'avenue Atwater, se dresse la **Place Alexis Nihon**, un complexe multifonctionnel relié à la « ville souterraine » et comprenant un centre commercial, des bureaux et des appartements. Le **square Cabot**, au sud de l'ancien Forum, était autrefois le terminus des autobus pour tout l'ouest de la ville. D'importants travaux de réaménagement l'ont embelli et agrandi en 2015.

››› *Tournez à droite dans la rue Lambert-Closse, puis à gauche dans la rue Tupper.*

Entre 1965 et 1975, le Village Shaughnessy a connu une vague massive de démolition. Quantité de maisons en rangée de l'ère victorienne ont alors été remplacées par des immeubles d'habitation que l'on a souvent qualifiées de « cages à poules », tellement leur architecture sommaire, caractérisée par une répétition sans fin des mêmes balcons de verre ou de béton, était caricaturale. L'**avenue Seymour** ★ *(métro Atwater)* est l'une des seules rues du quartier qui ait échappé à cette vague, maintenant résorbée. On peut y voir de coquettes maisons en brique ou pierre grise présentant des détails Queen Anne, Second Empire ou néoroman.

À ne pas manquer

Attraits

Grand Séminaire p. 114

Centre Canadien d'Architecture p. 117

Restaurants

Restaurant Kazu p. 118

Chez la Mère Michel p. 118

Achats

Guilde canadienne des métiers d'art p. 118

La maison Shaughnessy du Centre Canadien d'Architecture.

Tournez à droite dans la rue du Fort, puis à gauche dans la petite rue Baile.

Fondé en 1979 par Phyllis Lambert, le **Centre Canadien d'Architecture** ★★ *(10$, entrée libre jeu 17h30 à 21h; mer et ven-dim 11h à 18h, jeu 11h à 21h; 1920 rue Baile, 514-939-7026, www.cca.qc.ca; métro Guy-Concordia, autobus 150 ou 15)* est un centre international de recherche et un musée. Fort de ses vastes collections, le CCA est un chef de file dans l'avancement du savoir, de la connaissance et de l'enrichissement des idées et des débats sur l'art de l'architecture, son histoire, sa théorie, sa pratique ainsi que son rôle dans la société. D'une superficie d'environ 12 000 m^2, l'édifice s'est vu décerner de nombreux prix de design. Le bâtiment principal en forme de *U*, conçu par Peter Rose avec Phyllis Lambert, est recouvert de calcaire gris extrait des carrières de Saint-Marc-des-Carrières, près de Québec.

L'édifice comprend la **maison Shaughnessy**, dont la façade donne sur le boulevard René-Lévesque. Cette maison est en fait constituée de deux habitations jumelées, construites en 1874 selon les plans de l'architecte William Tutin Thomas. Elle est représentative des demeures bourgeoises qui bordaient autrefois le boulevard René-Lévesque (anciennement la rue Dorchester puis le boulevard du même nom). En 1974, la maison Shaughnessy fut au centre de la sauvegarde du quartier, décrépit en plusieurs endroits. La maison, elle-même menacée de démolition, fut rachetée *in extremis* par Phyllis Lambert, qui y a aménagé les bureaux et les salles de réception du Centre Canadien d'Architecture. Un ancien président du Canadien Pacifique, Sir Thomas Shaughnessy, qui a habité la maison pendant plusieurs décennies, a laissé son nom au bâtiment. Les habitants du secteur, regroupés en association, ont par la suite choisi de donner son nom au quartier tout entier.

Le **jardin de sculptures du CCA** ★ *(sur l'esplanade Ernest-Cormier, devant le Centre Canadien d'Architecture, du côté sud du boulevard René-Lévesque)*, de l'artiste Melvin Charney, aménagé entre deux bretelles d'autoroute, fait face à la maison Shaughnessy. Il exprime les différentes strates de développement du quartier à travers un segment du verger des Sulpiciens, sur la gauche, et les limites de lots des demeures victoriennes indiquées par des lignes de pierres et des plantations de rosiers qui rappellent les jardins de ces maisons. L'esplanade Ernest-Cormier, le long de la falaise qui séparait autrefois le quartier riche des quartiers ouvriers, permet de contempler la basse ville (La Petite-Bourgogne, Saint-Henri, Verdun) et le fleuve Saint-Laurent. Certains points forts de ce panorama sont représentés de manière stylisée au sommet de mâts en béton dans le jardin de sculptures.

Poursuivez par le boulevard René-Lévesque en direction est. Tournez à gauche dans la rue Saint-Marc, puis à droite dans la rue Tupper, qui compte encore à ce niveau quelques belles vieilles demeures, et marchez jusqu'à l'angle de la rue Saint-Mathieu.

L'**ancien couvent des Sœurs Grises** ★ *(1190 rue Guy; métro Guy-Concordia)*, qui appartient aujourd'hui à l'Université Concordia, laquelle en a fait le pavillon des Sœurs-Grises, avec résidence d'étudiants et salle de lecture, représente l'aboutissement d'une tradition architecturale québécoise développée à travers les siècles. Seule la chapelle présente une influence étrangère, soit le style néoroman, qui, avec le style néogothique, était privilégié par les Messieurs de Saint-Sulpice, par opposition aux styles néo-Renaissance et néobaroque, favorisés par l'évêché. Les vitraux de la chapelle proviennent de la Maison Champigneulle de Bar-le-Duc, en France.

Tournez à droite dans la rue Sainte-Catherine.

À l'angle des rues Guy et Sainte-Catherine se dresse le **pavillon intégré Génie, informatique et arts visuels de l'Université Concordia** ★ *(1515 rue Ste-Catherine O.)*, inauguré en 2005. Un peu plus haut, à l'angle de la rue Guy et du boulevard De Maisonneuve, c'est un autre édifice du même style qui a vu le jour en 2009, afin d'accueillir l'**école de gestion John-Molson** *(1455 boul. De Maisonneuve O.)*. Ces deux pavillons ultramodernes font partie du projet « Quartier Concordia », destiné, d'une part, à faire face à l'augmentation constante du nombre d'étudiants, et d'autre part, à moderniser le parc immobilier de l'université, jugé quelque peu vétuste.

Ⓜ *Pour retourner à la station de métro Guy-Concordia, tournez à gauche dans la rue Guy.*

Restaurants

Étant donné la forte concentration de restaurants chinois, vietnamiens, japonais et coréens dans ce secteur, le Village Shaughnessy est considéré comme le nouveau « Quartier chinois » de Montréal.

Avesta $-$$

2077 rue Ste-Catherine O., 514-937-0156

Impossible de passer devant ce restaurant turc sans être interpellé par les cuisiniers assis en vitrine qui préparent sans relâche les *gözleme*, de grandes et délicieuses crêpes fourrées au bœuf, pommes de terre ou épinards. Le menu propose d'autres délices de la cuisine turque, dont des *manti*, des *börek* et des *iskender*. Le décor n'a rien d'exceptionnel, mais reste chaleureux.

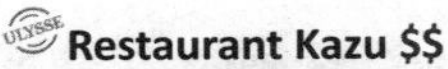

Restaurant Kazu $$

1862 rue Ste-Catherine O., 514-937-2333, http://kazumontreal.com

Dans la plus pure tradition des *izakaya*, sortes de bars à tapas japonais, Kazu propose toute une variété de petits plats originaux et très bien concoctés, sous vos yeux, dans la minuscule cuisine juste derrière le bar. En plus de la carte, le menu s'affiche sur des feuilles de papier collées au mur. Cou de porc grillé, galettes aux crevettes, tête de saumon grillé... autant de plats à partager en buvant une bière japonaise, du saké ou d'autres boissons nippones, dans la petite salle toujours très animée. Un délicieux voyage à Tokyo à moindre coût. Notez que, l'établissement ne prend pas les réservations et attendez-vous à patienter sur le trottoir avant d'avoir une place (surtout si vous faites partie d'un groupe de plus de deux personnes).

Chez la Mère Michel $$$-$$$$

1209 rue Guy, 514-934-0473

Chez la Mère Michel est l'incarnation même de la cuisine française. Installé dans une adorable maison ancienne de la rue Guy, il renferme trois salles à manger intimes et décorées avec un goût exquis. La chef choisit des produits venant tout droit du marché pour créer de délicieuses spécialités régionales françaises ainsi qu'une table d'hôte saisonnière à cinq services. Le personnel est par ailleurs cordial et attentif, et l'impressionnante cave de l'établissement recèle certaines des meilleures bouteilles que l'on puisse trouver à Montréal.

Achats

Artisanat

Guilde canadienne des métiers d'art

1460-B rue Sherbrooke O., 514-849-6091, www.canadianguild.com

La Guilde canadienne des métiers d'art dispose d'une belle boutique où sont présentées des pièces d'art des Premières Nations et des métiers d'art contemporain. On y trouve également une prestigieuse collection d'art inuit comptant plus de 1 000 spécimens datant de 1900 à nos jours.

Le pavillon intégré Génie, informatique et arts visuels de l'Université Concordia.

Librairies

Librairie du Centre Canadien d'Architecture
1920 rue Baile, 514-939-7028, www.cca.qc.ca/fr/nous-visiter

Lumineuse librairie spécialisée en architecture, contemporaine en particulier, qui propose aussi des ouvrages sur l'urbanisme et le design.

Hébergement

Université Concordia - Résidence des Sœurs Grises $-$$
mi-mai à mi-août; 1190 rue Guy, 514-848-2424, poste 8000, www.concordia.ca/campus-life/summer-accommodations.html

Il est possible de louer des chambres dans les résidences de l'Université Concordia situées à l'ouest du centre-ville, à 15 min d'autobus de la station de métro Vendôme. La résidence principale est située dans l'**ancien couvent des Sœurs Grises** (voir p. 118). Tous les logements sont équipés d'une cuisinette, mais les salles de bain sont partagées.

Le quartier Milton-Parc et la *Main*

Attraits

trois heures

Le beau **quartier Milton-Parc** ★, également appelé le « ghetto McGill » en raison de la proximité de l'université du même nom, possède une richesse architecturale qu'il fait bon découvrir pour en apprécier toute la beauté.

Le parcours révèle l'histoire des religieuses hospitalières de Saint-Joseph. En 1860, ces dernières quittent leur Hôtel-Dieu du Vieux-Montréal, fondé par Jeanne Mance en 1642 et inauguré en 1645, pour s'installer plus au nord, au pied du mont Royal (avenue des Pins). Victor Bourgeau conçoit les plans du nouvel hôpital, alors situé en rase campagne. Dans les années qui suivent, les religieuses lotissent leur propriété par étapes, perçant des rues bientôt bordées de jolies demeures du tournant du XXe siècle. En 1973, plusieurs de ces maisons en rangée seront menacées de démolition par un gigantesque projet de développement immobilier. Les résidents de Milton-Parc s'opposent à la destruction massive de leur quartier : plusieurs maisons victoriennes en pierre grise allaient faire place à un vaste projet de revitalisation urbaine dont seulement la première partie, le complexe La Cité, fut construite. Le complexe abrite notamment le Cinéma du Parc (voir plus loin).

Appuyés par Héritage Montréal et l'architecte Phyllis Lambert, fondatrice et premier directeur du Centre Canadien d'Architecture, et avec l'aide financière de la Société canadienne d'hypothèques et de logement (SCHL), les résidents créent entre 1979 et 1982 le plus important projet de coopératives d'habitation en Amérique du Nord, entraînant la rénovation de rangées entières de bâtiments construits au tournant du XXe siècle.

››› *Le circuit débute à la sortie du métro McGill. Empruntez vers le nord le boulevard Robert-Bourassa, qui devient la rue University au nord de la rue Sherbrooke. Tournez à droite dans la rue Milton.*

La **maison Hans Selye** *(659 rue Milton; métro McGill)* se trouve à l'angle de la rue University. Le célèbre docteur Hans Selye, spécialiste de la recherche sur le stress, y a habité et travaillé au cours des années 1940 et 1950.

★ **Attraits**

1. AY Maison Hans Selye
2. BY Ancienne First Presbyterian Church
3. BY Ancienne école Strathearn
4. BY Église luthérienne allemande St. John
5. BY Rue Sainte-Famille
6. BX Musée des Hospitalières de l'Hôtel-Dieu de Montréal
7. BX Hôtel-Dieu de Montréal
8. CX Boulevard Saint-Laurent
9. CY Rue Prince-Arthur
10. BY Ancienne École des beaux-arts de Montréal
11. CY Maison William-Notman
12. CZ Édifice Godin
13. CZ Édifice Grothé
14. CZ Jules Saint-Michel, Luthier – Économusée de la lutherie

● **Restaurants**

15. CW Arepera du Plateau
16. CU Aux Vivres
17. CW Café Chat L'Heureux
18. CW Café Névé
19. CW Chef Guru
20. CV Chez Doval
21. DW Hào
22. CX Icehouse
23. CY Juliette et Chocolat
24. CX La Chilenita
25. DX Laloux
26. BV Le Filet
27. DV Le P'tit Plateau
28. CU Le Robin des Bois
29. CW Local Jerk
30. AY Lola Rosa
31. CY Maestro S.V.P.
32. CW Majestique
33. CW Moishe's Steak House
34. AZ Moleskine
35. CW Patati Patata
36. DX Pop! Bar Laloux
37. CX Prato Pizzeria
38. CW Ramen-Ya
39. CW Romados
40. CV Sabor Latino
41. BW Santropol
42. CX Schwartz's Montréal Hebrew Delicatessen

■ **Achats**

43. CW Boulevard Saint-Laurent
44. CZ Eva B.
45. CW Interversion
46. CX La Vieille Europe
47. CX Librairie Gallimard
48. CY M0851

Bars et boîtes de nuit

49. CV Balattou
50. CW Barfly
51. CV Belmont sur le Boulevard
52. CW Big in Japan Bar
53. CW Blizzarts
54. CY Café Campus
55. CX Else's
56. CW Laïka
57. CW Le Divan Orange
58. CW Le Réservoir
59. CY Le Rouge Bar
60. AZ Pullman
61. CX Tokyo Bar

▲ **Hébergement**

62. DX Bienvenue Bed & Breakfast
63. BV Casa Bianca
64. CZ Hôtel 10
65. CW Le 9 et demi

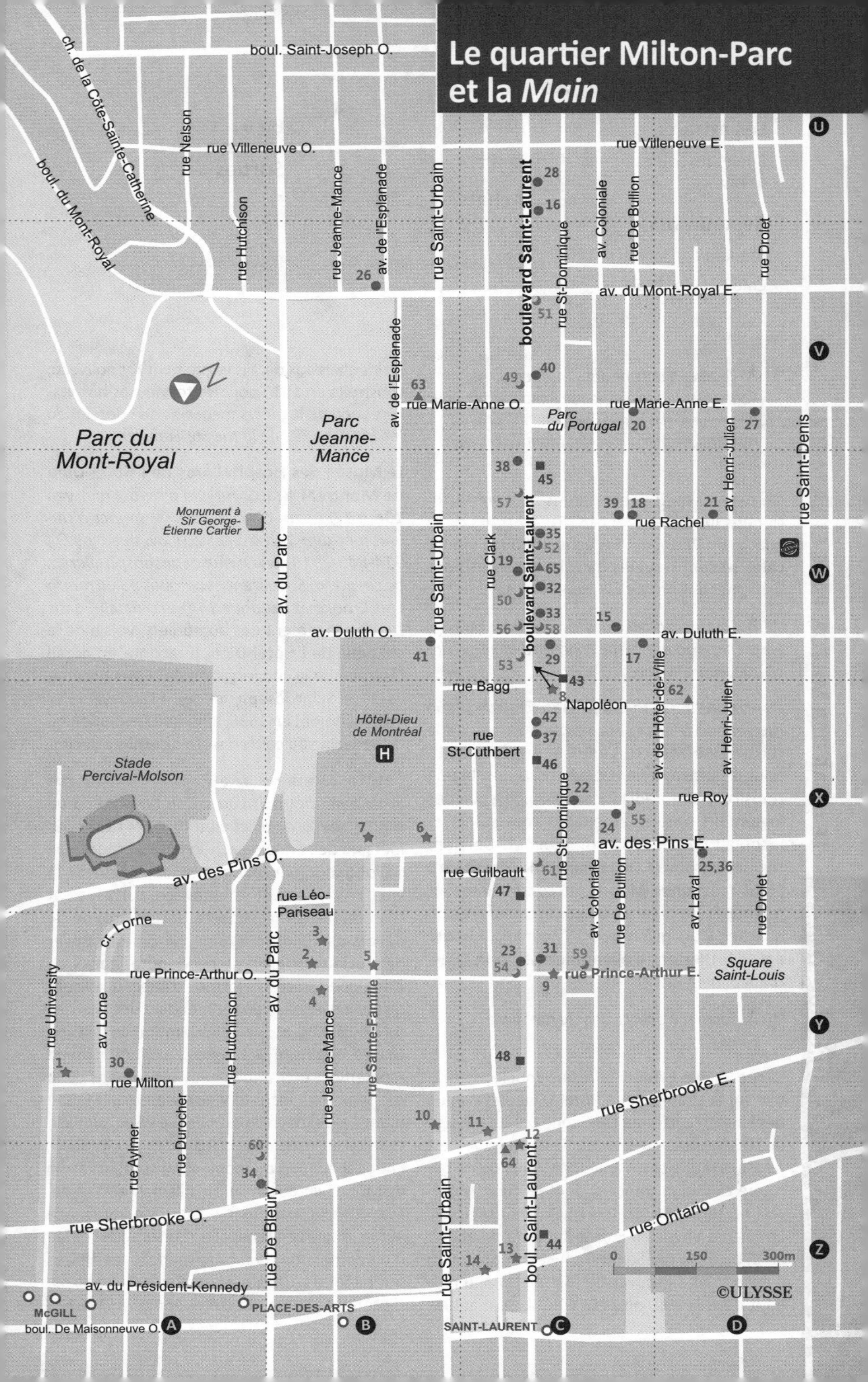
Le quartier Milton-Parc
et la Main
boul. Saint-Joseph O.
ch. de la Côte-Sainte-Catherine
boul. du Mont-Royal
rue Nelson
rue Villeneuve O.
rue Villeneuve E.
rue Hutchison
rue Jeanne-Mance
av. de l'Esplanade
rue Saint-Urbain
boulevard Saint-Laurent
rue St-Dominique
av. Coloniale
rue De Bullion
rue Drolet
av. du Mont-Royal E.
Parc du Mont-Royal
Parc Jeanne-Mance
rue Marie-Anne O.
rue Marie-Anne E.
Parc du Portugal
av. Henri-Julien
rue Saint-Denis
Monument à Sir George-Étienne Cartier
av. du Parc
rue Rachel
rue Clark
av. Duluth O.
av. Duluth E.
rue Bagg
Napoléon
Hôtel-Dieu de Montréal
rue St-Cuthbert
av. de l'Hôtel-de-Ville
Stade Percival-Molson
rue Roy
av. des Pins O.
av. des Pins E.
rue Guilbault
rue Léo-Pariseau
av. Laval
cr. Lorne
rue Prince-Arthur O.
rue Prince-Arthur E.
Square Saint-Louis
rue University
av. Lorne
rue Sainte-Famille
rue Milton
rue Aylmer
rue Durocher
rue Sherbrooke E.
rue Sherbrooke O.
rue De Bleury
boul. Saint-Laurent
rue Ontario
av. du Président-Kennedy
McGILL
PLACE-DES-ARTS
SAINT-LAURENT
boul. De Maisonneuve O.
0 150 300m
©ULYSSE

À ne pas manquer

››› *Tournez à gauche dans l'avenue Lorne. Poursuivez au-delà de la rue Prince-Arthur pour découvrir la rue Lorne-Crescent, une artère résidentielle méconnue des Montréalais eux-mêmes.*

On peut y voir d'intéressantes maisons victoriennes jumelées (vers 1875). Au cours de la guerre du Vietnam, des contestataires américains se sont réfugiés dans les environs pour échapper à l'enrôlement dans leur pays.

››› *Tournez à droite dans la rue Aylmer, puis prenez à gauche la rue Prince-Arthur jusqu'à la rue Jeanne-Mance.*

L'**ancienne First Presbyterian Church** *(3666 rue Jeanne-Mance)* est visible à l'angle de la rue Jeanne-Mance. L'édifice, érigé en 1910 pour les presbytériens américains, a subi une transformation radicale en 1986, lorsque des logements ont été aménagés sous sa nef et jusqu'au sommet de son clocher. Derrière l'église se trouve l'**ancienne école Strathearn** *(3680 rue Jeanne-Mance)*, où sont maintenant regroupés les organismes communautaires du quartier, alors qu'en face on aperçoit la petite **église luthérienne allemande St. John** *(3594 rue Jeanne-Mance)*.

››› *Tournez à gauche dans la rue Sainte-Famille.*

La **rue Sainte-Famille** offre une double perspective sur la chapelle de l'Hôtel-Dieu de l'avenue des Pins au nord et sur l'ancienne École de design de l'UQAM de la rue Sherbrooke au sud. Elle n'est pas sans rappeler les aménagements de l'urbanisme classique français, dont le Vieux-Montréal renfermait autrefois quelques exemples. Le célèbre physicien Ernest Rutherford habitait au 3702 de la rue Sainte-Famille à l'époque où il enseignait à l'Université McGill. Un peu plus haut dans la rue, on peut voir six immeubles résidentiels aux détails vaguement Art nouveau, construits en 1910 pour les religieuses hospitalières afin de loger les médecins de l'Hôtel-Dieu *(nos 3705 à 3739 de la rue Ste-Famille)*.

Le **Musée des Hospitalières de l'Hôtel-Dieu de Montréal** ★ *(10$; mi-juin à mi-oct mar-ven 10h à 17h, sam-dim 13h à 17h, mi-oct à mi-juin mer-dim 13h à 17h; 201 av. des Pins O., 514-849-2919, www.museedeshospitalieres.qc.ca; métro St-Laurent et autobus 55 ou métro Sherbrooke et autobus 144)* est installé dans l'ancien logement des aumôniers, voisin de la chapelle de l'Hôtel-Dieu. Il raconte en détail l'histoire de la congrégation des Filles hospitalières de Saint-Joseph, fondée à l'abbaye de La Flèche (Anjou) en 1636, ainsi que l'évolution de la médecine au cours des trois derniers siècles.

L'**Hôtel-Dieu de Montréal** ★ *(3840 rue St-Urbain; métro St-Laurent et autobus 55 ou métro Sherbrooke et autobus 144)* est toujours un des principaux hôpitaux de Montréal. Sa fondation par Jeanne Mance et celle de la ville, pratiquement simultanées, participaient d'un même projet amorcé par un groupe de dévots parisiens, dirigé par Jérôme Le Royer de La Dauversière, qui ne viendra jamais en Amérique. Grâce à la fortune d'Angélique Faure de Bullion, épouse du surintendant des finances de Louis XIV, et au dévouement de Jeanne Mance, originaire de Langres, l'institution prend rapidement de l'ampleur sur ses terrains de la rue Saint-Paul, dans le Vieux-Montréal. Mais le manque d'espace dans la vieille ville, l'air vicié et le bruit forcent les religieuses à relocaliser l'hôpital au pied du mont Royal sur leur ferme du Mont-Sainte-Famille, au milieu du XIXe siècle. Le complexe, maintes fois agrandi, est aménagé autour d'une belle chapelle néoclassique coiffée d'un dôme, dont la façade rappelle les églises québécoises urbaines du Régime français. L'intérieur du lieu de culte, épuré en 1967, a

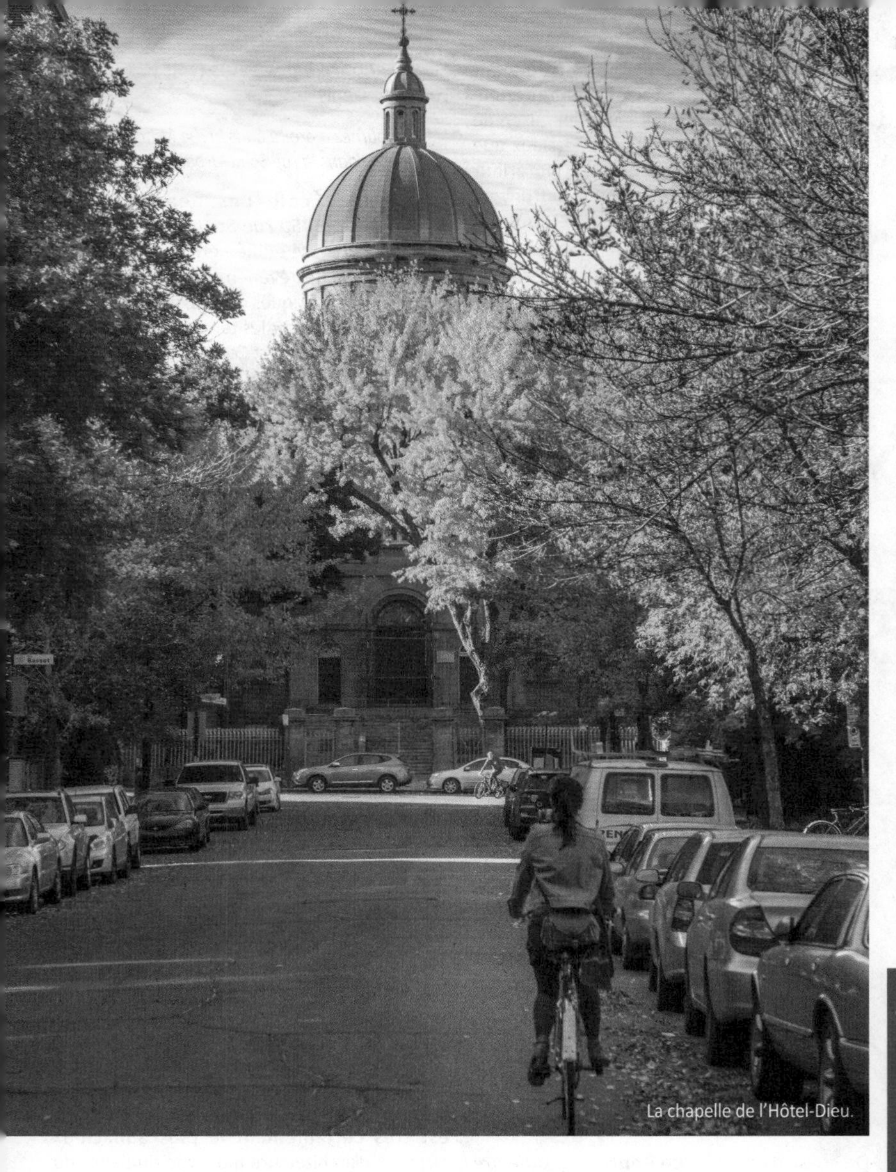

La chapelle de l'Hôtel-Dieu.

toutefois perdu plusieurs toiles marouflées d'un grand intérêt. Avec la construction du nouveau Centre hospitalier de l'Université de Montréal (CHUM), le plus vieil hôpital de Montréal fermera éventuellement ses portes, mais, aux dernières nouvelles, continuerait à offrir certains services ambulatoires jusqu'en 2021.

Suivez l'avenue des Pins vers l'est jusqu'au boulevard Saint-Laurent.

La section du boulevard Saint-Laurent située dans les environs de l'Hôtel-Dieu est bordée d'un mélange de boutiques d'alimentation spécialisées dans les produits de l'Europe de l'Est et d'ailleurs, de boutiques de mode, de librairies, et surtout de restaurants, de cafés et autres boîtes de nuit branchées.

La découverte de la ***Main***, soit le **boulevard Saint-Laurent** ★★, surnommé ainsi car il constituait à la fin du XVIIIe siècle la principale artère du faubourg Saint-Laurent donnant accès à l'intérieur des terres, demeure une activité urbaine fort intéressante en raison de ses nombreux attraits tant commerciaux que multiethniques. D'abord créée à l'intérieur des fortifications en 1672 sous le patronyme de Saint-Lambert, la « rue Saint-Laurent » devient au XVIIIe siècle la première et la plus importante artère se développant vers le nord, divisant l'île de Montréal en deux jusqu'à la rivière des Prairies. Désignée officiellement en 1792 comme « ligne de partage géographique » entre l'est et l'ouest de Montréal, elle est dénommée pendant quelque temps « Saint-Laurent du *Main* », puis « la *Main* », surnom de consonance anglaise encore utilisé aujourd'hui. En 1905, la Ville de Montréal lui donne le nom de « boulevard Saint-Laurent ».

Entre-temps, vers 1880, la haute société canadienne-française conçoit le projet de faire de ce boulevard les « Champs-Élysées » montréalais. On démolit alors le flanc ouest pour élargir la voie et reconstruire de nouveaux immeubles dans le style néoroman de Richardson, à la mode en cette fin du XIXe siècle. Peuplé de vagues successives d'immigrants qui débarquent dans le port, le boulevard Saint-Laurent ne connaîtra jamais la gloire prévue par ses promoteurs. Le tronçon du boulevard compris entre les boulevards René-Lévesque et De Maisonneuve deviendra cependant le noyau de la vie nocturne montréalaise dès le début du XXe siècle. On y trouvait les grands théâtres, tel le Français, où se produisait Sarah Bernhardt. À l'époque de la Prohibition aux États-Unis (1919-1933), le secteur s'encanaille, attirant chaque semaine des milliers d'Américains qui fréquentent les cabarets et les lupanars (maisons de prostitution), nombreux dans le *Red Light*, le quartier chaud de Montréal, jusqu'à la fin des années 1950.

››› *Prenez à droite le boulevard Saint-Laurent.*

On croise d'abord la **rue Prince-Arthur** *(entre le boulevard St-Laurent et l'avenue Laval)*. Cette artère piétonne était, dans les années 1960, le centre de la contre-culture et du mouvement hippie à Montréal. En déclin depuis quelques années, elle est de nos jours bordée de restaurants surtout touristiques qui étendent leur terrasse jusqu'au milieu de la rue en été. Un plan de revitalisation a toutefois été adopté par la Ville afin de la redynamiser en vue des célébrations du 375e anniversaire de Montréal en 2017. De la rue Prince-Arthur, on peut rejoindre vers l'est le **square Saint-Louis** (voir p. 133) et la rue Saint-Denis.

››› *Tournez à droite dans la rue Milton, puis à gauche dans la rue Saint-Urbain.*

L'**ancienne École des beaux-arts de Montréal** ★ *(3450 rue St-Urbain, angle rue Sherbrooke)* a été édifiée en 1922. On y présente parfois des événements artistiques. Le petit édifice en briques rouges, doté d'une verrière et aménagé sur les terrains de l'école, est l'ancien studio d'Ernest Cormier (1923), récemment vendu à un particulier qui souhaitait en faire sa résidence, mais qui a essuyé un refus de la part de la Ville.

››› *Tournez à gauche dans la rue Sherbrooke Ouest.*

La **maison William-Notman** ★ *(51 rue Sherbrooke O.; métro Place-des-Arts, http://notman.org)* fut habitée de 1876 à 1891 par le photographe montréalais William Notman, connu pour ses scènes de la vie canadienne et ses portraits de la bourgeoisie du XIXe siècle. Les inépuisables archives photographiques Notman peuvent être consultées au **Musée McCord** (voir p. 99). La maison, construite en 1844, est un bel exemple du style néogrec tel qu'on l'exprimait alors en Écosse. Son extrême dépouillement n'est rompu que par de petites appliques décoratives, telles les palmettes en acrotère et les patères (rosaces) du portique. De 1894 à 1990, la résidence a abrité un hôpital de soins prolongés pour personnes âgées appelé St. Margaret's Home for the Incurables. Elle loge maintenant un organisme dédié aux nouvelles technologies.

››› *Empruntez le boulevard Saint-Laurent vers le sud.*

L'**édifice Godin** ★ *(2112 boul. St-Laurent; métro St-Laurent)*, situé à l'angle de la rue Sherbrooke, est très certainement le plus audacieux exemple d'architecture moderne du début du XXe siècle au Canada (1914). L'œuvre de l'architecte Joseph-Arthur Godin, à qui l'on doit par ailleurs les appartements Riga, rue Christin, et le **Saint-Jacques** (voir p. 134), est marquée par les expériences d'Auguste Perret et de Paul Guadet avec ses structures de béton armé apparentes. À cela s'ajoutent quelques subtiles courbes Art nouveau qui donnent une allure très parisienne à l'immeuble, d'abord conçu pour l'habitation, avant d'être recyclé en manufacture de vêtements. Cet immeuble historique

Murales et graffitis

À la palette de couleurs de Montréal s'ajoutent les fresques qui habillent, çà et là, les murs de la ville. Peintes au pinceau ou à l'aérosol, ces murales hétéroclites dans leurs époques et leurs styles ajoutent une touche unique à l'expérience de déambuler dans les rues montréalaises.

Plusieurs œuvres de grande envergure habillent notamment les édifices du boulevard Saint-Laurent entre la rue Sherbrooke et l'avenue du Mont-Royal, dont certaines ont été créées dans le cadre du festival ***Mural*** *(mi-juin; www.muralfestival.com)*, inauguré en 2013 et réunissant une trentaine d'artistes locaux et internationaux.

Un artiste à l'œuvre dans le cadre du festival *Mural*.

Parmi les autres créations des dernières années, on signale la murale dédiée aux personnages de l'univers de Michel Tremblay, premier dramaturge à connaître le succès en joual, le parler populaire de Montréal. La murale, baptisée *Germaine Lauzon* en honneur du personnage principal de sa célèbre pièce de théâtre *Les belles-sœurs*, se trouve au cœur de son Plateau natal (au niveau du 4625 de la rue Saint-Dominique).

D'autres œuvres récentes ont été chapeautées par l'organisme **MU** *(www.mu-art.ca)*, dont celles qui égaient les Habitations Jeanne-Mance (entre les rues Sanguinet, Ontario, Saint-Dominique et De Boisbriand) et *Machine consciente* (angle des rues Cherrier et Berri), qui symbolise la richesse du potentiel humain, ainsi que la murale en hommage à l'écrivain montréalais Mordecai Richler, peinte en 2016 sur un des murs du bâtiment situé au 21 de l'avenue Laurier Ouest.

Depuis le début des années 1990, les murs de Montréal ont aussi servi de support pour un autre courant graphique, celui du graffiti hip-hop. Au mois d'août de chaque année, une centaine de graffiteurs se retrouvent, dans le cadre de l'événement **Under Pressure** *(www.underpressure.ca)*, pour peindre les murs extérieurs dans la rue Sainte-Catherine entre les rues Saint-Dominique et Sainte-Élisabeth.

L'art mural ne se limite toutefois pas aux quartiers du centre de la ville. Le **Café Graffiti** *(4237 rue Ste-Catherine E., 514-259-6900, www.cafegraffiti.net)* organise des visites guidées de murales dans le quartier Hochelaga-Maisonneuve et anime le **Bistro Le Ste-Cath** (voir p. 226), devenu un repaire de graffiteurs et d'amateurs des arts de la rue.

accueille maintenant un luxueux établissement d'hébergement : l'**Hôtel 10** (voir p. 132).

Le boulevard Saint-Laurent change plusieurs fois de visage sur son long parcours. Pendant un court instant, il adopte un air industriel avant de reprendre son allure commerçante et affairée. À l'angle de la rue Ontario, l'**édifice Grothé** *(2000 boul. St-Laurent; métro St-Laurent)*, une ancienne fabrique de cigares, est un austère bâtiment en briques rouges construit en 1906, maintenant recyclé en habitations.

››› *Tout près de l'intersection du boulevard Saint-Laurent et de la rue Ontario, au sud de la rue Sherbrooke, se trouve un économusée de la lutherie.*

Jules Saint-Michel, Luthier – Économusée de la lutherie *(8$ visite individuelle; lun-ven 14h à 17h; 57 rue Ontario O., 514-288-4343, www.luthiersaintmichel.com)* est le meilleur endroit pour voir comment on fabrique un violon, cet instrument dont la forme n'a pas changé depuis 450 ans. Vous y apprendrez par exemple quelles sont les différentes parties du violon, qui furent les grands luthiers de l'histoire ou quel rôle a joué le Québec dans la lutherie. Jules Saint-Michel vous fera visiter sa boutique, son atelier et son musée.

››› *Le circuit du quartier Milton-Parc et de la* Main *se termine à la station de métro Saint-Laurent, à l'angle du boulevard De Maisonneuve.*

Restaurants

Arepera du Plateau $

4050 rue De Bullion (angle av. Duluth), 514-508-7267

Les *arepas* sont de petits sandwichs vénézuéliens faits de pains de maïs fourrés de divers délices, tant de viande que de légumes. Servis chauds et accompagnés de bananes plantains grillées ou d'autres spécialités sud-américaines, ils se laissent dévorer à toute heure de la journée, dans un cadre ensoleillé et sympathique.

Café Chat L'Heureux $

172 av. Duluth E., 438-333-1505, www.cafechatlheureux.com

La mode des cafés félins qui fait le tour du monde est arrivée à Montréal. On apprécie la petite restauration végétarienne, le café ou les *smoothies*, mais on vient surtout pour la compagnie de *Gustave*, *Milady*, *Sheldon* et leurs autres amis à quatre pattes qui sont les vrais maîtres des lieux.

Café Névé $

151 rue Rachel E., 514-903-9294, www.cafeneve.com

On se rend au Café Névé pour prendre le petit déjeuner ou s'offrir un bon sandwich ou une soupe le midi, mais surtout pour déguster l'un des meilleurs cafés en ville. L'ambiance sympathique et l'accès Internet sans fil gratuit attirent les étudiants du quartier qui s'y installent pour discuter et travailler sur leur portable.

Chef Guru $

4120 boul. St-Laurent, 514-313-7400, http://chefguru.ca

Avis aux amateurs de poutine et de nourriture épicée, Chef Guru sert une délicieuse poutine au curry et à la coriandre. Le mélange peut paraître étrange au premier abord, mais le résultat est savoureux. Le menu affiche aussi des mets indiens plus classiques, comme des samosas et du poulet tandouri.

Hào $

mar-jeu 12h à 18h, ven-sam 12h à 19h; 255 rue Rachet E., http://epiceriehao.com

Ce minuscule comptoir propose un court menu de délicieux *buns* vapeur philippins (*siopao*) au porc ou aux légumes, ainsi qu'une salade de concombre en accompagnement. Le choix est limité, mais les saveurs sont plus que généreuses. Même si l'établissement compte quelques places assises, on commande surtout pour emporter ici.

La Chilenita $

130 rue Roy, 514-286-6075, www.lachilenita.ca

La Chilenita est une petite boulangerie-resto qui prépare des *empanadas*, à déguster sur place ou pour emporter. Une grande variété de ces petits pâtés fourrés de différents ingrédients tels que bœuf, saucisse, tomate, aubergine, olives et fromage, y est apprêtée à toute heure du jour; ils sont donc servis chauds, accompagnés d'une *salsa* maison. On y prépare aussi des sandwichs à la mode latino-américaine et quelques plats mexicains.

Romados $

115 rue Rachel E., 514-849-1803, http://romados.ca

Souvent cité parmi les meilleurs endroits pour le poulet à la portugaise en ville, et pas cher en plus. Pour quelques dollars, vous aurez droit à une généreuse portion de poulet cuit sur des charbons de bois, avec frites maison et salade. Pour emporter ou avaler à l'une des rares tables de l'endroit. Ne vous surprenez pas de faire la file aux heures de pointe, midi et soir.

Restaurants pour remonter dans le temps

Kitsch pour les uns, traditionnels pour les autres, ces *diners*, *greasy spoons* et autres établissements ont traversé le temps sans qu'il ait de prise sur leur décor ou leur menu. On n'y va pas toujours pour la finesse de la cuisine, mais plutôt pour découvrir une atmosphère révolue de Montréal, pour profiter de ce patrimoine, tant anglophone que francophone, pendant qu'il en est encore temps...

- Chez Nick p. 176
- Dilallo Burger p. 235
- Binerie Mont-Royal p. 154
- Lester's Deli p. 186
- Gibeau Orange Julep p. 257
- Schwartz's Montréal Hebrew Delicatessen p. 127
- Wilensky p. 187

Sabor Latino $

4387 boul. St-Laurent, 514-848-1078, www.saborlatino.ca

Cette épicerie sud-américaine sert aussi de bons plats typiques de nombreux pays latinos, dont des *empanadas*, des *tamales*, des *pupusas* et divers assiettes bien remplies de riz, *frijoles*, bananes plantains et viande. On y mange aux quelques tables installées à côté des étals. Bon, pas cher et dépaysant. Autre succursale près du marché Jean-Talon.

Schwartz's Montréal Hebrew Delicatessen $

3895 boul. St-Laurent, 514-842-4813, www.schwartzsdeli.com

Montréal est reconnue pour son *smoked meat* et, de l'avis de plusieurs, on trouve chez Schwartz's l'un des meilleurs en ville. Plus qu'un restaurant, c'est une véritable institution ouverte en 1928, qui a même eu droit aux honneurs d'un film et d'une comédie musicale! Vous pourrez mesurer sa notoriété à la longueur de la file devant la porte. À l'intérieur, le bar et les grandes tables communes transpirent l'authenticité. Pour ceux qui ne peuvent pas attendre, un petit comptoir juste à côté prend les commandes à emporter.

Juliette et Chocolat $-$$

3600 boul. St-Laurent, 438-380-1090, www.julietteetchocolat.com

Le chocolat a son royaume et Juliette en est la reine. Impossible de résister à ces délicieux chocolats à boire, riches, onctueux, délicieux! S'il est besoin de les accompagner, les crêpes et galettes bretonnes feront parfaitement l'affaire, à moins que vous ne préfériez une crème glacée au chocolat. Il existe maintenant neuf succursales de Juliette et Chocolat dans la grande région montréalaise, dont une au marché Jean-Talon.

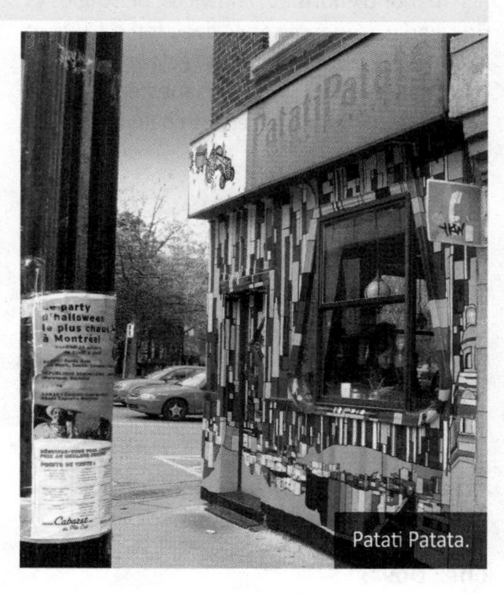

Patati Patata.

Local Jerk $-$$

8 av. Duluth E., 514-840-4147, www.facebook.com/localjerkMTL

Dans une ambiance décontractée, la petite rôtisserie Local Jerk propose une cuisine caribéenne qui réchauffe l'âme et le palais (poulet et porc au *jerk*, *rotis* de poulet et de chèvre, variantes végétariennes au seitan, à la citrouille et au jacquier). Quinzaine de places assises, comptoir pour emporter.

Patati Patata $-$$

4177 boul. St-Laurent, 514-844-0216

Attention, Patati Patata est si minuscule qu'on pourrait passer sans le voir. Il propose aux bouches gourmandes une restauration rapide raffinée et amusante. La « patanine », une variation sur le thème de la poutine avec ses légumes sautés, surprendra à coup sûr votre estomac.

Ramen-Ya $-$$
4274 boul. St-Laurent, 514-286-3832, www.ramen-ya.ca

Le restaurant japonais Ramen-Ya se spécialise dans les soupes aux nouilles *ramen* fraîches, préparées avec un choix de bouillons (miso, soja, cari) et de garnitures (poulet grillé, porc, germes de haricot, champignons). Délicieux!

Santropol $-$$
3990 rue St-Urbain, 514-842-3110, www.santropol.com

Le resto Santropol accueille des gens de tout âge friands d'énormes sandwichs, de soupes et de salades toujours servis avec force fruits et légumes. L'établissement est également réputé pour sa grande variété de tisanes et de cafés. Ambiance détendue et service chaleureux. Très agréable terrasse.

Aux Vivres $$
4631 boul. St-Laurent, 514-842-3479, www.auxvivres.com

Les végétariens et végétaliens de ce monde ne tarissent pas d'éloges pour ce restaurant. La carte fait le tour du monde, de l'Inde au Moyen-Orient en passant par la Grèce, et revisite même des classiques nord-américains en proposant des hamburgers sans viande et du « bacon de noix de coco ». Plusieurs choix sont offerts sans gluten ou sans noix.

Chez Doval $$
150 rue Marie-Anne E., 514-843-3390, www.chezdoval.com

Rôtisserie portugaise à l'ambiance conviviale et animée, Chez Doval remplit depuis 1974 les estomacs affamés avec leur poulet et leurs poissons, calmars ou pièces de viande passés préalablement au gril au charbon de bois. La qualité est constante, les portions généreuses et les prix très raisonnables.

Icehouse $$
51 rue Roy E., 514-439-6691

Un décor de vieux garage, des tabourets face au mur, quelques tables, une terrasse, et voilà la formule gagnante pour un repas tex-mex convivial et animé. Les recettes originales de *tacos,* poulet frit et côtes levées méritent le détour, de même que les *burritos*, surtout ceux au homard! Pas de réservation : il faut s'armer de patience certains soirs.

Lola Rosa $$
545 rue Milton, 514-287-9337, http://lola-rosa.ca

On voit la vie en rose dans ce sympathique bistro végétarien aux allures bohèmes, qui attire une foule d'étudiants de l'Université McGill, située juste à côté. Soupes, quiches, *nachos,* currys et autres petits plats savoureux régalent même les végétariens occasionnels. Ne manquez pas les desserts. Une seconde adresse se trouve sur l'avenue du Parc.

Prato Pizzeria $$
3891 boul. St-Laurent, 514-285-1616

Si votre pizza idéale est mince et cuisinée dans un four à feu de bois, rendez-vous chez Prato sans attendre. Cuites et servies sur des plaques en fer blanc, elles se composent des ingrédients traditionnels, mais sélectionnés avec soin. Un délice. Le décor est simple et convivial, tout comme le service.

Laloux $$$
250 av. des Pins, 514-287-9127, www.laloux.com

Du talent en cuisine secondé par un décor de bistro chic et un service chaleureux. Le restaurant français Laloux fait partie des bonnes tables en ville, avec toujours des desserts à la hauteur de la réputation de cette adresse où l'on privilégie les meilleurs produits locaux. Notez que le **Pop! Bar Laloux** *($$-$$$; 252 av. des Pins, 287-1648)* sert la même cuisine dans une ambiance décontractée.

Le P'tit Plateau $$$ 🍷
330 rue Marie-Anne E., 514-282-6342

Mignon restaurant de quartier, Le P'tit Plateau offre une ambiance familiale. On y sert une cuisine française classique : cassoulet, bajoues de porc et confit de canard sont régulièrement au menu. Décor chaleureux, réservations conseillées.

Le Robin des Bois $$$
4653 boul. St-Laurent, 514-288-1010, www.robindesbois.ca

Le Robin des Bois, comme le personnage bienfaiteur dont il tire le nom, a le sort des démunis à cœur. Il s'agit d'un restaurant à but non lucratif. Son personnel est composé principalement de bénévoles, et les profits des ventes sont redistribués à des organismes de charité. La table idéale pour les gastronomes à conscience collective, qui trouveront certainement un plat à leur goût dans le large menu de style bistro international.

Maestro S.V.P. $$$
3615 boul. St-Laurent, 514-842-6447,
www.maestrosvp.com

Maestro S.V.P. se distingue par la qualité de son comptoir à huîtres (jusqu'à 60 variétés), de ses fruits de mer et de son personnel ultra-dynamique qui s'active au rythme d'une musique de jazz entraînante.

Majestique $$$
4105 boul. St-Laurent, 514-439-1850,
www.restobarmajestique.com

Dans un décor rétro qui frôle le kitsch, on déguste des cocktails à l'ancienne, accompagnés d'huîtres selon l'arrivage du jour, une mousse de maquereau à tartiner ou des bourgots servis comme des escargots classiques, jusque tard dans la nuit.

Moleskine $$$
3412 av. du Parc, 514-903-6939,
www.facebook.com/moleskinemtl

Tenu par la même équipe que le bar à vin Pullman voisin (voir plus loin), Moleskine s'étend sur deux étages au décor éclectique et aux menus distincts. Au rez-de-chaussée, on sert des soupes, salades, pâtes et pizzas savoureuses dans une ambiance décontractée, alors qu'une cuisine italienne plus créative et recherchée est proposée dans l'espace plus feutré à l'étage.

 **Le Filet $$$$**
219 av. du Mont-Royal O., 514-360-6060,
www.lefilet.ca

Petit frère du **Club Chasse et Pêche** (voir p. 68), Le Filet propose la même cuisine raffinée dans un décor avant-gardiste, mais son menu qui suit les saisons met toutefois l'accent sur les plats de poisson et de fruits de mer, servis en petites portions de style tapas, tous aussi savoureux qu'inventifs. Très professionnel, le service est à la hauteur de la cuisine, et l'accord mets-vins est toujours judicieux. Réservations requises.

Moishe's Steak House $$$$
3961 boul. St-Laurent, 514-845-3509,
www.moishes.ca

Ce n'est pas la devanture ni son éternel portier posté devant l'entrée qui vous attirera chez Moishe's, mais ne vous fiez pas aux apparences, car depuis 1938 on sert ici probablement les meilleurs steaks en ville. Le secret de cette viande tendre à souhait résiderait dans la méthode de vieillissement. La coupe et la

Le Filet.

cuisson, tout comme le service, sont à point. Le décor a récemment eu droit à une cure de rajeunissement, mais les spécialités et le savoir-faire restent les mêmes.

Achats

Très coloré dans le secteur compris entre l'avenue du Mont-Royal et le boulevard De Maisonneuve, le **boulevard Saint-Laurent** abrite différentes communautés culturelles et des artistes multidisciplinaires et propose une grande variété de boutiques, des plus classiques aux plus avant-gardistes, en passant par des cafés et restos aux saveurs du monde et une belle sélection de boutiques de meubles québécois et européens au design recherché. Information et événements sur le site Internet *http://boulevardsaintlaurent.com*.

Alimentation

 **La Vieille Europe**
3855 boul. St-Laurent, 514-842-5773,
www.facebook.com/LaVieilleEurope

L'Europe vous manque? Rendez-vous à La Vieille Europe, où, en prime, vous attend une gigantesque sélection de fromages à des prix défiant toute concurrence. On y offre aussi un excellent choix de cafés torréfiés sur place.

Déco

Interversion
4273 boul. St-Laurent, 514-284-2103,
www.interversion.com

Interversion vend des meubles et des objets de créateurs québécois. Ses trois étages recèlent de très belles choses offertes à prix abordable. La sélection proposée, bien que contemporaine, se veut en général sans âge et fait le plus souvent appel au bois comme matériau. Une façon de meubler son intérieur d'une manière originale et de s'entourer d'une bonne dose de créativité.

Librairies

Librairie Gallimard

3700 boul. St-Laurent, 514-499-2012,
www.gallimardmontreal.com

Librairie généraliste établie depuis 1989 sur le boulevard Saint-Laurent et affiliée à la célèbre maison d'édition française. Des événements littéraires y sont organisés régulièrement.

Vêtements et accessoires

Eva B.

2015 boul. St-Laurent, 514-849-8246,
www.eva-b.ca

Voilà la friperie la plus originale et la plus courue en ville. Derrière une façade pour le moins bariolée se dévoile un amoncellement de vêtements en tous genres, du classique à l'excentrique en passant par des pièces de créateurs locaux, le tout offert à des prix modiques. Il vous faudra certainement quelques heures pour chiner la perle rare (à acheter ou à louer pour une occasion), mais heureusement la boutique fait aussi office de café.

M0851

3526 boul. St-Laurent, 514-849-9759;
1190 boul. De Maisonneuve O., 514-845-0461;
www.m0851.com

Vêtements et accessoires en cuir fabriqués à Montréal. Du cuir très souple pour un ajustement près du corps et des couleurs osées. À découvrir!

Bars et boîtes de nuit

Balattou

4372 boul. St-Laurent, 514-845-5447,
www.balattou.com

Le Balattou est sans doute la boîte africaine la plus populaire de Montréal. Elle est sombre, bondée, chaude, trépidante et bruyante. Des spectacles, pour lesquels le droit d'entrée varie, y sont présentés régulièrement.

Barfly

4062 boul. St-Laurent, 514-284-6665,
www.facebook.com/BarflyMtl

Si le minuscule et modeste Barfly manque de lustre, sa programmation impressionne. Du jazz au bluegrass en passant par le punk et le rock, les spectacles originaux mettent en vedette des talents bruts dans une ambiance on ne peut plus intime.

Belmont sur le Boulevard

4483 boul. St-Laurent, 514-845-8443,
www.lebelmont.com

Concerts, prestations de DJ, spectacles d'humour, bref, la programmation du Belmont sur le Boulevard est variée et attire une clientèle composée de jeunes trentenaires.

Big in Japan Bar

4175 boul. St-Laurent, 438-380-5658,
www.facebook.com/biginjapan.bar

Ne cherchez pas l'enseigne et aventurez-vous au fond d'un couloir sombre avant de déguster d'excellents cocktails ou des whiskys japonais. Les amateurs reconnaîtront le clin d'œil aux années 1980 dans le nom du lieu et dans la musique diffusée.

Blizzarts

3956 boul. St-Laurent, 514-843-4860,
http://blizzarts.ca

Vous désirez vous mettre au parfum de la vie urbaine montréalaise? Une soirée dans ce *lounge* permet à la fois d'apprécier les derniers courants de la musique électronique, un verre à la main, et de faire souffrir vos hanches sur la piste de danse au fond de la salle. Arrivez tôt les vendredi et samedi soirs.

Else's

156 rue Roy E., 514-286-6689

Il est parfois des bars où l'on va pour la première fois et où l'on se sent tout de suite chez soi. Else's en est un par son ambiance feutrée et chaleureuse, par la simplicité des gens qui le fréquentent, mais aussi par son emplacement, au coin de deux rues paisibles, qui lui confère son statut de véritable bar de quartier.

Laïka

4040 boul. St-Laurent, 514-842-8088,
www.laikamontreal.com

Nommé d'après le premier chien russe à avoir été dans l'espace, Laïka est un café-resto *in* durant le jour qui se transforme en *lounge* branché le soir venu. Dans un décor épuré, un

Le houblon à saveur québécoise

La vague des microbrasseries qui déferle un peu partout en Amérique du Nord est depuis longtemps bien implantée au Québec; de plus, la variété et la qualité des bières québécoises rivalise avec celle des brasseurs européens. D'ailleurs, les brasseries artisanales et autres «broue-pubs» se multiplient depuis une vingtaine d'années, alors que pratiquement chaque ville du Québec compte une microbrasserie. Voici quelques établissements montréalais où vous pourrez déguster des bières brassées sur place ou provenant d'une des nombreuses microbrasseries des différentes régions québécoises :

- Benelux Verdun p. 243
- Brutopia p. 95
- Dieu du Ciel p. 193
- EtOH Brasserie p. 207
- L'amère à boire p. 140
- Le Cheval Blanc p. 140
- Le Saint-Bock p. 140
- L'Espace Public p. 227
- Le Réservoir p. 131
- Vices & Versa p. 207

Et si vous désirez acheter quelques bouteilles à rapporter avec vous, ne vous attendez pas à en trouver une sélection intéressante dans les magasins de la Société des alcools du Québec (SAQ) ou dans les dépanneurs. Faites plutôt un saut dans l'une des boutiques spécialisées suivantes :

- **La Bièrothèque**
  152 rue St-Zotique E., 514-360-4278,
  http://labierotheque.com
- **La Glacière de l'est**
  3244 rue Des Ormeaux, 514-493-0759,
  www.facebook.com/glacieredelest
- **La Maison des Bières**
  4485 rue De Lanaudière, 514-564-3100,
  www.maisondesbieres.ca
- **Le Bièrologue**
  4301 rue Ontario E., 514-251-8484,
  www.lebierologue.com
- **Les Bons Buveurs**
  176 rue Jean-Talon E., marché Jean-Talon,
  514-903-6996,
  www.facebook.com/bonsbuveurs
- **Marché des Saveurs**
  280 place du Marché-du-Nord, marché Jean-Talon, 514-271-3811,
  www.lemarchedessaveurs.com
- **Veux-tu une bière?**
  372 rue de Liège E., 514-871-2771;
  1451 rue St-Zotique E., 514-871-2661;
  http://veuxtuunebiere.com

DJ aux platines ouvre des sessions d'*electronica* plutôt pointues. L'établissement est aussi très populaire pour ses copieux brunchs du dimanche.

Café Campus

57 rue Prince-Arthur E., 514-844-1010,
www.cafecampus.com

Surtout fréquenté par une clientèle estudiantine, le Café Campus est installé dans un grand local de la rue Prince-Arthur et est réparti sur trois étages. On n'y vient pas pour le décor, des plus quelconques, mais bien pour danser jusqu'aux petites heures de la nuit. Le Petit Campus, la salle de spectacle de l'établissement, présente, quant à lui, des concerts de rock et de blues.

Le Divan Orange

4234 boul. St-Laurent, 514-840-9090,
http://divanorange.org

Le Divan Orange est à la fois une salle de spectacle et un bar avec des bières de microbrasseries québécoises à la carte. C'est dans un endroit comme celui-là que vous vous frotterez aux meilleurs artistes émergents de Montréal, du Québec ou d'ailleurs.

ULYSSE Le Réservoir

9 av. Duluth E., 514-849-7779,
www.brasseriereservoir.ca

On aime son emplacement sur la petite avenue Duluth et ses excellentes bières brassées sur place. Un court menu permet de prendre une bouchée ou un repas plus consistant.

Le Rouge Bar
7 rue Prince-Arthur O., 514-282-9944,
www.lerougebar.com

Dans ce bar de deux étages, l'ambiance est aussi enflammée que le décor, tout en teintes de rouge. Il porte très bien son nom, car le Rouge Bar est toujours bondé de monde et ne dérougit pas!

 **Pullman**
3424 av. du Parc, 514-288-7779,
www.pullman-mtl.com

On tombe vite sous le charme de ce bar à vin moderne et sophistiqué, avec son impressionnant lustre fait de verres à vin! Sa carte des vins est impressionnante et affiche une cinquantaine de crus au verre qui s'accordent très bien avec les petits plats au menu.

Tokyo Bar
3709 boul. St-Laurent, 514-842-6838,
www.tokyobar.com

Ce bar branché de la *Main* compte deux salles : la première est une discothèque et la seconde un *lounge*. La musique varie du rétro à la house en passant par le hip-hop. En été, profitez de la grande terrasse aménagée sur le toit qui surplombe le boulevard Saint-Laurent.

Culture et divertissement

Cinémas

Cinéma du Parc
3575 av. du Parc, 514-281-1900,
www.cinemaduparc.com

Ce cinéma propose une excellente programmation art et essai et accueille différents festivals de films tout au long de l'année.

Salles de spectacle

Théâtre La Chapelle
3700 rue St-Dominique, 514-843-7738,
www.lachapelle.org

Théâtre contemporain, danse, concerts...

Théâtre de Quat'Sous
100 av. des Pins E., 514-845-7277,
www.quatsous.com

Théâtre contemporain.

Hébergement

Le 9 et demi $$
4133 boul. St-Laurent, 514-842-4451,
www.le9etdemi.com

En plein cœur de l'action, cet établissement propose un hébergement à mi-chemin entre l'auberge de jeunesse (pour l'esprit) et l'hôtel, car il ne compte que cinq chambres privées. Propres et confortables sans être luxueuses, elles partagent deux salles de bain et donnent à la clientèle l'agréable impression de séjourner dans un appartement montréalais. On profite de la cuisine mise à disposition et d'une petite terrasse à l'arrière. Vu son emplacement, cette adresse n'est pas toujours calme; alors si vous cherchez plus de tranquillité, réservez plutôt votre chambre à l'établissement jumeau, situé au 6529 de la rue Saint-Denis.

 **Bienvenue Bed & Breakfast $$-$$$**
3950 av. Laval, 514-844-5897 ou 800-227-5897,
www.bienvenuebb.com

À deux pas de l'avenue Duluth se trouve le Bienvenue Bed & Breakfast. Situé dans une rue tranquille, cet établissement abrite des chambres plutôt petites, mais décorées de façon charmante. Il est installé dans une maison joliment entretenue d'où se dégage une atmosphère paisible et amicale. Le petit déjeuner, très copieux, est servi dans une agréable salle à manger.

 **Casa Bianca $$$-$$$$**
4351 av. de l'Esplanade, 514-312-3837 ou
866-775-4431, www.casabianca.ca

Pour une expérience typiquement montréalaise, offrez-vous le plaisir de séjourner dans cette superbe maison blanche. Situé dans une des plus belles et paisibles rues de la ville, face au parc Jeanne-Mance et à deux pas du Plateau Mont-Royal et du Mile-End, ce gîte propose des chambres et des suites qui donnent aux occupants l'impression de vivre dans un appartement ou une chambre d'amis de bon goût. Le matin, un petit déjeuner bio est servi dans l'agréable pièce commune.

Hôtel 10 $$$$$
10 rue Sherbrooke O., 514-843-6000 ou
855-390-6787, www.hotel10montreal.com

Bien que le cachet d'origine de l'**édifice Godin** (voir p. 124) ait été préservé, les plafonds de béton et le style minimaliste confèrent un aspect chic et urbain à l'Hôtel 10. Idéalement située entre la *Main* et le centre-ville, cette adresse de prestige propose des chambres spacieuses; celles situées dans l'édifice historique ont une petit touche supplémentaire. Restaurant et bar sur place.

Le Quartier latin

Attraits

trois heures

Le **Quartier latin** ★★, ce quartier universitaire qui gravite autour de la rue Saint-Denis, est apprécié pour ses théâtres, ses cinémas et ses innombrables cafés-terrasses d'où l'on peut observer la foule bigarrée d'étudiants et de fêtards. Son histoire débute en 1823, alors que l'on inaugure l'église Saint-Jacques, première cathédrale catholique de Montréal. Ce prestigieux édifice de la rue Saint-Denis a tôt fait d'attirer dans ses environs la crème de la société canadienne-française, composée surtout de vieilles familles nobles demeurées au Canada après la Conquête. En 1852, un incendie ravage le quartier, détruisant du même coup la cathédrale et le palais épiscopal de Mgr Bourget. Reconstruit péniblement dans la seconde moitié du XIXe siècle, le secteur conservera sa vocation résidentielle, jusqu'à ce que l'Université de Montréal s'y installe en 1893. S'amorce alors une période d'ébullition culturelle, qui sera à la base de la Révolution tranquille des années 1960. Assurant la prospérité du Quartier latin, l'Université du Québec à Montréal (UQAM), créée en 1969, a pris la relève de l'Université de Montréal, déménagée sur le versant nord du mont Royal.

Le circuit débute à la sortie de la station de métro Sherbrooke.

L'**Institut de tourisme et d'hôtellerie du Québec (ITHQ)** *(3535 rue St-Denis, 514-282-5111 ou 800-361-5111, www.ithq.qc.ca; métro Sherbrooke)*, implanté à l'est du square Saint-Louis, en bordure de la rue Saint-Denis, prend des allures ultramodernes avec ses parois de verre. On y donne des cours de cuisine, de tourisme et d'hôtellerie de tout premier ordre, en plus d'y offrir des services de restauration et d'hébergement (**Hôtel de l'Institut**, voir plus loin).

Des demeures victoriennes autour du square Saint-Louis.

Traversez la rue Saint-Denis pour vous rendre au square Saint-Louis.

En 1848, la Ville de Montréal aménage un réservoir d'eau au sommet de la Côte-à-Baron, qui désigne à l'époque la pente descendante au sud de la rue Sherbrooke. En 1879, le réservoir est démantelé et son site converti en parc de verdure sous le nom de **square Saint-Louis** ★★ *(métro Sherbrooke)*. Des entrepreneurs construisent alors autour du square de belles demeures victoriennes d'inspiration Second Empire, qui constituent ainsi le noyau du quartier résidentiel de la bourgeoisie canadienne-française. Ces ensembles forment l'un des rares paysages urbains montréalais où règne une certaine harmonie. À l'ouest, la **rue Prince-Arthur** (voir p. 124) débouche sur le square.

À ne pas manquer

Prenez à droite l'**avenue Laval**, l'une des seules rues de la ville où l'on puisse encore sentir pleinement l'ambiance de la Belle Époque. Délaissées par la bourgeoisie canadienne-française à partir de 1920, ces maisons seront reconverties en pensions avant de retrouver la faveur des artistes québécois qui ont entrepris de les restaurer une par une. Le poète Émile Nelligan (1879-1941) a habité le n° 3688 avec sa famille au tournant du XXe siècle. Œuvre de Roseline Granet, un buste en bronze à la mémoire de l'auteur du *Vaisseau d'or* a été inauguré en 2005 à l'angle de l'avenue Laval et du square Saint-Louis.

Le **Mont-Saint-Louis** ★ *(244 rue Sherbrooke E.; métro Sherbrooke)*, un ancien collège pour garçons dirigé par les frères des Écoles chrétiennes, a été construit dans l'axe de l'avenue Laval en 1887. Il est un des exemples les plus probants du style Second Empire tel qu'adapté pour les grandes institutions montréalaises : longue façade ponctuée de pavillons, murs de pierres grises bossagées, ouvertures à arcs segmentaires et toitures en mansarde. L'institution a fermé ses portes en 1970 et l'édifice fut transformé en immeuble résidentiel en 1987.

Le journaliste, poète et député Louis Fréchette (1839-1908) a habité la **maison Fréchette** *(306 rue Sherbrooke E.; métro Sherbrooke)*, de style Second Empire. Il a hébergé Sarah Bernhardt à quelques reprises quand elle effectuait ses tournées nord-américaines.

››› *Dirigez-vous vers l'est juqu'à la rue Saint-Denis, que vous prendrez à droite; descendez la Côte-à-Baron en direction de l'Université du Québec à Montréal.*

La montée du Zouave, sur la droite, aujourd'hui la **Terrasse Saint-Denis**, était le lieu de rencontre favori des poètes et des écrivains québécois au tournant du XXe siècle. L'ensemble de maisons a été aménagé sur l'emplacement de la demeure du sieur de Montigny, fier zouave pontifical.

L'architecte montréalais Joseph-Arthur Godin fut un des précurseurs de l'architecture moderne en Amérique du Nord. En 1914, il entreprend d'édifier trois immeubles de rapport, à structure de béton armé apparente, dans les environs du Quartier latin, dont le **Saint-Jacques** ★ *(1714 rue St-Denis; métro Berri-UQAM)*. À ce concept d'avant-garde, Godin marie de subtiles courbes Art nouveau qui donnent grâce et légèreté à ces bâtiments. L'entreprise fut cependant un échec commercial qui entraîna la faillite de Godin et mit un terme à sa carrière d'architecte.

L'**ancienne bibliothèque Saint-Sulpice** ★ *(1704 rue St-Denis; métro Berri-UQAM)* fut d'abord aménagée pour les Messieurs de Saint-Sulpice, qui voyaient d'un mauvais œil la construction d'une bibliothèque municipale ouverte à tous rue Sherbrooke. Même si de nombreux ouvrages étaient encore à l'Index, donc interdits de lecture par le clergé, cette ouverture était vue comme de la concurrence déloyale. Annexe de la Bibliothèque nationale du Québec jusqu'à l'ouverture de la Grande Bibliothèque (voir plus loin) en 2005, l'édifice dessiné en 1914 dans le style Beaux-Arts arbore de belles verrières réalisées par Henri Perdriau. À l'abandon depuis l'ouverture de la Grande Bibliothèque, l'édifice patrimonial sera prochainement rénové pour en faire une bibliothèque pour adolescents et un laboratoire de création technologique.

★ Attraits
1. BU Institut de tourisme et d'hôtellerie du Québec (ITHQ)
2. BU Square Saint-Louis
3. AU Avenue Laval
4. AV Mont-Saint-Louis
5. BV Maison Fréchette
6. BV Terrasse Saint-Denis
7. BW Saint-Jacques
8. BW Ancienne bibliothèque Saint-Sulpice
9. BW Théâtre Saint-Denis
10. BX Cinémathèque québécoise
11. BX Salle Pierre-Mercure
12. CW Grande Bibliothèque
13. CY,BX,CX Université du Québec à Montréal (UQAM)
14. CX Chapelle Notre-Dame-de-Lourdes
15. CX Place Émilie-Gamelin
16. CZ Ancienne École des hautes études commerciales
17. CZ Square Viger
18. CZ Union française

● Restaurants
19. BW Camellia Sinensis
20. BU Chambre à part
21. BW Chez Gatsé
22. BU Fabrique Annexe
23. CX L'Escalier
24. BU La Fabrique Bistrot
25. BW Mikado
26. BU Restaurant de l'Institut
27. CU Restaurant-école La Relève gourmande de l'ITHQ
28. BX Vua

■ Achats
29. CX Archambault
30. BW Atmosphere
31. BV Atom Heart Records
32. CV Aux Quatre Points Cardinaux
33. BW Azimut
34. CX Le Parchemin
35. BU Librairie du Square
36. AX Librairie Zone Libre
37. CX Presse Gateway

Bars et boîtes de nuit
38. BV Café Gitana
39. BV L'amère à boire
40. BW L'Île Noire Pub
41. BW Le Bordel
42. DV Le Cheval Blanc
43. BU Le P'tit bar
44. BW Le Saint-Bock
45. AX Le Sainte-Élisabeth
46. BW Le Saint-Sulpice

▲ Hébergement
47. AY Angelica Blue Bed & Breakfast
48. BY Auberge de l'Est de l'UQAM
49. BV Auberge Le jardin d'Antoine
50. DX Auberge Le Pomerol
51. BU Hôtel de l'Institut
52. BW Hôtel Le Relais Lyonnais
53. DX Le Chasseur
54. CX SameSun Auberge Montréal

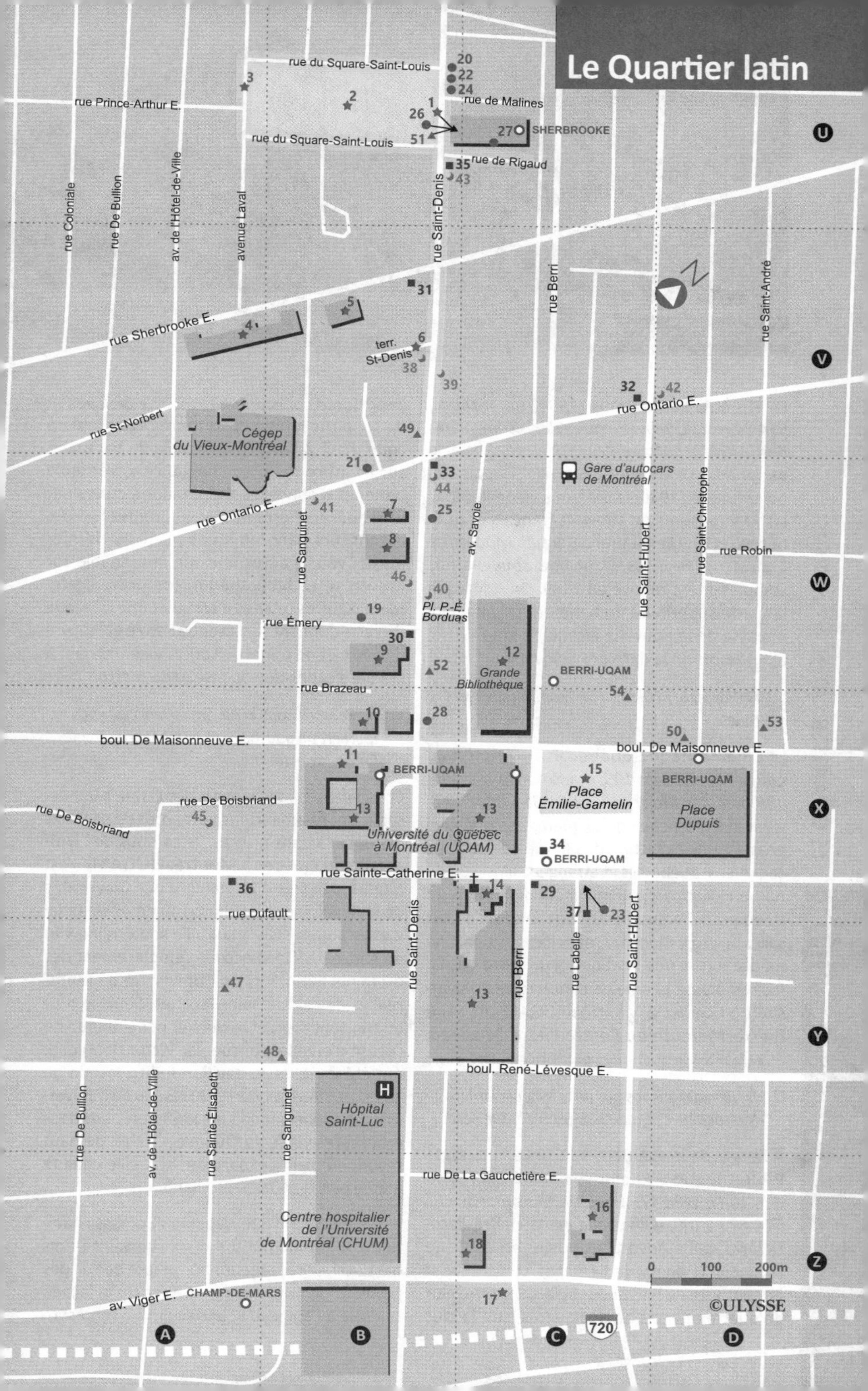

Le Quartier latin
rue du Square-Saint-Louis
rue Prince-Arthur E.
rue de Malines
SHERBROOKE
rue de Rigaud
rue Coloniale
rue De Bullion
av. de l'Hôtel-de-Ville
avenue Laval
rue Saint-Denis
rue Berri
rue Saint-André
rue Sherbrooke E.
terr. St-Denis
rue St-Norbert
Cégep du Vieux-Montréal
rue Ontario E.
Gare d'autocars de Montréal
rue Saint-Hubert
rue Saint-Christophe
rue Robin
rue Sanguinet
av. Savoie
Pl. P.-É. Borduas
rue Émery
rue Brazeau
Grande Bibliothèque
BERRI-UQAM
boul. De Maisonneuve E.
Place Émilie-Gamelin
Place Dupuis
rue De Boisbriand
Université du Québec à Montréal (UQAM)
rue Sainte-Catherine E.
rue Dufault
rue Labelle
boul. René-Lévesque E.
Hôpital Saint-Luc
rue Sainte-Élisabeth
rue De La Gauchetière E.
Centre hospitalier de l'Université de Montréal (CHUM)
av. Viger E.
CHAMP-DE-MARS
720
0 100 200m
©ULYSSE

Grande Bibliothèque.

Le **Théâtre Saint-Denis** *(1594 rue St-Denis, 514-849-4211, www.theatrestdenis.com; métro Berri-UQAM)* compte deux salles de spectacle parmi les plus courues de la ville. Depuis son ouverture, en 1916, le théâtre a vu défiler tous les grands noms du showbiz français et québécois, et même du monde entier. Modernisé à plusieurs reprises, il fut une nouvelle fois complètement rénové en 1989. On remarque la partie supérieure du bâtiment original, qui dépasse de la nouvelle façade de granit rose, ajoutée lors de la dernière rénovation.

››› *Prenez le boulevard De Maisonneuve vers l'ouest.*

La **Cinémathèque québécoise** ★ *(exposition entrée libre, séance 10$; exposition fermée lun; 335 boul. De Maisonneuve E., 514-842-9763, www.cinematheque.qc.ca; métro Berri-UQAM)* possède une collection de plus de 40 000 films canadiens, québécois et étrangers, ainsi que de nombreux appareils témoignant des débuts du cinéma. La Cinémathèque loge, en plus de ses salles de projection, des salles d'exposition, une médiathèque, une boutique et un bistro-bar. En face se dresse la salle de concerts de l'Université du Québec à Montréal (UQAM), la **salle Pierre-Mercure** du Centre Pierre-Péladeau, aux qualités acoustiques exceptionnelles.

››› *Revenez sur vos pas dans le boulevard De Maisonneuve et marchez jusqu'à la rue Berri.*

À l'angle de la rue Berri se trouve la **Grande Bibliothèque** ★★ *(mar-ven 10h à 22h, sam-dim 10h à 18h; 475 boul. De Maisonneuve E., 514-873-1100, www.banq.qc.ca; métro Berri-UQAM)*, qui a ouvert ses portes en 2005. Ce bâtiment lumineux de six étages, construit tout en contraste de bois et de verre, concentre plus de quatre millions de documents, soit la plus importante collection québécoise de livres et de supports multimédias. Après avoir jeté un coup d'œil, à l'entrée principale du bâtiment, sur l'« arbre de la connaissance », véritable bouquet d'étincelles d'aluminium, conçu par l'artiste Jean-Pierre Morin, empruntez l'un des ascenseurs panoramiques jusqu'au dernier étage : vous y aurez une vue imprenable sur Montréal. La bibliothèque comporte également d'autres œuvres d'art telles que la façade de verre donnant sur l'avenue Savoie et l'œuvre de verre et de métal de Louise Viger menant à la salle d'exposition au niveau du métro.

››› *Revenez dans la rue Saint-Denis, où vous tournerez à gauche, puis prenez la rue Sainte-Catherine à gauche.*

Contrairement à la plupart des campus universitaires nord-américains, composés de pavillons disséminés dans un parc, le campus de l'**Université du Québec à Montréal (UQAM)** ★ est intégré à la ville à la manière des universités de la Renaissance en France ou en Allemagne. Il est en outre relié à la « ville souterraine » et au métro. L'UQAM occupe l'emplacement des premiers bâtiments de l'Université de Montréal et de l'église Saint-Jacques. Seuls le mur du transept droit et le clocher néogothique de l'église d'origine, conçue par Victor Bourgeau, ont été intégrés au pavillon Judith-Jasmin de 1979. L'UQAM fait partie du réseau de l'Université du Québec, fondé en 1969 et réparti dans différentes villes du Québec. Ce lieu de haut savoir, en pleine expansion, accueille chaque année plus de 40 000 étudiants.

L'artiste et architecte Napoléon Bourassa habitait une grande maison de la rue Saint-Denis (n° 1242), située aujourd'hui en face de l'un des pavillons de l'UQAM : remarquez sur la façade la « tête à Papineau », une sculpture représen-

La tête à Papineau

Louis-Joseph Papineau (1786-1871).

Beau-fils de Louis-Joseph Papineau, l'artiste Napoléon Bourassa, dont la chapelle Notre-Dame-de-Lourdes, érigée dans la rue Sainte-Catherine à Montréal en 1876, est l'œuvre de sa vie, habitait dans une grande maison située rue Saint-Denis (nº 1242), non loin de cette chapelle. Petit détail : sur la façade de sa demeure se trouve la « tête à Papineau ». Quoi de plus banal? Certes non!

Instigateur héroïque du mouvement des patriotes, Louis-Joseph Papineau demeure sans contredit un acteur important dans le démantèlement d'un régime politique inacceptable pour le peuple du Bas-Canada. Sa réputation d'homme très intelligent survit encore aujourd'hui dans l'expression populaire *« Ça ne prend pas la tête à Papineau! ».*

tant cette grande figure politique du XIXe siècle. La **chapelle Notre-Dame-de-Lourdes** ★ *(430 rue Ste-Catherine E., 514-845-8278; métro Berri-UQAM, www.cndlm.org)*, érigée en 1876, est l'œuvre de sa vie. Elle a été commandée par les Messieurs de Saint-Sulpice, qui voulaient assurer leur présence dans ce secteur de la ville. Le vocabulaire romano-byzantin du lieu de culte est en quelque sorte le résumé des carnets de voyage de Bourassa. Il faut voir ses fresques très colorées qui ornent l'intérieur de la petite chapelle, dont le fronton est surmonté d'une Vierge dorée.

Après avoir subi des travaux de réaménagement en 2015, la **place Émilie-Gamelin** se métamorphose lors de la période estivale en **Jardins Gamelin** *(mai à début oct tlj 7h30 à 23h; angle rue Berri et rue Ste-Catherine E.; métro Berri-UQAM)* afin d'accueillir les passants. L'endroit est des plus agréables, avec un café, un bar, un restaurant et des activités comme des ateliers d'agriculture urbaine, sans oublier une aire gazonnée où il fait bon se relaxer. En fond de scène se dressent de curieuses sculptures métalliques de l'artiste Melvin Charney. Le nom de la place honore la mémoire d'Émilie Gamelin, fondatrices de la congrégation des Sœurs de la Providence, dont l'asile a occupé les lieux jusqu'en 1964. À l'est, le long de la rue Sainte-Catherine, s'étend le **Village gay** (voir p. 142).

››› *Tournez à droite dans la rue Saint-Hubert, puis encore à droite dans l'avenue Viger.*

Symbole de l'ascension sociale d'une certaine classe d'hommes d'affaires canadiens-français au début du XXe siècle, l'**ancienne École des hautes études commerciales** ★★ *(entrée libre; mar, ven-sam 9h à 17h, mer-jeu 9h à 21h; 535 av. Viger E., 514-873-1100; métro Berri-UQAM ou Champ-de-Mars)* va modifier en profondeur le milieu de l'administration et de la finance à Montréal, jusque-là dominé par les Canadiens d'origine britannique. L'architecture Beaux-Arts très parisienne de cet imposant bâtiment de 1908, caractérisée par des colonnes jumelées, des balustrades, un escalier monumental et des sculptures pâteuses, témoigne de la francophilie de ses promoteurs. En 1970, l'École des hautes études commerciales (HEC) a rejoint le campus de l'Université de Montréal sur le flanc nord du mont Royal. Appelé « édifice Gilles-Hocquart », du nom du 14e intendant en titre de la Nouvelle-France (1731-1748), dont le rôle fut déterminant dans la sauvegarde des documents du Régime français, ce magnifique bâtiment renferme aujourd'hui le Centre d'archives de Montréal de BAnQ, qui présente de petites expositions thématiques permettant ainsi d'en admirer l'intérieur.

Cette section du quartier vous semblera moins agréable à parcourir que la rue Saint-Denis, en raison des nombreuses voies de circulation qui la traversent et des travaux de construction du Centre hospitalier de l'Université de Montréal (CHUM), installé des deux côtés de l'avenue Viger entre les rues Sanguinet et Saint-Denis, qui devrait être inauguré vers 2018. Vous longerez le **square Viger**, que la Ville prévoit réaménager en 2018, et passerez devant l'**Union française** *(429 av. Viger E.)*, l'association culturelle française de Montréal. Le circuit se termine à la station de métro Champ-de-Mars, où vous pourrez apercevoir une remarquable verrière de l'artiste québécoise Marcelle Ferron.

Restaurants

Camellia Sinensis $

351 rue Émery, 514-286-4002,
www.camellia-sinensis.com

Spécialisé dans l'importation de thés artisanaux de la Chine, du Japon et de l'Inde, ce petit salon de thé, situé en face du cinéma Quartier Latin, offre calme et tranquillité. Une petite boutique adjacente au salon de thé permet aux visiteurs de humer les différentes saveurs proposées avant d'acheter leur sorte préférée.

Chez Gatsé $

317 rue Ontario E., 514-985-2494

L'un des pionniers de la restauration tibétaine au Québec sert toujours de bonnes et généreuses portions de *momo, thukpa* et autres *shapta*. Si le décor n'a rien d'exceptionnel, l'accueil sympathique et la cour arrière, ouverte en été, compensent allègrement.

L'Escalier $

552 rue Ste-Catherine E., 514-670-5812,
http://lescalier-montreal.com

Si une envie soudaine de fuir l'agitation urbaine et de refaire le monde autour d'une bière, d'une bonne soupe, d'un sandwich ou d'un plat végétarien à petit prix vous assaille, vous trouverez dans cet ancien appartement converti en café-bar une étonnante ambiance baba-cool, éclectique et bon enfant, teintée de musique en direct.

Vua $

1579 rue St-Denis, 514-439-1231,
www.vuasandwichs.com

À deux pas de l'UQAM et de la Grande Bibliothèque, ce comptoir asiatique propose des aliments frais et sains – sandwichs vietnamiens, sushis, rouleaux de printemps... – bons et pas chers. Pour emporter ou avaler sur place.

Restaurant-école La Relève gourmande de l'ITHQ $-$$

Institut de tourisme et d'hôtellerie du Québec, entrée par le 401 rue de Rigaud, 2e étage, 514-282-5161 ou 855-229-8189, www.ithq.qc.ca

Avant d'œuvrer au Restaurant de l'Institut (voir plus loin), les apprentis cuisiniers et serveurs de l'ITHQ s'entraînent sous la supervision d'un chef dans ce restaurant, dont la grande salle classique et un peu sombre n'a pas la classe de son grand frère, mais dont le rapport qualité/prix est absolument imbattable, avec sa carte des vins qui offre une bonne sélection de bouteilles à prix raisonnable.

Mikado $$-$$$

1731 rue St-Denis, 514-844-5705,
www.mikadomontreal.com

Mikado continue de servir la même excellente cuisine japonaise depuis 1987. Ici, point d'effet de mode et c'est tant mieux; même les prix ne suivent pas la courbe stratosphérique des autres restos japonais! Les sushis sont particulièrement recommandés.

Restaurant de l'Institut $$-$$$$

Institut de tourisme et d'hôtellerie du Québec, 3535 rue St-Denis, 514-282-5120 ou 855-229-8189, www.ithq.qc.ca

Situé au rez-de-chaussée du beau bâtiment de l'Institut de tourisme et d'hôtellerie du Québec (ITHQ), derrière de larges baies vitrées donnant sur le square Saint-Louis, ce restaurant est un havre de lumière le jour et une adresse au cœur de la vie trépidante montréalaise le soir. Aidé des étudiants en dernière année d'études, le chef prépare une cuisine classique principalement avec des produits du terroir.

Chambre à part $$$

3619 rue St-Denis, 438-386-3619,
http://restaurantchambreapart.com

Ce nouveau restaurant des propriétaires de La Fabrique Bistrot (voir ci-dessous) affiche un décor délicat et aéré (papiers peints aux motifs floraux, verrière lumineuse) et propose une cuisine fraîche et inventive où les légumes, les produits de la mer et les légumineuses sont mis en valeur autant que les viandes. Une belle adresse où l'on se sent bien, qui se prête aussi bien à un repas en tête à tête qu'à un déjeuner entre amis.

La Fabrique Bistrot $$$

3609 rue St-Denis, 514-544-5038,
www.bistrotlafabrique.com

Situé tout juste en face du square Saint-Louis, ce fruit de la collaboration entre le restaurateur Laurent Godbout et le chef Jean-Baptiste Marchand en met plein la vue. La cuisine à aire ouverte permet à la clientèle d'admirer le travail

La Fabrique.

des cuisiniers. Le menu, qui alterne entre classiques français et cuisine québécoise, présente plusieurs originalités tel le « Jos Louis maison au micro-ondes ». Non loin de là, la **Fabrique Annexe** *(3625 rue St-Denis)* accueille les groupes d'amis dans une ambiance conviviale et propose un menu estival sur sa terrasse. Le brunch du dimanche vaut le détour.

Achats

Journaux

Presse Gateway : 550 rue Ste-Catherine E., 514-393-9032

Librairies

Librairie du Square
3453 rue St-Denis, 514-845-7617
Une des meilleures librairies indépendantes en ville.

Librairie Zone Libre
262 rue Ste-Catherine E., 514-844-0756, www.zonelibre.ca
Une bonne librairie indépendante très complète (romans, philosophie, histoire...).

Le Parchemin
505 rue Ste-Catherine E.,
514-845-5243, www.parchemin.ca

Archambault
500 rue Ste-Catherine E., 514-849-6201; Place des Arts, 175 rue Ste-Catherine O., 514-281-0367; www.archambault.ca

Aux Quatre Points Cardinaux *(voyage)*
551 rue Ontario E., 514-843-8116, www.aqpc.com
Pour des cartes topographiques du Québec et d'ailleurs au Canada, il faut faire un saut à la boutique Aux Quatre Points Cardinaux.

Musique

Atom Heart Records
364B rue Sherbrooke E., 514-843-8484, www.atomheart.ca
Dans le Quartier latin, cette boutique propose une bonne sélection de disques de musique électronique et alternative.

Plein air

Atmosphere
1610 rue St-Denis, 514-844-2228, www.atmospherepleinair.ca
Intégrée dans la bâtisse du cinéma Quartier Latin, la boutique Atmosphere propose, sur une grande surface aérée, tous les types d'articles de plein air. Atmosphere se spécialise dans les sports nautiques et vend canots et kayaks.

Azimut
1781 rue St-Denis, 514-844-1717; 528 rue Rachel E., 514-527-5151; www.azimut.ca
Les boutiques Azimut proposent les articles et vêtements de plein air Kanuk, fabriqués au Québec. On y trouve plusieurs autres vêtements de qualité et toutes sortes d'équipement : tentes, sacs de couchage, imperméables, et bien d'autres choses.

Bars et boîtes de nuit

Café Gitana

2080-A rue St-Denis, 514-281-0090,
www.cafegitana.com

Comme en Turquie, le parfum enchanteur des narguilés accueille les convives dans ce pittoresque café où il fait bon flâner. Tout en fumant une pipe à eau, on y déguste une bière, un café turc ou un thé à la pomme qui accompagne très bien les pâtisseries sucrées. Fumeurs de cigares bienvenus.

L'amère à boire

2049 rue St-Denis, 514-282-7448,
www.ameareaboire.com

L'amère à boire est une petite mais sympathique brasserie artisanale qui fabrique une vingtaine de bières. L'établissement, qui sert aussi des petits plats, est flanqué d'une petite terrasse à l'avant mais aussi d'une plus grande terrasse arrière pour ceux qui souhaitent se soustraire à l'animation grouillante de la rue Saint-Denis.

Le Bordel

312 rue Ontario E., 514-845-4316,
www.lebordel.ca

Pour découvrir des humoristes de la relève ou redécouvrir des artistes bien établis, Le Bordel est l'endroit où aller.

Le Cheval Blanc

809 rue Ontario E., 514-522-0211,
www.lechevalblanc.ca

Le Cheval Blanc est aménagé dans une ancienne taverne au cachet préservé et à l'ambiance chaleureuse et décontractée. Différentes bières, toutes d'excellente qualité, sont brassées sur place et alternent avec les saisons.

Le P'tit bar

3451 rue St-Denis, 514-281-9124,
www.leptitbar.ca

Tout près du square Saint-Louis, le P'tit bar est le lieu parfait pour parler littérature, philosophie, photographie, etc. Des expositions de photos ou peinture composent le sobre décor de l'établissement, et l'on peut y entendre tous les soirs des chansonniers québécois ou d'expression française.

L'Île Noire Pub

1649 rue St-Denis, 514-982-0866,
www.ilenoire.com

Bien connu des amateurs d'alcools fins, ce pub au décor écossais propose une liste impressionnante de scotchs et de whiskys.

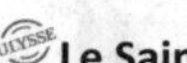Le Sainte-Élisabeth

1412 rue Ste-Élisabeth, 514-286-4302

Il est dommage que ce joli pub soit aussi bien caché. Lorsqu'on y entre, on se retrouve presque en Irlande. L'établissement se remplit souvent les soirs de fin de semaine d'une faune estudiantine sortie tout droit de l'université voisine (UQAM) et du Cégep du Vieux Montréal d'à côté. Sans oublier, en été, l'une des plus chouettes terrasses du Quartier latin.

Le Saint-Sulpice

1680 rue St-Denis, 514-844-9458,
www.lesaintsulpice.ca

Aménagé dans deux maisons anciennes dont il occupe les trois étages, le Saint-Sulpice est décoré avec goût. Il offre un très grand jardin-terrasse à l'arrière et une plus petite terrasse à l'avant, tous les deux parfaits pour profiter des soirées d'été.

Le Saint-Bock

1749 rue St-Denis, 514-680-8052,
www.saintbock.com

Tout près de l'UQAM, Le Saint-Bock propose, dans un cadre festif et décontracté, une vingtaine de bières artisanales disponibles à la pompe, sans compter l'impressionnante liste de bières en bouteille. On y sert aussi des amuse-gueules et des plats plus généreux à prix raisonnable.

Culture et divertissement

Cinémas

Cinémathèque québécoise : 335 boul. De Maisonneuve E., 514-842-9763, www.cinematheque.qc.ca; voir aussi p. 136

Quartier Latin : 350 rue Émery, 514-849-2244, www.cineplex.com

Salles de spectacle

Maison Théâtre

245 rue Ontario E., 514-288-7211,
www.maisontheatre.com

Théâtre pour jeunes publics.

Théâtre Saint-Denis

1594 rue St-Denis, 514-849-4211,
www.theatrestdenis.com

Concerts et spectacles variés.

Hébergement

Auberge de l'Est de l'UQAM $-$$

mi-mai à mi-août; 303 boul. René-Lévesque E., 514-987-6669, www.residences-uqam.qc.ca

Loger à l'Auberge de l'Est de l'UQAM, à un prix plus que raisonnable, permet de découvrir le Quartier latin, le Quartier chinois et le Vieux-Montréal, tous situés à proximité. Comme à l'**Auberge de l'Ouest de l'UQAM** (voir p. 96), on y trouve un grand nombre de chambres et sept formules d'hébergement distinctes. Internet gratuit, possibilité de stationnement *($)*.

SameSun Auberge Montréal $-$$$

1586 rue St-Hubert, 514-843-5739 ou 866-878-5739, http://samesun.com/fr/montreal

Moitié hôtel, moitié auberge de jeunesse, cet établissement est stratégiquement situé pour les voyageurs qui débarquent en ville, car il se trouve à deux pas de la Gare d'autocars de Montréal. L'ambiance générale ressemble plus à celle d'une bonne auberge, avec tous les services et l'animation de ces lieux propices aux rencontres. Les dortoirs, pour quatre à huit personnes, sont propres et ont chacun une salle de bain. De confortables chambres privées sont aussi disponibles.

Angelica Blue Bed & Breakfast $$-$$$

1213 rue Ste-Élisabeth, 514-288-5969, www.angelicablue.com

L'invitant Angelica Blue propose plusieurs chambres thématiques aux dimensions et services variés. Les plus grandes arborent de beaux murs de briques, alors que certaines profitent d'un petit balcon privé.

Le Chasseur $$-$$$

1567 rue St-André, 514-521-2238 ou 800-451-2238, www.lechasseur.com

Près du Village gay, le gîte touristique Le Chasseur propose, avec le sourire, des chambres décorées avec goût. Les plus économiques partagent une salle de bain. Pendant la belle saison, la terrasse permet de se soustraire à l'activité de la ville et de se détendre un peu.

Auberge Le jardin d'Antoine $$$

2024 rue St-Denis, 514-843-4506 ou 800-361-4506, www.aubergelejardindantoine.com

Réparties sur trois étages, les chambres de cet établissement sont décorées avec soin, certaines exhibant mur de briques et plancher de bois franc. Plusieurs suites confortables et bien équipées sont aussi proposées. Petit jardin à l'arrière.

Institut de tourisme et d'hôtellerie du Québec (ITHQ).

Auberge Le Pomerol $$$-$$$$

819 boul. De Maisonneuve E., 514-526-5511 ou 800-361-6896, www.aubergelepomerol.com

L'Auberge Le Pomerol propose un hébergement de qualité supérieure. Le décor de verre, de béton, de bois, de briques et de pierres confère à cet endroit une ambiance toute particulière. Les chambres sont douillettes et ont un décor soigné. Le petit déjeuner continental est servi à la chambre. Accès à la cuisine.

Hôtel de l'Institut $$$-$$$$

3535 rue St-Denis, 514-282-5120 ou 855-229-8189, www.ithq.qc.ca/hotel

Juste en face du square Saint-Louis, cet hôtel est tenu par des étudiants de l'**Institut de tourisme et d'hôtellerie du Québec** (ITHQ, voir précédemment) suivis de près par leurs professeurs. Les chambres, lumineuses et spacieuses, profitent toutes d'un balcon individuel. Le petit déjeuner-buffet inclus est servi au Restaurant de l'Institut (voir plus haut).

Hôtel Le Relais Lyonnais $$$$-$$$$$

1595 rue St-Denis, 514-448-2999 ou 877-448-2999, www.lerelaislyonnais.com

Cet agréable petit hôtel situé en plein cœur du Quartier latin propose quatre chambres et trois suites à l'aménagement moderne, avec de belles salles de bain. Murs de briques et mobilier contemporain se mêlent à l'architecture ancienne du bâtiment pour créer une charmante atmosphère. Accueil sympathique.

Le Village gay

Attraits

trois heures

Accueillant et animé, le Village gay, communément appelé « le Village », vit au rythme de ses cafés, restos et bars de jour comme de nuit.

Le quartier qui constitue le **Village gay** ★ aujourd'hui, situé en marge du centre-ville, est né du prolongement de la ville à l'est du Vieux-Montréal à la fin du XVIIIe siècle. D'abord connu sous le nom de « faubourg Québec », car il borde alors la route menant à Québec, il est rebaptisé « quartier Sainte-Marie » lorsqu'il s'industrialise, avant d'être surnommé « Faubourg à m'lasse » vers 1880, époque où l'on décharge tous les jours, sur les quais du port tout proche, des centaines de tonneaux de mélasse odorante.

Au milieu des années 1960, les fonctionnaires englobent le quartier dans un plus grand secteur de la ville au nom moins poétique : « Centre-Sud ». C'était avant que la communauté homosexuelle ne le reprenne en main en 1980 et ne fasse de la rue Sainte-Catherine le Village gay. Malgré ses multiples noms, il demeure un lieu grouillant de vie et sait être attachant, pour peu que l'on s'y attarde. Depuis 2008, entre les rues Saint-Hubert et Papineau, la rue Sainte-Catherine devient une rue piétonnière de la mi-juin au début de septembre.

››› *De la station de métro Berri-UQAM, empruntez la rue Sainte-Catherine vers l'est.*

L'**ancien magasin de mode Pilon** *(915 rue Ste-Catherine E.)* est le doyen des bâtiments commerciaux du quartier, sa structure à ossature de pierre remontant à 1878. La belle façade Art déco du n° 916 appartenait autrefois à la Pharmacie Montréal (1934), première institution du genre au Québec à livrer des médicaments à domicile et à être ouverte jour et nuit.

Les amateurs de patrimoine industriel et ouvrier ne manqueront pas de faire un crochet pour aller visiter l'**Écomusée du fier monde** ★ *(8$; mer 11h à 20h, jeu-ven 9h30 à 16h, sam-dim 10h30 à 17h; 2050 rue Amherst, 514-528-8444, www.ecomusee.qc.ca; métro Sherbrooke ou Berri-UQAM)*. Situé au nord de la rue Ontario, le musée est installé dans un ancien bain public, le Bain Généreux, construit en 1927 sur le modèle de la piscine de la Butte-aux-Cailles à Paris. On y présente, dans un cadre habilement recyclé, l'histoire sociale et économique du Centre-Sud.

Juste en face, le **Marché Saint-Jacques** *(2035 rue Amherst, www.marchesaint-jacques.ca)*, avec son beau style Art déco, fut inauguré en 1931. Aujourd'hui il a partiellement retrouvé sa vocation d'antan.

››› *À l'est de la rue Amherst, on pénètre au centre du Village gay de Montréal.*

Auparavant regroupés dans « l'Ouest » dans les rues Stanley et Drummond, les bars homosexuels n'avaient pas toujours la faveur des promoteurs immobiliers et des édiles municipaux qui les trouvaient trop voyants. Le harcèlement continuel et les « grands ménages » épisodiques ont amené les propriétaires de bars,

À ne pas manquer

Attraits

Église Saint-Pierre-Apôtre p. 143

Pont Jacques-Cartier p. 146

Prison Au-Pied-du-Courant p. 146

Restaurants

De farine et d'eau fraîche p. 147

Bistro sur la Rivière p. 147

Café Sfouf p. 146

Le Mousso p. 148

Agrikol p. 147

Achats

La Réserve du Comptoir p. 148

Sorties

Cabaret Mado p. 148

La rue Sainte-Catherine dans le Village gay.

alors locataires au centre-ville, à acheter des bâtiments peu coûteux dans le Centre-Sud afin d'exploiter leurs commerces à leur guise. C'est ainsi qu'est né le **Village gay** *(rue Ste-Catherine E. entre la rue St-Hubert et l'avenue Papineau; métro Berri-UQAM, Beaudry ou Papineau)*, une concentration d'établissements desservant une clientèle homosexuelle (saunas, bars, restaurants, boutiques de vêtements, hôtels). Loin d'être cachés ou mystérieux, plusieurs de ces établissements s'ouvrent sur la rue et se prolongent à l'extérieur, en été, par des terrasses et des jardins.

Léo-Ernest Ouimet (1877-1973), cinéaste, distributeur et propriétaire de salle, fut le pionnier de l'industrie cinématographique montréalaise. En 1906, il fait construire le **Ouimetoscope** *(1204 rue Ste-Catherine E.; métro Beaudry)*, première salle conçue et vouée exclusivement au cinéma dans tout le Canada. Seule subsiste une plaque commémorative sur le mur de ce qui est aujourd'hui un immeuble à condos et un comptoir de restauration rapide. Tout juste à l'est se trouve l'**ancien Théâtre National** *(1220 rue Ste-Catherine E.)*, dont la jolie petite salle néo-Renaissance, inaugurée en 1900, est toujours intacte. Devenu, depuis 2006, la salle de spectacle Le National, ce théâtre, autrefois spécialisé dans le burlesque et le vaudeville, a longtemps été dirigé par l'inénarrable Rose Ouellette, dite « La Poune », comme le mentionne une plaque apposée à l'entrée. Quelques autres théâtres anciens jalonnent la rue Sainte-Catherine Est jusqu'au pont Jacques-Cartier.

Tournez à droite dans la rue de la Visitation. Derrière le clocher argenté de l'église Saint-Pierre-Apôtre, vous apercevrez l'édifice qui abrite les studios de Radio-Canada.

La **Maison de Radio-Canada** *(1400 boul. René-Lévesque E.; métro Beaudry)* est cette construction hors d'échelle, isolée au milieu de son stationnement. La Maison fut édifiée entre 1970 et 1973 pour loger l'ensemble des services en français de Radio-Canada, la radio-télévision nationale ainsi que les services locaux de langue anglaise. Lors de sa construction, la trame urbaine traditionnelle fut complètement effacée. Six cent soixante-dix-huit familles, soit près de 5 000 personnes, furent déplacées. L'édifice a été vendu en novembre 2016 au Groupe Mach, qui prévoit un important projet immobilier avec résidences, logements sociaux, bureaux et commerces. Les studios et bureaux de Radio-Canada seront pour leur part relocalisés dans un nouvel édifice dont l'inauguration est prévue pour 2020 à l'angle du boulevard René-Lévesque et de la rue Papineau, à quelques rues à l'est.

L'**église Saint-Pierre-Apôtre** ★★ *(1201 rue de la Visitation, 514-524-3791, http://saintpierreapotre.ca; métro Beaudry)* est intégrée à l'ensemble conventuel des pères oblats, installés à Montréal en 1848 grâce aux bons soins de Mgr Ignace Bourget. L'édifice, terminé en 1853, est une œuvre majeure du style néogothique québécois et la première réalisation du prolifique architecte Victor Bourgeau dans ce style.

On y retrouve notamment des arcs-boutants, éléments de support extérieur des murs de la nef rarement employés à Montréal, alors que la flèche culmine à 70 m, une hauteur exceptionnelle à l'époque. L'intérieur, délicatement orné, recèle d'autres éléments inusités, tels les piliers en pierre calcaire séparant le vaisseau principal des nefs latérales, dans un pays où la structure des églises est généralement faite entièrement de bois. Certains des vitraux provenant de la Maison Champigneulle de Bar-le-Duc, en France, attirent l'attention, entre autres le *Saint Pierre* (1854) du chœur, haut de 9 m. Sa chapelle de l'Espoir est dédiée aux victimes du sida.

››› *Remontez la rue de la Visitation, puis tournez à droite dans la petite rue Sainte-Rose.*

Chemin faisant, on longe le presbytère néoclassique de Saint-Pierre-Apôtre et les anciens bâtiments de la maîtrise Saint-Pierre, école et résidence des prêtres aujourd'hui transformées en centre de services communautaires. La jolie petite **rue Sainte-Rose**, bordée au nord par une série d'habitations ouvrières à toitures mansardées, a conservé son apparence ancienne.

››› *Tournez à gauche dans la rue Panet, à droite dans la rue Sainte-Catherine, puis à gauche dans la rue Alexandre-de-Sève.*

Les bureaux du réseau **TVA** *(1425 rue Alexandre-de-Sève, angle De Maisonneuve E.; métro Papineau)* occupent tout un quadrilatère du quartier. Fondé en 1961 par Alexandre de Sève sous le nom de Télé-Métropole, ce réseau de télévision privé a longtemps déclassé Radio-Canada dans les milieux ouvriers. Certains de ses studios occupent l'ancien théâtre Arcade et la pharmacie Gauvin de 1911, un bel édifice de quatre étages en terre cuite blanche vitrifiée, situé rue Sainte-Catherine. TVA forme avec Radio-Canada et **Télé-Québec** *(1000 rue Fullum)* une véritable « cité des ondes » à l'est du centre-ville.

››› *Revenez sur vos pas et marchez vers le sud dans la rue Alexandre-de-Sève.*

La forte concentration d'ouvriers catholiques dans le Faubourg à m'lasse à la fin du XIXe siècle, conjuguée à la concurrence que se livraient encore l'évêché et les Messieurs de Saint-Sulpice à l'époque, justifiait la construction en 1878 d'une seconde église à quelques centaines de mètres seulement de l'église Saint-Pierre-Apôtre, décrite plus haut. L'**ancienne église Sainte-Brigide** *(1153 rue Alexandre-de-Sève; métro Papineau)* adopte le style néoroman, alors préconisé par les Sulpiciens. Fermée au culte depuis 2011, l'ancienne église accueille aujourd'hui le Centre culturel et communautaire Sainte-Brigide.

››› *Empruntez le boulevard René-Lévesque vers l'est.*

La **cathédrale St. Peter and St. Paul** ★ *(1151 rue De Champlain, 514-522-2801; www.peterpaul.sobor.ca; métro Papineau)* est la cathédrale orthodoxe russe de Montréal. Cette ancienne église épiscopalienne fut érigée en 1853. La seule façon de la visiter est d'assister aux offices et concerts (voir l'horaire sur le site Internet), pendant lesquels on peut voir le bel ensemble d'icônes et le trésor provenant de Russie et écouter les chants envoûtants de la chorale.

La **brasserie Molson** *(1670 rue Notre-Dame E.)* est visible depuis le boulevard René-Lévesque. Le hall de la brasserie abrite des agrandissements de photos d'archives ainsi qu'une boutique de souvenirs. En face se trouve un monument en souvenir de l'*Accommodation*, le premier navire à vapeur lancé sur le fleuve Saint-Laurent par la famille Molson en 1809.

En 1786, un Anglais du nom de John Molson (1763-1836) ouvre dans le faubourg Québec une brasserie qui portera son nom, et qui deviendra par la suite une des principales entreprises canadiennes. Cette brasserie, maintes fois reconstruite et agrandie, existe toujours en bordure du port. Quant à la famille Molson, elle demeure à l'époque l'un des piliers de la haute bourgeoisie montréalaise, impliquée dans les banques (voir p. 49), dans la construction ainsi que dans le transport ferroviaire et maritime. Elle est aussi propriétaire de l'équipe de hockey Le Canadien de Montréal.

››› *Poursuivez par le boulevard René-Lévesque vers l'est. Passez sous le pont Jacques-Cartier, puis tournez à droite dans l'avenue De Lorimier. Traversez à l'angle de l'avenue Viger pour rejoindre le siège social de la Société des alcools du Québec, installé dans l'ancienne prison de Montréal, mieux connue sous le nom de « prison du Pied-du-Courant » Ce trajet manque, il est vrai, cruellement d'attrait puisqu'il longe deux avenues où la circulation est constante, mais il s'agit d'un passage obligé pour rejoindre la prison.*

Le Village gay

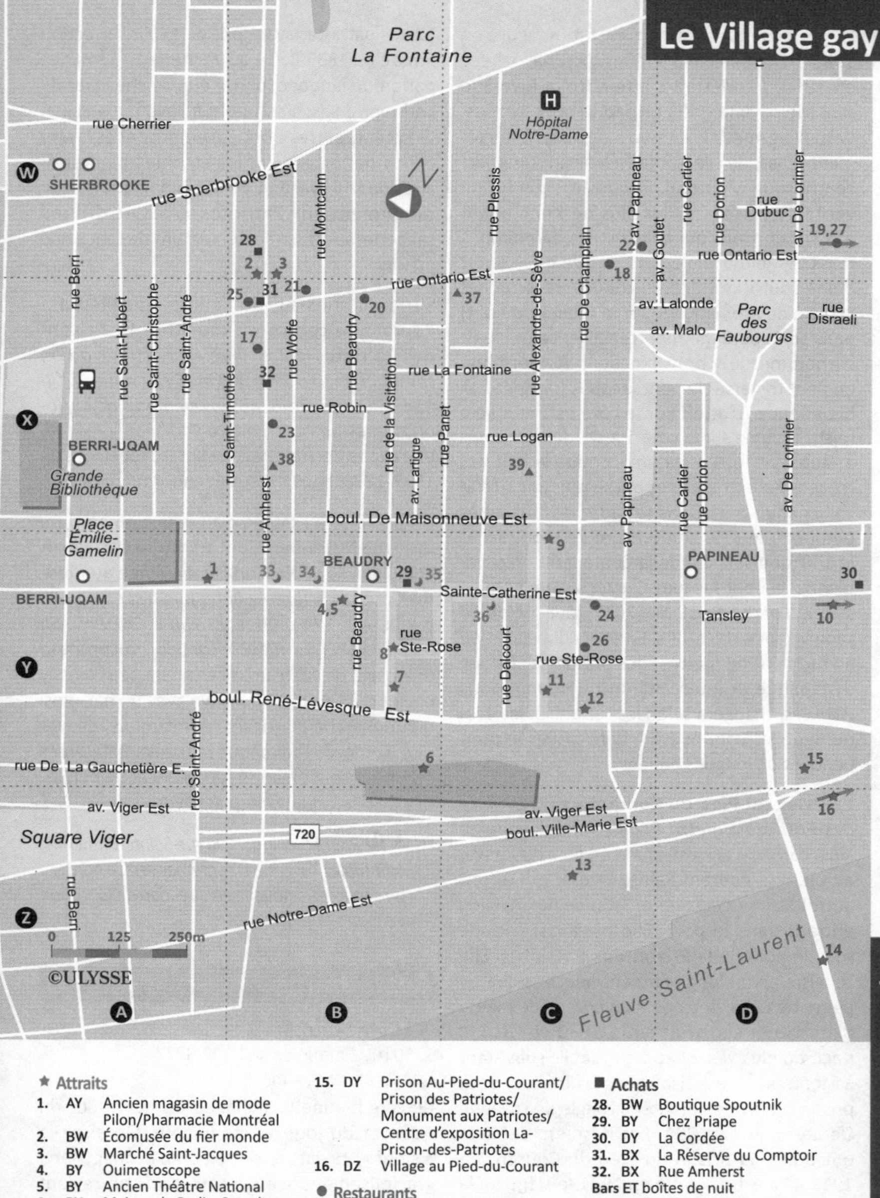

★ Attraits

1. AY Ancien magasin de mode Pilon/Pharmacie Montréal
2. BW Écomusée du fier monde
3. BW Marché Saint-Jacques
4. BY Ouimetoscope
5. BY Ancien Théâtre National
6. BY Maison de Radio-Canada
7. BY Église Saint-Pierre-Apôtre
8. BY Rue Sainte-Rose
9. CY TVA
10. DY Télé-Québec
11. CY Ancienne église Sainte-Brigide
12. CY Cathédrale St. Peter and St. Paul
13. CZ Brasserie Molson
14. DZ Pont Jacques-Cartier
15. DY Prison Au-Pied-du-Courant/Prison des Patriotes/Monument aux Patriotes/Centre d'exposition La-Prison-des-Patriotes
16. DZ Village au Pied-du-Courant

● Restaurants

17. BX Agrikol
18. CW Au Petit Extra
19. DW Bistro sur la Rivière
20. BX Café Sfouf
21. BX Carte Blanche
22. CW Chez ma grosse truie chérie
23. BX De farine et d'eau fraîche
24. CY La Mie Matinale
25. BX Le Mousso
26. CY Mezcla
27. DW Touski

■ Achats

28. BW Boutique Spoutnik
29. BY Chez Priape
30. DY La Cordée
31. BX La Réserve du Comptoir
32. BX Rue Amherst

Bars ET boîtes de nuit

33. BY Cabaret Mado
34. BY Club Unity
35. BY L'Aigle Noir
36. CY Sky Pub/Sky Club

▲ Hébergement

37. CX Atmosphère
38. BX La Loggia
39. CX Turquoise B&B

Le **pont Jacques-Cartier** ★★ fut inauguré en 1930. Jusque-là, seul le pont Victoria, achevé en 1860, permettait d'atteindre la Rive-Sud sans avoir à emprunter un bac. Le pont Jacques-Cartier permettait en outre de relier directement le parc de l'île Sainte-Hélène aux quartiers centraux de Montréal. Sa construction fut un véritable casse-tête, les élus ne s'entendant pas sur un tracé qui éviterait les démolitions massives. Il fut finalement décidé de le doter d'une courbure (qu'on a adoucie récemment grâce à de gros travaux sur le tablier du pont) dans son approche montréalaise, ce qui le fit surnommer le « pont croche ». Aujourd'hui, on peut traverser le pont Jacques-Cartier aussi bien à pied (trottoir sur le côté est) et à vélo (piste cyclable sur le côté ouest), du printemps à l'automne, qu'en voiture, comme le font des milliers d'automobilistes qui se rendent au travail chaque jour. Dans le cadre des festivités entourant le 375e anniversaire de Montréal et le 150e anniversaire de la Confédération canadienne, le pont Jacques-Cartier s'illuminera en soirée à partir du 17 mai 2017, jour même de l'anniversaire de la ville. En cours d'installation au moment de mettre sous presse, l'éclairage dynamique et interactif, intitulé *Connexions vivantes*, changera selon les saisons et les événements et continuera à faire briller le pont pendant de longues années.

La **Prison Au-Pied-du-Courant** ★★ *(2125 place des Patriotes; métro Papineau)* est appelée ainsi parce qu'elle est située en face du fleuve, au pied du courant Sainte-Marie, qui offrait autrefois une certaine résistance aux navires entrant dans le port. Elle est aussi connue sous le nom de la **Prison des Patriotes**. Elle consiste en un long bâtiment néoclassique en pierre de taille, précédé d'un porche de même matériau et construit entre 1830 et 1836. Il s'agit du plus vieux bâtiment public subsistant à Montréal. Une maison pour le directeur de la prison est venue s'ajouter à l'angle de l'avenue De Lorimier en 1894. Les derniers détenus ont quitté la prison du Pied-du-Courant en 1912. Elle est devenue en 1921 le siège de la Commission des Liqueurs, future Société des alcools du Québec. Au fil des ans, des annexes et des entrepôts vinrent se greffer à la vieille prison oubliée. Cependant, entre 1986 et 1990, le gouvernement du Québec a procédé à la démolition des ajouts et a restauré la prison, ravivant le souvenir des événements tragiques qui y ont pris place peu après son inauguration. C'est en effet en ces murs qu'ont été exécutés 12 des patriotes ayant pris part à l'insurrection armée de 1837-1838 qui recherchait l'émancipation du Québec; parmi eux, le chevalier de Lorimier a laissé son nom à l'avenue voisine. Cinq cents autres y ont été emprisonnés, avant d'être déportés vers les colonies pénitentiaires de l'Australie et de la Tasmanie. Un beau **monument aux Patriotes** ★, œuvre d'Alfred Laliberté, se dresse sur les terrains de l'ancienne prison.

Situé au sous-sol de l'édifice du Pied-du-Courant, le **centre d'exposition La-Prison-des-Patriotes** *(entrée libre; mer-ven 12h à 17h, sam-dim 9h30 à 17h; 903 av. De Lorimier, 514-254-6000, poste 6245, www.mndp.qc.ca/la-prison-des-patriotes; métro Papineau)* présente une exposition thématique sur les rébellions de 1837-1838, leurs enjeux et conséquences.

Un peu plus à l'est, face au fleuve en bordure de la rue Notre-Dame entre les rues Parthenais et Fullum, se déploie en été le **Village au Pied-du-Courant** ★ *(entrée libre; juin à sept jeu 17h à 23h, ven 17h à 0h, sam 15h à 0h, dim 15h à 23h; www.aupiedducourant.ca)*, qui propose une plage de sable urbaine (on ne peut pas s'y baigner) à l'ambiance festive avec un bar, ainsi qu'un marché d'artisans, des camions de cuisine de rue, de l'animation musicale. Différentes activités y sont organisées ponctuellement (parties de pétanque, ciné-plage, yoga...).

Pour revenir dans la rue Sainte-Catherine, empruntez l'avenue De Lorimier vers le nord, puis tournez à gauche en direction de la station de métro Papineau.

Restaurants

Café Sfouf $

1250 rue Ontario E., 514-507-8777, http://cafesfouf.com

Ce café lumineux a changé les habitudes du quartier du jour au lendemain. On aime le « sfouf », ce gâteau de semoule libanais, servi gracieusement avec le café, mais on revient pour la chaleur presque maternelle de l'accueil.

La Mie Matinale $

1654 rue Ste-Catherine E., 514-529-5656, www.lamiematinale.ca

Pour un café, un muffin, un croissant aux amandes ou un petit repas sur le pouce, cette boulangerie-pâtisserie est l'endroit idéal dans le Village gay. L'accueil est sympathique et le cadre

Pont Jacques-Cartier.

réconfortant, mais l'endroit est à éviter si vous êtes allergique à Dalida.

Touski $
2361 rue Ontario E., 514-524-3113,
www.touski.org
Touski, c'est un café-restaurant, une coop de travail et un lieu d'art qui contribue au développement du Centre-Sud. Tous les prétextes sont bons pour venir dans ce lieu chaleureux : prendre un espresso (équitable, bien sûr), avaler un petit déjeuner ou un plat maison (crêpes, omelettes, pâtes, sandwichs), assister à un spectacle, se prélasser dans la cour arrière...

De farine et d'eau fraîche $-$$
1701 rue Amherst, 514-522-2777,
http://dfef.ca
La coqueluche du Village gay est une pâtisserie fine au décor charmant. Difficile de faire un choix entre ces petits gâteaux aussi beaux que bons, ces muffins alléchants et ces tentantes viennoiseries. Côté salé, sandwichs et muffins anglais du matin se partagent la scène.

Bistro sur la Rivière $$
2263 rue Larivière, 514-524-8108
Voilà l'adresse idéale pour sortir des sentiers battus et s'attabler à un délicieux restaurant de quartier. Sitôt la porte passée, on se sent transporté dans un minuscule bistro (à peine 30 places, les réservations sont donc conseillées) du sud de la France. La table d'hôte se résume à quelques recettes sans surprise, mais parfaitement réalisées dans la cuisine située juste derrière le comptoir. La bavette sauce au poivre, accompagnée d'excellentes frites, est la spécialité maison. Ambiance simple et agréable.

Au Petit Extra $$-$$$
1690 rue Ontario E., 514-527-5552,
www.aupetitextra.com
Grand bistro aux allures européennes, Au Petit Extra demeure un lieu privilégié pour s'offrir un bon repas dans une ambiance animée. Chaque jour, il propose une table d'hôte différente, jamais décevante. Une clientèle d'habitués s'y presse.

Carte Blanche $$-$$$
1159 rue Ontario E., 514-313-8019,
www.restaurant-carteblanche.com
À deux pas du Marché Saint-Jacques, ce restaurant propose les classiques de la gastronomie française, auxquels le chef donne une touche de modernité. Le cadre élégant se prête bien à une soirée romantique. Une bonne adresse à découvrir.

Agrikol $$$
1844 rue Amherst, http://agrikol.ca; pas de téléphone, pas de réservation
C'est l'adresse de l'heure à Montréal. Orchestré par la chef torontoise Jennifer Agg en collaboration avec des membres du célèbre groupe montréalais Arcade Fire, le restaurant haïtien Agrikol dégage un charme fou avec sa décoration tropicale, ses grandes murales colorées et son ambiance musicale survoltée. On ne vient pas ici pour un repas en tête à tête, mais plutôt pour faire la fête en sirotant un ti-punch et en dégustant des plats haïtiens traditionnels. En prime, une des plus belles terrasses en ville. Fermez les yeux, et vous voilà à Port-au-Prince.

Chez ma grosse truie chérie $$$

1801 rue Ontario E., 514-522-8784,
www.chezmagrossetruiecherie.com

Avec un nom pareil, on ne s'étonne pas de trouver au menu de cette table du terroir des plats « cochons » aussi gras que réconfortants. Tartares, filets de porcelet, charcuteries et côtes levées laissent peu de place aux autres choix. Les produits québécois et canadiens sont à l'honneur, y compris dans la carte des vins. Un endroit convivial et (très!) animé qui convient plus aux groupes d'amis qu'aux couples en mal d'intimité. Terrasse en été.

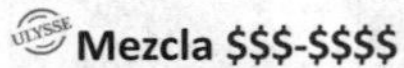

Mezcla $$$-$$$$

1251 rue De Champlain, 514-525-9934,
http://restaurantmezcla.com

La cuisine latino-américaine revue et corrigée par la fusion multiculturelle et les techniques modernes est peut-être tendance, mais Mezcla est la preuve qu'entre de bonnes mains elle peut être raffinée, recherchée et surprenante. N'hésitez pas à commander plusieurs petits plats ou fiez-vous aux menus dégustation pour avoir un meilleur aperçu des arômes entêtants.

Le Mousso $$$$

1023 av. Ontario E., 438-384-7410

Décliné en huit services, le menu gastronomique du chef Antonin Mousseau-Rivard éblouira tous vos sens. Nous gardons un souvenir ému d'une fine tarte à l'oursin ornée de pétales multicolores et d'une exquise compotée de fraises avec meringue poivrée et glace aux accents salés. Décor sobre, sans flafla : ici, l'éclat est dans l'assiette. Menu dégustation seulement. Seul bémol, il n'y a pas de carte des vins et on doit se fier aux recommandations des serveurs. Service empressé.

Achats

Alimentation

La Réserve du Comptoir

2000 rue Amherst, 514-521-8467,
www.lareserveducomptoir.ca

Il s'agit de la vitrine de l'excellent restaurant **Le Comptoir charcuteries et vins** (voir p. 188). On peut y acheter de la charcuterie et des conserves maison. Possibilité de petite restauration sur place.

Antiquités

Vous dénicherez des trésors de toutes catégories de prix dans les boutiques de la **rue Amherst** entre le boulevard De Maisonneuve et la rue Sherbrooke, pour la plupart spécialisées dans les meubles et objets rétro des années 1950-1970. Parmi les bonnes adresses, on retrouve la **Boutique Spoutnik** *(2120 rue Amherst, 514-525-8478, www.boutique-spoutnik.com)*.

Plein air

La Cordée

2159 rue Ste-Catherine E., 514-524-1106,
www.lacordee.com

La Cordée a ouvert ses portes en 1953 pour fournir de l'équipement aux scouts et guides de la région. Depuis, elle sert une vaste clientèle d'amateurs et de professionnels qui recherchent de l'équipement de plein air de qualité. La Cordée présente sans doute la plus grande surface de plein air à Montréal, et ses locaux, au design attrayant, permettent de magasiner dans un environnement agréable.

Vie intime

Chez Priape

1311 rue Ste-Catherine E., 514-521-8451,
www.priape.com

Quand l'amour est gay, on se rend chez Priape afin d'y trouver articles et littératures érotiques. Bonne sélection de vêtements aguichants pour une soirée de drague réussie.

Bars et boîtes de nuit

La plupart des **bars gays** de Montréal sont concentrés dans le Village gay.

Cabaret Mado

1115 rue Ste-Catherine E., 514-525-7566,
www.mado.qc.ca

Fréquenté par une clientèle mixte et enjouée, le Cabaret Mado présente entre autres des spectacles de travestis. Amusement garanti avec le célèbre personnage de *Mado*!

L'Aigle Noir

1315 rue Ste-Catherine E., 514-529-0040,
www.aiglenoir.ca

Les amoureux du cuir et les fétichistes se retrouvent dans le décor d'entrepôt savamment décoré de L'Aigle Noir. Les DJ enchaînent les tubes de musique techno et house dans cet endroit propice aux rencontres.

Sky Pub/Sky Club

1474 rue Ste-Catherine E., 514-529-6969, www.complexesky.com

Bar gay très fréquenté, le Sky Pub bénéficie d'un décor design qui aurait peut-être besoin d'un petit rafraîchissement. On peut déplorer sa musique trop forte et souvent banale. Sur deux niveaux s'étend l'une des plus grandes boîtes gays de Montréal, le Sky Club, avec ses pistes de danse qui offrent une bonne variété de styles musicaux. Bien entendu, le pari de maintenir l'atmosphère dans un complexe aussi vaste n'est pas toujours tenu, mais en général, la clientèle, plutôt jeune, s'amuse bien ici. En été, son immense et superbe terrasse sur le toit permet d'observer le va-et-vient dans la rue Sainte-Catherine.

Club Unity

1171 rue Ste-Catherine E., 514-523-2777, www.clubunitymontreal.com

Cette grande discothèque gay, ouverte les vendredi et samedi soirs, est fréquentée par un public jeune. Son architecture est des plus intéressantes avec les différents niveaux et la mezzanine d'où l'on peut observer la piste de danse et les envoûtants jeux de lumière. Une seconde piste de danse est consacrée aux plus récentes tendances musicales. En été, il ne faut pas manquer de se rendre à sa belle terrasse sur le toit.

Culture et divertissement

Salles de spectacle

Le National

1220 rue Ste-Catherine E., 514-529-5000 ou 855-790-1245, www.latulipe.ca

Concerts variés.

Olympia de Montréal

1004 rue Ste-Catherine E., 514-845-3524, www.olympiamontreal.com

Concerts et spectacles variés.

Théâtre Espace Libre

1945 rue Fullum, 514-521-4191, www.espacelibre.qc.ca

Théâtre contemporain et expérimental.

Théâtre Prospero

1371 rue Ontario E., 514-526-6582, www.laveillee.qc.ca

Théâtre contemporain.

Usine C

1345 av. Lalonde, 514-521-4493, www.usine-c.com

Théâtre contemporain, concerts, danse...

La station de métro Beaudry dans le Village gay.

Hébergement

Turquoise B&B $$

1576 rue Alexandre-de-Sève, 514-523-9943 ou 877-707-1576, www.turquoisebb.com

En plein cœur du Village gay, le Turquoise B&B compte cinq chambres avec salle de bain partagée. Cette maison victorienne dont seul l'intérieur témoigne de cette époque a été rénovée. Une terrasse permet également de se faire servir le petit déjeuner buffet à l'extérieur, dans le grand jardin privé, lorsque le temps est clément.

ULYSSE Atmosphère $$$

1933 rue Panet, 514-510-7976 ou 877-376-7976, www.atmospherebb.com

Situé dans une rue calme, ce gîte « vert » offre tout le charme des vieux appartements montréalais, le confort et une touche de modernité en prime. Bien décorées avec des œuvres d'artistes du coin, les trois chambres (dont deux partagent une salle de bain) sont chaleureuses. Le petit déjeuner à trois services *(20$/pers.)* peut s'adapter à tout type de régime ou d'allergies. Une réservation de deux nuitées est parfois requise.

La Loggia $$$-$$$$

1637 rue Amherst, 514-524-2493, www.laloggia.ca

Ce gîte se distingue par ses nombreuses œuvres d'art, sculptures et peintures, disséminées dans la maison comme dans la cour arrière où l'on prend son petit déjeuner (de type buffet) quand la température le permet. Les chambres, dont les plus simples partagent une salle de bain et la plus grande est équipée d'une cuisinette, sont élégantes et spacieuses.

Le Plateau Mont-Royal

Attraits

trois heures

S'il existe un quartier typique à Montréal, c'est bien le **Plateau Mont-Royal** ★★. Rendu célèbre par les écrits de Michel Tremblay, l'un de ses illustres fils, « le Plateau », comme l'appellent ses résidents, est un quartier où résidaient autrefois de vieilles familles ouvrières francophones. Il fut ensuite très prisé par les artistes et les intellectuels fauchés, avant d'attirer de jeunes professionnels et de se gentrifier. Ses longues rues sont bordées des fameux duplex et triplex montréalais, dont les longs et étroits appartements sont accessibles par des escaliers extérieurs aux contorsions amusantes. Ces derniers aboutissent à des balcons en bois ou en fer forgé, autant de loges fleuries d'où l'on observe le spectacle de la rue.

Le Plateau Mont-Royal est traversé par quelques artères bordées de cafés et de théâtres, comme la rue Saint-Denis, et ponctuées de bars et restaurants, comme l'avenue du Mont-Royal, mais il conserve dans l'ensemble une douce quiétude. Une visite de Montréal serait incomplète sans une balade sur le Plateau Mont-Royal, ne serait-ce que pour flâner sur ses trottoirs et mieux saisir l'âme de Montréal.

››› *Le circuit débute à la sortie de la station de métro Mont-Royal, où se trouve la place Gérald-Godin, avec son* Tango de Montréal. *Dirigez-vous vers la droite sur l'avenue du Mont-Royal.*

Le **sanctuaire du Saint-Sacrement** ★ *(500 av. du Mont-Royal E., 514-524-1131; métro Mont-Royal)* et son église Notre-Dame-du-Très-Saint-Sacrement ont été érigés à la fin du XIXe siècle. Derrière une façade quelque peu austère se cache un véritable petit palais vénitien : une église colorée conçue selon les plans de l'architecte Jean-Baptiste Resther. Ce sanctuaire voué à l'exposition et à l'adoration perpétuelle de l'Eucharistie est ouvert à la prière et à la contemplation tous les jours de la semaine. On y présente, à l'occasion, des concerts de musique baroque.

››› *Traversez l'avenue du Mont-Royal et remontez la rue Pontiac.*

Tout autour du petit **parc Albert-Saint-Martin** et notamment dans la rue Pontiac se trouvent de beaux exemples des vieilles maisons ouvrières à un seul niveau. Elles font partie des dernières habitations rappelant les origines modestes du quartier.

››› *Retournez sur l'avenue du Mont-Royal et suivez-la vers l'est.*

On côtoie sur l'**avenue du Mont-Royal** *(www.mont-royal.net)*, principale artère commerciale du quartier, une population bigarrée qui magasine dans des commerces hétéroclites, allant des boulangeries artisanales aux magasins de babioles à un dollar en passant par les boutiques où l'on vend des disques, livres et vêtements d'occasion.

››› *Tournez à droite dans la rue Fabre.*

Les Chroniques du Plateau Mont-Royal, formidable série de romans de Michel Tremblay, ont rendu la **rue Fabre** célèbre. Lui-même est né et a vécu au nº 4690, et nombre de ses personnages colorés y habitent toujours, du moins sur papier. Cette rue présente de bons exemples de l'habitat type montréalais. Ces maisons, construites entre 1900 et 1925, comprennent respectivement de deux à cinq logements, tous accessibles par des entrées individuelles donnant sur l'extérieur. On note les détails d'ornementation qui varient d'un bâtiment à l'autre, tels les vitraux Art nouveau, les parapets et les corniches de brique et de tôle, les balcons aux colonnes toscanes ainsi que le fer forgé torsadé des balcons et des escaliers.

››› *Tournez à gauche dans la rue Rachel.*

À l'extrémité de la rue Fabre, on aperçoit le **parc La Fontaine** ★★ *(délimité par l'avenue du Parc-La Fontaine, la rue Sherbrooke E.,*

Parc La Fontaine.

À ne pas manquer

Attraits

Rue Saint-Denis p. 154

Avenue du Mont-Royal p. 150

Parc La Fontaine p. 150

Église Saint-Jean-Baptiste p. 154

Les ruelles du Plateau Mont-Royal p. 155

Restaurants

Le Sain Bol p. 157

Ma Poule Mouillée p. 156

Le Quartier Général p. 158

Au Pied de Cochon p. 158

L'Express p. 158

Le Pégase p. 158

Pintxo p. 159

Achats

Arthur Quentin p. 161

Pâtisserie Kouign Amman p. 160

Pâtisserie Rhubarbe p. 160

Fous Desserts p. 160

Les Chocolats de Chloé p. 160

Le Port de tête p. 162

Librairie Ulysse p. 162

John Fluevog p. 161

Sorties

Bílý Kůň p. 163

Le Plan B p. 164

Le Salon Daomé p. 164

Le Lab p. 164

la rue Rachel et l'avenue Papineau; métro Sherbrooke), créé au début du XXe siècle sur l'emplacement de l'ancienne ferme Logan, qui servait alors de champ de tir militaire. Le parc devient rapidement un lieu fort d'appartenance des « Canadiens français », qui s'y rassemblent lors de fêtes populaires. Des monuments honorant la mémoire de Sir Louis-Hippolyte La Fontaine, de Félix Leclerc et de Dollard des Ormeaux y ont été élevés. Autrefois lieu de repos des travailleurs d'usine, le parc La Fontaine est paradoxalement devenu le principal espace vert des nouveaux habitants du Plateau Mont-Royal, souvent jeunes et très éduqués... En effet, le parc est envahi les fins de semaine d'été par les gens du quartier qui viennent profiter des belles journées ensoleillées.

D'une superficie de 36 ha, le parc est agrémenté deux étangs, dits « inférieur » et « supérieur », et de sentiers ombragés que l'on peut emprunter à pied ou à vélo. Il est à noter que les deux pistes cyclables principales de Montréal s'y croisent (les axes nord-sud et est-ouest du réseau). Des terrains de pétanque et des courts de tennis sont aussi mis à la disposition des amateurs. En hiver, une grande patinoire éclairée est entretenue sur les étangs. On y trouve également le théâtre de Verdure, où sont présentés des concerts et spectacles en plein air. En 2016, le théâtre était fermé pour une mise à niveau de ses installations, mais il devrait reprendre ses activités en 2017.

››› *Pour votre traversée du parc, empruntez l'avenue Calixa-Lavallée ou les sentiers qui bordent les étangs jusqu'à l'angle de la rue Cherrier et de l'avenue du Parc-La Fontaine.*

C'est dans le sud du parc que fut érigée la **statue de Sir Louis-Hippolyte La Fontaine** (1807-1864), premier ministre du Canada-Est et l'un des principaux défenseurs du français dans les institutions du pays. Vous passerez devant l'édifice Art déco de la petite **école Le Plateau** (1930). L'**obélisque de la place Charles-De Gaulle** *(angle av. Émile-Duployé; métro Sherbrooke)*, réalisé par l'artiste français Olivier Debré, domine la rue Sherbrooke dans ce secteur. L'œuvre en granit bleu de Vire a été offerte par la Ville de Paris à la Ville de Montréal en 1992, à l'occasion du 350e anniversaire de la fondation de la métropole québécoise. L'**hôpital Notre-Dame**, l'un des principaux hôpitaux de la ville, lui fait face. On peut également apercevoir l'**ancienne Bibliothèque centrale de Montréal** ★ *(1210 rue Sherbrooke E.)*, qui accueille maintenant le Conseil des arts de Montréal et le Conseil du patrimoine; par le fait même, elle a été renommée **édifice Gaston-Miron**.

››› *Empruntez la rue Cherrier, qui se détache de la rue Sherbrooke en face du monument dédié à La Fontaine.*

La **rue Cherrier** formait autrefois, avec le square Saint-Louis, à son extrémité ouest, le noyau du quartier résidentiel bourgeois canadien-français. Elle est bordée de jolies résidences cossues en pierre de taille, parfois divisées en duplex ou triplex.

››› *Tournez à droite dans la rue Saint-Hubert, bordée de beaux exemples d'architecture vernaculaire. Puis tournez à gauche dans la rue Roy.*

★ **Attraits**

1. AW Sanctuaire du Saint-Sacrement
2. AV Parc Albert-Saint-Martin
3. AW Avenue du Mont-Royal
4. DW Rue Fabre
5. DX Parc La Fontaine/Théâtre de Verdure/Statue de Sir Louis-Hippolyte La Fontaine
6. CY École Le Plateau
7. DY Obélisque de la place Charles-de-Gaulle
8. DZ Hôpital Notre-Dame
9. CZ Ancienne Bibliothèque centrale de Montréal/Édifice Gaston-Miron
10. BZ Rue Cherrier
11. AY Église Saint-Louis-de-France
12. AY Ancien Institut des sourdes-muettes
13. AY Rue Saint-Denis
14. AX Saint-Jude Espace Tonus/Le Livart
15. AX Rue Drolet
16. AX Église Saint-Jean-Baptiste
17. AX Ancien collège Rachel
18. AX Ancien hospice Auclair

● **Restaurants**

19. AX Au Pied de Cochon
20. AW Binerie Mont-Royal
21. DU Byblos
22. AZ Café Cherrier
23. DU Café Les Entretiens
24. AX Café Replika
25. CW Café Rico
26. AX Chasse-Galerie
27. AX ChuChai
28. CW Couscous Kamela
29. AW Crèmerie Meu Meu
30. CY Espace La Fontaine
31. AX Khyber Pass
32. AX L'Anecdote
33. AY L'Express
34. BX La Banquise
35. AY La Brûlerie Saint-Denis
36. BV La Raclette
37. AZ Le Nil Bleu
38. DV Le Pégase
39. CV Le Quartier Général
40. DU Le Sain Bol
41. BX Léo le Glacier
42. BX Ma Poule Mouillée
43. AY Mochica
44. AW Orienthé
45. AW Pintxo
46. CW St. Viateur Bagel & Café
47. DU Tri Express
48. AX Yokato Yokabai

■ **Achats**

49. CW Adam & Eve
50. AY Arthur Quentin
51. CW Au Diabolo
52. AX Au Festin de Babette
53. AW Avenue du Mont-Royal
54. CW Boulangerie Monsieur Pinchot
55. AW Boutique Courir
56. AX Carré Blanc
57. AW Céramic Café-Studio
58. BW Chez Farfelu
59. AW Deuxième Peau
60. AW Dix Mille Villages
61. DU Fous Desserts
62. AX Galerie Oboro
63. AY John Fluevog
64. AX Kanuk
65. AW L'Oblique
66. AW La Godasse
67. AX La Grande Ourse
68. DW La Maison du rôti
69. CW Le Boucanier par Atkins & Frères
70. DU Le Fromentier
71. DW Le Pétrin Fou
72. AW Le Port de tête
73. AW Le Valet d'Cœur
74. AX Les Chocolats de Chloé
75. AX,dw Les Co'pains d'Abord
76. AV Librairie Henri-Julien
77. AY Librairie Michel Fortin
78. AX Librairie Ulysse
79. CX Maison des cyclistes
80. BX Maison des Pâtes Fraîches
81. DU Maître affineur Maître corbeau
82. BW Multimags
83. AW Muse
84. AW Mycoboutique
85. AX Onze
86. AW Pâtisserie Au Kouign Amann
87. DU Pâtisserie Rhubarbe
88. AY Planète BD
89. AX Rachelle-Béry
90. AW Renaud-Bray
91. AW Rue Saint-Denis
92. AX Tau
93. AY Usine 106U
94. AX Zone

☽ **Bars et boîtes de nuit**

95. AX Bar L'Barouf
96. AW Bílý Kůň
97. BW Chez Baptiste
98. AW L'Escogriffe Bar Spectacle
99. DW La Distillerie
100. BX La Quincaillerie
101. BW Le Boudoir
102. AW Le Colonel Moutarde
103. CX Le Lab
104. AW Le Plan B
105. AW Le Salon Daomé
106. DW Le Verre Bouteille
107. AW Quai des Brumes

▲ **Hébergement**

108. DX Accueil Chez François
109. AX Anne ma sœur Anne
110. CX Auberge de La Fontaine
111. AZ Hôtel Kutuma
112. CZ Le Gîte du parc Lafontaine
113. AZ Le Gîte du Plateau Mont-Royal

Le Plateau Mont-Royal
Parc Laurier
rue Bibaud
LAURIER
av. Laurier Est
rue Resther
boul. Saint-Joseph Est
rue De Brébeuf
rue Chambord
rue De Lanaudière
rue Garnier
rue Fabre
rue Marquette
av. Papineau
rue Gilford
rue Villeneuve
rue Berri
rue Pontiac
rue St-Hubert
rue Saint-André
rue de Mentana
rue Poitevin
rue La Mennais
rue De Bienville
rue Saint-Denis
rue Boyer
rue Généreux
avenue du Mont-Royal Est
MONT-ROYAL
rue Drolet
rue Latreille
rue Marie-Anne Est
av. Christophe-Colomb
rue Rivard
rue Saint-Hubert
rue De La Roche
rue De Courville
av. Bureau
rue Rachel Est
av. Chaumont
av. Duluth Est
rue Saint-Christophe
rue Napoléon
av. De Chateaubriand
Parc La Fontaine
av. Émile-Duployé
av. Calixa-Lavallée
rue Roy
avenue des Pins
av. du Parc-La Fontaine
rue Sherbrooke Est
rue Bousquet
rue Cherrier
rue Panet
rue De Champlain
Square Saint-Louis
SHERBROOKE
rue de Rigaud
rue Montcalm
rue Beaudry
rue Plessis
0 200 400m
©ULYSSE

L'**église Saint-Louis-de-France** *(3747 rue Berri)*, aujourd'hui l'église évangélique La Restauration, fut reconstruite en 1936 après avoir été détruite par un incendie en 1933. On aperçoit d'ici le **parc du Mont-Royal** (voir p. 168) sur les hauteurs de la ville.

L'**ancien Institut des sourdes-muettes** *(3725 rue St-Denis; métro Sherbrooke)*, un vaste bâtiment en pierre grise composé de nombreuses ailes, construites par étapes entre 1881 et 1900, couvre un quadrilatère complet et est typique de l'architecture institutionnelle de l'époque au Québec. L'ensemble de style Second Empire accueillait autrefois les sourdes-muettes de la région. Abritant jusqu'à récemment l'Agence de la santé et des services sociaux de Montréal, cet important édifice patrimonial attendait sa nouvelle vocation au moment de mettre sous presse.

››› *Empruntez la rue Saint-Denis vers le nord.*

La section de la **rue Saint-Denis** ★★ *(www.ruesaintdenis.ca)* entre le boulevard De Maisonneuve, au sud, et le boulevard Saint-Joseph, au nord, est bordée de nombreux cafés-terrasses et de belles boutiques installées à l'intérieur d'anciennes demeures Second Empire de la deuxième moitié du XIXe siècle. On y trouve également plusieurs librairies et restaurants qui sont devenus au fil des ans de véritables institutions de la vie montréalaise.

Au sud de l'avenue Duluth, vous croiserez le **Saint-Jude Espace Tonus** *(3988 rue St-Denis; voir aussi p. 56)*, qui a su allier la façade, les voûtes et les vitraux de l'ancienne église Saint-Jude à sa vocation actuelle de salle de sport et de spa. À côté, **Le Livart** *(entrée libre; lun-ven 12h à 17h, mer jusqu'à 20h; 3980 rue St-Denis, 514-880-3980, http://lelivart.com)* loge dans l'ancien presbytère de l'église. Ce centre d'art contemporain vise à rendre l'art actuel accessible à tous avec ses espaces d'exposition, ses studios d'artistes et ses ateliers pour adultes et enfants.

››› *Tournez à gauche dans l'avenue Duluth, puis à droite dans la rue Drolet.*

La **rue Drolet** offre un bon exemple de l'architecture ouvrière des années 1870 et 1880 sur le Plateau, avant l'avènement de l'habitat vernaculaire, à savoir le duplex et le triplex dotés d'escaliers extérieurs tels qu'on a pu en apercevoir dans la rue Fabre. Vous serez surpris par la couleur des maisons : des briques vert amande, saumon, bleu nuit ou parme, recouvertes de lierre en été. À l'angle des rues Rachel et Drolet, on découvre l'église Saint-Jean Baptiste.

L'**église Saint-Jean-Baptiste** ★★ *(309 rue Rachel, www.eglisestjeanbaptiste.com; métro Mont-Royal)*, placée sous le vocable du saint patron des Canadiens français en général et des Québécois en particulier, est un gigantesque témoignage de la foi solide de la population catholique et ouvrière du Plateau Mont-Royal au tournant du XXe siècle, laquelle, malgré sa misère et ses familles nombreuses, a réussi à amasser des sommes considérables pour la construction d'églises somptueuses. Érigée en 1875, l'église fut la proie des flammes en 1898 et en 1911 avant d'être reconstruite en 1912. L'intérieur, quant à lui, fut repris selon des dessins de Casimir Saint-Jean, qui en fit un chef-d'œuvre du style néobaroque à voir absolument. Le baldaquin de marbre rose et de bois doré du chœur (1915) protège l'autel de marbre blanc d'Italie qui fait face aux grandes orgues Casavant du jubé, lesquelles comptent parmi les plus puissantes de la ville. L'église, qui peut accueillir 3 000 personnes assises, est le lieu de fréquents concerts.

En face de l'église, on peut voir l'**ancien collège Rachel**, construit en 1876 dans le style Second Empire. Enfin, à l'ouest de l'avenue Henri-Julien, se trouve l'**ancien hospice Auclair** de 1894, avec son entrée semi-circulaire donnant sur la rue Rachel.

››› Ⓜ *Avant de remonter la rue Saint-Denis jusqu'à l'avenue du Mont-Royal pour reprendre le métro, faites un crochet par la Librairie Ulysse (4176 rue St-Denis).*

Restaurants

Binerie Mont-Royal $

367 av. du Mont-Royal E., 514-285-9078,
www.labineriemontroyal.com

Avec son vieux décor formé de quelques tables et d'un comptoir, La Binerie Mont-Royal demeure un petit resto de quartier d'aspect modeste. Mais elle a bonne réputation grâce à ses spécialités traditionnelles québécoises (tourtière et fèves au lard, entre autres) et au roman d'Yves Beauchemin *Le Matou*, auquel elle sert de toile de fond.

Les ruelles : la face cachée de Montréal

Derrière les artères animées de la métropole se cache un fascinant réseau de quelque 450 km de voies secondaires qui sont autant de petits mondes en soi : les **ruelles** ★★. Rendez-vous depuis toujours des enfants montréalais qui y jouent à l'abri de la circulation automobile, les ruelles sont également envahies à la tombée du jour par une faune particulière, celle des chats errants. Durant les beaux jours, le badaud qui lève les yeux pourra y observer des alignements impromptus de « cordes à linge » avec leur kyrielle de vêtements colorés qui sèchent au soleil. Créées au XIXe siècle et autrefois bordées par d'imposants hangars qui servaient à l'entreposage d'objets de la vie courante, plusieurs de ces ruelles ont été splendidement aménagées par leurs résidents, avec parterres fleuris et murales colorées. La Ville de Montréal, par l'entremise de son programme d'action environnementale *Éco-quartier*, participe également à l'embellissement des ruelles depuis la fin des années 1990. Elle s'associe à des groupes de citoyens qui désirent remplacer une partie du bitume par des espaces verts et communautaires pour créer des ruelles vertes. Les citoyens s'engagent ensuite à entretenir ces îlots de verdure afin d'en assurer la viabilité à long terme. Une balade sur le Plateau Mont-Royal vous permettra d'en découvrir plusieurs. Peu à peu, des ruelles champêtres voient aussi le jour, où l'asphalte est complètement remplacé par des espaces verts. Voici quelques belles ruelles de Montréal que vous pourrez découvrir en explorant les quartiers couverts par ce guide.

Plateau Mont-Royal :

- la splendide ruelle champêtre dans le quadrilatère formé de l'avenue Henri-Julien, de la rue Drolet, de l'avenue des Pins et de la rue du Square-Saint-Louis;
- la voie secondaire entre la rue Drolet et l'avenue Henri-Julien, au nord de l'avenue du Mont-Royal;
- la petite ruelle Demers, qui relie l'avenue de l'Hôtel-de-Ville à l'avenue Henri-Julien, au nord de la rue Villeneuve;
- la ruelle Modigliani entre les rues De Brébeuf et Chambord au nord de la rue Gilford;
- la ruelle verte entre les rues De Mentana et Saint-André, au nord de la rue Gilford.

Mile-End :

- la minuscule rue Groll, qui relie les rues Saint-Urbain et Waverly au nord de la rue Fairmount.

Milton-Parc :

- le petit passage qui s'étend entre les rues Clark et Saint-Urbain au nord de la rue Milton.

Vous pouvez aussi profiter des services de l'organisme **Kaléidoscope** (voir p. 284), qui propose des visites guidées des ruelles vertes du Plateau.

Café Replika $

252 rue Rachel E., 514-903-4384

Ce sympathique café de quartier tenu par un adorable jeune couple de Stambouliotes propose de délicieuses spécialités turques, dont des *börek* (petits pains de pâte feuilletée fourrés aux épinards, au fromage...) et d'autres petits plats typiques des rues d'Istanbul. La grande salle lumineuse et l'ambiance relaxante invitent à s'attarder ici de longues heures, ou juste le temps d'un bon café.

Café Rico $

1215 av. du Mont-Royal E., 514-529-1321,

Le Café Rico est un petit torréfacteur qui se fait un devoir de n'utiliser que du café équitable certifié. L'ambiance simple, conviviale et lumineuse, mêlée aux bonnes odeurs de café fraîchement moulu, en font toujours un savoureux rendez-vous de quartier. On y déguste de bons petits plats simples et des pâtisseries.

Crèmerie Meu Meu $
4458 rue St-Denis, 514-288-5889

Voilà un excellent choix pour se rafraîchir en été. Ici les glaces sont faites à partir d'une riche et onctueuse crème anglaise, ce qui leur donne un petit goût particulier et les rend tout à fait irrésistibles. Quelques choix parmi les parfums originaux : lavande, vinaigre balsamique, caramel et sel...

La Banquise $
994 rue Rachel E., 514-525-2415,
www.restolabanquise.com

Ce restaurant ouvert jour et nuit est bien connu des résidents du Plateau qui viennent y apaiser leur fringale après la sortie du samedi soir. La spécialité : la poutine, dont plus de 20 variétés sont proposées. Service expéditif et odeurs de graillon compris.

La Brûlerie Saint-Denis $
3967 rue St-Denis, 514-286-9158,
www.brulerie.com

La Brûlerie Saint-Denis importe son café des quatre coins du monde et offre un des plus grands choix de moutures à Montréal. Les grains sont torréfiés sur place, ce qui donne à l'établissement un arôme tout à fait particulier. Des repas légers et des desserts y sont également proposés. Il existe plusieurs succursales à Montréal.

Léo le Glacier $
916 av. Duluth E., 514-528-2651

Léo se situe dans le peloton de tête des meilleurs glaciers de Montréal. Les crèmes glacées et sorbets sont faits maison à partir de produits naturels, et les parfums sont souvent inhabituels : Campari-pamplemousse, réglisse et chocolat-gingembre entre autres. À déguster dans le parc La Fontaine tout proche.

Ma Poule Mouillée $
969 rue Rachel E., 514-522-5175,
http://mapoulemouillee.ca

Cette agréable rôtisserie portugaise se spécialise dans le poulet grillé sur des charbons de bois. Délicieux, il se déguste avec frites ou salade, en sandwich, et même en poutine (avec fromage portugais et chorizo, un régal). Quelques tables permettent de manger sur place. Ou emportez le tout dans le parc La Fontaine, situé à deux pas.

Orienthé $
4511 rue St-Denis, 514-227-2464,
www.facebook.com/orienthemontreal

Débarrassez-vous de vos chaussures – et de vos soucis – à l'entrée, et chaussez les babouches mises à votre disposition. Vous pénétrez dans un salon de thé où le temps s'arrête et la détente est reine. Impossible de ne rester que quelques minutes ici, tant le lieu invite à la relaxation. Prenez donc le temps de déguster l'un des nombreux thés proposés, en vous laissant conseiller par un personnel très connaisseur.

St. Viateur Bagel & Café $
1127 av. du Mont-Royal E., 514-528-6361,
www.stviateurbagel.com

Cette succursale de la fameuse boulangerie du Mile-End (voir p. 186) propose aussi des déjeuners et, bien sûr, des *bagels*, garnis de saumon ou de fromage à la crème, entre autres.

Byblos $-$$
1499 av. Laurier E., 514-523-9396,
http://bybloslepetitcafe.ca

Au petit restaurant Byblos, aux apparences très simples et aux murs ornés de pièces d'artisanat perse, vous jouirez d'une ambiance à la fois discrète et exotique. On s'y retrouve autant pour déguster un thé que pour manger. La cuisine, raffinée et légère, recèle de petites merveilles de l'Iran, comme à l'heure du brunch, alors qu'une corbeille de petits pains est servie avec une confiture de pétales de rose.

Café Les Entretiens $-$$
1577 av. Laurier E., 514-521-2934,
www.cafelesentretiens.com

Une grande salle typique du Plateau, avec un plafond de tuiles gaufrées, quelques affiches et une atmosphère propice aux longs bavardages, voilà ce qu'on découvre dans ce café de quartier au menu affichant des salades et des sandwichs de toutes sortes, mais aussi une table d'hôte plus élaborée le soir venu.

Couscous Kamela $-$$
1227 rue Marie-Anne E., 514-526-881,
www.kamelacouscous.com

Rendez-vous chez Kamela pour sortir des endroits touristiques et vous régaler de couscous, tajines, bricks et pizzas. La cuisine est simple mais savoureuse, et l'accueil toujours agréable, dans ce petit local aux allures de caverne. Tous les plats peuvent aussi être livrés.

Espace La Fontaine $-$$
3933 av. du Parc-La Fontaine, 514-280-2525, http://espacelafontaine.com

Aménagé dans le chalet du parc La Fontaine, le café-resto Espace La Fontaine est un endroit agréable pour prendre une bouchée (soupes, sandwichs) ou un repas plus élaboré de style bistro (moules, canard confit, tartare, poisson selon les arrivages), surtout en été lorsqu'on peut s'installer sur la terrasse pour manger en plein air, au cœur du parc. Le reste de l'année, on peut prendre place dans la grande salle à manger du chalet, lumineuse, qui accueille des expositions d'art.

L'Anecdote $-$$
801 rue Rachel E., 514-526-7967

L'Anecdote prépare des plats simples et réconfortants : hamburgers (le numéro 4 est particulièrement recommandé!), omelettes, sandwichs et petits déjeuners concoctés à partir de produits de qualité. On y retrouve un décor de *diner* des années 1950 : de vieilles pubs de Coke et des affiches de films ornent les murs.

Le Sain Bol $-$$
5095 rue Fabre, 514-524-2292, http://lesainbol.wixsite.com/restaurant

Ce joli petit restaurant de quartier est tenu de main de maître par son chef-propriétaire-serveur. Les quelques tables sont vite remplies le midi, et l'on y déguste des plats du jour concoctés à partir d'ingrédients biologiques fournis par des producteurs locaux. Le résultat est aussi beau que bon, et toujours original. Le vendredi soir, sur réservation, le chef prépare et sert un menu surprise, en fonction des meilleures trouvailles du marché. Veuillez noter par contre que, faute de permis, on ne peut consommer d'alcool dans cet établissement.

ChuChai $$
4088 rue St-Denis, 514-843-4194, www.chuchai.com

ChuChai ose innover, et il faut l'en féliciter. Ici, on a imaginé une cuisine thaïlandaise végétarienne qui donne dans le pastiche : crevettes végétariennes, poisson végétarien et même bœuf ou porc végétarien. L'imitation est extraordinaire, au point qu'on passe la soirée à se demander comment c'est possible. Le résultat est délicieux et ravit la clientèle diversifiée qui se presse dans sa salle modeste ou sur la terrasse.

La Banquise.

La poutine dans tous ses états

Considérée par plusieurs comme le plat national québécois, la poutine (des patates frites nappées d'une sauce brune et recouvertes de fromage en grains) est souvent proposée en maintes variétés, mais elle s'est aussi faufilée au menu des plus grandes tables en prenant des airs gastronomiques. Voici quelques variantes intéressantes, pour gourmands et gourmets :

- La poutine au homard, au Garde-Manger p. 68
- La poutine au foie gras, au Pied de Cochon p. 158
- Une vingtaine de variétés originales, à La Banquise p. 156
- La patatine aux légumes, chez Patati Patata p. 127
- Confectionnez votre propre poutine, chez Poutineville p. 196
- La poutine au curry, chez Chef Guru p. 126
- La poutine au canard, chez La Boulette p. 195
- La poutine portugaise chez Ma Poule Mouillée p. 156

Yokato Yokabai $$
4185 rue Drolet, angle rue Rachel, 514-282-9991

Affichant le décor chaleureux des *izakaya* japonais, Yokato Yokabai propose un court menu de soupes *ramen* et quelques plats d'accompagnement. Les soupes sont délicieuses, avec leur savoureux bouillon d'os de porc et leurs ingrédients de première qualité (porc, poulet, œufs, algues...).

Café Cherrier $$-$$$
3635 rue St-Denis, 514-843-4308,
www.cafecherrier.ca

Lieux de rencontre par excellence de tout un contingent de professionnels, la terrasse et la salle du Café Cherrier ne désemplissent pas. L'atmosphère de brasserie française y est donc très animée avec beaucoup de va-et-vient, ce qui peut donner lieu à d'agréables rencontres. Le menu affiche des plats de bistro généralement savoureux. Ouvert tous les jours du petit déjeuner jusqu'à 23h.

Khyber Pass $$-$$$
506 av. Duluth E., 514-844-7131

Derrière sa façade boisée et originale, l'exotique et chaleureux restaurant Khyber Pass sert une cuisine traditionnelle afghane qui ouvre la voie à un amalgame de saveurs étonnantes et recherchées. Le service est attentionné, mais pas toujours très rapide. Agréable terrasse arrière en été.

Le Nil Bleu $$-$$$
3706 rue St-Denis, 514-285-4628,
www.nilbleurestaurant.com

La cuisine délicieuse du restaurant éthiopien Le Nil Bleu vaut certainement le déplacement, ne serait-ce que pour manger de façon traditionnelle, de la main droite, un choix de viandes et de légumes enroulés dans une énorme crêpe, communément appelée *injera*. Son décor se révèle élégant et chaleureux et son ambiance tamisée est propice à un dîner en tête-à-tête.

Le Quartier Général $$-$$$
1251 rue Gilford, 514-658-1839,
www.lequartiergeneral.ca

Les plats de bistro français parfaitement exécutés et la formule « apportez votre vin » du Quartier Général ont rapidement assuré le succès de ce restaurant de quartier. Le décor classique et convivial, la cuisine à aire ouverte et le service sympathique y sont certainement aussi pour quelque chose. Réservations recommandées.

Tri Express $$-$$$
1650 av. Laurier E., 514-528-5641,
www.triexpressrestaurant.com

Même s'il est Vietnamien, le propriétaire de ce petit restaurant a choisi la gastronomie nippone pour émerveiller sa clientèle. Ici, la présentation des assiettes est aussi soignée que la cuisine. Dans ce microenvironnement éclectique de l'avenue Laurier, qualité et simplicité se sont alliées pour le plus grand bonheur de tous.

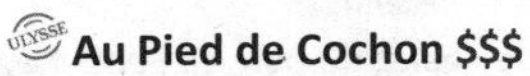
Au Pied de Cochon $$$
536 av. Duluth E., 514-281-1114,
www.restaurantaupieddecochon.ca

L'un des établissements les plus recherchés par les visiteurs à Montréal, le bistro du chef Martin Picard est dédié à la bonne chère. Ici, il ne faut pas avoir peur de tomber dans l'excès : essayez le généreux plateau de fruits de mer en saison, le boudin maison, ou encore, si vous êtes un peu plus audacieux, la tête de cochon, la poutine au foie gras ou le canard en conserve. Les portions sont gargantuesques et l'ambiance est souvent bruyante. Réservations conseillées.

L'Express $$$
3927 rue St-Denis, 514-845-5333,
http://restaurantlexpress.com

L'Express est à juste titre un incontournable de la scène culinaire de Montréal grâce à son atmosphère de bistro parisien animé, son service professionnel, son menu classique et son impressionnante carte des vins. Les noctambules apprécieront la cuisine ouverte jusqu'à 2h du matin tous les jours, et les autres profiteront du petit déjeuner « à la française ».

La Raclette $$$
1059 rue Gilford, 514-524-8118,
www.laraclette.ca

Restaurant de quartier très prisé pendant les belles soirées d'été en raison de son attrayante terrasse, La Raclette plaît pour son menu, où l'on retrouve des plats tels que la raclette (bien sûr), mais aussi bien d'autres savoureuses spécialités suisses.

Le Pégase $$$
1831 rue Gilford, 514-522-0487,
www.lepegase.ca

Installé dans une maison centenaire, le restaurant Le Pégase élabore une cuisine traditionnelle française variée et d'une grande qualité. De l'entrée au dessert, on ne sait quel plat choisir pour satisfaire ses papilles. Qu'à cela ne tienne, autant prendre la table d'hôte! Une très agréable expérience culinaire.

Mochica $$$
3863 rue St-Denis, 514-284-4448,
www.restaurantmochica.com

Dans un décor élégant aux murs ornés de reproductions de vestiges de l'ancienne civilisation mochica, le chef vous invite à un voyage dans

Café Cherrier.

le nord du Pérou, son bout de pays. Son point fort demeure les poissons, cuits ou en *ceviche*, mais la carte regorge d'autres plats typiques, dont du lama (élevé au Québec). Après avoir pris un *pisco sour* en apéritif, vous pourrez faire un choix de vins péruviens intéressants.

Pintxo $$$
330 av. du Mont-Royal E., 514-844-0222, www.pintxo.ca

Voilà un petit bonheur de resto à découvrir au plus vite. Que vous sortiez en amoureux ou en groupe, Pintxo semble magiquement se prêter à toutes les circonstances. Le chef Alonso Ortiz, fier Mexicain ayant fait ses classes auprès de non moins fiers grands maîtres de la cuisine basque, vous délectera par ses petites bouchées (les fameux *pintxos,* tapas du Pays basque) et ses plats tout en finesse.

Chasse-Galerie $$$$
4110 rue St-Denis, 514-419-9601, www.lechassegalerie.com

Dans ce nouveau restaurant de la rue Saint-Denis, les techniques précises de la cuisine française s'allient aux produits québécois pour créer des plats raffinés qui surprennent sans dérouter. Ici, le sucré se mêle au salé (meringue et mousse de foie gras rehaussées de yuzu confit), les saveurs franches aux textures riches et soyeuses (purée de pommes de terre aux champignons sauvages et aux truffes). Un bémol : le service un brin incertain, lacune sans doute expliquée par le fait que l'établissement venait d'ouvrir lors de notre passage.

Achats

Le Plateau compte deux importantes artères commerciales. D'abord la **rue Saint-Denis** *(www.ruesaintdenis.ca)*, dont la portion comprise entre le boulevard Saint-Joseph et la rue Sherbrooke constitue un véritable pôle d'attraction les fins de semaine. Elle est parsemée de librairies, de boutiques de désigners de mode québécois et de prêt-à-porter. Pour sa part, l'**avenue du Mont-Royal** *(www.mont-royal.net)* bourdonne d'activité de jour comme de nuit. Du petit café à la bonne boulangerie, de la quincaillerie de quartier au disquaire d'occasion, sans oublier les friperies et autres boutiques de vêtements tendance à prix abordable, elle saura plaire aux amateurs de lèche-vitrine.

Alimentation

Au Festin de Babette
4085 rue St-Denis, 514-849-0214, www.festindebabette.com

En été, une sympathique terrasse où l'on peut siroter un espresso comme à Paris ou déguster à son aise l'un de leurs délicieux sorbets ou crèmes glacées; en hiver, une petite caverne d'Alibaba qui regorge de produits fins.

Boulangerie Monsieur Pinchot
4354 rue De Brébeuf, 514-522-7192

Si vous souhaitez faire un petit pique-nique, pénétrez dans cette boulangerie artisanale, mignonne comme tout, qui propose de délicieux produits de qualité.

Fous Desserts

809 av. Laurier E., 514-273-9335, www.fousdesserts.com

Une de nos adresses sucrées préférées, la pâtisserie Fous Desserts confectionne des gâteaux, tartes, chocolats et autres viennoiseries à faire craquer n'importe quel gourmand. Selon plusieurs, c'est ici qu'on trouve les meilleurs croissants à Montréal.

La Maison du rôti

1969 av. du Mont-Royal E., 514-521-2448, www.lmdr.net

Une institution du Plateau qui confectionne un grand nombre de charcuteries artisanales. La boucherie propose aussi d'excellentes pièces de viande et de la volaille.

Le Boucanier par Atkins & Frères

1217 av. du Mont-Royal E., 514-439-6566, www.facebook.com/leboucanierAtkins

On y trouve une grande variété de poissons fumés sur place, en plus d'un excellent magret de canard fumé et une sélection de fromages. Plusieurs plats pour emporter. Une belle adresse pour préparer un pique-nique.

Le Fromentier

1375 av. Laurier E., 514-527-3327, www.lefromentier.com

Le Fromentier est une boulangerie artisanale qui offre une large gamme de pains tous plus délicieux les uns que les autres. Il est encore possible d'y voir les boulangers s'affairer aux fourneaux. Bonne sélection de fromages sur place.

Le Pétrin Fou

1592 av. du Mont-Royal E., 514-903-5949, www.facebook.com/LePetrinFou

Il faut en effet être fou pour offrir jusqu'à une vingtaine de variétés de pains quotidiennement! Que ce soit aux olives, lardons et fromage bleu, aux bleuets, pacanes et sirop d'érable, ou tout simplement multigrain, vous y trouverez certainement un pain à votre goût.

Les Chocolats de Chloé

546 av. Duluth E., 514-849-5550, www.leschocolatsdechloe.com

Chloé Germain-Fredette, artisane chocolatière et propriétaire de cette ravissante petite boutique du Plateau, ose des mariages originaux qui ravissent les papilles : fleur de sel, thé vert ou piment d'Espelette. Demandez un assortiment.

Les Co'pains d'Abord

418 rue Rachel E., 514-564-5920; 1965 av. du Mont-Royal E., 514-522-1994; 2727 rue Masson, 514-593-1433; http://boulangerielescopainsdabord.com

On y propose une grande variété de pains, viennoiseries et pâtisseries, ainsi que quelques spécialités bretonnes (gâteau breton, *kouign amann*), des sandwichs, des pâtés, des tourtières et des pizzas, tous d'une qualité irréprochable. Un bon endroit pour faire le plein de provisions ou tout simplement pour prendre une bouchée le midi.

Maison des Pâtes Fraîches

865 rue Rachel E., 514-527-5487, www.lamaisondespatesfraiches.com

La Maison des Pâtes Fraîches est une délicieuse épicerie fine aux odeurs d'Italie. Des fromages, des olives des charcuteries, des biscuits et des *gelati*, et bien sûr, de délicieuses pâtes et leurs sauces onctueuses : vous y trouverez de tout pour vous concocter un bon petit repas. De plus, on y prépare sur place des plats chauds, savoureux et abordables qui font le bonheur des gens du quartier!

Maître affineur Maître corbeau

5101 rue Chambord, 514-528-3293, www.fromagerie-maitrecorbeau.com

Une excellente fromagerie de quartier qui porte un nom de circonstance...

Mycoboutique

4324 rue St-Denis, 514-223-6977, www.mycoboutique.ca

Vous trouverez tout ce qui est lié de près ou de loin aux champignons dans cette boutique ultra-spécialisée, dont une très bonne sélection de champignons frais et séchés. Ils organisent même des cueillettes en forêt.

Pâtisserie Au Kouign Amann

322 av. du Mont-Royal E., 514-845-8813

Dans cette petite pâtisserie du Plateau Mont-Royal, les croissants et les pains au chocolat sont délicieux. Mais le *kouign amann*, spécialité bretonne débordante de beurre et de sucre, est un pur chef-d'œuvre. Préparés tout au long de la journée, ces petits gâteaux bretons sont souvent encore chauds au moment d'en acheter.

Pâtisserie Rhubarbe

5091 rue De Lanaudière, 514-903-3395, www.patisserierhubarbe.com

Aussi belles que bonnes, les confections sucrées de Rhubarbe valent le détour. Quelques tables permettent de faire durer le plaisir d'admirer toutes ces œuvres derrière la vitrine que l'on aimerait goûter. Délicieux brunchs le dimanche.

Rachelle-Béry
505 rue Rachel E., 514-524-0725,
www.rachellebery.ca

Première épicerie de la chaîne Rachelle-Béry à avoir ouvert ses portes, à l'angle des rues Rachel et Berri, Rachelle-Béry compte aujourd'hui quelques consœurs *(notamment au 4810 boul. St-Laurent, 514-849-4118 et au 2346 rue Beaubien E., 514-727-2327)*. Il s'agit de grands magasins d'aliments et de produits naturels.

Tau
4238 rue St-Denis, 514-843-4420,
www.marchestau.com

Tau offre une vaste gamme de produits naturels. Savons, produits médicinaux, aliments en vrac, fruits et légumes biologiques, petits plats préparés : tout pour prendre soin de sa santé!

Articles de cuisine

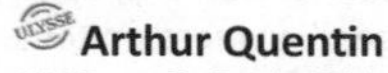
Arthur Quentin
3960 rue St-Denis, 514-843-7513,
www.arthurquentin.com

Pour recevoir « comme du monde », Arthur Quentin propose à sa clientèle un joli choix de vaisselles, de nappes et d'ustensiles, depuis le presse-ail jusqu'à la pince à sucre pour éviter de se coller les doigts!

Artisanat

Dix Mille Villages
4367 rue St-Denis, 514-848-0538;
5675 av. de Monkland, 514-483-6569;
www.dixmillevillages.ca

Le commerce équitable est le fer de lance de cette chaîne de petites boutiques d'artisanat. On y présente des objets, décoratifs le plus souvent, d'Asie, d'Afrique et d'Amérique du Sud.

Cadeaux et souvenirs

Céramic Café-Studio
4338 rue St-Denis, 514-848-1119,
www.leccs.com

Si vous cherchez une idée originale de cadeau, Céramic vous offre la possibilité de peindre vous-même une pièce de céramique ou de verre tout en étant confortablement installé

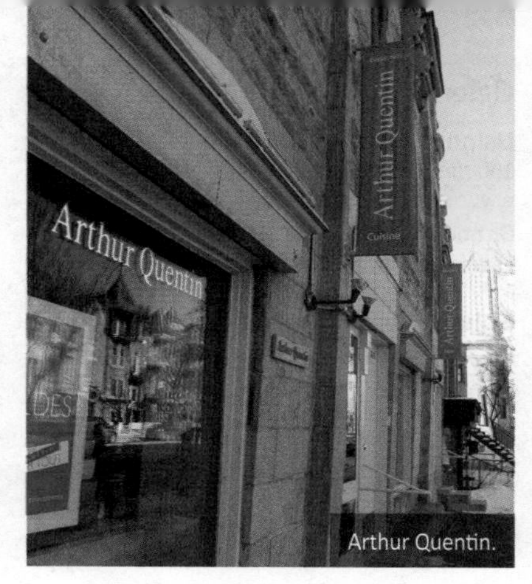

Arthur Quentin.

devant un léger repas ou une boisson. Le personnel expérimenté est là pour vous conseiller.

Chez Farfelu
843 av. du Mont-Royal E., 514-528-6251,
www.chezfarfelu.com

Si vous n'avez pas trouvé ce qu'il vous faut, rendez-vous chez Farfelu, qui regorge de rubans colorés et de papiers d'emballage, de quoi faire les plus beaux paquets-cadeaux.

Chaussures

John Fluevog
3857 rue St-Denis, 514-509-1627,
www.fluevog.com

Ce créateur vancouvérois fabrique des chaussures originales, chics et tendance pour hommes et femmes.

La Godasse
4419 rue St-Denis, 514-843-0909,
www.lagodasse.ca

Adidas, Puma, Le Coq Sportif et Nike, bref, toutes les chaussures urbaines dernier cri sont en vente chez La Godasse.

Déco

Zone
4246 rue St-Denis, 514-845-3530; 5014 rue Sherbrooke O., 514-489-8901; 5555 ch. de la Côte-des-Neiges, 514-343-5455;
www.zonemaison.com

Vous avez un cadeau à offrir, mais vous manquez d'idées? Courez vite chez Zone, où, avec leurs bougeoirs stylisés, leurs porte-savons déco ou leurs luminaires d'ambiance, vous ferez sûrement des heureux.

Galeries d'art

Usine 106U

160 rue Roy E., 514-728-9349,
www.usine106u.com

On trouve ici une foule de petits objets d'art modernes et différents, à des prix souvent abordables.

Galerie Oboro

4001 rue Berri, local 301, 514-844-3250,
www.oboro.net

Art contemporain et nouveaux médias.

Jeux et jouets

Au Diabolo

1390 av. du Mont-Royal E., 514-528-8889

Un véritable paradis des jeux et des jouets, pour les tout-petits, les moins petits... et les grands enfants de tous âges!

La Grande Ourse

263 av. Duluth E., 514-847-1207,
http://lagrandeourse.jimdo.com

Ce magasin vend principalement de beaux jouets en bois, dont la plupart sont fabriqués par des artisans québécois.

Le Valet d'Cœur

4408 rue St-Denis, 514-499-9970,
www.levalet.com

Jouer n'est plus le monopole des tout-petits grâce au Valet d'Cœur, qui recèle mille et un jeux pour les enfants de tous âges. Vaste choix de casse-têtes en trois dimensions, jeux de dames ou d'échecs, jeux de société et bien d'autres choses encore.

Journaux

Multimags : 825 av. du Mont-Royal E., 514-523-3158; 370 av. Laurier O., 514-272-9954; 1682 av. du Mont-Royal E., 514-525-8976

Librairies

Planète BD

3883 rue St-Denis, 514-759-9800,
www.planetebd.blogspot.com

Librairie spécialisée en bandes dessinées neuves.

Le Port de tête

262 av. du Mont-Royal E., 514-678-9566,
www.leportdetete.com

Une excellente librairie (livres neufs et d'occasion) avec un très bon rayon de bandes dessinées et de livres pour enfants.

Librairie Michel Fortin

3714 rue St-Denis, 514-849-5719,
www.librairiemichelfortin.com

Librairie spécialisée en éducation et dans les méthodes d'apprentissage des langues, notamment avec support audio.

Renaud-Bray

4380 rue St-Denis, 514-844-2587,
www.renaud-bray.com

Grande librairie, avec aussi des disques, des revues, des jeux... Plusieurs autres succursales en ville.

Librairie Ulysse

4176 rue St-Denis, 514-843-9447,
www.guidesulysse.com

En plus d'une grande variété de guides maison et de livres liés au voyage en provenance d'autres éditeurs francophones et anglophones, la Librairie Ulysse propose une belle sélection de cartes routières et de plans de villes.

Librairie Henri-Julien : *francophone;*
4800 av. Henri-Julien, 514-844-7576,
www.librairie-henri-julien.com

Spécialisée dans les anciennes éditions, cette vieille librairie qui regorge d'ouvrages en tous genres cache de nombreux trésors.

Literie

Carré Blanc

3999 rue St-Denis, 514-847-0729,
www.facebook.com/CarreBlancMontreal

Parce que le blanc reflète la totalité des couleurs, Carré Blanc offre un grand choix de draps et de taies de toutes couleurs à des prix abordables, pour une nuit « sans moutons ».

Musique

L'Oblique

4333 rue Rivard, 514-499-1323,
www.facebook.com/Boutiqueloblique

Installé sur le Plateau Mont-Royal depuis longtemps, L'Oblique tient une belle gamme de disques de musique alternative et actuelle.

Plein air

Boutique Courir

4452 rue St-Denis, 514-499-9600,
www.boutiquecourir.com

Course à pied, ski de fond, triathlon, cyclisme, marche et randonnée sont les spécialités de la Boutique Courir.

Kanuk

485 rue Rachel E., 514-527-4494,
https://kanuk.com

L'entreprise Kanuk fabrique des sacs à dos, des sacs de couchage et des vêtements de plein air, notamment des manteaux d'hiver de qualité. Aménagé près d'une de leurs manufactures, le vaste entrepôt de la rue Rachel permet d'acheter leurs produits.

Maison des cyclistes

1251 rue Rachel E., 514-521-8356,
www.velo.qc.ca/fr/La-Maison-des-cyclistes

La Maison des cyclistes, comme son nom l'indique, propose différents services aux amateurs de vélo. On y trouve entre autres un café et une boutique qui vend des guides, des cartes et de petits accessoires qui peuvent être utiles à ceux qui désirent explorer Montréal et même le Québec à vélo. Elle abrite aussi les bureaux de Vélo Québec.

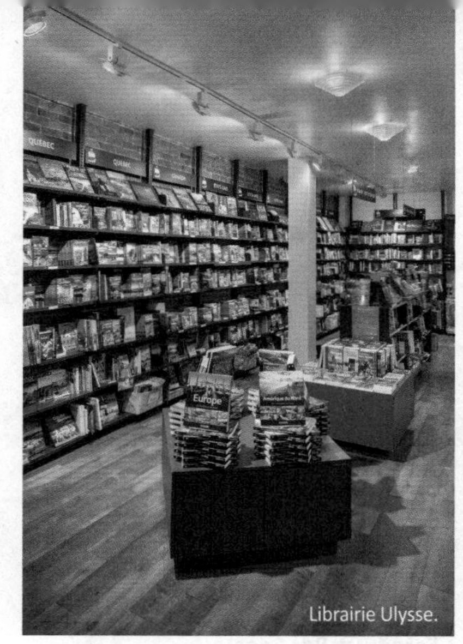
Librairie Ulysse.

Vêtements et accessoires

Deuxième Peau

4457 rue St-Denis, 514-842-0811,
http://deuxiemepeau.com

Vous trouverez à la boutique Deuxième Peau de la très belle lingerie.

Adam & Eve

1208 av. du Mont-Royal E., 514-528-8130,
www.facebook.com/Boutiqueadameteve

Cette boutique de vêtements de mode pour hommes et femmes propose des vêtements de créateurs tant locaux qu'internationaux.

Muse

4467 rue St-Denis, 514-848-9493,
www.muse-cchenail.com

Une boutique de prêt-à-porter pour femmes libres et romantiques, qui appartient au créateur de la griffe, Christian Chenail.

Onze

4146 St-Denis, 514-223-6938; 4151 boul. St-Laurent, 514-844-2662; 6405 rue St-Hubert, 514-439-7181; www.boutiqueonze.ca

Onze vend de jolis vêtements originaux à prix raisonnable.

Bars et boîtes de nuit

Bar L'Barouf

4171 rue St-Denis, 514-844-0119

Avec sa grande salle moderne aux hauts plafonds, son ambiance bon enfant et sa bonne sélection de bières, L'Barouf attire son lot d'habitués. Les amateurs de soccer (football européen), de rugby et de hockey s'y retrouvent lors des grands rendez-vous sportifs pour profiter des grands écrans qui retransmettent les rencontres en direct.

ULYSSE Bílý Kůň

354 av. du Mont-Royal E., 514-845-5392,
www.bilykun.com

Bílý Kůň offre un vaste choix de bières d'excellente qualité et à bon prix. Avec un décor original orné de cous d'autruches empaillés, l'atmosphère est sympathique et surtout branchée!

Le Boudoir

850 av. du Mont-Royal E., 514-526-2819

Grande sélection de bières de microbrasseries de whiskys et de scotchs. Une table de billard ainsi qu'un jeu de soccer sur table (*baby-foot*) sont mis à la disposition des clients.

Quai des Brumes

4481 rue St-Denis, 514-499-0467,
www.quaidesbrumes.ca

Véritable institution montréalaise et un bon endroit pour prendre un verre au cœur du Plateau, le chaleureux Quai des Brumes propose une programmation variée toute la semaine (folk, rock, jazz, blues, etc.).

Chez Baptiste
1045 av. du Mont-Royal E., 514-522-1384,
http://chezbaptiste.com

Il existe des petits bars qui ne paient pas de mine mais où l'on se sent bien. Chez Baptiste fait partie de ces bars de quartier où l'on se retrouve autour d'une bonne bière en fin de journée. La clientèle en soirée, plus jeune, emplit de bruit l'établissement qui donne vie, comme beaucoup d'autres, à l'avenue du Mont-Royal.

Le Colonel Moutarde
4418 rue St-Denis, 438-385-4418,
http://colonelmoutarde.ca

Voilà un concept original et amusant : ce resto-bar convivial est également un salon de jeux de société à jouer à deux ou en groupe. Salades, sandwichs, pizzas, charcuteries et autres bouchées accompagnent les bières et cocktails au menu.

L'Escogriffe Bar Spectacle
4467A rue St-Denis, 514-842-7244,
www.facebook.com/lescomontreal

Situé non loin de la station de métro Mont-Royal, « L'Esco » est un bon vieux bar de quartier. L'ambiance y est parfois électrisante la fin de semaine ou bien animée par des musiciens de la relève qui jouent des airs de rock-and-roll.

La Distillerie
2047 av. du Mont-Royal E., 514-448-2461,
www.pubdistillerie.com

Une clientèle jeune et pleine d'entrain se retrouve à La Distillerie pour s'abreuver de cocktails ingénieux et profiter d'un bon choix de rhums. L'ambiance et les prix alléchants créent de longues files d'attente les fins de semaine.

La Quincaillerie
980 rue Rachel E., 514-524-3000,
www.laquincaillerie.ca

Le nom rappelle que l'endroit était autrefois occupé par une véritable quincaillerie. Les nouveaux venus ont donc décoré et redoré les lieux avec goût et minutie. Le design est attrayant : des murs noirs, de grandes ardoises, des tables en teck, des plafonds hauts et même des petits lapins qui fument sur de superbes casiers de bois.

Le Plan B
327 av. du Mont-Royal E., 514-845-6060,
www.barplanb.ca

Le Plan B n'est en rien un... plan *b*. Son emplacement enviable en fait l'un des petits bars les plus appréciés des jeunes du Plateau Mont-Royal. Un endroit où l'on aime s'asseoir au zinc et consulter une carte qui nous offre une belle variété de bières, de whiskys et... d'eaux! Le décor est sobre, la musique est bonne et la terrasse, quoique petite, est un privilège pour ceux qui y trouvent une place.

Le Salon Daomé
141 av. du Mont-Royal E., 514-982-7070,
www.lesalondaome.com

Un salon, en effet! Le Daomé a cette particularité de s'apparenter à un riche loft urbain. On peut autant s'assoupir dans une causeuse confortable que faire résonner l'immense plancher de danse toujours saturé. Un DJ assume pleinement sa responsabilité de faire bouger les plus beaux « spécimens » du coin.

Le Verre Bouteille
2112 av. du Mont-Royal E., 514-521-9409,
www.verrebouteille.com

Ouvert depuis 1942, Le Verre Bouteille est l'un des derniers bastions de musique québécoise sur le Plateau. Les fins de semaine, des chansonniers brûlent les planches pour divertir le public. Ambiance relâchée et service de bon aloi.

Le Lab
1351 rue Rachel E., 514-544-1333,
http://barlelab.com

Les amateurs de cocktails apprécieront cet endroit intime situé en face du parc La Fontaine. Mélanges traditionnels ou inusités y sont proposés, mais aussi les bières et les alcools plus habituels.

Culture et divertissement

Salles de spectacle

La Tulipe
4530 av. Papineau, 514-529-5000 ou 855-790-1245, www.latulipe.ca

Concerts variés.

Centre du Théâtre d'Aujourd'hui
3900 rue St-Denis, 514-282-3900,
www.theatredaujourdhui.qc.ca

Théâtre contemporain.

Théâtre de Verdure
parc La Fontaine, 514-872-4545,
www.accesculture.com

Concerts et spectacles variés.

Théâtre du Rideau Vert
4664 rue St-Denis, 514-844-1793,
www.rideauvert.qc.ca

Théâtre classique et contemporain.

Théâtre La Licorne
4559 rue Papineau, 514-523-2246,
www.theatrelalicorne.com

Théâtre contemporain.

Hébergement

Le Gîte du parc Lafontaine $-$$
début juin à fin août; 1250 rue Sherbrooke E.,
514-522-3910 ou 877-350-4483,
www.hostelmontreal.com

Au Gîte du parc Lafontaine, une auberge de jeunesse aménagée dans une maison centenaire, les clients peuvent profiter de chambres meublées ou de dortoirs, d'une cuisine, d'un salon, d'une buanderie, d'une terrasse, d'un accueil sympathique et surtout d'une situation géographique favorable : à deux pas du parc La Fontaine et non loin de la rue Saint-Denis.

Le Gîte du Plateau Mont-Royal $-$$
185 rue Sherbrooke E., 514-284-1276 ou
877-350-4483, www.hostelmontreal.com

Dans le même style que le Gîte du parc Lafontaine (voir ci-dessus), le Gîte du Plateau Mont-Royal est une magnifique maison de ville de trois étages avec terrasse sur le toit, typique du quartier avec ses poutres de bois et ses hauts plafonds. On y propose des chambres simples, doubles, triples, quadruples et des dortoirs (dont un sur le toit, pour vivre en plein air en pleine ville!). Accueil sympathique.

Anne ma sœur Anne $$-$$$$
4119 rue St-Denis, 514-281-3187 ou
877-281-3187, www.annemasoeuranne.com

Nichées dans un bel édifice en pierre datant du XIXe siècle, les chambres-studios d'Anne ma sœur Anne offrent une formule intéressante en plein cœur du Plateau. Décorées très sobrement, elles sont aisément modulables en bureaux le jour, grâce au mobilier mural intégré, et chacune d'elles offre d'une cuisinette entièrement équipée.

Accueil Chez François $$$
4031 av. Papineau, 514-239-4638,
www.chezfrancois.ca

Bien qu'il soit situé sur la très passante avenue Papineau, ce gîte est très appréciable pour ses cinq chambres très confortables (celles donnant sur la rue sont bien insonorisées), son accueil irréprochable et sa localisation face au parc La Fontaine. Les chambres les plus économiques partagent une salle de bain, mais toutes permettent de profiter d'un petit déjeuner pantagruélique.

Auberge de La Fontaine.

Auberge de La Fontaine $$$$
1301 rue Rachel E., 514-597-0166 ou
800-597-0597, www.aubergedelafontaine.com

Si vous cherchez un établissement sachant allier charme, confort et tranquillité, descendez à l'Auberge de la Fontaine, qui, en plus d'abriter une vingtaine de chambres de style champêtre, se trouve en face du beau parc La Fontaine. Un sentiment de calme et de bien-être vous envahira dès l'entrée. Le petit déjeuner, de type buffet, est bon et copieux.

Hôtel Kutuma $$$$
3708 rue St-Denis, 514-844-0111 ou
866-358-8862, www.kutuma.com

Ce petit hôtel de charme propose neuf chambres chaleureuses, dont la décoration et les meubles assurent une belle ambiance africaine (ce n'est pas un hasard s'il se trouve au-dessus du restaurant éthiopien **Le Nil Bleu**, voir p. 158). Elles sont toutes équipées d'un coin-cuisine et offrent un confort où rien ne manque, certaines profitant même d'une cheminée.

Le mont Royal

Bon à savoir

Le mont Royal se visite en toutes saisons. Ceux qui préféreront descendre plutôt que monter prendront le bus (ligne 11, départ de la station de métro Mont-Royal) pour commencer la visite au lac aux Castors.

Attraits

une journée

Le **mont Royal** ★★★, nommé ainsi par Jacques Cartier en 1535, est un point de repère important dans le paysage montréalais, autour duquel gravitent les quartiers centraux de la ville. Appelée simplement « la montagne » par les citadins, cette masse trapue de 233 m de haut à son point culminant est en fait le « poumon vert » de Montréal. Elle est recouverte d'arbres matures et apparaît à l'extrémité des rues du centre-ville, exerçant un effet bénéfique sur les Montréalais, qui ainsi ne perdent jamais totalement contact avec la nature. La montagne est protégée depuis 2003 par le statut d'Arrondissement historique et naturel du Mont-Royal. Un chemin de ceinture, en cours d'aménagement depuis quelques années, rendra accessible aux piétons et aux cyclistes un parcours d'une dizaine de kilomètres autour de la montagne. Certains tronçons sont déjà accessibles, mais sa finalisation est prévue au cours de l'année 2017.

La montagne comporte en réalité trois sommets : le sommet Mont-Royal, le sommet Outremont et le sommet Westmount, du nom de la ville autonome aux belles demeures de style anglais. Les cimetières catholique, protestant et juifs de la montagne y forment ensemble la plus vaste nécropole du continent nord-américain.

Pour vous rendre au point de départ du circuit à partir du centre-ville, prenez l'autobus 80 en direction nord à la station de métro Place-des-Arts et descendez face au parc Jeanne-Mance, tout juste au nord de l'avenue Duluth. Si vous partez du Plateau Mont-Royal, prenez l'autobus 11 à la station de métro Mont-Royal, descendez à l'angle de l'avenue du Parc et de l'avenue du Mont-Royal et marchez vers le sud jusqu'au monument à Sir George-Étienne Cartier.

Vous pourrez entamer votre visite du mont Royal à l'imposant **monument à Sir George-Étienne Cartier**, élevé en honneur de l'un des pères de la Confédération canadienne et inauguré en 1919. Les abords du monument sont un lieu de rassemblement populaire pendant la saison estivale, alors que des centaines de Montréalais s'y rendent pour danser aux rythmes des *Tam-Tams* (voir l'encadré p. 169). Un peu plus au sud du monument se trouve le **pavillon Mordechai-Richler**, inauguré en 2016 et dédié au célèbre auteur anglophone mon-tréalais des romans *L'apprentissage de Duddy Kravitz* et *Solomon Gursky*, qui a longtemps vécu à proximité du parc dans la rue Saint-Urbain et qui est décédé en 2001.

Pour entreprendre l'ascension du mont Royal et vous rendre au prochain attrait du circuit, vous pourrez soit emprunter les sentiers pédestres du parc du Mont-Royal ou vous éviter cet effort en prenant l'autobus 11 à l'angle de l'avenue du Parc et de l'avenue du Mont-Royal. Descendez au belvédère Camillien-Houde.

À ne pas manquer

Attraits

Achats

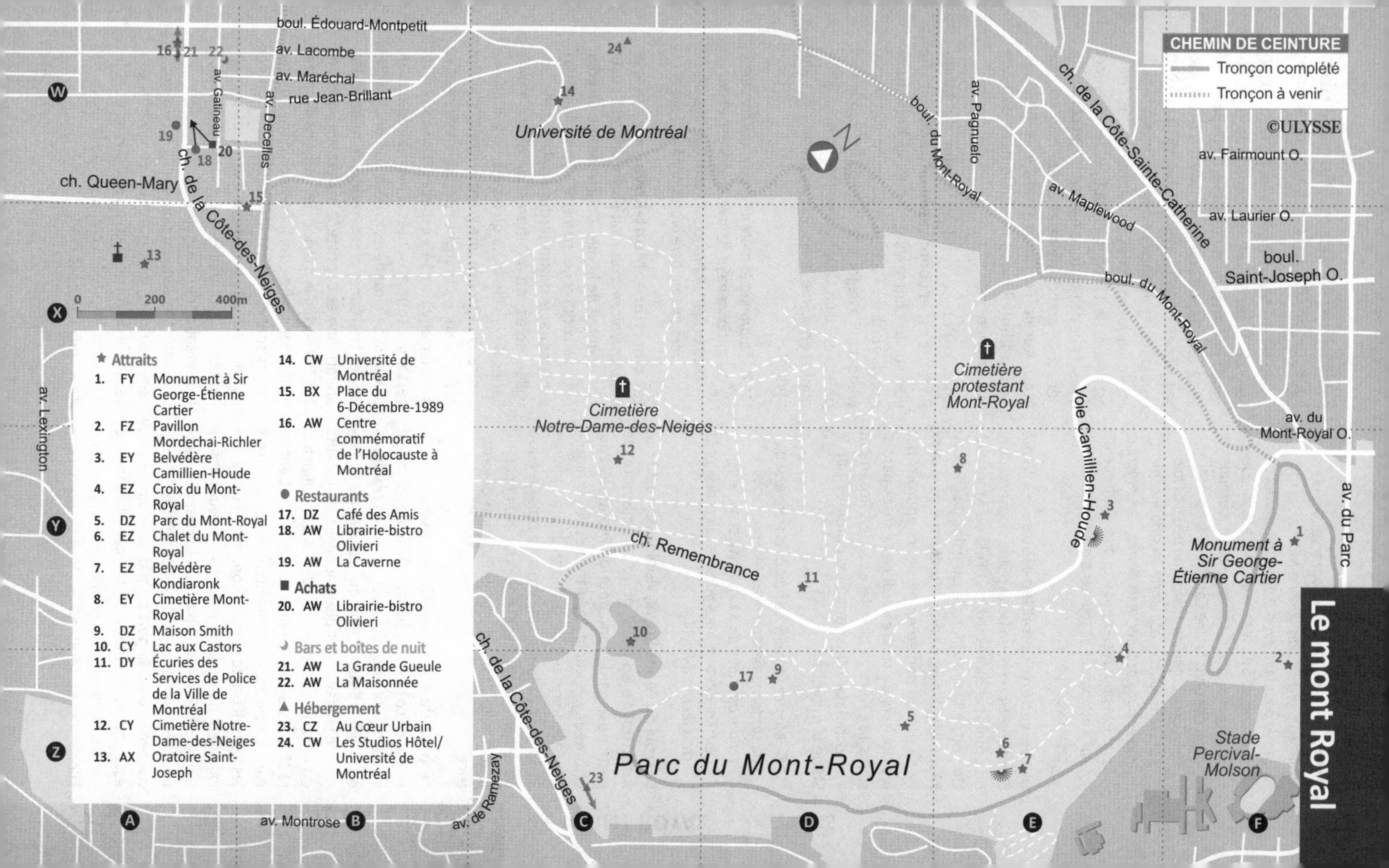
Le mont Royal
CHEMIN DE CEINTURE
Tronçon complété
Tronçon à venir
©ULYSSE
boul. Édouard-Montpetit
av. Lacombe
av. Maréchal
rue Jean-Brillant
av. Gatineau
av. Decelles
ch. Queen-Mary
ch. de la Côte-des-Neiges
Université de Montréal
boul. du Mont-Royal
av. Pagnuelo
av. Maplewood
ch. de la Côte-Sainte-Catherine
av. Fairmount O.
av. Laurier O.
boul. Saint-Joseph O.
av. du Mont-Royal O.
av. du Parc
Cimetière protestant Mont-Royal
Cimetière Notre-Dame-des-Neiges
Voie Camillien-Houde
ch. Remembrance
Monument à Sir George-Étienne Cartier
Stade Percival-Molson
Parc du Mont-Royal
av. Lexington
av. Montrose
av. de Ramezay
0 200 400m
Attraits
1. FY Monument à Sir George-Étienne Cartier
2. FZ Pavillon Mordechai-Richler
3. EY Belvédère Camillien-Houde
4. EZ Croix du Mont-Royal
5. DZ Parc du Mont-Royal
6. EZ Chalet du Mont-Royal
7. EZ Belvédère Kondiaronk
8. EY Cimetière Mont-Royal
9. DZ Maison Smith
10. CY Lac aux Castors
11. DY Écuries des Services de Police de la Ville de Montréal
12. CY Cimetière Notre-Dame-des-Neiges
13. AX Oratoire Saint-Joseph
14. CW Université de Montréal
15. BX Place du 6-Décembre-1989
16. AW Centre commémoratif de l'Holocauste à Montréal
Restaurants
17. DZ Café des Amis
18. AW Librairie-bistro Olivieri
19. AW La Caverne
Achats
20. AW Librairie-bistro Olivieri
Bars et boîtes de nuit
21. AW La Grande Gueule
22. AW La Maisonnée
Hébergement
23. CZ Au Cœur Urbain
24. CW Les Studios Hôtel/Université de Montréal

Si vous avez stationné votre voiture dans les environs du parc Jeanne-Mance, reprenez-la pour vous rendre à l'attrait suivant en allant rejoindre l'avenue du Mont-Royal que vous prendrez vers l'ouest, puis en tournant à gauche dans la voie Camillien-Houde. Le belvédère Camillien-Houde, un peu plus loin sur votre gauche, comporte un stationnement, mais pour y accéder, vous devrez vous rendre plus loin pour prendre la voie dans l'autre sens, car il est interdit de tourner à gauche dans cette direction.

Du **belvédère Camillien-Houde** ★★ *(voie Camillien-Houde)*, un beau point d'observation, on embrasse du regard tout l'est de Montréal. On voit, à l'avant-plan, le quartier du Plateau Mont-Royal, avec sa masse uniforme de duplex et de triplex, percée en plusieurs endroits par les clochers de cuivre verdi des églises paroissiales, et à l'arrière-plan, les quartiers Rosemont et Hochelaga-Maisonneuve, dominés par le Stade olympique.

Montez l'escalier de bois à l'extrémité sud du stationnement du belvédère pour vous rendre au chalet du Mont-Royal et au belvédère Kondiaronk. Vous passerez alors devant la croix du Mont-Royal.

La **croix du Mont-Royal**, visible jusqu'à 80 km, fut installée en 1927 pour commémorer le geste posé par le fondateur de Montréal, Paul Chomedey, sieur de Maisonneuve, lorsqu'il gravit le flanc sud de la montagne en janvier 1643 pour y planter une croix de bois en guise de remerciement à la Vierge pour avoir épargné le fort Ville-Marie d'une inondation dévastatrice.

Le **parc du Mont-Royal** ★★★ *(www.lemontroyal.qc.ca)* a été créé par la Ville de Montréal en 1876 à la suite des pressions des résidents du Golden Square Mile qui voyaient leur terrain de jeu favori déboisé par divers exploitants de bois de chauffage. Frederick Law Olmsted (1822-1903), le célèbre créateur du Central Park à New York, fut mandaté pour aménager les lieux. Il prit le parti de conserver au site son caractère naturel, se limitant à quelques points d'observation reliés par des sentiers en tire-bouchon. Inauguré en 1876, ce parc de 190 ha, concentré dans la portion sud de la montagne, est toujours un endroit de promenade apprécié par les Montréalais. Il compte une vingtaine de kilomètres de sentiers, incluant de nombreux petits sentiers secondaires ainsi que le magnifique chemin Olmsted et la boucle du sommet.

Le **chalet du Mont-Royal** ★★★ *(tlj 8h à 20h30; parc du Mont-Royal)*, au centre du parc, fut conçu par Aristide Beaugrand-Champagne en 1932 en remplacement de l'ancien qui menaçait ruine. Au cours des années 1930 et 1940, les *big bands* donnaient des concerts à la belle étoile sur les marches du bâtiment. L'intérieur est décoré de 17 toiles marouflées représentant des scènes de l'histoire du Canada et commandées à de grands peintres québécois, comme Marc-Aurèle Fortin et Paul-Émile Borduas. Aujourd'hui, il sert principalement de halte aux promeneurs.

Mais si l'on se rend au chalet du Mont-Royal, c'est d'abord pour la traditionnelle vue sur le centre-ville depuis le **belvédère Kondiaronk** ★★★ (du nom du grand chef huron-wendat qui a négocié le traité de la Grande Paix de Montréal en 1701), admirable en fin d'après-midi et en soirée, alors que les gratte-ciel s'illuminent.

Empruntez la route de gravier qui conduit au stationnement de la maison Smith et au chemin Remembrance, où se trouve une des entrées du cimetière protestant Mont-Royal.

Le **cimetière Mont-Royal** ★★ *(www.mountroyalcem.com)* fait partie des plus beaux sites naturels de la ville. Conçu comme un éden pour ceux qui rendent visite à leurs défunts, il est aménagé tel un jardin anglais dans une vallée isolée; on a l'impression d'être à mille lieues de la ville alors qu'on est en fait en son centre. On y trouve une grande variété d'arbres fruitiers, sur les branches desquels viennent se percher environ 145 espèces d'oiseaux dont certaines sont absentes d'autres régions du Québec. Le cimetière, créé à l'origine par les Églises anglicane, presbytérienne, méthodiste, unitarienne et baptiste, a ouvert ses portes en 1852 et accueille à ce jour les citoyens de toutes confessions religieuses. Certains de ses monuments sont de véritables œuvres d'art créées par des artistes de renom. Parmi les personnalités et les familles qui y sont inhumées, il faut mentionner l'armateur Sir Hugh Allan, les brasseurs Molson, qui possèdent le plus imposant mausolée, ainsi qu'Anna Leonowens, gouvernante du roi de Siam au XIXe siècle, dont les écrits ont inspiré les créateurs de la pièce *The King and I* (*Le roi et moi*).

Lac aux Castors.

La vue depuis le belvédère Camillien-Houde.

Cimetière Mont-Royal.

En route vers le lac aux Castors, on remarque la seule des anciennes maisons de ferme de la montagne qui subsiste encore, la **maison Smith** *(entrée libre; fin juin à début sept tlj 9h à 18h, jusqu'à 17h le reste de l'année; 1260 ch. Remembrance, 514-843-8240, www.lemontroyal.qc.ca)*, quartier général des Amis de la montagne, organisme qui propose toutes sortes d'expositions et d'activités, dont des randonnées thématiques, qui se font en raquettes l'hiver. La maison Smith offre également une exposition permanente, *Le mont Royal, un territoire-exposition*, dont les photos et les bornes interactives décrivent le patrimoine naturel et historique de la montagne. Une boutique-nature permet de se familiariser avec l'ornithologie et l'observation des minéraux et des plantes. On y trouve aussi un petit café (voir p. 172), toujours bienvenu après une balade hivernale.

Le petit **lac aux Castors** *(en bordure du chemin Remembrance)* a été aménagé en 1938 sur le site des marécages se trouvant autrefois à cet endroit. En hiver, il se transforme en une agréable patinoire. Ce secteur du parc, aménagé de manière plus conventionnelle, comprend en outre des pelouses et un jardin de

Les *Tam-Tams*

Sur le flanc du mont Royal qui donne sur l'avenue du Parc, les dimanches après-midi de la belle saison sont marqués par un événement spontané haut en couleur, une fête qu'on appelle tout simplement les *Tam-Tams*. Une foule de jeunes et moins jeunes s'y rassemble, quand il fait beau temps, dans une ambiance très *Peace and Love*.

Plusieurs percussionnistes chevronnés ou amateurs prennent alors d'assaut le socle de l'immense monument à Sir George-Étienne Cartier et improvisent des airs de plus en plus entraînants qui se terminent souvent sur un crescendo. Puis des danseurs et des danseuses, tout aussi improvisés, suivent le rythme endiablé des tambours africains et autres congas, tandis qu'une foule joyeuse observe qui en pique-niquant, qui en prenant du soleil sur l'herbe.

Le cimetière Notre-Dame-des-Neiges

C'est en 1855 que fut inauguré le désormais célèbre cimetière Notre-Dame-des-Neiges. Il s'étend à l'endroit même où, après la fonte de l'Inlandsis laurentidien (ce glacier continental d'une épaisseur d'au plus 3 km), il y a 10 000 ans, les vagues déferlaient sur une plage occupant le flanc nord d'une île perdue de l'ancienne mer de Champlain, là où se dresse aujourd'hui le mont Royal. Le 29 mai 1855, Jane Gilroy, épouse de Thomas McCready, alors conseiller municipal de Montréal, fut la première «résidente» de la nouvelle cité des morts; elle est inhumée dans le lot F56. Depuis cette première inhumation, près d'un million de personnes reposent ici en paix, faisant ainsi du cimetière Notre-Dame-des-Neiges le plus grand du Canada et le troisième plus important d'Amérique du Nord. Il suffit d'arpenter les 55 km de sentiers qui sillonnent les lieux pour prendre conscience du fait que cette nécropole renferme un trésor unique en son genre, sur les plans patrimonial, culturel, historique et naturel.

Le cimetière peut être visité tel un *Who's Who* des personnalités du monde des affaires, des arts, de la politique et de la science au Québec. Sir George-Étienne-Cartier, Émile Nelligan, Maurice Richard et La Bolduc, entre autres, y sont inhumés. Un obélisque à la mémoire des victimes des rébellions des patriotes de 1837-1838 et plusieurs monuments réalisés par des sculpteurs de renom parsèment les 55 km de routes et de sentiers qui sillonnent les lieux. Du cimetière et des chemins qui y conduisent, on jouit de plusieurs beaux points de vue sur l'Oratoire Saint-Joseph.

sculptures. Face au lac se trouve un bâtiment où les patineurs peuvent louer ou enfiler leurs patins en hiver et où les promeneurs peuvent s'arrêter pour prendre une bouchée, soit à la petite cafétéria au bistro de l'endroit, qui sert des repas plus élaborés et offre une superbe vue sur le lac.

››› *Empruntez le sentier qui mène au chemin Remembrance, où se trouve une des entrées du cimetière Notre-Dame-des-Neiges.*

Les **écuries des Services de Police de la Ville de Montréal** *(entrée libre; 1515 ch. Remembrance, 514-280-2277)* attirent autant les passionnés de chevaux que ceux qui veulent en savoir plus sur le travail de ces cavaliers et de leur monture. En tout temps, vous pourrez observer librement les chevaux dans les enclos. La visite guidée des écuries *(durée 30 min)* ne se fait par contre que sur rendez-vous.

Le **cimetière Notre-Dame-des-Neiges** ★★ *(www.cimetierenddn.org)* est une véritable cité des morts, puisque près d'un million de personnes y ont été inhumées depuis 1855, date de son inauguration. Il succède au cimetière Saint-Antoine, qui occupait le square Dominion, maintenant square Dorchester. Contrairement au cimetière Mont-Royal, qui reçoit différentes confessions religieuses, il présente des attributs qui identifient clairement son appartenance au catholicisme. Ainsi, deux anges du paradis encadrant un crucifix accueillent les visiteurs sur un îlot après l'entrée principale, sur le chemin de la Côte-des-Neiges.

››› *Sortez du cimetière par son entrée secondaire qui donne sur l'avenue Decelles, derrière l'Université de Montréal. Vous ne serez alors qu'à quelques pas du chemin Queen-Mary, qui vous mènera à l'Oratoire Saint-Joseph en quelques minutes.*

L'**Oratoire Saint-Joseph** ★★ *(entrée libre; tlj 7h à 20h30; visites guidées 5$ début juin à début sept tlj à 10h, 13h30 et 15h; crèches de Noël du monde 4$ adultes, 2$ enfants, nov à fin avr tlj 10h à 16h; 3800 ch. Queen-Mary, 514-733-8211, www.saint-joseph.org; métro Côte-des-Neiges)*, dont le dôme en cuivre est le deuxième en importance au monde après Saint-Pierre de Rome, est érigé à flanc de colline, ce qui accentue davantage son caractère mystique. Son sommet est le point culminant de l'île à 263 m de hauteur. De la grille d'entrée, il faut gravir 283 marches pour atteindre la basilique, ou prendre l'ascenseur. L'Oratoire a

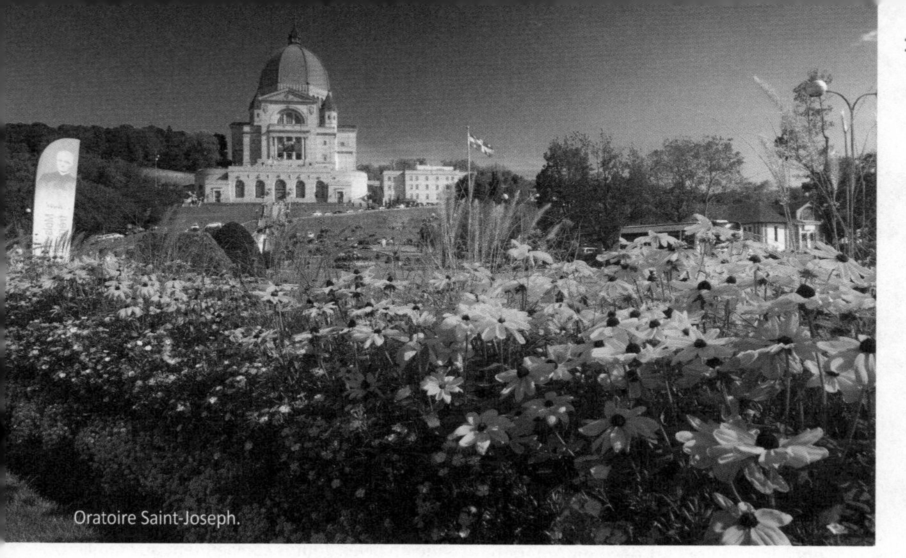

Oratoire Saint-Joseph.

été aménagé entre 1924 et 1967 à l'instigation du frère André, membre de la congrégation de Sainte-Croix et portier du collège Notre-Dame (situé en face), à qui l'on attribue de nombreux miracles (il fut déclaré saint par l'Église catholique en 2010). Ce véritable complexe religieux est donc à la fois dédié à saint Joseph et à son humble créateur. Il comprend la basilique inférieure, la crypte du frère André et la basilique supérieure, ainsi qu'un musée. La première chapelle du frère André, aménagée en 1904, une cafétéria et un magasin d'articles de piété complètent les installations.

L'Oratoire est un des principaux lieux de dévotion et de pèlerinage en Amérique. Il accueille chaque année quelque deux millions de visiteurs. L'enveloppe extérieure de l'édifice fut réalisée dans le style néoclassique, mais l'intérieur est avant tout une œuvre moderne. Il ne faut pas manquer de voir dans la basilique supérieure les vitraux de Marius Plamondon, l'autel et le crucifix d'Henri Charlier, ainsi que l'étonnante chapelle dorée, à l'arrière.

Depuis 1960, la basilique est dotée d'un orgue imposant en provenance de la ville d'Hambourg en Allemagne. Ce formidable instrument, dont la fabrication est attribuable au facteur von Beckerath, comporte 78 jeux, 118 rangs, 5 811 tuyaux, cinq claviers et un pédalier. Le dimanche à 15h30, les visiteurs peuvent y entendre un récital de 30 min donné par l'organiste Philippe Bélanger.

À l'extérieur, on peut aussi voir le carillon de 56 cloches de bronze (10 900 kg) de la Maison Paccard et Frères, d'abord destiné à la tour Eiffel, puis offert à l'Oratoire en 1954, et le beau chemin de croix dans les jardins à flanc de montagne, réalisé par Louis Parent et Ercolo Barbieri. Les jardins demeurent l'œuvre de l'architecte paysagiste Frederick G. Todd. Vous pourrez profiter d'une vue panoramique sur Montréal depuis la terrasse située sur le toit de la crypte.

La réception est située dans le pavillon des pèlerins en face d'une des deux boutiques que possède l'Oratoire. Le bureau général est à l'entrée de la chapelle votive. C'est à cet endroit que les pèlerins font bénir leurs objets de piété.

Un vaste projet de mise en valeur de l'Oratoire est actuellement en cours et devrait s'échelonner jusqu'en 2021. Parmi les grandes transformations à venir, on prévoit la construction d'une grande place extérieure au niveau de la crypte ainsi que le réaménagement du jardin situé à l'entrée du site. À partir de 2019, le sanctuaire planifie la restauration du musée et l'installation d'un observatoire au niveau du lanterneau. Cet ajout exceptionnel offrira un point de vue panoramique unique sur la ville.

L'accès à l'attrait suivant est assez éloigné du trajet suivi, aussi une visite du site constitue-t-elle une excursion supplémentaire à laquelle il faut consacrer environ une heure.

Une succursale de l'Université Laval de Québec ouvre ses portes dans le Château Ramezay en 1876, après bien des démarches entravées par la maison mère, qui voulait garder le monopole de l'éducation universitaire en français à Québec. Quelques années plus tard, en 1895, elle emménage dans la rue Saint-Denis, donnant ainsi naissance au **Quartier latin** (voir p. 133). En 1919, elle prend le nom d'**Université de Montréal** ★ *(2900 boul. Édouard-Montpetit, www.umontreal.ca; métro Université-de-Montréal)* après avoir obtenu finalement son autonomie en 1920, ce qui permet à ses directeurs d'élaborer des projets grandioses.

Ernest Cormier (1885-1980) est approché pour la réalisation d'un campus sur le flanc nord du mont Royal. Cet architecte, diplômé de l'École des beaux-arts de Paris, fut l'un des premiers à introduire l'Art déco en Amérique du Nord. Les plans du pavillon central évoluent vers une structure Art déco épurée et symétrique, revêtue de briques jaune clair et dotée d'une tour centrale, visible depuis le chemin Remembrance et le cimetière Notre-Dame-des-Neiges. La construction, amorcée en 1929, est interrompue par la crise américaine, et ce n'est qu'en 1943 que le pavillon central, sur le flanc de la montagne, accueille ses premiers étudiants. Depuis, une pléiade de pavillons se sont joints à celui-ci, faisant de l'Université de Montréal la deuxième université de langue française en importance au monde, avec plus de 60 000 étudiants.

L'Université de Montréal, plus spécifiquement l'École polytechnique, qui se trouve aussi sur le campus, a été le témoin d'un événement tragique qui a marqué les citoyens de la ville et d'ailleurs au Canada. Le 6 décembre 1989, 13 étudiantes et une employée ont été froidement assassinées dans l'enceinte même de Polytechnique. Afin de conserver vivant le souvenir de ces femmes et de toutes les femmes victimes de violence, on a inauguré le 6 décembre 1999 la **place du 6-Décembre-1989** *(angle av. Decelles et ch. Queen-Mary)*. L'artiste Rose-Marie Goulet y a érigé la *Nef pour quatorze reines*, sur laquelle sont gravés les noms des victimes de Polytechnique.

››› 🚶 Ⓜ *Vous pouvez reprendre le métro à la station Côte-des-Neiges, près de l'intersection de l'avenue Lacombe et du chemin de la Côte-des-Neiges.*

Hors circuit, mais facilement accessible par métro, le **Centre commémoratif de l'Holocauste à Montréal** *(8$; lun, mar et jeu 10h à 17h, mer 10h à 21h, ven et dim 10h à 16h; 5151 ch. de la Côte-Ste-Catherine, 514-345-2605, www.mhmc.ca; métro Côte-Ste-Catherine, autobus 129)* possède une collection comprenant entre autres des films et des photographies ainsi que des objets et des archives qui proviennent des descendants montréalais et des survivants de l'Holocauste.

Activités de plein air

Glissade sur neige

Les pentes du **parc du Mont-Royal** (devant le lac aux Castors ou face à l'avenue du Parc) sont populaires auprès des amateurs de glissade en hiver. Toutes conviennent aux familles qui désirent passer un après-midi sous le soleil hivernal, et certaines, plus casse-cou, ne manqueront pas de plaire aux amateurs de sensations fortes.

Patin à glace

Deux patinoires sont aménagées sur le **lac aux Castors** (voir p. 169) en hiver, dont une est réfrigérée, ce qui permet de patiner dès le début du mois de décembre, même lorsque la température est trop clémente.

Ski de fond

Le **parc du Mont-Royal** (voir p. 168) offre plus de 20 km de pistes de ski de fond bien conçues, en plus d'une belle vue sur la ville. Location d'équipement au pavillon du Lac-aux-Castors.

Restaurants

Café des Amis $-$$$

maison Smith, 1260 ch. Remembrance, parc du Mont-Royal, 514-843-8240; pavillon du Lac-au-Castors, 2000 ch. Remembrance, devant le lac aux Castors, parc du Mont-Royal, 514-849-2002

Ce petit café installé dans la vieille maison Smith sert de quoi se réchauffer ou se rafraîchir, selon les saisons, après une bonne balade sur le mont Royal. Repas légers et bons gâteaux confectionnés à partir de produits bios et équitables. Agréable terrasse en été. Depuis 2015, le Café des Amis gère également un bistro dans le pavillon qui est situé devant le lac aux Castors et d'où la vue sur le lac est magnifique.

Université de Montréal.

Librairie-bistro Olivieri $$-$$$
5219 ch. de la Côte-des-Neiges, 514-739-3303, www.librairieolivieri.com

La réputée librairie-bistro Olivieri (voir ci-dessous) regorge de bonnes surprises littéraires... et culinaires. Caché derrière les étagères de livres, le bistro propose une cuisine à base de produits québécois, avec des plats qui s'adaptent aux saisons et aux trouvailles du marché.

La Caverne $$-$$$
5184-A ch. de la Côte-des-Neiges, 514-738-6555, www.lacaverne.ca

Installé dans le quartier Côte-des-Neiges près du cimetière Notre-Dame-des-Neiges, ce restaurant russe en demi-sous-sol porte bien son nom, et l'on n'est presque pas étonné d'y rencontrer un énorme ours empaillé qui semble avoir très faim... La cuisine est familiale, plus copieuse que fine, et donne l'occasion de goûter à des spécialités russes, mais aussi polonaises et ukrainiennes.

Achats

Librairies

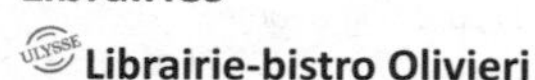

Librairie-bistro Olivieri
5219 ch. de la Côte-des-Neiges, 514-739-3639, www.librairieolivieri.com

Une excellente librairie doublée d'un bistro (voir ci-dessus).

Bars et boîtes de nuit

La Grande Gueule
5615A ch. de la Côte-des-Neiges, 514-733-3512

Située tout près de l'Université de Montréal, la Grande Gueule propose un menu léger, de la bière pression peu coûteuse et une table de billard. De plus, plusieurs jeux de société sont disponibles sur place.

La Maisonnée
5385 av. Gatineau, 514-733-0412, www.restobarlamaisonnee.com

La Maisonnée se remplit quotidiennement d'étudiants de l'Université de Montréal qui, dès leurs cours terminés, s'y rendent afin de discuter autour d'un pichet de bière. On y sert frites et pizzas pour accompagner le tout. Téléviseurs présentant les matchs favoris des sportifs.

Hébergement

Les Studios Hôtel/Université de Montréal $-$$
début mai à fin août; 2450 boul. Édouard-Montpetit, 514-343-8006, www.studioshotel.ca

Les résidences des étudiants de l'Université de Montréal ont été construites au pied du mont Royal dans un quartier tranquille. Elles se trouvent à quelques kilomètres du centre-ville et sont facilement accessibles par autobus ou métro. On y propose l'hébergement, en chambre ou en suite, à la journée, à la semaine ou au mois. Nombreuses installations, dont des cuisines communes et des buanderies.

ULYSSE **Au Cœur Urbain $$$**
fermé jan à mars; 3766 ch. de la Côte-des-Neiges, 514-439-4003, www.giteaucoeururbain.com

Cette auberge cumule les bons points : une localisation centrale et proche de la montagne, un beau bâtiment historique de type cottage anglais, un confort haut de gamme et surtout un accueil hors pair. Le petit déjeuner gourmet offre des délices faits maison à partir de produits en provenance de l'Abitibi. Pensez à réserver.

Westmount

Attraits

⏱ ***trois heures***

Cette ville résidentielle cossue de 20 000 habitants, enclavée dans le territoire de Montréal, a longtemps été considérée comme le bastion de l'élite anglo-saxonne du Québec. Après que le Golden Square Mile eut été envahi par le centre des affaires, **Westmount** ★ a pris la relève. Ses rues ombragées et sinueuses, sur le versant sud-ouest du mont Royal, sont bordées de demeures de styles néo-Tudor et néogeorgien, construites pour la plupart entre 1910 et 1930. Des hauteurs de Westmount, on bénéficie de beaux points de vue sur les quartiers voisins de Notre-Dame-de-Grâce et Côte-des-Neiges, et sur la ville, en contrebas.

››› Ⓜ *Le circuit débute à la station de métro Atwater, à l'angle de l'avenue Wood et du boulevard De Maisonneuve Ouest.*

L'architecte Ludwig Mies van der Rohe (1886-1969), l'un des principaux maîtres à penser du mouvement moderne et le directeur du Bauhaus en Allemagne, a dessiné le **Westmount Square** ★ *(angle av. Wood et boul. De Maisonneuve O.; métro Atwater)* en 1964. Cet ensemble est typique de la production nord-américaine de l'architecte, caractérisée par l'emploi de métal noir et de verre teinté. Il comprend un centre commercial souterrain, surmonté de trois tours de bureaux et l'habitation.

L'**avenue Greene** *(métro Atwater)*, un petit bout de rue au cachet typiquement canadien-anglais, regroupe plusieurs des boutiques bon chic bon genre de Westmount. Outre des commerces de services, on y trouve des galeries d'art, des antiquaires et des librairies remplies de beaux livres.

››› 🚶 *Tournez à gauche dans la rue Sherbrooke Ouest et marchez jusqu'à l'angle de l'avenue Kitchener.*

Église catholique anglophone de Westmount, l'**église The Ascension of Our Lord** ★ *(angle av. Kitchener; métro Atwater)*, érigée en 1928, témoigne de la persistance du style néogothique dans l'architecture nord-américaine. On a l'impression d'avoir sous les yeux une authentique église de village anglais du XIVe siècle, avec son revêtement de pierres brutes, ses lignes allongées et ses fines sculptures.

Westmount est comme un morceau de Grande-Bretagne transposé en Amérique. L'**hôtel de ville de Westmount** ★ *(4333 rue Sherbrooke O.)* adopte le style néo-Tudor, inspiré de l'architecture de l'époque d'Henri VIII et d'Elizabeth I, et considéré dans les années 1920 comme le style national anglais, puisque émanant exclusivement des îles Britanniques. Celui-ci se définit entre autres par la présence d'ouvertures horizontales à multiples meneaux de pierre, d'oriels et d'arcs surbaissés. À l'arrière s'étend la pelouse irréprochable d'un club de bowling sur gazon, sur laquelle se détachent, en saison, les joueurs portant le costume blanc réglementaire.

››› 🚶 *Empruntez le chemin de la Côte-Saint-Antoine jusqu'au parc King George.*

À ne pas manquer

Attraits

Église The Ascension of Our Lord p. 174

Hôtel de ville de Westmount p. 174

Bibliothèque de Westmount p. 175

Parc Westmount p. 175

Restaurants

Chez Nick p. 176

Park p. 176

Lavanderia p. 177

Achats

Appetite for Books p. 178

Want Apothecary p. 178

Galerie de Bellefeuille p. 178

Vue de la tour de l'église The Ascension of Our Lord depuis le parc Westmount.

Hôtel de ville de Westmount.

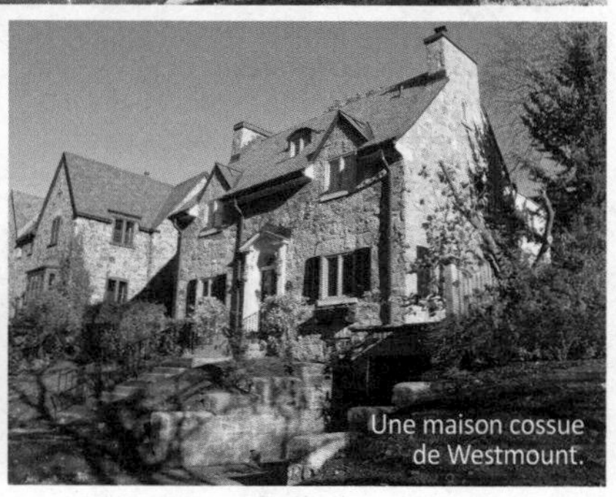
Une maison cossue de Westmount.

Le terme « côte » au Québec n'invoque pas toujours la dénivellation du terrain, mais peut aussi référer au système seigneurial de la Nouvelle-France. Les longs rectangles de terre distribués aux colons présentant leur « côté » face aux chemins qui relient les fermes les unes aux autres, ceux-ci ont pris le nom de « côte ». La **côte Saint-Antoine** est un des premiers chemins de l'île de Montréal. Aménagé en 1684 par les Messieurs de Saint-Sulpice sur le tracé d'une ancienne piste amérindienne, ce chemin s'ouvre sur les plus anciennes maisons du territoire de Westmount. À l'angle de l'avenue Forden, une **borne routière** installée là au XVIIe siècle, discrètement identifiée par un aménagement rayonnant du trottoir, est la seule survivante d'une signalisation développée par les Sulpiciens sur leur seigneurie de l'île de Montréal.

Pour ceux qui voudraient s'imprégner d'une atmosphère Mid-Atlantic, faite d'un mélange d'Angleterre et d'Amérique, le **parc King George** *(au nord de l'avenue Mount Stephen)* offre la combinaison parfaite avec son terrain de crosse (le sport estival national du Canada, le hockey étant le sport hivernal national) et ses courts de tennis dans un cadre champêtre.

››› *Descendez l'avenue Mount Stephen pour retourner dans la rue Sherbrooke.*

Le **parc Westmount** ★ *(4574 rue Sherbrooke O.)* a été créé en 1895 par la Ville de Westmount sur des fermes rachetées. Quatre ans plus tard, on y inaugurait la première bibliothèque municipale du Québec, la **Bibliothèque publique de Westmount** ★. La province avait un retard considérable en la matière, seules les communautés religieuses ayant jusque-là pris en charge ce type d'équipement culturel. L'édifice en briques rouges se rattache aux courants éclectiques, pittoresques et polychromes des deux dernières décennies du XIXe siècle. Empruntez le passage qui mène au Conservatoire, dont les serres abritent régulièrement des expositions florales, ainsi qu'au Victoria Hall, une ancienne salle de spectacle construite en 1924 dans le même style Tudor que l'hôtel de ville. Sa galerie sert de lieu d'exposition aux artistes résidant à Westmount.

››› *Empruntez l'avenue Melbourne à l'est du parc pour voir de beaux exemples de maisons de style Queen Anne. Prenez à droite l'avenue Metcalfe, puis à gauche le boulevard De Maisonneuve.*

L'**église Saint-Léon** ★ *(4311 boul. De Maisonneuve O., 514-935-4950, www.paroisse-saint-leon.org)* est la paroisse catholique francophone de Westmount. Derrière une sobre et élégante façade d'inspiration néoromane se dissimule un décor d'une rare richesse, exécuté à partir de 1928 par l'artiste Guido Nincheri. Le sol et la base des murs sont revêtus des plus beaux marbres d'Italie et de France, alors que la portion supérieure de la nef est en pierre de Savonnières et que les stalles du chœur (et bien d'autres choses) ont été sculptées à la main par Alviero Marchi dans le plus précieux des noyers du Honduras. Les vitraux complexes représentent différentes scènes de la vie du Christ, incluant parfois des personnages contemporains de la construction de l'église qu'il est amusant de découvrir entre les figures de la Bible.

››› Ⓜ *Poursuivez sur le boulevard De Maisonneuve Ouest, pour traverser la paroisse francophone de Westmount, avant d'aboutir à l'avenue Greene, que vous prendrez à droite. Un corridor souterrain mène du Westmount Square à la station de métro Atwater.*

Restaurants

Chez Nick $$

1377 av. Greene, 514-935-0946,
www.cheznick.ca

Il y a bien eu quelques travaux de rénovation au cours du temps dans ce vieux *diner* qui a pignon sur rue depuis 1920, mais l'âme et la qualité n'ont pas changé. Sandwichs, soupes et autres spécialités traditionnelles rassasient les Westmountais depuis des générations, qui gardent souvent une place en fin de repas pour le gâteau aux carottes, certainement l'un des meilleurs à Montréal.

Hwang Kum $$

5908 rue Sherbrooke O., angle rue Clifton,
514-487-1712

Situé à l'ouest de Westmount, Notre-Dame-de-Grâce est le quartier montréalais qui compte le plus de Coréens, ce qui en fait l'emplacement logique du restaurant coréen de référence à Montréal : Hwang Kum. Étonnamment, ce resto de qualité demeure très abordable. Toutes les grandes spécialités du « pays du Matin calme » y sont déclinées, comme le *kimchi jjigae*, une soupe au chou fermenté et pimenté, ou le *pajon*, une galette aux fruits de mer, sans oublier les savoureux *banchan*, de petits plats apéritifs qui accompagnent tout repas coréen. La Corée comme si vous y étiez.

La Louisiane $$$

5850 rue Sherbrooke O., 514-369-3073,
www.lalouisiane.ca

Manger à La Louisiane, c'est en quelque sorte s'évader dans les bayous. Dans ce restaurant également situé dans le quartier Notre-Dame-de-Grâce, vous pouvez commencer par d'authentiques beignets cajuns, enchaîner avec un plat épicé et terminer par une portion de célestes bananes Foster. D'immenses tableaux illustrant des scènes de rue de La Nouvelle-Orléans ornent les murs, tandis que des airs de jazz flottent dans l'air.

Park $$$-$$$$

378 av. Victoria, 514-750-7534,
http://lavanderiaresto.com

Le restaurant d'Antonio Park, ce chef talentueux d'origine coréenne né à Buenos Aires, fait fureur à Montréal depuis son ouverture. On y vient pour déguster des sushis dans des présentations originales et d'une fraîcheur irréprochable; on se laisse glisser vers les saveurs des poissons marinés, inspirés du *ceviche*, aux parfums insolites, pour enfin se tourner vers les plats, comme le râble de lapin farci ou la *burrata* en salade. Le restaurant et son voisin Lavenderia (voir ci-dessous) ont été endommagés par un incendie en novembre 2016. Au moment de mettre sous presse, tous deux étaient fermés mais espéraient accueillir à nouveau leurs clients dans un avenir rapproché.

Westmount

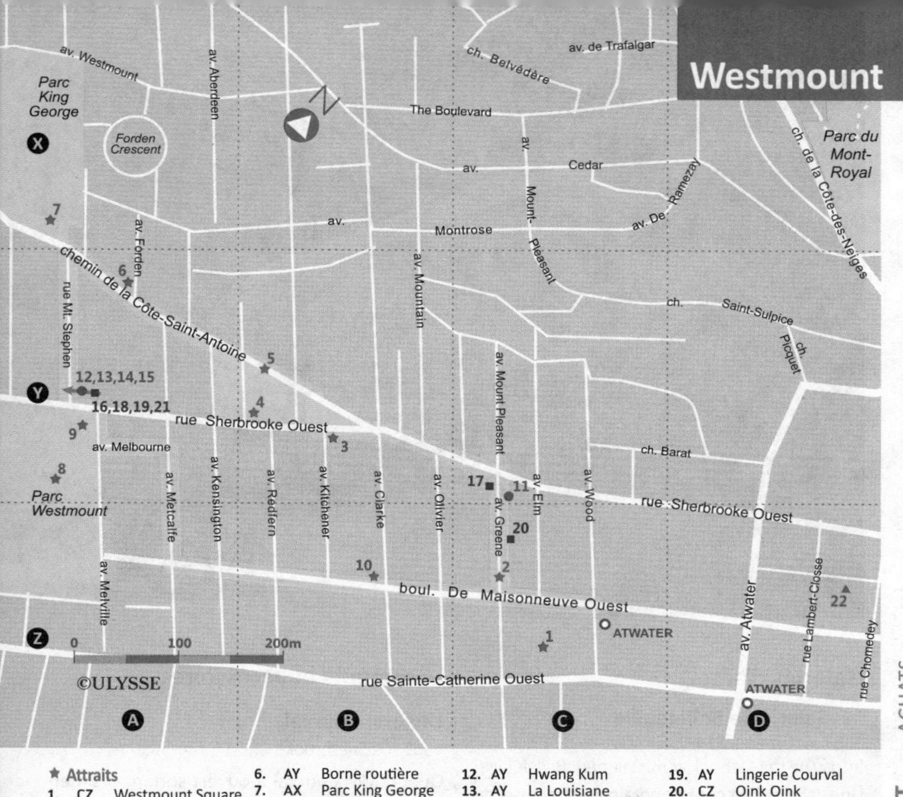

★ **Attraits**

1. CZ Westmount Square
2. CZ Avenue Greene
3. BY Église The Ascension of Our Lord
4. BY Hôtel de ville de Westmount
5. BY Côte Saint-Antoine
6. AY Borne routière
7. AX Parc King George
8. AY Parc Westmount
9. AY Bibliothèque publique de Westmount
10. BZ Église Saint-Léon

● **Restaurants**

11. CY Chez Nick
12. AY Hwang Kum
13. AY La Louisiane
14. AY Lavanderia
15. AY Park

■ **Achats**

16. AY Appetite for Books
17. CY Galerie de Bellefeuille
18. AY La Foumagerie
19. AY Lingerie Courval
20. CZ Oink Oink
21. AY Want Apothecary

▲ **Hébergement**

22. DZ Residence Inn by Marriott Montreal Westmount

Lavanderia $$$-$$$$

374 av. Victoria, 514-750-7534,
http://lavanderiaresto.com

Le chef du restaurant Park (voir ci-dessus) revisite ici la cuisine argentine de son enfance passée entre autres à Buenos Aires. À la Lavanderia, dont le nom évoque le commerce de buanderie que tenait son père, le chef s'inspire des célèbres *parrillas* argentines, ces grilladeries où l'on déguste diverses coupes de viande (bœuf, agneau, porc, poulet de Cornouaille...), le plus souvent servies avec divers condiments plus ou moins épicés. Des plats de poisson et quelques options moins carnivores sont également proposés. Un bon endroit pour découvrir la cuisine argentine, peu représentée à Montréal. Victime d'un incendie en novembre 2016, le restaurant comptait rouvrir ses portes prochainement.

Achats

Alimentation

La Foumagerie

4906 rue Sherbrooke O., 514-482-4100,
www.lafoumagerie.qc.ca

À La Foumagerie, ce sont des bries, des chèvres, des bleus, des fromages au lait cru et bien d'autres encore que l'on retrouve avec gourmandise d'une visite à l'autre.

Antiquités

Les personnes désireuses d'acheter de belles antiquités, sans se soucier du prix, pourront aller se balader dans la section de la **rue Sherbrooke** qui traverse Westmount, où bon nombre d'antiquaires ont pignon sur rue.

L'avenue Green à Westmount.

Galeries d'art

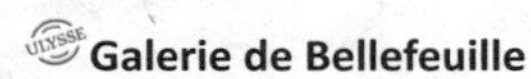

Galerie de Bellefeuille

1367 av. Greene, 514-933-4406,
https://fr-ca.facebook.com/GaleriedeBellefeuille

Une galerie d'art contemporain prestigieuse, qui expose des œuvres d'artistes locaux et étrangers. Presque en face, la **Galerie d'Este** *(1329 av. Greene, 514-846-1515, www.galeriedeste.com)* est du même acabit.

Librairies

Appetite for Books

lun-sam; 388 av. Victoria, 514-369-2002,
www.appetitebooks.ca

Une adresse incontournable pour les cuisiniers, les *foodies* ou tout simplement les amateurs de livres de cuisine (il y en a des milliers ici, en français et en anglais). La librairie se transforme aussi en cuisine lors des cours qui y sont offerts régulièrement (en anglais).

Jeux et jouets

Oink Oink

1343 av. Greene, 514-939-2634,
www.oinkoink.com

Des jouets originaux pour tous les enfants, et plein d'idées-cadeaux pour les filles et les garçons pour les accompagner jusqu'à l'adolescence.

Vêtements et accessoires

Lingerie Courval

4861 rue Sherbrooke O., 514-484-5656

Quand Mme Courval a ouvert son magasin en 1918, la mode était encore aux corsets ajustés. Aujourd'hui, on y vient pour des conseils avisés et une lingerie de qualité.

Want Apothecary

4960 rue Sherbrooke O., 514-484-3555,
www.wantapothecary.com

Une splendide boutique de vêtements et accessoires haut de gamme, pour hommes et femmes modernes cherchant un service personnalisé.

Hébergement

Residence Inn by Marriott Montreal Westmount $$$-$$$$

2170 av. Lincoln, 514-935-9224 ou 800-678-6323, www.residencemontreal.com

Le Residence Inn est d'aspect plutôt modeste; mais ainsi situé, à la limite ouest du centre-ville, dans une rue paisible, et avec ses chambres équipées d'une cuisinette et sa piscine, il constitue une excellente adresse où loger.

Outremont et le Mile-End

Attraits

trois heures

Il existe, de l'autre côté du mont Royal (c'est-à-dire « outre mont »), un quartier qui, comme la ville de Westmount (son vis-à-vis anglophone du côté sud), s'est accroché au flanc du massif montagneux et a accueilli au cours de son développement une population relativement aisée, composée de nombreux hommes et femmes influents de la société québécoise : **Outremont ★**.

Ce n'est pas d'hier qu'Outremont, autrefois une ville autonome et aujourd'hui un arrondissement de la Ville de Montréal, constitue un site de choix pour l'établissement humain. De récentes recherches avancent en effet que ce serait dans ce secteur qu'aurait probablement été situé le village amérindien d'Hochelaga, disparu entre les visites de Jacques Cartier et de Champlain. Le chemin de la Côte-Sainte-Catherine, axe principal de développement d'Outremont, serait d'ailleurs là pour témoigner d'une certaine activité amérindienne : il se superposerait à celui d'un ancien sentier aménagé par les Autochtones pour contourner la montagne.

Caserne de pompiers n° 30.

Après la venue des Européens, le territoire d'Outremont est d'abord devenu une zone agricole maraîchère (XVIIe et XVIIIe siècles), puis horticole et de villégiature (XIXe siècle) pour nombre de bourgeois de Montréal attirés par cette campagne toute proche. Les produits des terres outremontaises étaient alors de grande renommée pour toutes les tables importantes du Nord-Est américain. L'expansion urbaine de Montréal aura raison de cette vocation dès la fin du XIXe siècle et sera à l'origine de l'Outremont essentiellement résidentiel d'aujourd'hui.

L'itinéraire proposé pour explorer Outremont s'articule autour du chemin de la Côte-Sainte-Catherine et a pour point de départ l'intersection du boulevard du Mont-Royal et du chemin de la Côte-Sainte-Catherine (autobus 11 à partir de la station de métro Mont-Royal).

À ne pas manquer

Attraits

Avenue Laurier p. 180

Avenue Bernard p. 184

Avenue Maplewood p. 185

Restaurants

BarBounya p. 188

Café Olimpico p. 186

La Croissanterie Figaro p. 187

Buvette chez Simone p. 187

Lawrence p. 189

Le Comptoir charcuterie et vins p. 188

Wilensky p. 187

Achats

Librairie Drawn & Quarterly p. 191

Boulangerie Guillaume p. 190

Mimi & Coco p. 192

Les Touilleurs p. 190

Kem Coba p. 190

Frank + Oak p. 192

Général 54 p. 192

Sorties

Casa Del Popolo p. 192

Dieu du Ciel p. 193

★ **Attraits**

1. CY Chemin de la Côte-Sainte-Catherine
2. CY Église Saint-Viateur
3. DY Avenue Laurier
4. EY Caserne de pompiers n° 30
5. EY Église Saint-Enfant-Jésus du Mile-End
6. DX Église Saint-Michel-Archange
7. DX Rue Bernard
8. DX Théâtre Rialto
9. CY Avenue Bloomfield
10. CY Académie Querbes
11. CX Parc Outremont
12. CY Avenue McDougall
13. CY Ferme OutreMont
14. BX Parc Beaubien
15. BX Ancien hôtel de ville
16. BX Avenue Bernard
17. CX Théâtre Outremont
18. CX Parc Saint-Viateur
19. CX Ancien bureau de poste
20. CX Clos Saint-Bernard
21. DX Montcalm
22. DX Garden Court
23. CX Royal York
24. CX Parklane
25. BW Parc Joyce
26. BX Avenue Ainslie
27. AX Maison J.B. Aimbault
28. AX Pensionnat du Saint-Nom-de-Marie
29. AX Pavillon Marie-Victorin
30. AY Pavillon de la Faculté de musique/ Salle Claude-Champagne
31. BX Maison I. Préfontaine
32. BY Avenue Maplewood
33. CZ Boulevard du Mont-Royal
34. DZ Ancien couvent des Sœurs de Marie-Réparatrice

● **Restaurants**

35. DX Aux Lilas
36. DY BarBounya
37. DX Barcola Bistro
38. DZ Buvette chez Simone
39. DX Café Olimpico
40. CX Café Souvenir
41. EY Caffè Grazie Mille
42. DX Euro Déli Batory
43. EY Fabergé
44. EY Fairmount Bagel Bakery
45. DY Jun i
46. DY La Chronique
47. DY La Croissanterie Figaro
48. EX La Panthère Verte
49. EY Lawrence/Larrys
50. EX Le Cagibi
51. EZ Le Comptoir charcuteries et vins
52. DY Leméac
53. EY Le Moineau/ The Sparrow
54. DX Lester's Deli
55. EZ Lili.Co
56. EY Maria Bonita
57. DX Milos
58. DX Nonya
59. DX Nouveau Palais
60. DY Rumi
61. DX St. Viateur Bagel Shop
62. EY Wilensky

■ **Achats**

63. DY Agatha
64. EZ Argent Tonic
65. EY Au Papier Japonais
66. DY Avenue Laurier Ouest
67. DY Billie
68. EY Boulangerie Guillaume
69. CX Boutique Citrouille
70. EY Boutique Unicorn
71. EX Centre d'art et de diffusion Clark
72. DX Chocolats Geneviève Grandbois
73. DZ Cocoa Locale
74. DX Épicerie Latina
75. EX Frank + Oak
76. CY Galerie Clarence Gagnon
77. EX Galerie Simon Blais
78. EY Général 54
79. DY Gourmet Laurier
80. DY Henriette L.
81. EX Jeans, Jeans, Jeans
82. EY Jet-Setter
83. EY Kem Coba
84. CX Le Bilboquet
85. DY Les Touilleurs
86. DX Librairie Drawn & Quarterly
87. DY Lyla Collection
88. CY Michel Brisson
89. DY Mimi & Coco
90. DY Pierre, Jean, Jacques

☽ **Bars et boîtes de nuit**

91. EX Bar Waverly
92. EZ Casa Del Popolo
93. EY Dieu du Ciel
94. EZ La Sala Rossa
95. EX Whisky Café

Voie de contournement de la montagne, le **chemin de la Côte-Sainte-Catherine** est curviligne sur une bonne partie de son parcours, ainsi qu'en angle par rapport à la trame générale des rues du secteur. Il constitue, en quelque sorte, la frontière entre deux types de relief en séparant du même coup ce qu'il est convenu d'appeler « Outremont-en-haut » (la partie la plus cossue d'Outremont, juchée sur la montagne proprement dite) du reste de l'arrondissement.

››› *Rendez-vous à l'angle des avenues Bloomfield et Laurier.*

À l'angle de l'avenue Laurier et de l'avenue Bloomfield s'élève l'**église Saint-Viateur** ★ *(1175 av. Laurier O., 514-495-2773)*, qui date de la seconde décennie du XXe siècle. D'inspiration néogothique, son intérieur est remarquable, orné par des artistes renommés en peinture (Guido Nincheri), en verrerie (Henri Perdriau), en ébénisterie (Philibert Lemay) et en sculpture (Médard Bourgault et Olindo Gratton). Les peintures recouvrant le plafond des voûtes et racontant la vie de saint Viateur sont très particulières.

L'**avenue Laurier** ★ *(entre le chemin de la Côte-Sainte-Catherine et la rue Hutchison)* est l'une des artères commerciales d'Outremont les plus fréquentées par la population aisée outremontaise et montréalaise. L'avenue a bénéficié d'un réaménagement urbain qui participent au chic des commerces spécialisés : épiceries fines, boutiques de mode, cafés en terrasse et restaurants bordent cette avenue qu'on prend plaisir à parcourir.

Au-delà de la rue Hutchison jusqu'au boulevard Saint-Laurent, elle forme, avec les avenues Fairmount et Saint-Viateur au nord, le cœur du **Mile-End** ★★, ce quartier bourgeois-bohème en pleine effervescence, reconnu comme l'un des plus artistiques au Canada. Initialement connu pour sa tradition d'accueil de populations immigrantes, le Mile-End représente très bien la diversité culturelle montréalaise, sur le plan résidentiel mais aussi commercial puisqu'on y voit fleurir un grand nombre d'agréables cafés, restaurants et boutiques en tous genres fréquentés par une clientèle bigarrée et polyglotte. On doit aussi l'ambiance populaire de ce quartier à son héritage ouvrier : plusieurs industries s'y implantèrent au XIXe siècle, notamment des carrières et des tanneries (au bord de l'ancienne rivière Saint-Martin). Aujourd'hui, ce sont surtout des entreprises multimédias, dont le géant du jeu vidéo **Ubisoft** *(5505 boul. St-Laurent)*, qui y sont installées.

Outremont et le Mile-End
rue Saint-Hubert
rue Berri
rue Saint-Denis
rue Rivard
rue Drolet
av. Henri-Julien
av. De Chateaubriand
boul. Rosemont
ROSEMONT
rue des Carrières
rue Marmier
LAURIER
MONT-ROYAL
PLATEAU MONT-ROYAL
av. de l'Hôtel-de-Ville
rue De Bullion
av. Coloniale
rue Saint-Dominique
av. De Gaspé
av. Casgrain
rue de Bellechasse
PETITE ITALIE
rue Maguire
av. Fairmount
av. Laurier
boul. Saint-Joseph
Parc Lahaie
Viaduc Rosemont-Van Horne
boul. Saint-Laurent
rue Clark
rue Villeneuve
MILE-END
rue Saint-Urbain
rue Bernard
rue Waverly
av. de l'Esplanade
rue Jeanne-Mance
av. du Parc
av. du Mont-Royal
rue Hutchison
av. Durocher
av. Nelson
av. Querbes
rue Saint-Viateur
av. de l'Épée
av. Bloomfield
av. Elmwood
av. Champagneur
av. McDougall
av. Outremont
OUTREMONT
Parc F.X. Garneau
chemin de la Côte-Sainte-Catherine
av. Maplewood
McCulloch
av. Van Horne
av. Wiseman
av. Stuart
boul. Dollard
boul. du Mont-Royal
av. McEachran
av. Bernard
Cimetière protestant Mont-Royal
av. Davaar
av. Pagnuelo
av. Rockland
av. Courcelette
av. Lajoie
av. Ainslie
av. Belœil
av. Hartland
av. Claude-Champagne
Parc Pratt
av. Dunlop
av. Pratt
ÉDOUARD-MONTPETIT
Université de Montréal
Cimetière Notre-Dame-des-Neiges
0
250
500m
©ULYSSE
A
B
C
D
E
F
W
X
Y
Z

La meilleure façon de découvrir le quartier est peut-être tout simplement de se promener dans ses rues charnières pour goûter à cette ambiance éclectique qui le caractérise si bien. Curieux château au milieu des bâtiments résidentiels, la **caserne de pompiers n° 30**, construite en 1905 à l'angle de l'avenue Laurier et du boulevard Saint-Laurent, a été tout à la fois l'hôtel de ville de Saint-Louis-du-Mile-End, une banque, un bureau de poste, une prison et une caserne de pompiers dont elle conserve encore aujourd'hui la vocation. De biais avec la caserne se trouve le parc Lahaie, qui borde une église de style baroque : l'**église Saint-Enfant-Jésus du Mile-End** ★ *(5039 rue St-Dominique, 514-271-0943)*. Elle a été conçue au XIXe siècle et sa coupole abrite des œuvres d'Ozias Leduc. Mais s'il est une église à découvrir dans le Mile-End, c'est bien l'**église Saint-Michel-Archange** ★ *(5580 rue St-Urbain, 514-277-3300)*. En 1914, l'architecte Aristide Beaugrand-Champagne s'inspira étonnamment du style byzantin pour créer ce lieu de culte catholique, qui détonne dans le paysage résidentiel ouvrier du quartier. D'abord destinée à la communauté irlandaise, cette église sert aujourd'hui de sanctuaire à la communauté polonaise. Son imposant dôme de 23 m de diamètre constituait, avant l'édification de l'Oratoire Saint-Joseph, le dôme le plus important de la ville. Terminez votre promenade en empruntant la **rue Bernard** ★ entre le boulevard Saint-Laurent et l'avenue du Parc, où nombre de commerces, cafés et restaurants sont représentatifs de ce quartier bohème. À l'angle de l'avenue du Parc, vous remarquerez le beau Théâtre Rialto (voir plus loin).

Revenez sur l'avenue Laurier à la hauteur de l'église Saint-Viateur et prenez l'avenue Bloomfield.

On pense que le toponyme « Bloomfield » tirerait ses origines d'une ferme jadis située à cet endroit, dont les produits auraient été caractéristiques de l'époque des grandes cultures maraîchères et fruitières de la région. Aujourd'hui, l'avenue est le témoin des premiers lotissements de type urbain à avoir couvert la ville d'est en ouest.

La composition générale de l'**avenue Bloomfield** est très agréable (grands arbres, bons espaces en cour avant, architecture distinctive des bâtiments, sinuosité de la rue). Quelques immeubles, le long de cette artère, valent la peine d'être mentionnés : l'**académie Querbes**, aux nos 215 à 235, construite en 1914, d'architecture originale (entrée monumentale, galeries de pierre développées jusqu'au deuxième étage) et d'aménagement avant-gardiste pour l'époque (avec piscine, bowling, gymnase, etc.); les nos 249 et 253, avec leurs balcons en forme de dais, au-dessus d'entrées traitées à la manière de loggias; le n° 261, où a habité le chanoine Lionel Groulx, prêtre, écrivain, professeur d'histoire et grand nationaliste québécois (l'édifice abrite maintenant la Fondation Lionel-Groulx); le n° 262, qui se distingue par l'alternance des matériaux dans la composition de sa façade (briques rouges et pierres grises). Un peu plus loin, en face du parc Outremont, au n° 345, se trouve une maison construite en 1922 par et pour Aristide Beaugrand-Champagne, architecte, laquelle est caractérisée par son toit cathédrale et son stuc blanc.

Tournez à gauche dans l'avenue Elmwood.

Le **parc Outremont** est une des nombreuses aires de détente et de jeux du quartier, très prisées par la population. Il a été aménagé sur l'emplacement d'une mare recevant jadis l'eau d'un ruisseau des hauteurs limitrophes. Son aménagement, qui date du début du XXe siècle, confère à l'endroit une tranquille beauté. Au centre du bassin McDougall trône une fontaine qui s'inspire des *Groupes d'enfants* qui ornent le parterre d'eau du château de Versailles. Un monument se dresse en face de la rue McDougall à la mémoire des citoyens d'Outremont morts durant la Première Guerre mondiale.

Tournez à gauche dans l'avenue McDougall.

L'**avenue McDougall** comporte une maison qui a marqué l'histoire d'Outremont : la **ferme OutreMont**, construite pour L.-T. Bouthillier entre 1833 et 1838, aux nos 221 et 223. De 1856 à 1887, la ferme est devenue la résidence de la famille du financier McDougall, pour servir par la suite de lieu d'enseignement de l'horticulture aux sourds-muets sous l'égide des Clercs de Saint-Viateur. C'est là que fut célébrée la première messe à Outremont, le 21 avril 1887. La maison est considérée comme la troisième habitation parmi les plus vieilles de l'ancienne ville. Henri Bourassa, fondateur du journal *Le Devoir*, y aurait été locataire. Au n° 268, il faut voir la maison Arthur L. Gravel, conçue par l'architecte Ralston de Toronto dans le cadre d'un concours d'architecture. Cette résidence témoigne du style international du Bauhaus, qui fut, dans les années 1920, une école de pensée

Les communautés juives

Fortes de plus de 90 000 individus, les communautés juives de l'île de Montréal comptent parmi les plus anciennes et les plus importantes communautés juives d'Amérique du Nord. De ce nombre, les trois quarts sont ashkénazes et le quart sépharades. À Montréal même, les synagogues ashkénazes et sépharades sont en majorité situées dans le quartier Côte-des-Neiges. Comme les juifs pratiquants ne peuvent se déplacer en voiture le jour du sabbat, leurs synagogues sont donc situées à distance de marche de leurs résidences.

Une des minorités «visibles» les plus discrètes de Montréal, la communauté juive hassidique ultra-orthodoxe, avec ses 6 000 membres, habite Outremont et le Mile-End, cœur de l'ancien secteur résidentiel des immigrants juifs. Structurée autour de ses synagogues et de ses écoles, cette communauté s'est toujours tenue à l'écart de ses voisins, mais, au cours des dernières années, des citoyens hassidiques et non juifs se sont tendu la main et ont organisé des activités communautaires dans le but de favoriser des relations plus cordiales et plus ouvertes. D'ailleurs, Mindy Pollak, une jeune femme qui figure parmi les organisateurs, est récemment devenue la première hassidique à être nommée au conseil d'arrondissement.

Pour en apprendre davantage sur les communautés juives de Montréal, prenez part aux visites guidées thématiques (histoire, gastronomie, culture) organisées par le **Musée du Montréal juif** *(entrée libre; visites guidées 20$ à 75$; mar-dim 10h à 17h, jeu jusqu'à 18h; 4040 boul. St-Laurent, local R01, 514-840-9300, http://mimj.ca)*, dont le local du boulevard Saint-Laurent expose des photos d'époque et renferme le **Fletcher's Espace Culinaire** *($-$$; ven-dim 10h à 17h)*, qui sert des mets emblématiques des traditions culinaires juives (poisson *gefilte*, *knish*, *bortsch*, *bagel*), mais pas seulement.

célèbre en architecture prônant le fonctionnalisme.

››› *Tournez à droite dans le chemin de la Côte-Sainte-Catherine.*

Le chemin de la Côte-Sainte-Catherine aligne ici des résidences dont certaines sont d'un intérêt architectural indéniable. C'est le cas notamment du nº 325, avec sa vaste galerie et ses nombreux détails ornementaux.

Le **parc Beaubien** est situé sur l'emplacement du domaine agricole de la famille Beaubien, famille outremontaise dont plusieurs membres ont été des acteurs importants de la scène politique québécoise. Les membres du clan Beaubien habitaient tous près les uns des autres sur le flanc de la colline dominant leurs terres (en partie sur les Terrasses Les Hautvilliers actuelles). Parmi ceux-ci, citons Justine Lacoste-Beaubien, fondatrice du réputé hôpital Sainte-Justine pour enfants, Louis Beaubien, député fédéral et provincial, et sa femme, Lauretta Stuart. Louis Riel, le chef métis du Manitoba au procès et à l'exécution célèbres, aurait travaillé sur les terres des Beaubien entre 1859 et 1864.

››› *Rendez-vous sur l'avenue Davaar et empruntez-la à droite.*

Le bâtiment qui abrite aujourd'hui l'**ancien hôtel de ville** (1817) *(543 ch. de la Côte-Ste-Catherine)* servit notamment d'entrepôt à la Compagnie de la Baie d'Hudson, d'école et de prison. Un poste de péage se trouvait sur le chemin de la Côte-Sainte-Catherine à cet endroit, pour percevoir un droit d'utilisation destiné à l'entretien du chemin, afin d'isoler ce quartier aisé du reste des terres de l'île. Le bâtiment, aujourd'hui revenu à sa vocation première, loge la mairie d'arrondissement d'Outremont.

››› *Descendez l'avenue Davaar jusqu'à l'avenue Bernard.*

L'**avenue Bernard** ★ *(métro Outremont)* est à la fois une rue de commerces, de bureaux et de logements. Sa prestance (avenue large, grands terre-pleins de verdure, aménagement paysager sur rue, bâtiments de caractère) reflète la volonté d'une époque de confirmer formellement le prestige de la municipalité grandissante, aujourd'hui fusionnée à Montréal. C'est dans cette rue que se trouve notamment le **Théâtre Outremont** *(1248 av. Bernard, 514-495-9944, www.theatreoutremont.ca)*, édifice Art déco classé monument historique, dont la vocation actuelle est dédiée aux spectacles et au cinéma. Sa décoration intérieure est d'Emmanuel Briffa.

Avec son étang, son petit pont et son joli pavillon revêtu de stuc blanc et posé sur un îlot, le **parc Saint-Viateur** *(angle av. Bernard et av. Bloomfield)* ne manque pas d'intérêt et invite à la promenade. Le pavillon, qui date de 1927, présente de belles qualités de design pour un simple bâtiment de service, en grande partie grâce à sa loggia qui s'étend sur les quatre faces. S'y réunissent parfois les soirs d'été des danseurs de tango, alors que le parc fait le bonheur des patineurs en hiver.

D'autres édifices attirent également l'attention sur l'avenue Bernard : l'**ancien bureau de poste** au n° 1145, le **Clos Saint-Bernard** aux n°s 1167 à 1175 (vaste garage recyclé en immeuble en copropriété) et, au n° 1180, l'ancien premier grand magasin d'alimentation à grande surface de la famille Steinberg (qui en viendra plus tard à posséder plus de 190 établissements du genre à travers le Québec, avant de faire faillite en 1992), maintenant sous l'enseigne Les 5 saisons. Plusieurs immeubles résidentiels des environs sont aussi d'une belle architecture : le **Montcalm** *(n°s 1040 à 1050)*, le **Garden Court** *(n°s 1058 à 1066)*, le **Royal York** *(n°s 1100 à 1144)* et le **Parklane** *(n° 1360)*.

››› *Dirigez-vous vers l'ouest sur l'avenue Bernard jusqu'à l'avenue Rockland, pour pénétrer dans le parc Joyce.*

Le **parc Joyce** est situé sur l'emplacement d'une vaste propriété d'un Canadien d'origine britannique, confiseur de son métier, James Joyce. Il est doucement accidenté et arbore une végétation mature, héritée de l'époque du domaine. L'**avenue Ainslie**, qui aboutit dans le parc, compte notamment deux résidences qui valent le déplacement, aux n°s 18 et 22. Elles sont en effet particulièrement impressionnantes tant par l'ampleur des terrains sur lesquels elles ont été édifiées que par le volume des constructions et la majesté de leur composition inspirée du style victorien.

››› *Reprenez le chemin de la Côte-Sainte-Catherine et passez l'avenue Claude-Champagne.*

On remarque, du côté nord, trois résidences de valeur architecturale et patrimoniale plus qu'évidente : au n° 637, la **maison J.B. Aimbault**, construite vers 1820 et d'architecture rurale, un héritage rarissime d'une époque révolue de la municipalité; sa voisine (n° 645), au toit à pente raide, signature de l'architecte Beaugrand-Champagne; enfin, celle du n° 661, bâtie à la fin du XIXe siècle, dont le style relativement unique pour le secteur est plutôt d'inspiration georgienne de la Nouvelle-Angleterre.

››› *Revenez sur vos pas et prenez l'avenue Claude-Champagne.*

L'enfilade de gros bâtiments institutionnels le long de l'avenue Claude-Champagne, qui se prolonge même au-delà dans la montagne et sur le boulevard du Mont-Royal, à savoir l'**ancienne maison-mère des Sœurs des Saints-Noms-de-Jésus-et-de-Marie** *(métro Édouard-Montpetit)*, a déjà été propriété d'une seule et même congrégation de religieuses, les Sœurs des Saints-Noms-de-Jésus-et-de-Marie. Arrivées à Outremont au XIXe siècle, les religieuses avaient essentiellement une mission éducative qu'elles ont su respecter dans le développement de ce vaste secteur.

En suivant l'avenue Claude-Champagne, on voit d'abord le **pensionnat du Saint-Nom-de-Marie**, construit en 1905, qui s'impose sur le chemin de la Côte-Sainte-Catherine tant par son architecture (portique Renaissance, toiture argentée, dôme) que par son volume et son emplacement sur un terrain surélevé. Plus haut, c'est-à-dire immédiatement derrière, se trouve le **pavillon Marie-Victorin**, de facture beaucoup plus moderne, qui abrita initialement une école supérieure des sœurs, avant d'être acquis par l'Université de Montréal pour loger sa faculté des sciences de l'éducation.

Encore plus haut, sur le flanc de la montagne, on aperçoit le **pavillon de la Faculté de musique**

Avenue Bernard.

de l'Université de Montréal. L'acoustique de la salle de concerts de l'édifice, la **salle Claude-Champagne**, est d'une très grande qualité, et ce lieu de diffusion sert régulièrement pour les enregistrements. La vue que l'on peut avoir, à partir du terrain du pavillon, sur Outremont ainsi que sur toute la partie nord de l'île de Montréal, est remarquable.

L'avenue Claude-Champagne, en tant que partie d'« Outremont-en-haut », est aussi bordée de résidences à la mesure de la réputation de ce secteur de la ville. L'imposante **maison I. Préfontaine**, au n° 22, est l'exemple même du style général que nombre de citoyens des environs ont voulu donner à leur propriété.

››› *Au bout de l'avenue Claude-Champagne, prenez à gauche le boulevard du Mont-Royal et continuez tout droit aux feux de signalisation pour prendre l'avenue Maplewood.*

Appelée aussi l'« avenue du pouvoir », l'**avenue Maplewood** ★ *(métro Édouard-Montpetit)* est l'axe central de ce secteur appelé « Outremont-en-haut », où, souvent dans une topographie très accidentée, sont venues se percher des résidences cossues qu'ont habitées ou habitent toujours de nombreux personnages influents du Québec.

Au-delà de l'avenue McCulloch (qui a vu s'établir pour un temps la famille de Pierre Elliott Trudeau, ancien premier ministre du Canada, au n° 84), l'avenue Maplewood devient encore plus pittoresque. Sa petite pente ainsi que sa légère sinuosité, associées à la beauté des résidences et à l'aménagement soigné des cours qui la bordent, confirment l'attrait que peut exercer « Outremont-en-haut » sur l'intelligentsia québécoise. De multiples habitations valent à cet endroit le coup d'œil : le n° 77, bel exemple du style colonial américain; les nos 69 et 71, du type pavillon de banlieue des années 1920; les nos 47 et 49, maisons jumelées d'ambiance encore campagnarde qui datent de 1906 (elles sont les plus vieilles demeures de la rue); enfin le n° 41, qui évoque les grands manoirs français de la Renaissance.

››› *Empruntez le passage piétonnier, situé entre les nos 52 et 54, qui mène au boulevard du Mont-Royal par la ruelle du même nom.*

Le **boulevard du Mont-Royal** est la deuxième grande artère d'« Outremont-en-haut ». Son toponyme tire son origine du fait que le premier tronçon de cette voie conduisait au cimetière protestant Mont-Royal. Bien qu'elle soit strictement résidentielle, la rue a tendance de nos jours à être relativement encombrée : elle sert de chemin de transit aux nombreux automobilistes qui se rendent à l'Université de Montréal. Elle est aussi très utilisée comme piste de jogging par les coureurs des environs.

La section du boulevard proposée ici est à l'image de la qualité architecturale et paysagère du quartier. De belles demeures y ont été construites, dont certaines ont tenu compte de leur double accès au boulevard et à l'avenue Maplewood : c'est le cas notamment de celle située au n° 1151, qui présente des façades très équilibrées dans les deux rues. La maison du n° 1139 est, quant à elle, typique de l'Art déco. L'intégrité du vaste espace boisé, qui s'étend au sud du boulevard, ajoute à la beauté du secteur.

La belle vue sur l'est de Montréal (notamment sur le Plateau Mont-Royal) qui s'offre à vous au bout de la rue (au tournant du boulevard) révèle du même coup la différence radicale qui existe entre ce secteur d'Outremont et la ville à son pied. Après le tournant, sur la gauche, on peut voir, en terminant le parcours, l'**ancien couvent des sœurs de Marie-Réparatrice**, considéré comme très moderne pour son temps (1911) en raison de sa brique de couleur chamois.

Le **cimetière Mont-Royal** (voir p. 170), auquel on accède par le boulevard du Mont-Royal et le chemin de la forêt, est décrit dans un autre circuit.

Empruntez de nouveau le boulevard du Mont-Royal jusqu'à l'angle du chemin de la Côte-Sainte-Catherine pour reprendre l'autobus 11, qui vous conduira à la station de métro Mont-Royal, au cœur du Plateau, ou dans le parc du Mont-Royal, sur les hauteurs de la ville.

Restaurants

Café Olimpico $

124 rue St-Viateur O., 514-495-0746,
www.cafeolimpico.com

Repaires d'habitués du quartier, dopés aux délicieux et mousseux cafés au lait, la salle et la terrasse du Café Olimpico ne désemplissent pas de la journée. Ambiance électrique lors des matchs de soccer où joue l'Italie.

Euro Déli Batory $

115 rue St-Viateur O., 514-948-2161,
www.eurodelibatory.pj.ca

Les quelques tables de cette petite épicerie polonaise qui sert aussi de merveilleux plats est-européens sont prises d'assaut tous les midis. Les assiettes de pierogis, bigos et autres choux farcis apaisent aisément les appétits féroces. Une charmante adresse d'un autre temps pour découvrir cette cuisine réconfortante.

Fairmount Bagel Bakery $

74 av. Fairmount O., 514-272-0667,
www.fairmountbagel.com

Célèbre concurrent du St. Viateur Bagel Shop (voir plus loin), la Fairmount Bagel Bakery innove en proposant une vingtaine de sortes de *bagels* différentes. Pour les « vrais de vrais », le *bagel* aux graines de sésame demeure toutefois le choix incontournable! Ouverte 24h sur 24, 365 jours par année, cette boulangerie est un arrêt populaire pour la faune nocturne de la *Main* qui veut prendre une bouchée après une soirée passée à faire la fête. Pour emporter seulement.

La Panthère Verte $

160 rue St-Viateur E., 514-508-5564,
www.lapanthereverte.com

La Panthère Verte régale les végétaliens du quartier. Sur l'ardoise : sandwichs et salades, et aussi des falafels (peut-être bien les meilleurs en ville), tous faits à partir de produits frais et bios, que l'on accompagne de boissons santé pleines d'énergie.

Le Cagibi $

5490 boul. St-Laurent, 514-509-1199,
www.lecagibi.ca

Ce café-restaurant est un condensé de l'âme du Mile-End : désinvolte, nonchalant, avec ce style « négligé-chic » qui court les rues de ce quartier. Il fait bon passer des heures dans ce décor éclectique, au son d'une bonne musique, tout en grignotant un plat simple mais biologique. Concerts et événements tous les soirs de la semaine.

Lester's Deli $

1057 av. Bernard, 514-213-1313,
www.lestersdeli.com

Chez Lester's, on sert de bons sandwichs à la viande fumée (*smoked meat*) depuis 1951. Le décor nous renvoie quelques décennies en arrière, pour le plus grand plaisir des connaisseurs et des habitués.

St. Viateur Bagel Shop $

263 av. St-Viateur O., 514-276-8044,
www.stviateurbagel.com

C'est de cette petite boulangerie artisanale, au cœur d'Outremont, que vient la renommée des *bagels* montréalais. Cuits au four à bois, ces petits pains en forme d'anneau rivalisent aisément avec leurs concurrents new-yorkais. La succursale du Plateau (voir p. 156) se double d'un petit bistro.

Wilensky.

Wilensky $

34 av. Fairmount O., 514-271-0247, www.wilenskys.com

Ouvert en 1932, cet établissement pourrait aisément se retrouver dans la section des attraits touristiques tant il fait partie de l'histoire de Montréal. C'est le roman de Mordecai Richler, *L'apprentissage de Duddy Kravitz*, qui l'a rendu célèbre, et ni le menu ni le décor ont changé depuis. On s'assoit sur un des neuf tabourets face aux serveurs guère affables et on commande un sandwich au salami après avoir lu et approuvé les conditions : aucun changement toléré, moutarde obligatoire. Une fois avalé avec un Cherry Coke, prière de laisser sa place au suivant. Une expérience à vivre!

Café Souvenir $-$$

1261 av. Bernard, 514-948-5259, www.cafesouvenir.com

Une ambiance de café français se dégage de ce petit resto sympa. Les dimanches pluvieux, les Outremontais y viennent nombreux, le temps d'une petite causerie. Le menu n'a rien d'extravagant (petits déjeuners, sandwichs, salades, hamburgers, steak frites), mais les plats sont bons, frais et à très bon prix. Agréable terrasse.

Caffè Grazie Mille $-$$

58 av. Fairmount O., 514-564-9988

Ce café représente bien l'Italie qu'on aime : des paninis simples et toujours frais, des cafés comme on en boit rarement ailleurs et un patron qui discute haut et fort avec ses clients. La terrasse est un petit bonheur en été.

La Croissanterie Figaro $-$$

5200 rue Hutchison, 514-278-6567, www.lacroissanteriefigaro.com

Charmant café, La Croissanterie Figaro est un de ces trésors de quartier qu'on découvre avec ravissement. De petites tables en marbre, des lustres vieillots et des boiseries composent un décor propice aux petits déjeuners qui se prolongent et aux tête-à-tête alors qu'on voudrait que le temps s'arrête. Belle terrasse donnant sur la rue.

Buvette chez Simone $$

4869 av. du Parc, 514-750-6577, http://buvettechezsimone.com

Davantage un endroit pour prendre ou poursuivre l'apéro avec quelques bouchées qu'un véritable restaurant, la Buvette chez Simone demeure un lieu populaire pour discuter entre amis. Ici, pas d'extravagances côté menu, mais de petits plats simples et délicieux du genre tapas pour accompagner les doux nectars que l'établissement propose.

Fabergé $$

25 av. Fairmount O., 514-903-6649, http://faberge514.com

La faune du Mile-End fait la file pour les petits déjeuners du Fabergé qui portent mal l'appellation « petit ». La poutine matinale, les gaufres au poulet frit ou le sandwich BLT (bacon, laitue, tomates), agrémenté d'une confiture de bacon maison, n'ont rien de léger, mais on pourra toujours se donner bonne conscience en accompagnant les assiettes copieuses d'un *smoothie* vert au chou frisé.

Le Moineau/The Sparrow $$

5322 boul. St-Laurent, 514-507-1642, www.sparrow-lemoineau.com

Il fait toujours bon s'attabler pour un verre de bière dans cet endroit chaleureux à l'ambiance de pub très *English*. Pour se rassasier, on retrouve toute la semaine un menu éclectique (hamburgers, moules et frites, côtelettes de porc aux épices *vindaloo masala*), mais ce sont surtout les brunchs de fin de semaine qui attirent le monde. Argent comptant seulementLe salon de thé Cardinal occupe l'étage supérieur et sert divers thés, sandwichs et petites douceurs, de quoi alimenter son *four o'clock* dans les règles de l'art.

Maria Bonita $$

5269 av. Casgrain, angle rue Maguire, 514-807-4377, www.mariabonitamontreal.com

En dehors des sentiers battus, ce petit restaurant mexicain aux tons bleutés propose une chaleureuse cuisine qui change des habituels *tacos* et *fajitas*. Toute une variété de spécialités (*mole, nopales, albondigas*...) est proposée en *cazuelitas*, soit de petites portions qui permettent de partager ces mets et donc de goûter à la diversité de cette délicieuse cuisine. Service sympathique.

Nouveau Palais $$

281 rue Bernard O., 514-273-1180, www.nouveaupalais.com

Le Nouveau Palais est aménagé dans un ancien *diner* du Mile-End où les noctambules du quartier venaient autrefois terminer leurs soirées en avalant une poutine à 4h du matin. L'ambiance de *diner* demeure, mais l'équipe en cuisine revisite de façon originale les classiques du genre (ailes de poulet sauce *buffalo*, hamburger et frites, macaronis au fromage) tout en proposant de nouveaux plats de son cru.

Aux Lilas $$-$$$

5570 av. du Parc, 514-271-1453, http://auxlilasresto.com

On se sent comme un invité chez des amis en entrant dans cette maison mauve où des amis libanais sont désireux de faire goûter à leurs convives les nombreux délices de la cuisine de leur pays. *Mezze*, *qebbeh*, viandes et poissons sont ici à leur meilleur, et le service est tout simplement adorable.

Le Comptoir charcuteries et vins $$-$$$

4807 boul. St-Laurent, 514-844-8467, www.comptoircharcuteriesetvins.ca

Le Comptoir est l'endroit idéal pour prendre un bon repas ou encore grignoter un peu pendant un cinq à sept. Les plats (pieuvre braisée, ris de veau et *porchetta*, entre autres), servis en petites portions, sont bien présentés et savoureux. On accompagne le tout d'un verre de vin choisi parmi le vaste choix offert. La boutique **La Réserve du Comptoir** (voir p. 148) propose leurs charcuteries maison.

Nonya $$-$$$

151 rue Bernard O., 514-875-9998, www.nonya.net

Rare ambassadeur de la cuisine indonésienne au Québec, Nonya offre, dans un cadre élégant, un éventail de mets raffinés et inspirés des recettes familiales parmi les plus appréciées de l'archipel de l'Asie du Sud-Est. Le menu *rijsttafel*, constitué de riz, de nombreux plats et d'accompagnements, est un délicieux tour d'horizon qui comblera les amateurs de nouveautés orientales.

Rumi $$-$$$

5198 rue Hutchison, 514-490-1999, www.restaurantrumi.com

Et si la Route de la soie passait par la rue Hutchison? Il suffit d'entrer au restaurant Rumi pour s'y croire. La décoration arborant tentures et tissus persans et les bonnes odeurs émanant des nombreux mets parfumés en font un lieu tout désigné pour un repas paisible et succulent. Très agréable terrasse en été.

BarBounya $$$

234 av. Laurier O., 514-439-8858, www.barbounya.com

Fisun Ercan, la chef de l'excellent **Su** (voir p. 243) à Verdun, applique la formule *mezzé* à son restaurant de l'avenue Laurier. Les assiettes reflètent la cuisine de sa Turquie natale (coings braisés aux fromages turcs), mais non seulement (foie gras à la gelée pimentée). Tout se prête à la convivialité ici, du comptoir autour duquel on s'assoit aux planches sur lesquelles les bouchées à partager sont servies.

Lili.Co $$$

4675 boul. St-Laurent, 514-507-7278, www.restolilico.com

Voilà une adresse qui gagne à être connue. On y propose de savoureux petits plats à partager qui rivalisent d'inventivité sans voler la vedette aux autres mets, tous d'une fraîcheur exceptionnelle. Installé au grand bar qui entoure la cuisine, vous prendrez plaisir à regarder les cuistots à l'œuvre, toujours généreux en explications pour vous faire découvrir une technique ou un ingrédient inusité. Délicieux brunch le week-end.

Barcola Bistro $$$

5607 av. du Parc, 438-384-1112, www.barcolabistro.com

Le chef mélomane Fabrizio Caprioli élabore dans son agréable petit restaurant la cuisine traditionnelle du nord-est de l'Italie, sa région natale. Le menu évolue continuellement selon les produits de saison, et la carte des vins est soigneusement entretenue pour rehausser les assiettes. Les prix sont plus que raisonnables pour la qualité des plats.

Jun i $$$-$$$$

156 av. Laurier O., 514-276-5864, www.juni.ca

Jun i fait partie de ces restaurants qui réussissent toujours à étonner leurs clients. Que ce soit avec ses délicieux et inusités sushis ou ses plats fusionnant cuisine japonaise et française, fraîcheur et perfection sont au rendez-vous. Le cadre est sobre et élégant, et le service avenant.

Lawrence $$$-$$$$

5201 boul. St-Laurent, 514-503-1070, www.lawrencerestaurant.com

Ce restaurant du chef Marc Cohen ne désemplit pas depuis son ouverture il y a quelques années. L'ambiance chaleureuse et la très belle carte des vins rehaussent encore plus les plats réconfortants, à la fois rustiques et raffinés, qui jonglent avec les fruits de mer, les abats et les origines britanniques du chef. Le brunch du week-end est très couru par les gastronomes branchés du quartier. En 2016, la même équipe a ouvert le petit restaurant **Larrys** *($$$; 9 av. Fairmount E., http://larrys.website; pas de téléphone, pas de réservation)* à côté de leur adresse principale. Ouvert matin, midi et soir, Larrys propose des plats plus simples, mais tout aussi délicieux, servis en petites portions.

La Chronique.

Leméac $$$-$$$$

1045 av. Laurier O., 514-270-0999, www.restaurantlemeac.com

Table incontournable d'Outremont, ce restaurant doit son nom à la célèbre maison d'édition montréalaise qui occupait auparavant ce bel espace de l'avenue Laurier. Les boiseries, le jardin-terrasse et les larges baies vitrées confèrent une luminosité particulière à ce café typiquement européen. Les plats au menu, qui déclinent les classiques de la cuisine française, s'accompagnent d'un vaste choix d'excellents vins. Délicieux brunchs les week-ends et menu à prix avantageux *($$$)* après 22h.

La Chronique $$$$

104 av. Laurier O., 514-271-3095, www.lachronique.qc.ca

La Chronique brigue toujours sa place parmi les meilleurs restaurants de la ville avec sa cuisine du marché en constante évolution. La liste des vins fera le bonheur des amis de Bacchus. Excellent menu plus économique *($$$)* le midi.

Milos $$$$

5357 av. du Parc, 514-272-3522, www.milos.ca

Milos peut en montrer aux innombrables brochetteries ayant pignon sur rue à Montréal, car on élabore ici une authentique cuisine grecque. La réputation de cet établissement repose fermement sur la qualité de ses poissons et fruits de mer. Le décor préserve le charme de la simple *psarotaverna* que ce restaurant était à ses débuts, tout en affichant une certaine élégance rustique à même de plaire à sa riche clientèle. Une table d'hôte à trois services à prix plus doux *($$)* est proposée le midi et après 22h *(jeu-sam)*.

Achats

La jolie **avenue Laurier Ouest** *(http://laurie-rouest.com)* entre le chemin de la Côte-Sainte-Catherine et le boulevard Saint-Laurent se distingue par ses galeries d'art, ses boutiques aux accents classiques, ses épiceries fines et ses bonnes tables. Dans la portion est de l'avenue, entre les rues De Brébeuf et Papineau, épiceries fines, boutiques culinaires, petits cafés et restaurants de quartier sont nombreux et alléchants.

Alimentation

Boulangerie Guillaume
5132 boul. St-Laurent, 514-507-3199, www.facebook.com/boulangerieguillaume

Pour des brioches chocolat-citron ou des baguettes figues et cheddar, rendez-vous dans cette boulangerie artisanale. Vous y trouverez aussi des sandwichs et des viennoiseries. Tout y est succulent!

Chocolats Geneviève Grandbois
162 rue St-Viateur O., 514-394-1000; marché Atwater, 138 rue Atwater, 2e étage, 514-933-1331; www.chocolatsgg.com

Divins, ces chocolats de Geneviève Grandbois! Chaque petit cube est une pure merveille et une expérience gustative affriolante. Un plaisir à découvrir ou à redécouvrir, car chaque nouvelle saison voit apparaître de nouvelles créations plus audacieuses et plus délicieuses.

Cocoa Locale
4807 av. du Parc, 514-271-7162

Après une balade sur le mont Royal, pourquoi ne pas faire un arrêt à la sympathique pâtisserie Cocoa Locale, une petite échoppe de gâteaux et de *cupcakes* (gâtelets) confectionnés dans la pure tradition? N'utilisant que des ingrédients de première qualité, Reema Singh y mitonne de délicieux biscuits, brownies et petits gâteaux.

Épicerie Latina
185 rue St-Viateur O., 514-273-6561, www.chezlatina.com

Une excellente épicerie fine, avec un rayon boucherie reconnu pour son savoir-faire dans la maturation des viandes.

Gourmet Laurier
1042 av. Laurier O., 514-274-5601, www.gourmetlaurier.ca

Épicerie fine bien approvisionnée, Gourmet Laurier propose entre autres une sélection de fromages particulièrement intéressante.

Kem Coba
60 av. Fairmount O., 514-419-1699, http://kemcoba.com

Les files ne cessent de s'allonger devant cette boutique colorée qui sert, au dire de tous ceux qui y ont goûté, les meilleurs sorbets et crèmes glacées en ville. Tout est fait maison, avec des parfums originaux (cacahuète et miel, beurre salé...) qui se renouvellent constamment. Argent comptant uniquement.

Le Bilboquet
1311 av. Bernard, 514-276-0414, www.bilboquet.ca

Des gens de tout âge viennent au Bilboquet pour se délecter de mille et une savoureuses glaces. Installé au cœur d'Outremont, il offre une mignonne terrasse et attire une foule nombreuse les soirs d'été. Plusieurs autres adresses dans la grande région montréalaise.

Articles de cuisine

Les Touilleurs
152 av. Laurier O., 514 278-0008, www.lestouilleurs.com

Spatules en bois Littledeer (pour droitiers ou gauchers!), moules à gâteau et emporte-pièces aux formes les plus variées, batteries de cuisine et couteaux de grande qualité, bref, les passionnés de design culinaire trouveront forcément leur bonheur ici.

Bijoux

Agatha
1054 av. Laurier O., 514-272-9313

Pour des bijoux de fantaisie, en argent ou en pâte de verre, mais très jolis, il faut aller chez Agatha.

Argent Tonic
138 av. Laurier O., 514-274-5668, www.argenttonic.com

Une murale dans le quartier Mile -End.

C'est sûrement l'exiguïté du local qui a inspiré les propriétaires de cette charmante bijouterie, lesquels lui ont donné le surnom de « bar à bijoux ». Et ici, la qualité, l'originalité et la créativité ne se mesurent pas au nombre de mètres carrés; ni les prix d'ailleurs, malheureusement!

Cadeaux et souvenirs

Au Papier Japonais
24 av. Fairmount O., 514-276-6863,
www.aupapierjaponais.com
L'art de la fabrication du papier existe. Si vous en doutez, rendez-vous à la boutique Au Papier Japonais, où l'on vend des papiers d'une texture à nulle autre pareille, parfaits pour l'origami ou les occasions spéciales.

Galeries d'art

Centre d'art et de diffusion Clark :
5455 av. De Gaspé, local 114, 514-288-4972,
www.centreclark.com
Ce centre d'artistes autogéré est un incontournable pour découvrir le vent de créativité qui souffle sur le Mile-End.

Galerie Clarence Gagnon : 1108 av. Laurier O., 514-270-2962, www.clarencegagnon.com

Galerie Simon Blais : 5420 boul. St-Laurent, local 100, 514-849-1165,
www.galeriesimonblais.com

Jeux et jouets

Boutique Citrouille
1126 av. Bernard O., 514-948-0555,
http://shop.boutiquecitrouille.com
Ce beau magasin regorge de jouets de qualité, notamment de splendides chevaux à bascule et maisons de poupées.

Librairies

Librairie Drawn & Quarterly
211 rue Bernard O., 514-279-2224,
http://211blog.drawnandquarterly.com/
Bandes dessinées, romans, essais, livres pour enfants et magazines, principalement en anglais mais avec également une sélection bien choisie en français. Une des plus belles librairies en ville, elle organise régulièrement des événements avec des auteurs et des ateliers pour petits et grands.

Vêtements et accessoires

Jeans, Jeans, Jeans
5575 av. Casgrain, 514-279-3303, www.jeansjeansjeans.ca

Toutes les marques, toutes les tailles, pour toutes les bourses. L'entrepôt est peut-être à l'écart des grandes artères, mais la variété de choix et les prix valent le détour.

Boutique Unicorn
5135 boul. St-Laurent, 514-544-2828, www.boutiqueunicorn.com

Accessoires originaux et très bonne sélection de vêtements pour femmes de désigners québécois et étrangers.

Général 54
5145 boul. St-Laurent, 514-271-2129, http://general54.ca

Une jolie boutique qui met en valeur les vêtements de créateurs québécois et canadiens. Expositions d'œuvres d'artistes locaux. Un lieu tout à fait dans l'esprit créatif du Mile-End.

Lyla Collection
400 av. Laurier O., 514-271-0763, www.lyla.ca

Envie d'une folie en dentelle? La boutique Lyla Collection offre une très belle sélection de dessous féminins. Outre ces vêtements de première nécessité, des maillots de bain y sont proposés.

Billie
1012 av. Laurier O., 514-270-5415, http://billieboutique.com

Les mots d'ordre dans cette boutique de mode pour femmes de la chic avenue Laurier sont « intemporalité » et « convivialité ». Les vêtements et accessoires y sont tous exclusifs et proviennent de désigners locaux et d'importations de tous les coins de la planète.

Frank + Oak
160 rue St-Viateur E., 438-384-0824, https://ca.frankandoak.com

Les vêtements de cette marque montréalaise sont conçus et fabriqués dans l'atelier-boutique de la rue Saint-Viateur. Belle gamme de vêtements et accessoires (surtout pour hommes) allant du chic au décontracté, qui met toujours l'accent sur le confort. Autre adresse au centre-ville dans la rue Stanley.

Henriette L.
1031 av. Laurier O., 514-277-3426, www.henriettel.com

Une adresse à connaître à Outremont, pour les femmes qui sont prêtes à toutes les folies pour être habillées comme personne.

Michel Brisson
1074 av. Laurier O., 514-270-1012; 384 rue St-Paul O., 514-285-1012; www.michelbrisson.com

Les boutiques de vêtements pour hommes Michel Brisson occupent des locaux au design contemporain et recherché. Des collections haut de gamme aux lignes épurées et recherchées ainsi qu'une ravissante sélection de chaussures sont élégamment présentées.

Mimi & Coco
201 av. Laurier O., 514-906-0349, www.mimicoco.com

Mimi & Coco est la boutique indiquée pour les fanas de haute couture à prix moins déraisonnable. Si vous cherchez le t-shirt qui ne passera pas inaperçu, votre quête s'arrêtera ici.

Pierre, Jean, Jacques
158 av. Laurier O., 514-270-8392

À la boutique de vêtements masculins Pierre, Jean, Jacques, la propriétaire conseille, avec professionnalisme, les hommes de tous âges.

Voyage

Jet-Setter
66 av. Laurier O., 514-271-5058, www.jet-setter.ca

Pour une fin de semaine à Québec, 15 jours en République dominicaine ou un congé sabbatique dans de lointains paradis, n'oubliez pas de passer chez Jet-Setter, où vous trouverez valises, mallettes, sacs à dos et tous les accessoires de voyage dont vous pourriez avoir besoin.

Bars et boîtes de nuit

Casa Del Popolo
4873 boul. St-Laurent, 514-284-3804, www.casadelpopolo.com

La Casa Del Popolo est à la fois un restaurant végétarien, un café et une salle de spectacle. Ses propriétaires ont grandement contribué à l'effervescence de la scène musicale montréalaise grâce aux spectacles qu'ils présentent à la Casa Del Popolo et à **La Sala Rossa** *(4848*

Théâtre Outremont.

boul. St-Laurent, 514-844-4227, http://lasalarossa.com), située en face. On y propose des concerts aux consonances éclectiques : pop, rock, folk, jazz et musique actuelle et électronique. Le mois de juin est dédié au festival **Suoni Per Il Popolo** (voir p. 287).

Dieu du Ciel
29 av. Laurier O., 514-490-9555, www.dieuduciel.com
Dieu du Ciel est une microbrasserie conviviale (mais très bruyante en soirée) qui mérite résolument le déplacement pour son excellente sélection de bières maison, toujours renouvelée et parmi les meilleures en ville.

Bar Waverly
5500 boul. St-Laurent, 514-903-1121, www.barwaverly.com
En plein cœur du Mile-End, ce lieu branché, au décor à mi-chemin entre taverne et loft industriel, attire une foule de jeunes professionnels du quartier. On s'y délecte de bons cocktails en écoutant la musique de DJ dès 22h *(mar-sam)*. Ambiance décontractée.

Whisky Café
5800 boul. St-Laurent, 514-278-2646, www.whiskycafe.com
Au Whisky Café, les tons chauds et les grandes colonnes recouvertes de boiseries contribuent à une sensation de confort et de classe. On peut choisir entre quelque 150 scotchs et whiskies, et les amateurs pourront profiter d'une salle dédiée aux fumeurs de cigares.

Culture et divertissement

Salles de spectacle

Théâtre Espace Go
4890 boul. St-Laurent, 514-845-4890, www.espacego.com
Théâtre contemporain et expérimental.

Théâtre Fairmount
5240 av. du Parc, 514-563-1395, www.theatrefairmount.ca
Concerts variés.

Théâtre Outremont
1248 av. Bernard, 514-495-9944, www.theatreoutremont.ca
Théâtre, danse, concerts...

Théâtre Rialto
5719 av. du Parc, 514-770-7773, www.theatrerialto.ca
Concerts et spectacles variés.

Rosemont

Attraits

trois heures

Avec la montée de l'industrialisation et de l'immigration à la fin du XIXe siècle, Montréal devient de plus en plus engorgée. Une décentralisation s'impose alors. C'est pendant cette période que fut créée la paroisse de Côte-de-la-Visitation, ancêtre de Rosemont. Il faut toutefois attendre 1905 pour que le village de Côte-de-la-Visitation soit incorporé et devienne la municipalité de Rosemont. À cette époque, le Canadien Pacifique (CP) inaugure une série d'usines sur le territoire, appelées les « **Shops Angus** », qui ouvrent leurs portes à plus de 7 000 employés. L'urbanisation s'amorce brutalement. Un quartier résidentiel, aujourd'hui appelé le « Vieux-Rosemont », se développe près du chemin de fer du CP entre la 1re Avenue et la 10e Avenue, et ce, jusqu'au boulevard Rosemont au nord. Pendant des décennies, les Shops Angus ont rythmé la vie des résidents du secteur, jusqu'à leur fermeture en 1992. Depuis quelques années toutefois, le secteur Angus est pris d'un second souffle avec l'arrivée de nombreuses entreprises œuvrant dans les nouvelles technologies ainsi que le développement résidentiel grandissant.

De la station de métro Laurier, empruntez l'avenue du même nom vers l'est jusqu'au parc Sir-Wilfrid-Laurier. Suivez la piste cyclable qui longe le parc et débouche au nord sur l'avenue Christophe-Colomb pour rejoindre le Réseau vert, un parc linéaire d'environ 3 km de long qui avoisine la voie ferrée du CP. Dirigez-vous vers l'est.

Le **Réseau vert** longe le chemin de fer à la limite sud de l'arrondissement Rosemont–La Petite-Patrie. Ce chemin de pierres fines, qui s'étend de la rue Fullum à la rue Saint-Urbain, fait découvrir les arrière-cours de la zone industrielle désaffectée.

À l'angle de la rue Chambord et de la rue des Carrières, l'**incinérateur des Carrières** est difficile à manquer avec ses deux cheminées de 70 m de hauteur. Le premier four d'incinération fut construit en 1931, projet mis de l'avant par l'échevin Desroches, dans le but de se débarrasser des dépotoirs à ciel ouvert qui prenaient de plus en plus de place sur l'île. Pendant une dizaine d'années, l'incinérateur brûle plus de 300 tonnes de déchets par jour. Mais la population avoisinante se plaint sans cesse de maux de tête et de gorge associés à la qualité de l'air du quartier. Un deuxième four, plus performant et moins polluant, est alors construit et inauguré en 1970. Ces efforts d'innovation s'avèrent toutefois insuffisants et l'incinérateur ferme ses portes en 1993. Les activités industrielles y sont désormais absentes, mais l'incinérateur, avec ses cheminées, reste debout comme témoin du patrimoine industriel de Montréal.

Poursuivez vers l'est jusqu'à la fin du Réseau vert. Continuez tout droit pour rejoindre la rue Masson.

La **Promenade Masson** ★ *(www.promenademasson.com)*, située sur le tronçon de la rue Masson compris entre la 1re Avenue et la 10e Avenue, n'a rien à envier à l'avenue du Mont-Royal. En effet, depuis quelques années, restaurants, cafés et boutiques en tous genres y poussent comme des champignons!

Un peu plus loin vers l'est, vous croiserez l'**église Saint-Esprit de Rosemont** *(2851 rue Masson)*. Vous êtes ici dans la première paroisse à avoir vu le jour dans le village de Rosemont (1905-1910). En 1905, elle fut fondée canoniquement sous le nom de Sainte-Philomène par

À ne pas manquer

Attraits

Promenade Masson p. 194

Restaurants

Hoogan et Beaufort p. 196

Madre p. 196

Achats

La Petite Ferme du Mouton Noir p. 197

Fou des Îles p. 196

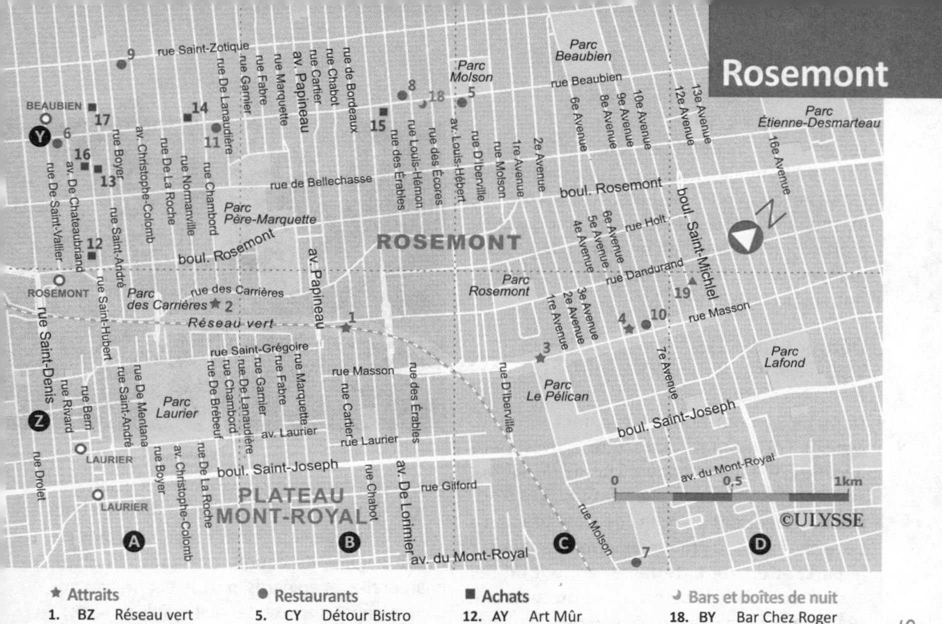

★ Attraits

1. BZ Réseau vert
2. AZ Incinérateur des Carrières
3. CZ Promenade Masson
4. CZ Église Saint-Esprit de Rosemont

● Restaurants

5. CY Détour Bistro
6. AY El Chalateco
7. CZ Hoogan et Beaufort
8. BY La Boulette
9. AY Le Jurançon
10. CZ Madre
11. AY Poutineville

■ Achats

12. AY Art Mûr
13. AY Belle et Rebelle
14. AY Fou des Îles
15. BY La Petite Ferme du Mouton Noir
16. AY Librairie Raffin
17. AY Petite Rebelle

Bars et boîtes de nuit

18. BY Bar Chez Roger

▲ Hébergement

19. DZ À la Carte Bed and Breakfast

Mgr Paul Bruchési, archevêque de Montréal, en reconnaissance à Pierre Desforges, un paroissien qui céda deux lots de terre au Canadien Pacifique et dont l'épouse se prénommait aussi Philomène... C'est en 1964 que le nom de Saint-Esprit remplaça celui de Sainte-Philomène, cette sainte qui n'a jamais existé. Ce n'est toutefois qu'en 1933 que la construction de l'église de la paroisse prit fin, dans un style architectural Art déco, selon les plans de l'architecte Joseph-Égide-Césaire Daoust. Les vitraux sont l'œuvre de Guido Nincheri, et son clocher en flèche qui dominait autrefois le quartier Rosemont, et qui était considéré comme dangereux, fut enlevé en 1949, laissant à l'église son apparence actuelle.

À l'intersection de la rue Masson et du boulevard Saint-Michel, prenez l'autobus 47 en direction ouest jusqu'à la station de métro Laurier pour boucler ce circuit.

Restaurants

El Chalateco $-$$

520 rue Beaubien E., 514-272-5585

El Chalateco est l'un des rares représentants de la cuisine salvadorienne à Montréal. Installé dans une salle simple mais presque élégante, on se régale de *pupusas* (délicieuses petites galettes farcies) et de nombreuses autres spécialités réconfortantes, servies en généreuses portions.

La Boulette $-$$

2223 rue Beaubien E., 514-903-5599, www.laboulette.ca

Ce petit restaurant de la rue Beaubien propose une douzaine de variétés de délicieux hamburgers : du classique hamburger à la viande de bœuf aux hamburgers aux lentilles, au poulet ou au saumon. De très bonnes frites sont servies en accompagnement (essayez les frites de patates douces) et le menu compte également quelques plats originaux, comme la poutine au canard, et d'autres plus classiques, comme les côtes levées.

Poutineville $-$$
1348 rue Beaubien E., 514-544-8800,
www.poutineville.com
Les amateurs de poutine ont ici leur palais. Le choix de fromages, sauces et autres garnitures est vaste, et on retrouve aussi d'autres options au menu (hamburgers, salades, sandwichs), mais soyons sérieux, on ne vient pas ici pour manger autre chose qu'une bonne poutine. Autres succursales en ville.

Détour Bistro $$$
2480 rue Beaubien E., 514-728-3107,
www.detourbistro.ca
Dans ce sympathique bistro face au parc Molson, on mange, dans une atmosphère décontractée, une honnête cuisine de saison, souvent classique mais avec des touches d'originalité, telles ces planches de charcuterie. La belle salle avec sa grande fenêtre donnant sur le parc, et en été la terrasse, en font un bel endroit qui mérite le détour, avant ou après une séance au cinéma Beaubien (voir plus loin), par exemple.

Le Jurançon $$$
1028 rue St-Zotique E., 514-274-0139,
www.lejurancon.ca
Le Jurançon propose un menu aux plats copieux et réconfortants qui fait honneur à la cuisine du sud-ouest de la France. Laissez-vous tenter, dans un décor des plus chaleureux, par la table d'hôte du midi ou du soir, ou par le savoureux brunch du dimanche servi entre 11h et 14h. Jurançon, c'est également le nom d'un vin blanc que le restaurant aime faire découvrir à ses convives.

Madre $$$ 🍷
2931 rue Masson, 514-315-7932,
www.groupemnjr.com
Dans cet établissement de la rue Masson, le chef-propriétaire d'origine péruvienne Mario Navarette Jr. prend son inspiration de l'inventivité culinaire de sa mère, qui se faisait une joie de surprendre quotidiennement ses enfants. Apportez une bonne bouteille.

Hoogan et Beaufort $$$-$$$$
4095 rue Molson, 514-903-1233,
http://hooganetbeaufort.com
Dans les anciennes Shops Angus à quelques rues au sud de la Promenade Masson, Hoogan et Beaufort occupe un bel espace avec cuisine à aire ouverte et hauts plafonds où le moderne et l'ancien se marient dans un style « chic-industriel » qui demeure accueillant. On y sert des plats savoureux qui sortent de l'ordinaire et qui laissent une belle place aux légumes (pintade accompagnée de courge musquée, carottes, chanterelles et épinards; porcelet et moules aux champignons shiitake, fenouil et raisins verts).

Achats

Alimentation

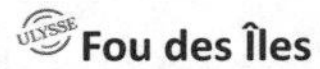

Fou des Îles
1253 rue Beaubien E., 514-656-1593,
www.foudesiles.ca
Outre les arrivages journaliers de poissons et de crustacés, vous trouverez ici des produits typiques des îles de la Madeleine, des plats cuisinés, des pâtes à tartiner et même des « charcuteries » à base de loup-marin (viande de phoque). Si la proposition vous paraît politiquement peu correcte, on se fera un plaisir de vous exposer le bien-fondé de ce choix, le tout dans une ambiance bon enfant.

Galeries d'art

Art Mûr
5826 rue St-Hubert, 514-933-0711,
www.artmur.com
Art contemporain.

Librairies

Librairie Raffin
6330 rue St-Hubert, 514-274-2870,
www.librairieraffin.com
Une intéressante librairie qui propose régulièrement des activités et des rencontres autour du livre.

Shops Angus.

Vêtements et accessoires

Belle et Rebelle

6321 rue St-Hubert, 514-315-4903, www.belleetrebelle.ca

Une bonne adresse dans Rosemont pour se procurer vêtements et accessoires de désigners québécois. Pour des créations internationales, on va chez **Petite Rebelle** *(6583-A rue St-Hubert, 514-563-1456, www.petiterebelle.ca)*.

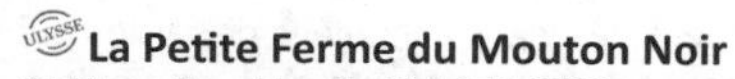

La Petite Ferme du Mouton Noir

2160 rue Beaubien E., 514-271-9760, www.creationsmoutonnoir.qc.ca

Basée sur son expérience de mère, la jeune créatrice de la ligne de vêtements Le Mouton Noir a su développer une collection qui marie parfaitement esthétique, confort et fonctionnalité. Son secret : des coupes qui favorisent le mouvement et des tissus faciles d'entretien que les enfants aiment porter, mais surtout la conception (on essaie de penser autant à la mère active qu'à l'enfant).

Bars et boîtes de nuit

Bar Chez Roger

2300 rue Beaubien E., 514-723-5939, www.barroger.com

Détrompez-vous car derrière ce nom assez débonnaire se trouve l'un des « bars-*lounge* » les plus branchés de Montréal. Situé près du Cinéma Beaubien, le Bar Chez Roger est une ancienne taverne de quartier qui attire son lot de personnalités pétillantes et des gens à la mode qui aiment discuter sur les aléas de la vie en se rinçant la glotte. L'établissement est voisin du Bistro Chez Roger, au 2316 de la même rue.

Cinéma Beaubien.

Culture et divertissement

Cinémas

Cinéma Beaubien : 2396 rue Beaubien E., 514-721-6060, www.cinemabeaubien.com

Hébergement

À la Carte Bed and Breakfast $$$

5477 10e Avenue, 514-593-4005 ou 877-388-4005, www.alacartebnb.com

Aménagé dans un charmant bâtiment du début du XXe siècle, ce gîte décoré avec beaucoup de goût propose des chambres et un appartement pouvant accueillir jusqu'à six personnes. Même si l'établissement est plutôt excentré par rapport aux secteurs touristiques de la ville, les installations sont idéales pour un séjour de longue durée.

La Petite Italie, le Mile-Ex et leurs environs

Attraits

trois heures

Montréal compte une importante communauté italienne. La *Piccola Italia*, la **Petite Italie** ★, offre aux curieux une fenêtre ouverte sur le savoir-faire et les produits qui font la renommée de ce quartier attachant de Montréal. À la fin du XIXe siècle, un premier groupe d'immigrants des régions pauvres du sud de l'Italie et de la Sicile s'établit dans les environs de la rue Saint-Christophe, au nord de la rue Ontario. Mais la plus importante vague arrive avec la fin de la Seconde Guerre mondiale. On voit alors débarquer dans le port de Montréal des milliers de paysans et d'ouvriers italiens. Nombre d'entre eux s'installent autour du marché Jean-Talon et de l'église Madonna della Difesa, donnant véritablement naissance à la Petite Italie, où se trouvent, de nos jours, cafés, trattorias et magasins d'alimentation spécialisés. Depuis les années 1960, les Italiens de Montréal se sont déplacés vers Saint-Léonard, dans le nord-est de l'île, mais reviennent toujours faire leurs emplettes dans la Petite Italie.

À ne pas manquer

Les attraits

Marché Jean-Talon p. 201

Restaurants

Restaurant Gus p. 204
Montréal Plaza p. 205
Restaurant Mile-Ex p. 204
Impasto p. 205
Dinette Triple Crown p. 204
Le Diplomate p. 205

Achats

Marché des Saveurs du Québec p. 206
Fromagerie Hamel p. 205
Quincaillerie Dante p. 206

Sorties

EtOH Brasserie p. 207

À travers le quartier, on remarque les potagers aménagés dans les maigres espaces disponibles, les madones dans leurs niches et les treillis accrochés aux balcons, sur lesquels grimpent des vignes chargées de raisins qui donnent à ce coin de Montréal un air méditerranéen.

Ce circuit débute à l'est de la Petite Italie à proprement parler, qui est communément délimitée par la rue Saint-Denis à l'est, le boulevard Saint-Laurent à l'ouest, la rue Saint-Zotique au sud et la rue Jean-Talon au nord.

De la station de métro Jean-Talon, empruntez la rue du même nom vers l'est.

La rue Jean-Talon honore la mémoire de celui qui fut intendant de la Nouvelle-France de 1665 à 1668 et de 1670 à 1672. Ses deux courts mandats auront permis de réorganiser les finances de la colonie et d'en diversifier l'économie.

La **Casa d'Italia** *(lun-ven 8h30 à 17h; 505 rue Jean-Talon E., 514-271-2524, www.casaditalia.org; métro Jean-Talon)* loge le centre communautaire italien. Elle fut construite en 1936 dans le style Art moderne, variante de l'Art déco qui privilégie les lignes horizontales et arrondies s'inspirant de l'aérodynamisme. En partie financée par Mussolini, elle présente toujours des symboles fascistes, notamment sur ses murs extérieurs. Un groupe fasciste y avait

★ **Attraits**

1. CY Casa d'Italia
2. CY Plaza St-Hubert
3. CY Anciens cinémas Rivoli et Château
4. CY Ancienne école Sainte-Julienne-Falconieri
5. BY Église Madonna della Difesa
6. BY Parc Dante
7. BY Marché Jean-Talon
8. AX Parc Jarry
9. BY Caserne de pompiers no 31
10. BY Boulevard Saint-Laurent
11. BZ Ancienne église Saint-Jean-de-la-Croix

● **Restaurants**

12. AY Bombay Mahal
13. BY Café Italia
14. CY Chez Tousignant
15. AY Dépanneur Le Pick-Up
16. AZ Dinette Triple Crown
17. BY El Rey del Taco
18. BY Gema
19. BY Impasto
20. AZ Le Diplomate
21. BY Le Petit Alep
22. AZ Manitoba
23. BX Mesón
24. CZ Montréal Plaza
25. BZ Pastaga
26. AY Punjab Palace
27. BZ Restaurant Gus
28. AZ Restaurant Mile-Ex
29. CX Tapeo

■ **Achats**

30. BX 12° en Cave
31. DY Boutique Les Mains Folles
32. CX Cokluch
33. BY Fromagerie Hamel
34. BY Havre aux Glaces
35. DX La Baie des Fromages
36. BY Les Cochons tout ronds
37. BY Les Épices Anatol
38. BY Librairie Gourmande
39. BY Marché des Saveurs du Québec
40. BY Milano
41. BY Quincaillerie Dante
42. CY Rue Saint-Hubert

Bars et boîtes de nuit

43. AY Alexandraplatz
44. CX EtOH Brasserie
45. CX Huis Clos
46. BZ Notre Dame Des Quilles
47. BZ Vices & Versa

d'ailleurs élu domicile avant la Seconde Guerre mondiale. Totalement rénovée et agrandie en 2011, elle abrite une salle de spectacle, accueille des expositions et des événements liés à la communauté italienne à Montréal.

››› *Dirigez-vous vers la rue Saint-Hubert, à l'est, et tournez à droite.*

La **Plaza St-Hubert** *(rue St-Hubert entre les rues De Bellechasse E. et Jean-Talon E.; métro Jean-Talon ou Beaubien)* est une des principales artères commerciales de Montréal, reconnue pour ses boutiques bon marché. En 1986, des marquises vitrées furent tendues au-dessus des trottoirs. D'autres travaux de réaménagement sont prévus par la Ville en 2018 afin d'embellir la Plaza St-Hubert et mettre en valeur ses commerces.

››› *Tournez à droite dans la rue Bélanger et marchez jusqu'à la rue Saint-Denis.*

Le marché Jean-Talon.

Les **anciens cinémas Rivoli et Château** *(6906 et 6956 rue St-Denis; métro Jean-Talon)*, situés de part et d'autre de la rue Bélanger, font partie de ces palaces de quartier reconvertis à d'autres usages. Le cinéma Château a été construit en 1931 et il accueille aujourd'hui un lieu de culte et un café. Le décor intérieur, exécuté dans un style Art déco exotique, est toujours en place. Le cinéma Rivoli n'aura pas eu cette chance, puisque seule la façade Adam de 1926 a été préservée, l'intérieur ayant fait place à une pharmacie. Cette section de la rue Saint-Denis est bordée de logements montréalais typiques où l'on pénètre par les traditionnels escaliers de fer et de bois.

››› *Poursuivez vers l'ouest par la rue Bélanger. Tournez à gauche dans la rue Drolet.*

L'**ancienne école Sainte-Julienne-Falconieri** *(6839 rue Drolet; métro Jean-Talon)* a été dessinée en 1924 par Ernest Cormier, architecte à qui l'on doit le pavillon principal de l'**Université de Montréal** (voir p. 172). Il a visiblement été influencé dans son travail par les bâtiments de l'Américain Frank Lloyd Wright, réalisés une dizaine d'années auparavant.

››› *Revenez dans la rue Bélanger. Tournez à gauche, puis encore à gauche dans l'avenue Henri-Julien.*

L'**église Madonna della Difesa** ★ *(dim et aux heures des messes; 6810 av. Henri-Julien; métro Jean-Talon)* tire son inspiration du style romano-byzantin, caractérisé par un traitement varié des matériaux disposés en bandes horizontales et par de petites ouvertures cintrées. Elle fut dessinée en 1910 par le peintre, maître-verrier

TALON

Le marché Jean-Talon: nos marchands préférés

Le marché Jean-Talon permet de découvrir de beaux produits d'ici et d'ailleurs, particulièrement au temps des récoltes en été et en automne. Voici quelques marchands chez qui vous pourrez faire de belles trouvailles.

Boucheries, charcuteries et poissonneries: **Les Cochons tout ronds** pour ses charcuteries madeliniennes raffinées, la **Boucherie Les Fermes St-Vincent** pour ses viandes biologiques, la **Boucherie du Marché** pour sa vaste sélection et la **Poissonnerie Atkins** pour ses produits frais importés directement de la Gaspésie.

Fruits et légumes: les fruiteries **Chez Nino** et **Chez Louis**, où s'approvisionnent plusieurs grands restaurants montréalais.

Fromageries: la **Fromagerie Hamel** pour sa sélection imbattable et son service hors pair et la **Fromagerie Qui lait cru!?!**, où les fromages québécois sont à l'honneur.

Épiceries fines: le **Marché des Saveurs du Québec** pour ses alcools, condiments, confiseries et autres délices des quatre coins de la province, **Olives & Épices** pour sa sélection phénoménale d'huiles d'olive et d'épices, **Capitol** pour ses fromages et produits italiens et **Alfalfa** pour ses aliments naturels.

Boulangerie: **Joe la Croûte**, sans conteste le meilleur boulanger du marché.

Pour prendre une bouchée: la **Crêperie du marché** pour ses authentiques crêpes bretonnes, le **Havre aux glaces** pour ses délicieux sorbets et glaces, la **Pâtisserie Wawel** pour ses délices polonais, la **Pâtisserie Le Ryad** pour ses succulents desserts marocains, **El Rey del Taco** pour sa cuisine mexicaine généreuse et la **Boîte aux huîtres** (en été seulement) pour ses huîtres fraîches.

et décorateur Guido Nincheri (voir p. 220), qui y travaillera pendant plus de 30 ans, exécutant l'ensemble du décor dans ses moindres détails. Nincheri avait l'habitude de représenter des personnages contemporains dans ses vitraux et dans ses fresques à l'œuf, dont il maîtrisait très bien la technique. L'une d'elles, qui représente Mussolini sur son cheval, a longtemps suscité la controverse : effacer ou ne pas effacer... Elle est toujours visible au-dessus du maître-autel.

À l'ouest de l'église s'étend le **parc Dante**, au centre duquel trône un modeste buste du poète italien sculpté par Carlo Balboni en 1924. Les amateurs de *bocce*, la pétanque italienne, s'y donnent rendez-vous pendant la belle saison.

››› *Suivez l'avenue Henri-Julien vers le nord jusqu'au marché Jean-Talon.*

Le **marché Jean-Talon** ★★ *(lun-mer 7h à 18h, jeu-ven 7h à 20h, sam-dim 7h à 17h; entre l'avenue Casgrain et l'avenue Henri-Julien et entre la rue Jean-Talon et l'avenue Mozart; métro Jean-Talon; www.marchespublics-mtl.com)* a été aménagé en 1933 sur l'emplacement du terrain de crosse des Irlandais, le stade Shamrock. Le site devait à l'origine servir de terminus d'autobus, ce qui explique la présence de quais, avec marquises de béton. Le marché Jean-Talon est un lieu agréable à fréquenter, car il regorge d'animation et de trouvailles. Des boutiques d'alimentation spécialisées, souvent aménagées dans les fonds de cours des immeubles dont les façades donnent sur les rues avoisinantes, encerclent le site du marché. Le centre du marché est occupé par les agriculteurs proposant des fruits et légumes de saison et de nombreux autres produits frais et artisanaux dès 7h le matin pendant la belle saison. Même s'il demeure ouvert toute l'année, le meilleur temps pour le visiter est la période s'échelonnant de la mi-avril à la mi-octobre. L'hiver, les étals se retrouvent protégés du vent et du froid par des parois amovibles.

Si vous avez fait provision de fromages, de charcuteries et de fruits au marché, vous pourrez en profiter pour improviser un pique-nique sur les tables de pique-nique du marché ou, encore mieux, dans le beau **parc Jarry** ★ *(délimité par le boulevard St-Laurent, la rue Gary-Carter, la rue Jarry et la voie ferrée du Canadien Pacifique; métro De Castelnau ou Jarry)*, situé à 10 min à pied en empruntant le boulevard Saint-Laurent vers le nord. Le parc est tapissé de plusieurs terrains de sport pour petits et grands (football, soccer, baseball, basketball, roller-hockey), d'une pataugeoire et d'une piscine. Des patinoires y sont aménagées en hiver.

Du marché, empruntez l'avenue Shamrock vers l'ouest. Le nom de cette avenue, associé au trèfle irlandais, nous rappelle que le quartier a déjà été celui des Irlandais avant de devenir celui des Italiens.

La **caserne de pompiers n° 31** *(7041 rue St-Dominique; métro Jean-Talon)* est une réalisation du programme de création d'emploi de la Crise (1929). Cet édifice datant de 1931 a été conçu dans le style Art déco. À l'angle des avenues Shamrock et Casgrain, on aperçoit un petit bâtiment moderne en brique avec façade arrondie qui abritait autrefois la clinique Jean-Talon, où plusieurs nouveaux arrivants allaient chercher soins et réconfort.

Le **boulevard Saint-Laurent** *(métro Jean-Talon)* peut être décrit comme le « couloir » de l'immigration à Montréal. Depuis 1880, les nouveaux arrivants s'installent le long d'un segment précis du boulevard selon leur appartenance culturelle. Au bout de quelques décennies, ils quittent le secteur, pour ensuite se disperser dans la ville ou se regrouper dans un autre quartier. Certaines communautés laissent peu de trace de leur passage sur le boulevard Saint-Laurent, alors que d'autres créent un quartier commercial où les descendants des premiers arrivants viennent se ressourcer en famille. Le boulevard regroupe, entre les rues De Bellechasse, au sud, et Jean-Talon, au nord, nombre de restaurants et de cafés italiens, ainsi que des magasins d'alimentation, tel **Milano** (voir p. 206), tous très courus les fins de semaine par les Montréalais de toutes les origines. Ainsi, si le marché Jean-Talon est le cœur de la Petite Italie, le boulevard Saint-Laurent en est son artère principale.

À quelques pas au sud de Milano, l'**ancienne église Saint-Jean-de-la-Croix** *(6655 boul. St-Laurent)*, qui accueille depuis 2004 un ensemble résidentiel, est l'un des exemples les plus remarquables d'un phénomène architectural qui ne fera que se répandre dans les années à venir : la conversion du patrimoine ecclésiastique à d'autres usages.

Traversez le parc de la Petite-Italie en face de l'église pour emprunter la rue Saint-Zotique vers l'ouest. Vous vous trouvez au cœur du **Mile-Ex**, nouvelle appellation de cette zone en devenir, aujourd'hui prisée par des sociétés du domaine de la création ou des nouvelles technologies. On y rencontre aussi une nouvelle population de résidents à la recherche d'habitations atypiques dans un paysage marqué par son passé industriel. Ni Mile-End ni Parc-Extension, c'est par petites touches que le Mile-Ex se forge une identité propre, comme lors des soirées d'été en terrasse au **Alexandraplatz** dans les locaux de la Brasserie BVM (voir p. 206), ou encore dans les restaurants **Mile-Ex** et **Le Diplomate**, qui attirent les louanges des gastronomes (voir plus loin).

Activités de plein air

Acrobaties et voltige

Trapezium *(adultes 50$, enfants 30$/cours collectif et plusieurs autres options; lun-ven soir, sam-dim après-midi; 6956 rue St-Denis, 514-251-0615, www.trapezium.qc.ca)* est le seul centre de trapèze volant à Montréal proposant des cours récréatifs pour tous les niveaux. Activité accessible à tous, le trapèze volant, c'est de la haute voltige et des émotions fortes garanties!

Tennis

Avec ses courts intérieurs et extérieurs, le **Stade Uniprix** *(le coût de réservation d'un terrain varie de 10$ à 40$ en fonction de l'emplacement et de l'horaire; parc Jarry, 285 rue Gary-Carter, 514-273-1234)* est des mieux équipés pour satisfaire les mordus de tennis tout au long de l'année. Construit pour Tennis Canada, qui y présente la Coupe Rogers, il est ouvert à tous sur réservation.

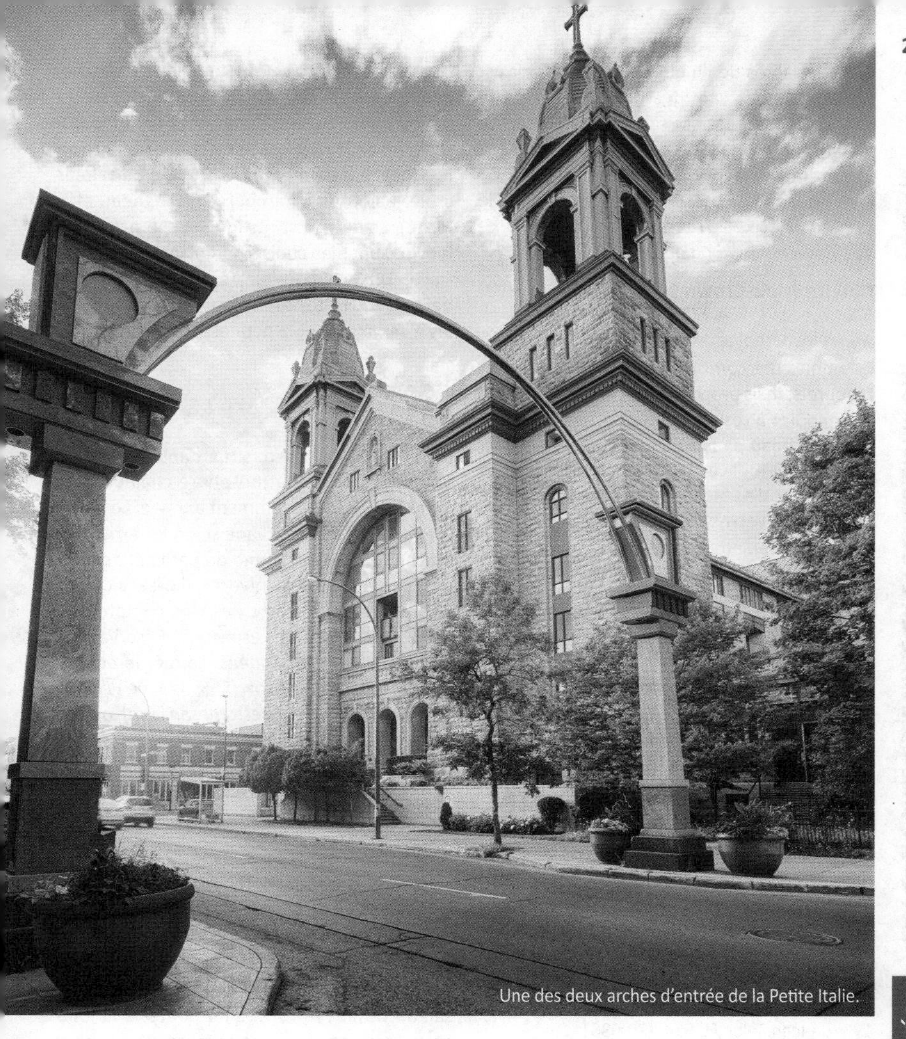

Une des deux arches d'entrée de la Petite Italie.

Restaurants

Café Italia $
6840 boul. St-Laurent, 514-495-0059

On ne va pas au Café Italia pour sa décoration, les chaises dépareillées et le téléviseur occupant l'essentiel de l'espace, mais pour son atmosphère sympathique, ses excellents sandwichs et surtout son cappuccino, considéré par certains comme le meilleur en ville.

Dépanneur Le Pick-Up $
7032 rue Waverly, 514-271-8011, http://depanneurlepickup.com

Vous avez envie de casser la croûte entre deux courses au marché Jean-Talon? Pour une expérience originale, dirigez-vous vers le Dépanneur Le Pick-Up, situé à quelques rues à l'ouest du marché. Ce dépanneur comprend un comptoir où l'on peut notamment commander un sandwich au porc braisé ou un hamburger (végétarien ou pas). Ambiance animée et faune bigarrée représentative de la scène *underground* anglo-montréalaise.

Bombay Mahal $-$$ 🍷
1001 rue Jean-Talon O., 514-273-3331, www.restaurantbombaymahal.ca

Parmi les nombreux restaurants indiens et pakistanais du quartier Parc-Extension, le Bombay Mahal se démarque grâce à la qualité de ses plats, dont la plupart font honneur aux spécialités de l'Inde du Sud. Le décor est typique de ces cantines bon marché, et le service approximatif se fait dans la langue de Shakespeare, mais on sort de table repu et le sourire aux lèvres. Une autre adresse similaire est digne de mention dans le quartier : le **Punjab Palace** *(920 rue Jean-Talon O., 514-495-4075, www.punjabpalace.ca).*

Dinette Triple Crown $-$$
6704 rue Clark, 514-272-2617,
www.dinettetriplecrown.com

Ce minuscule comptoir ne compte que sept tabourets, mais propose un formidable concept pour goûter à ses spécialités du sud des États-Unis : un beau panier de pique-nique en osier comprenant tout ce qu'il faut pour aller manger dans le parc d'à côté (nappe en tissu, véritables couverts et verres, à rapporter après usage, sans frais supplémentaires). Le poulet frit succulent et le porc effiloché sont servis avec des spécialités comme le pain au babeurre, des patates douces rissolées ou encore des *hush puppies* (boules de semoule de maïs frites). Bons cocktails au bourbon à déguster sur place et belle ambiance du Vieux Sud, mais préparez-vous à faire la file les soirs d'été.

El Rey del Taco $-$$
234 rue Jean-Talon E., 514-274-3336

Tant une épicerie mexicaine qu'un restaurant, le « roi du *taco* » cuisine devant vos yeux bon nombre de plats mexicains copieux et appétissants : *tacos, burritos, enchiladas, tamales*... Une bonne pause au milieu du marché Jean-Talon.

Le Petit Alep $-$$
191 rue Jean-Talon E., 514-270-9361,
www.petitalep.com

Baptisé « Petit » en raison de son grand frère voisin (Restaurant Alep, 199 rue Jean-Talon E.), ce café-bistro sert une cuisine principalement syrienne, aux goûts savoureux. Laissez vos papilles s'imprégner tour à tour de miel, d'huile ou de poivre de Cayenne. Le décor rappelle un loft avec sa grande porte de garage donnant sur la rue Jean-Talon. Les murs se parent d'expositions temporaires, souvent intéressantes. Des revues et journaux sont disponibles pour inciter aux prolongations du repas.

Restaurant Mile-Ex $$-$$$
6631 rue Jeanne-Mance, 514-272-7919,
www.mileex.ca

Dans ce petit resto de quartier bien caché dans une rue à la fois résidentielle et industrielle, on déguste une cuisine bohème et créative qui s'inspire de la Méditerranée et de la bouffe de rue (hot-dog de merguez enroulée de calmar grillé, palourdes, hamburger à l'agneau effiloché). Le décor est rustique et sympathique, les vins sont bien choisis, l'ambiance est décontractée, et le rapport qualité/prix excellent. Une belle découverte! Attention, on ne prend pas les réservations et le petit espace s'emplit vite.

Tapeo $$$
511 rue Villeray, 514-495-1999,
www.restotapeo.com

Le bar à tapas Tapeo, situé dans le quartier Villeray, offre une atmosphère chaleureusement boisée et bruyamment animée. Le menu inscrit sur le mur, qui varie selon les arrivages, affiche toute une gamme de petits plats, tant végétariens que carnivores. Le service est attentionné et la carte des vins compte une belle sélection de vins espagnols. Réservations fortement recommandées. La même équipe s'occupe aussi du **Mesón** *($$$; 345 rue Villeray, 514-439-9089, http://restomeson.com)*, où l'on apprécie une cuisine d'inspiration espagnole, mais pas seulement, à l'instar du *fish and chips* à l'encre de seiche. De délicieux brunchs y sont servis les week-ends.

Restaurant Gus $$$
38 rue Beaubien E., 514-722-2175,
www.facebook.com/RestaurantGus

Dans son petit restaurant, le chef David Ferguson propose une cuisine fraîche et inventive qui s'inspire du sud des États-Unis. De la salade César réinventée au poulet à la lime en passant par les *nachos* au foie gras, on y savoure des plats qui nourrissent l'âme et le corps. Prenez place au bar pour regarder les cuisiniers à l'œuvre et discuter avec le sympathique personnel.

Manitoba $$$
271 rue St-Zotique O., 514-270-8000,
http://restaurantmanitoba.com

Manitoba élabore une cuisine créative qui vise à faire découvrir les beaux produits et l'héritage autochtone du Québec. Dans un décor accueillant, à la fois rustique et industriel, on y présente un menu où les produits sauvages (tant les viandes et les poissons que les légumes et les herbes) sont à l'honneur. Terrasse en été.

Impasto $$$-$$$$
48 rue Dante, 514-508-6508,
http://impastomtl.ca

En collaboration avec le chef Mike Forgione, Stefano Faita de la **Quincaillerie Dante** (voir p. 206) tient ce restaurant qui fait courir les amateurs de bonne cuisine italienne. Ne manquez pas d'essayer la saucisse maison avec rapinis poêlés et la *porchetta* qui fond dans la bouche. Dans le même quartier, la même équipe gère également la pizzeria **Gema** *($$-$$$; 6827 rue St-Dominique, 514-419-4448, http://pizzeriagema.com)*, où vous pourrez commander de délicieuses pizzas rustiques à manger sur place ou à emporter, et **Chez Tousignant** *($-$$; 6956 rue Drolet, 438-386-6368)*, un casse-croûte classique où tout est fait maison, des saucisses à hot-dog aux pains qui composent les juteux et savoureux hamburgers.

Le Diplomate $$$-$$$$
129 rue Beaubien O., 514 303-9727,
www.restaurantlediplomate.com

Nouveau rendez-vous branché du quartier Mile-Ex, ce restaurant du talentueux chef Aaron Langille plaira aux gourmets aventuriers en quête de nouvelles expériences. On prend place au long bar qui fait face à la cuisine pour déguster des petits plats fins et audacieux, préparés devant les convives par le chef et ses assistants qui assurent également le service. De délicieux cocktails et une judicieuse carte des vins permettent d'arroser le tout. Sans aucun doute notre nouvelle adresse préférée en ville.

Montréal Plaza $$$-$$$$
6230 rue St-Hubert, 514-903-6230

Anciennement sous-chef au Toqué!, Charles-Antoine Crête a inauguré son nouveau bébé en 2015. Situé dans un local lumineux de la Plaza St-Hubert, Montréal Plaza affiche un décor à la fois ludique et élégant qui font écho à des plats tout aussi originaux que maîtrisés (« patate à rien », « sundae de thon », « popcorn de ris de veau »).

Pastaga $$$-$$$$
6389 boul. St-Laurent, 438-381-6389,
www.pastaga.ca

Au Pastaga (« pastis » en patois marseillais), les chefs Martin Juneau et Louis-Philippe Breton proposent une cuisine créative inspirée à la fois des traditions françaises et des produits québécois (pintade, porcelet, canard...) qu'ils souhaitent mettre en valeur. Les « vins naturels », toujours bien choisis, sont également à l'honneur ici. Pour une expérience unique, essayez de réserver une place à la grande table installée dans la cuisine – la priorité est accordée aux groupes, mais il reste parfois quelques places.

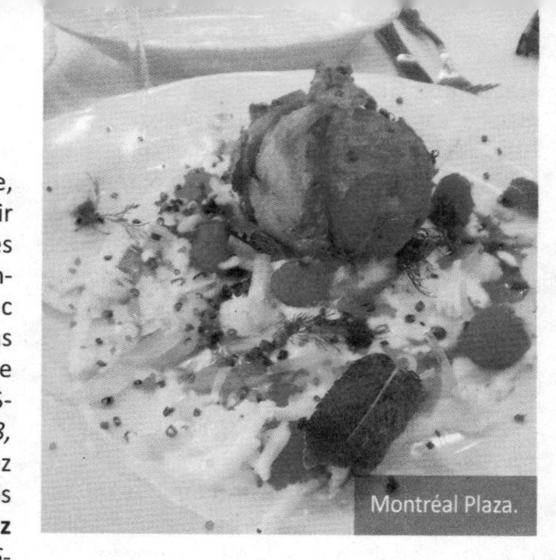

Montréal Plaza.

Achats

Entre les rues De Bellechasse et Jean-Talon, la **rue Saint-Hubert** se transforme en **Plaza St-Hubert** *(http://maplaza.ca)*, de facture plus populaire. Recouverte de marquises qui protègent les promeneurs des intempéries, elle fourmille de commerces en tous genres, mais se démarque tout de même par ses nombreuses boutiques spécialisées dans les vêtements et accessoires de mariage.

Alimentation

Fromagerie Hamel
marché Jean-Talon, 220 rue Jean-Talon E., 514-272-1161; 2117 av. du Mont-Royal E., 514-521-3333; marché Atwater, 138 av. Atwater, 514-932-5532; 9196 rue Sherbrooke O., 514-355-6657, 975 rue Fleury E., 514-383-1500;
www.fromageriehamel.com

On trouve une panoplie de petits commerces dignes de mention au marché Jean-Talon, mais la Fromagerie Hamel, un des plus grands spécialistes du fromage en ville, s'en démarque par la qualité et le vaste choix de ses produits fins ainsi que par l'excellence de son service. À la moindre hésitation, vous serez invité à goûter les produits. Bref, malgré le très grand achalandage, on s'y sent toujours traité aux petits oignons.

Havre aux Glaces
marché Jean-Talon, 7070 av. Henri-Julien, 514-278-8696, http://havreauxglaces.com

Le Havre aux Glaces propose de savoureux sorbets et glaces maison préparés avec des produits de qualité et des fruits en saison. En hiver, leur riche et onctueux chocolat chaud mérite le déplacement à lui seul! Autre succursale à la terrasse du marché Atwater.

La Baie des Fromages
1715 rue Jean-Talon E., 514-727-8850, www.labaia.ca

On trouve une quantité astronomique de fromages italiens dans cette boutique, en plus d'autres produits fins de la même provenance.

Les Cochons tout ronds
marché Jean-Talon, 7070 av. Henri-Julien, 514-904-2645, www.cochonstoutronds.com

Des charcuteries corses, françaises, espagnoles et italiennes faites aux îles de la Madeleine et vendues à Montréal, tout un voyage! Les terrines, pâtés, jambons et saucissons sont tous absolument divins. Également présent au marché Atwater.

Les Épices Anatol
6822 boul. St-Laurent, 514-276-0107

Une des meilleures adresses pour acheter en vrac toutes les épices dont vous avez besoin, connues ou inconnues.

Marché des Saveurs du Québec
280 place du Marché-du-Nord, 514-271-3811, www.lemarchedessaveurs.com

Voilà l'endroit pour trouver LE produit québécois qu'il vous faut, pour cuisiner ou pour offrir : plus de 400 fournisseurs approvisionnent ce magasin en fromages, aliments sauvages, produits de l'érable, bières artisanales et autres boissons alcoolisées.

Milano
6862 boul. St-Laurent, 514-273-8558, www.milanofruiterie.com

Au cœur de la Petite Italie, Milano est une belle grande épicerie débordante de produits fins venus d'Europe : pâtes fraîches, chocolats, *prosciutto*, *provolone*, etc.

Articles de cuisine

12° en Cave
7755 boul. St-Laurent, 514-866-5722, www.12encave.com

Si vous avez envie d'aménager une petite cave à vin, allez faire un tour chez 12° en Cave : vous y trouverez toute la panoplie de l'expert en dégustation, de la verrerie aux cartes de vignobles en passant par les hygromètres et les indispensables celliers.

Quincaillerie Dante
6851 rue St-Dominique, 514-271-2057, www.quincailleriedante.com

La Quincaillerie Dante, installée dans la Petite Italie depuis 1956, n'a plus besoin de présentation pour les Montréalais. Une quincaillerie? Pas vraiment, puisque ce commerce vend surtout des accessoires de cuisine importés d'Europe, ainsi que des articles de chasse et de pêche de qualité. Si vous êtes à la recherche de matériel de pêche ou d'un ustensile de cuisine dernier cri, allez chez Dante, vous ne serez pas déçu.

Librairies

Librairie Gourmande *(cuisine)*
marché Jean-Talon, 7070 av. Henri-Julien, 514-279-1742, www.librairiegourmande.ca

Une librairie spécialisée dans les livres de recettes et tout ce qui touche aux plaisirs de la table, judicieusement située au marché Jean-Talon.

Vêtements et accessoires

Boutique Les Mains folles
7031 rue Boyer, 514-279-9360, www.lesmainsfolles.net

On trouve dans cette boutique des robes, des jupes et des chemises confectionnées avec de beaux tissus colorés et imaginées par les créateurs Anja et Jeremie Bakandika. Quelques beaux bijoux se marient bien à ces vêtements.

Cokluch
410-A rue Villeray, 514-273-5700, http://cokluch.com

Disponibles dans plusieurs boutiques de Montréal, les sacs à main, manteaux et autres articles de cuir de Cokluch ont aussi leur propre boutique.

Bars et boîtes de nuit

Alexandraplatz
juin à sept; 6731 av. de l'Esplanade, www.alexandraplatzbar.com (pas de téléphone)

Dans un décor improbable qui ressemble davantage à une friche industrielle qu'à l'un des bars estivaux les plus courus en ville, on s'ins-

Milano.

talle, bière à la main, dans un hangar désaffecté ou – et c'est ça tout l'intérêt – à l'une des conviviales tables partagées en plein air.

EtOH Brasserie

8100 rue St-Denis, angle rue Jarry, 514-508-9894, http://etohbrasserie.com

On se sent bien dans cette sympathique brasserie artisanale du quartier Villeray, située près de la station de métro Jarry, au nord de la Petite Italie. La sélection de bières de microbrasseries québécoises proposée est vaste (dont quelques variétés brassées sur place) et elle se renouvelle constamment. Pour ceux qui ne sont pas experts en chimie, EtOH est une abréviation utilisée pour désigner l'éthanol, cette molécule psychotrope que l'on retrouve dans les boissons alcoolisées.

Huis Clos

7659 rue St-Denis, 514-419-8579, www.huisclos.ca

Lors des « 5 à huîtres » tenus au sympathique bar de quartier le Huis Clos, on propose des huîtres à petit prix, que l'on accompagne de bons vins à prix fort raisonnable. Ambiance décontractée et personnel souriant.

Notre Dame Des Quilles

32 rue Beaubien E., 514-507-1313, www.facebook.com/notredamedesquilles

Un décor épuré, deux allées de quilles à la disposition des clients, un bar tranquille, des soirées *rock & soul*, du cidre et de la bière pression attirent comme un aimant la faune urbaine du quartier.

Vices & Versa

6631 boul. St-Laurent, 514-272-2498, www.vicesetversa.com

Découvrez les meilleures créations des microbrasseries québécoises en vous attablant au chaleureux bistro Vices & Versa. On y propose une trentaine de bières qui changent régulièrement, dont certaines sont spécialement brassées pour l'établissement. Au menu, côté cuisine : sandwichs, pizzas et assiettes de fromages.

Le Sault-au-Récollet

Attraits

trois heures

Le **Sault-au-Récollet** ★, cet agréable quartier de verdure qui vit au rythme des flots de la rivière des Prairies, témoigne d'un espace culturel et ludique qui ravira les amants de la nature et les historiens en herbe.

Vers 1950, le quartier du Sault-au-Récollet formait encore au bord de la rivière des Prairies un village agricole isolé de la ville. De nos jours, il est facile de s'y rendre par le métro (station Henri-Bourassa). L'histoire du « Sault » est cependant très ancienne, puisque, dès 1610, monsieur des Prairies emprunta la rivière qui porte désormais son nom, en pensant qu'il s'agissait du fleuve Saint-Laurent. Puis, en 1625, le récollet Nicolas Viel, missionnaire en Nouvelle-France, et son guide amérindien Ahuntsic se noyèrent dans les rapides du cours d'eau, d'où le nom de « Sault-au-Récollet ». En 1696, les Sulpiciens y installèrent la mission huronne du fort Lorette.

Au XIXe siècle, le Sault-au-Récollet devient un lieu de villégiature apprécié des Montréalais qui ne désirent pas trop s'éloigner de la ville pendant la belle saison. Voilà ce qui explique la présence de quelques maisons d'été ayant survécu au récent développement.

À la sortie de la station de métro Henri-Bourassa, suivez le boulevard du même nom vers l'est. Tournez à gauche dans la rue Saint-Hubert, puis à droite dans le boulevard Gouin Est; c'est là que débute le circuit.

À ne pas manquer

Attraits

Restaurants

Mgr Ignace Bourget, second évêque de Montréal, a courtisé plusieurs communautés religieuses françaises au cours des années 1840, afin qu'elles implantent des maisons d'enseignement dans la région de Montréal.

La communauté des Dames du Sacré-Cœur fait partie de celles qui ont accepté de faire le grand voyage. Elles s'installent en 1856 en bordure de la rivière des Prairies, où elles construisent un couvent pour l'éducation des filles. L'ancien externat (1858), au 1105 du boulevard Gouin Est, est tout ce qui reste du premier complexe. À la suite d'un incendie, le couvent fut reconstruit par étapes. Le bâtiment, à l'allure d'un austère manoir anglais, est la plus intéressante de ces nouvelles installations (1929). Le **Collège Sophie-Barat** *(1105 et 1239 boul. Gouin E.; métro Henri-Bourassa)* porte le nom de la fondatrice de la communauté des Dames du Sacré-Cœur.

Avant d'atteindre l'église La Visitation de la Bienheureuse-Vierge-Marie, on aperçoit plusieurs demeures ancestrales, comme la **maison Dumouchel**, au n° 1737, construite entre 1838 et 1848 pour un menuisier du Sault-au-Récollet. Elle est pourvue de hauts murs coupe-feu, même si aucun autre édifice ne lui est mitoyen, preuve que cette composante d'abord strictement utilitaire était devenue au XIXe siècle un élément du décor de la maison, symbole de prestige et d'urbanité.

L'**église de la Visitation de la Bienheureuse-Vierge-Marie** ★★ *(tlj 8h à 11h30 et 13h30 à 16h; 1847 boul. Gouin E., 514-388-4050; métro Henri-Bourassa ou autobus 69)* est la plus vieille église de style traditionnel québécois qui subsiste dans l'île de Montréal. Elle fut érigée entre 1749 et 1752, mais a été considérablement remaniée par la suite tout en conservant cependant ses plus beaux attributs d'origine. Sa très belle façade palladienne, ajoutée en 1850, est l'œuvre de l'Anglais John Ostell, auteur de l'ancienne **maison de la Douane** (voir p. 55), devant la place Royale, et de l'ancien palais de justice, rue Notre-Dame. Le degré de raffinement atteint ici est tributaire de la féroce compétition que se livraient les paroissiens du Sault-au-Récollet et ceux de Sainte-Geneviève,

Église de la Visitation de la Bienheureuse-Vierge-Marie.

plus à l'ouest, qui venaient de se doter d'une église du même style. L'intérieur de l'église de la Visitation forme un des ensembles les plus remarquables de la sculpture sur bois au Québec. Les travaux de décoration entrepris en 1764 ne furent terminés qu'en 1837. Philippe Liébert, originaire de Nemours, en France, exécuta les premiers éléments du décor, entre autres les portes abondamment sculptées du retable, précieuses œuvres de style Louis XV. Mais c'est à David-Fleury David que revient la part du lion, car on lui doit la corniche, les pilastres Louis XVI et la voûte finement ciselée. De beaux tableaux ornent l'église, dont *La Visitation de la Vierge*, acquis par le curé Chambon en 1756 et attribué à Mignard.

À l'extrémité de la rue Lambert, on aperçoit l'ancien noviciat Saint-Joseph, qui abrite aujourd'hui le **collège du Mont-Saint-Louis** *(1700 boul. Henri-Bourassa E.)*. L'édifice néoclassique de 1852 a été agrandi par l'ajout d'un pavillon Second Empire en 1872.

Le noyau de l'ancien village du Sault-au-Récollet se trouve le long du boulevard Gouin Est, à l'est de l'avenue Papineau. Certains de ses bâtiments méritent d'être mentionnés : la **maison Baudreau**, au n° 1947, fut construite dès 1750; l'**ancien magasin général**, aux n°s 2012-2016, est une petite construction Second Empire de type urbain, transposé en milieu rural; et enfin, la fière **maison Persillier-Lachapelle**, bâtie vers 1840, au n° 2084, est l'ancienne demeure d'un meunier prospère et constructeur de ponts.

››› *Tournez à gauche dans la rue du Pressoir.*

Le **parc-nature de l'Île-de-la-Visitation** ★★ *(stationnement 9$/jour; chalet d'accueil au 2425 boul. Gouin E., 514-280-6733; métro Henri-Bourassa ou autobus 69)* attire sur ses 34 ha nombre de Montréalais en mal de nature, que ce soit pour y pique-niquer ou profiter de courts sentiers ponctués de mangeoires d'oiseaux (location de jumelles et guides), à parcourir à pied en été ou en skis de fond en hiver (aussi glissade : locations de traîneaux et de tapis-luges). Situé au bord de la rivière des Prairies, il offre de magnifiques paysages.

À l'extrémité est de l'île se trouve la centrale hydroélectrique de la Rivière-des-Prairies, aménagée en 1928 par la Montreal Island Power. C'est la seule installation hydroélectrique construite en milieu urbain au Québec.

Hors circuit, il ne faut pas manquer la visite, dans le quartier Saint-Michel, de la **TOHU, la Cité des arts du cirque** ★ *(2345 rue Jarry E., 514-376-8648 ou 888-376-8648, www.tohu.ca; métro Jarry et autobus 193 E.)*, qui fait de la métropole québécoise une des capitales mondiales des arts du cirque, en plus de participer à la réhabilitation d'un important site d'enfouissement de déchets. On y trouve le bâtiment qui abrite l'**École nationale de cirque** *(8181 2e Avenue)*, de même que le **Chapiteau des arts**, salle de spectacle unique au Canada conçue spécifiquement pour les arts du cirque en plus de servir de pavillon d'accueil pour le Complexe environnemental Saint-Michel

(CESM) (voir ci-dessous), sans oublier le **siège social du Cirque du Soleil** *(8400 2e Avenue)* et son centre d'hébergement pour artistes. Des visites guidées *(stationnement 8$, visite guidée 7$, réservations requises au 514-376-8648, poste 4000)* permettent de découvrir, à pied, en vélo ou en bus, les différents pôles de la Cité, à la fois lieu de création et d'aménagement environnemental. Ces visites peuvent aussi se faire librement avec l'aide d'un audioguide téléchargeable sur le site Internet de la TOHU.

Le **parc du Complexe environnemental Saint-Michel** *(délimité par l'avenue Papineau, la rue Jarry E., la 2e Avenue et la rue Champdoré; accès à l'angle des rues D'Iberville et de Louvain)* comprend actuellement, en plus de plusieurs terrains de jeu, des pistes cyclables en été et des pistes de ski de fond en hiver. Le complexe, toujours en cours d'aménagement, se trouve sur le site de l'ancienne carrière Miron, devenue site d'enfouissement de déchets en 1988. Progressivement remblayé depuis 1995 et aujourd'hui parvenu au stade de son recouvrement final, le site fait partie d'un vaste chantier qui, d'ici 2023, en fera le plus grand espace vert de la ville après le parc du Mont-Royal. Ce parc, qui comprendra notamment des espaces boisés et des plans d'eau, sera bientôt renommé « parc Frédéric-Back » en l'honneur de l'artiste et réalisateur de cinéma d'animation montréalais décédé en 2013, récipiendaire de deux Oscars pour ses films *Crac* (1982) et *L'Homme qui plantait des arbres* (1988).

››› *Pour reprendre le métro à la station Henri-Bourassa, point de départ du circuit, empruntez le boulevard Gouin vers l'ouest jusqu'à l'angle de la rue Lajeunesse, que vous prendrez à gauche.*

Activités de plein air

Vélo

Une piste cyclable a été aménagée sur le **boulevard Gouin** et sur la berge de la rivière des Prairies. Elle rejoint le parc-nature de l'Île-de-la-Visitation (voir plus haut). Longeant ainsi la rivière, elle permet aux cyclistes de se balader dans une partie tranquille de la ville.

Restaurants

L'Estaminet $$
1340 rue Fleury E., 514-389-0596, www.lestaminet.ca

L'Estaminet est un sympathique petit café où tout le quartier Ahuntsic se retrouve. Le menu affiche les traditionnels sandwichs, salades, soupes et hamburgers, mais propose aussi quelques plats du jour plus conséquents.

Le Rendez-vous du thé $$-$$$
1348 rue Fleury E., 514-384-5695, www.lerendezvousduthe.com

Voilà l'endroit le plus original de la rue Fleury : un salon de thé/boutique/salle culturelle/restaurant, où tous les plats sont apprêtés avec du thé. Intrigant et délicieux. Et tout cela tient dans un petit local lumineux et agréable. Côté cuisine, les classiques français ont la cote. Vérifiez leur calendrier pour assister aux soupers-spectacles où se produisent chanteurs, conteurs et musiciens. Emballant!

Madre sur Fleury $$$
124 rue Fleury O., 514-439-1966, www.restaurantmadre.com

Les bonnes adresses s'accumulent dans le quartier Ahuntsic et, comme son jumeau de la rue Masson (voir p. 196), Madre sur Fleury propose une nouvelle cuisine latine inventive dans un cadre moderne.

Le St-Urbain $$$-$$$$
96 rue Fleury O., angle rue St-Urbain, 514-504-7700, www.lesturbain.com

Situé dans le quartier résidentiel d'Ahuntsic et excentré par rapport aux secteurs plus touristiques de la ville, Le St-Urbain récompense amplement les gastronomes qui font le détour pour y déguster une cuisine de bistro créative. La salle à manger est grande et lumineuse, le décor simple et sans prétention, et la carte des vins propose uniquement des importations privées, à prix raisonnable. Tout près dans la rue Fleury se trouve son charmant petit frère, **La Bête à Pain** *(114 rue Fleury O.)*, une boulangerie-pâtisserie qui prépare des petits déjeuners, de délicieux sandwichs, des plats cuisinés et, bien sûr, des pains et des viennoiseries de toute première qualité.

Achats

Plein air

Mountain Equipment Co-op
Marché Central, 8989 boul. de l'Acadie, angle rue Legendre, 514-788-5878, www.mec.ca

Chaîne canadienne spécialisée dans l'équipement de plein air, Mountain Equipment Co-op est notamment réputée pour ses vêtements de qualité, qui sont aussi en vente à leur boutique du Plateau *(4394 rue St-Denis, 514-840-4440)*.

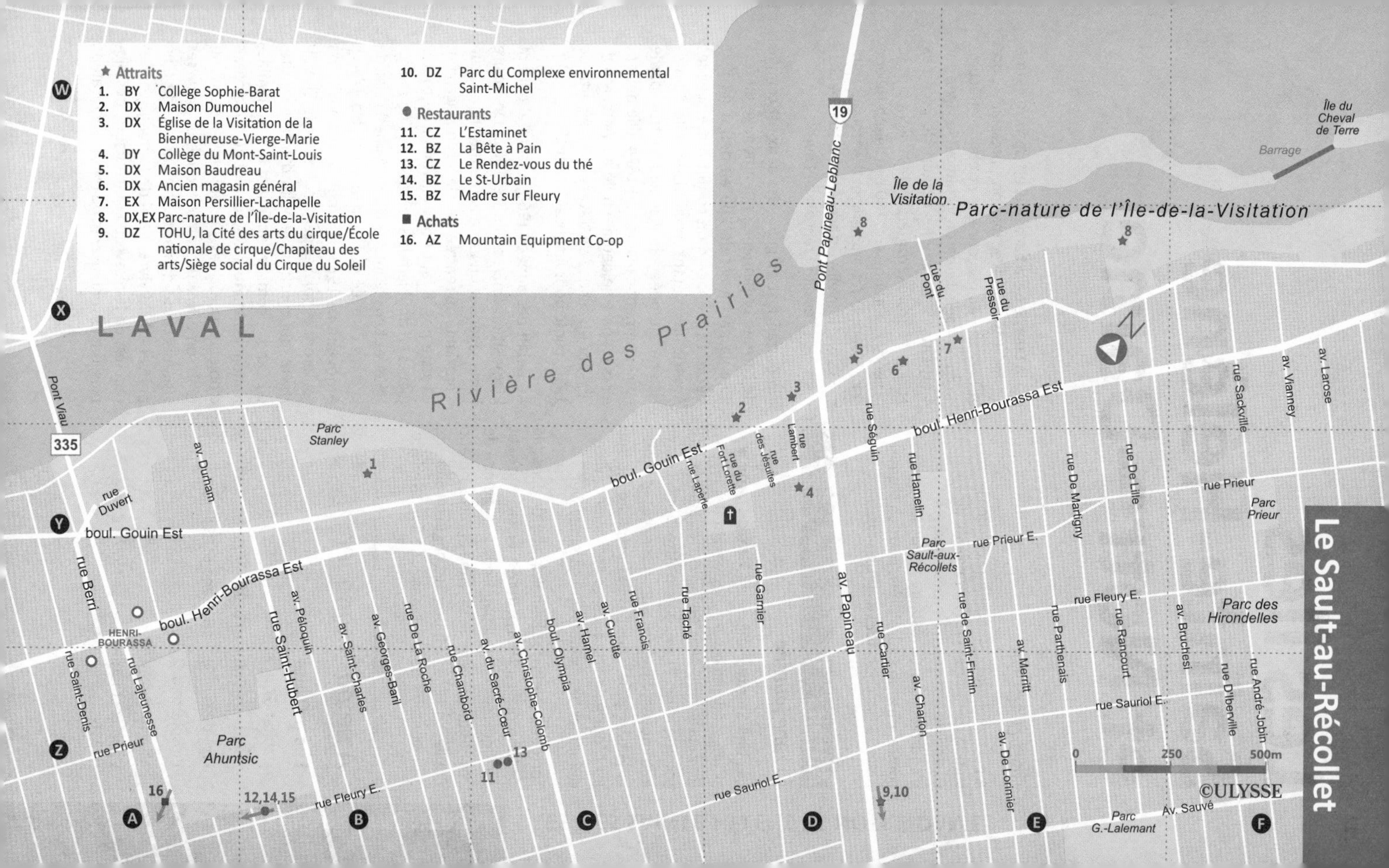
Le Sault-au-Récollet
★ Attraits
1. BY Collège Sophie-Barat
2. DX Maison Dumouchel
3. DX Église de la Visitation de la Bienheureuse-Vierge-Marie
4. DY Collège du Mont-Saint-Louis
5. DX Maison Baudreau
6. DX Ancien magasin général
7. EX Maison Persillier-Lachapelle
8. DX,EX Parc-nature de l'Île-de-la-Visitation
9. DZ TOHU, la Cité des arts du cirque/École nationale de cirque/Chapiteau des arts/Siège social du Cirque du Soleil
10. DZ Parc du Complexe environnemental Saint-Michel
● Restaurants
11. CZ L'Estaminet
12. BZ La Bête à Pain
13. CZ Le Rendez-vous du thé
14. BZ Le St-Urbain
15. BZ Madre sur Fleury
■ Achats
16. AZ Mountain Equipment Co-op
LAVAL
Rivière des Prairies
Parc-nature de l'Île-de-la-Visitation
Île de la Visitation
Île du Cheval de Terre
Barrage
Pont Papineau-Leblanc
Pont Viau
boul. Gouin Est
boul. Henri-Bourassa Est
Parc Stanley
Parc Ahuntsic
Parc Sault-aux-Récollets
Parc Prieur
Parc des Hirondelles
Parc G.-Lalemant
HENRI-BOURASSA
rue Berri
rue Saint-Denis
rue Lajeunesse
rue Saint-Hubert
rue Duvert
av. Durham
av. Péloquin
av. Saint-Charles
av. Georges-Baril
rue De La Roche
rue Chambord
av. du Sacré-Cœur
av. Christophe-Colomb
boul. Olympia
av. Hamel
av. Curotte
rue Francis
rue Taché
rue Garnier
av. Papineau
rue Cartier
av. Charton
rue Séguin
rue Hamelin
rue de Saint-Firmin
av. Merritt
av. De Lorimier
rue Parthenais
rue De Martigny
rue Rancourt
rue De Lille
av. Bruchési
rue D'Iberville
rue André-Jobin
rue Sackville
av. Vianney
av. Larose
rue Laperle
rue du Fort Lorette
rue des Jésuites
rue Lambert
rue du Pont
rue du Pressoir
rue Prieur
rue Prieur E.
rue Fleury E.
rue Sauriol E.
Av. Sauvé
0 250 500m
©ULYSSE

Les îles Sainte-Hélène et Notre-Dame

Bon à savoir

À part quelques comptoirs à côté de la station de métro et les restaurants du Casino de Montréal, il n'existe guère d'endroits pour se restaurer sur les îles; par contre, c'est un endroit rêvé pour un pique-nique, alors apportez vos provisions.

Attraits

⏱ ***une journée***

Les **îles Sainte-Hélène et Notre-Dame** ★★, situées au milieu du fleuve Saint-Laurent, demeurent des lieux de loisirs très animés, été comme hiver. Plage, parc d'attractions, circuit automobile, casino et autres services et installations se partagent ces îles magnifiques que les Montréalais de tous les âges aiment visiter durant les beaux jours) été comme hiver.

Lorsque Samuel de Champlain aborde dans l'île de Montréal en 1611, il trouve, en face, un petit archipel rocailleux. Il baptise la plus grande de ces îles du prénom de sa jeune épouse, Hélène Boullé. En 1723, le baron de Longueuil procède à l'inventaire de ses biens. L'île Saint-Hélène, qui fait partie de la baronnie, est désormais une ferme prospère, avec maisons, pressoir à cidre et bergerie en maçonnerie et étable et écurie de colombage. Le baron y cultivait la vigne sur 4 arpents, alors que les vergers de pommes et autres arbres fruitiers s'étendaient sur 36 arpents. À noter qu'en 1760 l'île Sainte-Hélène sera le dernier retranchement des troupes françaises en Nouvelle-France, sous le commandement du chevalier François de Lévis.

L'importance stratégique des lieux est connue de l'armée britannique, qui aménage un fort dans la partie est de l'île au début du XIXe siècle. La menace d'un conflit armé avec les Américains s'étant amenuisée, l'île Sainte-Hélène est louée à la Ville de Montréal par le gouvernement canadien en 1874. Elle devient alors un parc de détente relié au Vieux-Montréal par un service de traversier et, à partir de 1930, par le pont Jacques-Cartier.

Au début des années 1960, Montréal obtient l'Exposition universelle de 1967. On désire l'aménager sur un vaste lieu attrayant et situé à proximité du centre-ville. Un tel emplacement n'existe pas. Il faut donc l'inventer de toutes pièces en doublant la superficie de l'île Sainte-Hélène et en créant l'île Notre-Dame à l'aide de la terre excavée des tunnels du métro. D'avril à novembre 1967, 45 millions de visiteurs fouleront le sol des deux îles et de la Cité du Havre, qui constitue le point d'entrée du site. « L'Expo », comme l'appellent encore familièrement les Montréalais, fut plus qu'un ramassis d'objets hétéroclites. Ce fut le réveil de Montréal, son ouverture sur le monde et, pour ses visiteurs venus de partout, la découverte d'un nouvel art de vivre, celui de la minijupe, des réactés, de la télévision en couleurs, des hippies, du *flower power* et du rock revendicateur.

À ne pas manquer

Les attraits

Habitat 67 p. 213
Parc Jean-Drapeau p. 213
Fort de l'île Sainte-Hélène p. 214
Biosphère p. 216
Musée Stewart p. 214
Canaux et jardins de l'île Notre-Dame p. 216

Un Piknic Électronik autour de L'*Homme* d'Alexander Calder.

Il n'est pas facile de se rendre à la Cité du Havre depuis le centre-ville. Le meilleur moyen consiste à emprunter, à pied ou à vélo, la rue Mill, puis le chemin des Moulins jusqu'à l'avenue Pierre-Dupuy. Celle-ci conduit au pont de la Concorde, qui franchit le fleuve Saint-Laurent pour atteindre les îles. On peut également s'y rendre avec l'autobus 168 à partir de la station de métro McGill.

Tropiques Nord ★, **Habitat 67** ★★ et le **parc de la Cité-du-Havre** ★ sont construits sur une pointe de terre créée pour les besoins du port de Montréal, que celle-ci protège des courants et de la glace tout en offrant de beaux points de vue sur la ville et sur l'eau. À l'entrée se trouvent le siège de l'administration du port ainsi qu'un groupe d'édifices qui comprenait autrefois l'Expo-Théâtre et le Musée d'art contemporain. Un peu plus loin, on aperçoit la grande verrière de Tropiques Nord, un complexe d'habitation dont les appartements donnent sur l'extérieur, d'un côté, et sur un jardin tropical intérieur, de l'autre.

On reconnaît ensuite Habitat 67, cet ensemble résidentiel expérimental réalisé dans le cadre de l'Exposition universelle pour illustrer les techniques de préfabrication du béton et annoncer un nouvel art de vivre. Son architecte, Moshe Safdie, n'avait que 23 ans au moment de l'élaboration des plans. Habitat 67 se présente tel un gigantesque assemblage de cubes contenant chacun une ou deux pièces. Les appartements d'Habitat 67 sont toujours aussi prisés et logent plusieurs personnalités québécoises. Plusieurs années après leur construction, ils n'ont de cesse de choquer ou de séduire les Montréalais.

Très paisible, le parc de la Cité-du-Havre est un agréable espace où pique-niquer tout en profitant de l'une des plus belles vues de Montréal. La piste cyclable menant aux îles Notre-Dame et Sainte-Hélène passe tout près.

Habitat 67.

Traversez le pont de la Concorde. Du printemps à l'automne, l'île Sainte-Hélène est également accessible par une navette maritime, depuis le Vieux-Port (voir p. 272), et en tout temps par la ligne jaune du métro.

Le **parc Jean-Drapeau** ★★ *(514-872-6120, www.parcjeandrapeau.com; métro Jean-Drapeau)* est composé des îles Sainte-Hélène et Notre-Dame. À l'origine, le parc Hélène-de-Champlain, qui couvrait toute l'île Sainte-Hélène, avait une superficie de 50 ha. Les travaux d'Expo 67 ont permis d'étendre la surface de l'île à plus de 120 ha. La portion originale correspond au territoire surélevé et ponctué de rochers, composés d'une pierre d'un type particulier à l'**île Sainte-Hélène** appelée « brèche », une pierre très dure et ferreuse qui prend une teinte orangée avec le temps lorsqu'elle est exposée à l'air. En 1992, la portion ouest de l'île Sainte-Hélène a été réaménagée en un vaste amphithéâtre (le « parterre » du parc Jean-Drapeau) en plein air où sont présentés des spectacles à grand déploiement. Sur une belle place en bordure de la rive faisant face à Montréal, on aperçoit *L'Homme*, important stabile d'Alexander Calder réalisé pour l'Expo 67. C'est autour de cette sculpture qu'ont lieu, tous les dimanches d'été, les **Piknic Électronik** (voir p. 287). Le parc renferme en tout 14 œuvres d'art public, d'artistes d'ici et d'ailleurs, réparties sur les deux îles.

Musée Stewart.

Un peu plus loin, à proximité de l'entrée de la station de métro Jean-Drapeau, se dresse une œuvre de l'artiste mexicain Sebastián intitulée *La porte de l'amitié*. Cette sculpture, offerte à la Ville de Montréal par la Ville de México en 1992, fut installée là trois ans plus tard pour commémorer la signature des accords de libre-échange entre le Canada, les États-Unis et le Mexique (ALENA).

››› *Empruntez les sentiers qui convergent vers le centre de l'île.*

À l'orée du parc Hélène-de-Champlain original, on peut voir le pavillon des Baigneurs, aménagé pendant la crise des années 1930. On note le revêtement en pierres de brèche du chalet. Les piscines originales de l'île ont été démolies puis reconstruites pour accueillir, au **Complexe aquatique de l'île Sainte-Hélène** *(adultes 7,50$, enfants 3,50$; 514-872-2323; www.parcjeandrapeau.com)*, les XIes Championnats du monde FINA en 2005. Les trois piscines olympiques (récréative, de compétition et de plongeon) sont aujourd'hui ouvertes à tous de mai à septembre.

››› *Suivez les indications vers le fort de l'île Sainte-Hélène.*

À la suite de la guerre de 1812 entre les États-Unis et la Grande-Bretagne, le **fort de l'île Sainte-Hélène** ★★ *(métro Jean-Drapeau)* est construit par les Britanniques afin d'approvisionner les centres de défense du district militaire de Montréal et du Haut-Canada. Les travaux effectués sont achevés en 1824. Ce dépôt militaire reste en activité jusqu'en 1870 pour l'armée anglaise. Par la suite, il est notamment utilisé durant la Seconde Guerre mondiale comme camp d'internement pour les prisonniers italiens, envoyés par le Royaume-Uni. L'arsenal (en pierre de brèche), qui abrite le Musée Stewart (voir ci-dessous), en est le bâtiment majeur. Il se présente tel un croissant entourant une place d'armes, d'où on bénéficie d'une belle vue sur le port et sur le **pont Jacques-Cartier** (voir p. 146), inauguré en 1930, qui surplombe l'île et sépare le parc de verdure de La Ronde. Classé monument historique, l'ensemble du complexe militaire comprend aussi une poudrière, une caserne, un corps de garde de bois, un lavoir et un mur d'enceinte.

Le **Musée Stewart** ★★ *(adultes 10$, enfants 8$, moins de 12 ans gratuit; mer-dim 10h à 17h; 20 ch. du Tour-de-l'Isle, 514-861-6701, www.stewart-museum.org; métro Jean-Drapeau)*, installé dans l'arsenal du complexe militaire, est voué à l'histoire de la découverte et de l'exploration du Nouveau Monde. En plus des expositions temporaires, on y présente *Histoire et Mémoires*, un parcours historique couvrant cinq siècles à travers une importante collection d'objets et de documents d'époque, ainsi qu'une impressionnante maquette interactive du Montréal de 1750, entouré de ses fortifications. Durant l'été *(juil et août tlj à 14h et 15h30)*, la place d'armes sert de terrain de

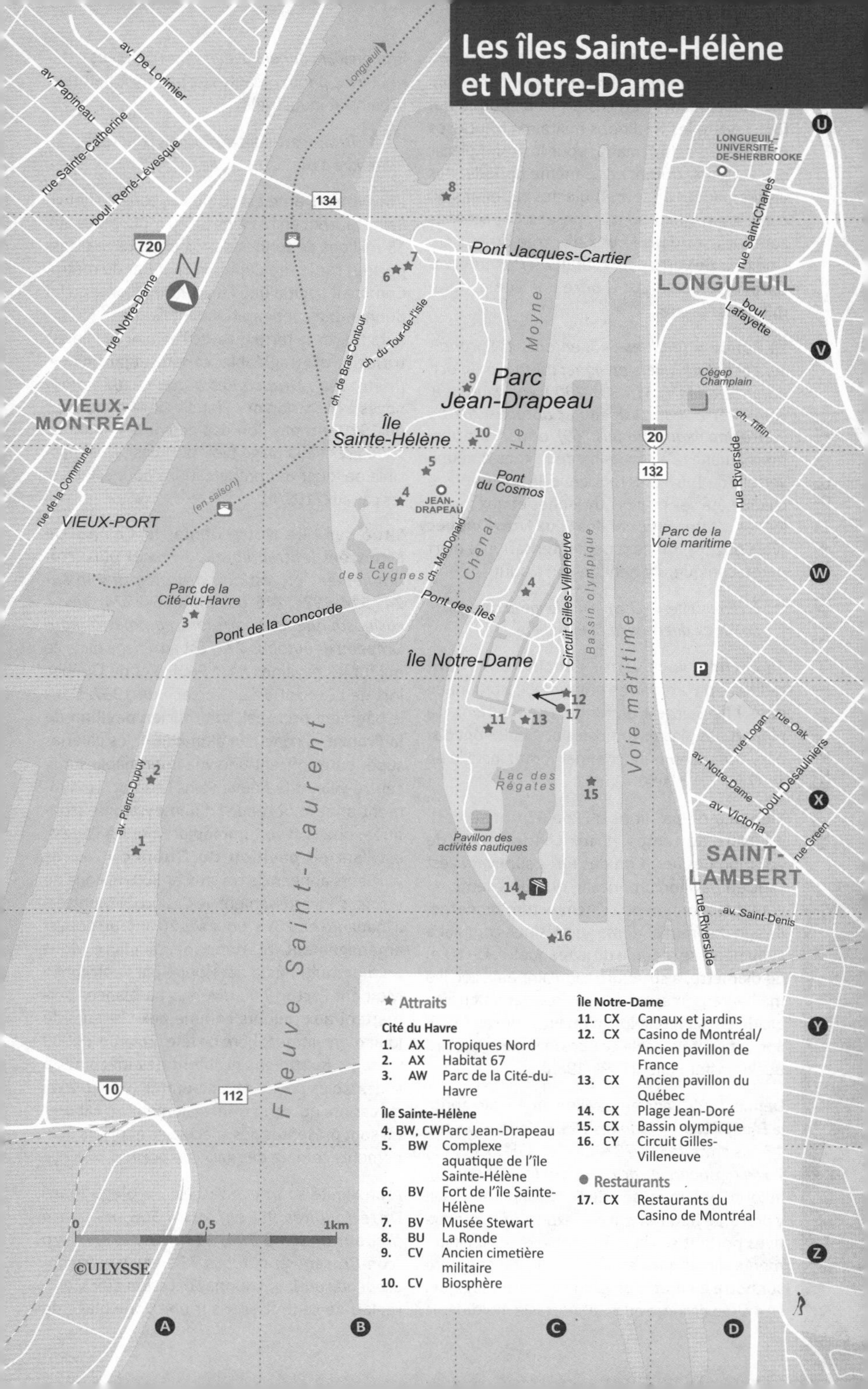

Les îles Sainte-Hélène et Notre-Dame
av. De Lorimier
av. Papineau
rue Sainte-Catherine
boul. René-Lévesque
rue Notre-Dame
Longueuil
134
720
N
Pont Jacques-Cartier
LONGUEUIL-UNIVERSITÉ-DE-SHERBROOKE
rue Saint-Charles
LONGUEUIL
boul. Lafayette
ch. de Bras Contour
ch. du Tour-de-l'isle
Le Moyne
Parc Jean-Drapeau
Île Sainte-Hélène
VIEUX-MONTRÉAL
Cégep Champlain
ch. Tiffin
20
132
rue de la Commune
(en saison)
Pont du Cosmos
JEAN-DRAPEAU
VIEUX-PORT
Lac des Cygnes
ch. MacDonald
Chenal
Circuit Gilles-Villeneuve
Bassin olympique
rue Riverside
Parc de la Voie maritime
Parc de la Cité-du-Havre
Pont des îles
Pont de la Concorde
Voie maritime
Île Notre-Dame
rue Logan
rue Oak
av. Notre-Dame
boul. Desaulniers
av. Victoria
rue Green
av. Pierre-Dupuy
Fleuve Saint-Laurent
Lac des Régates
Pavillon des activités nautiques
SAINT-LAMBERT
av. Saint-Denis
rue Riverside
10
112
0
0,5
1km
©ULYSSE
A
B
C
D
U
V
W
X
Y
Z
Attraits
Cité du Havre
1. AX Tropiques Nord
2. AX Habitat 67
3. AW Parc de la Cité-du-Havre
Île Sainte-Hélène
4. BW, CW Parc Jean-Drapeau
5. BW Complexe aquatique de l'île Sainte-Hélène
6. BV Fort de l'île Sainte-Hélène
7. BV Musée Stewart
8. BU La Ronde
9. CV Ancien cimetière militaire
10. CV Biosphère
Île Notre-Dame
11. CX Canaux et jardins
12. CX Casino de Montréal/ Ancien pavillon de France
13. CX Ancien pavillon du Québec
14. CX Plage Jean-Doré
15. CX Bassin olympique
16. CY Circuit Gilles-Villeneuve
Restaurants
17. CX Restaurants du Casino de Montréal

parade à la Compagnie Franche de la Marine et au 78e régiment des Fraser Highlanders, deux régiments factices en costumes d'époque qui font revivre les traditions militaires françaises et écossaises du Canada, pour le grand plaisir des visiteurs. Durant cette même période, des visites guidées de l'ensemble des bâtiments du complexe militaire sont proposées. Ces activités sont incluses dans le prix d'entrée du musée. Une tour de verre et d'acier qui sert d'observatoire, ajoutée en 2011, offre une vue panoramique sur le site.

La Ronde ★ *(adultes 64$, enfants 47$; rabais sur l'achat de billets en ligne; mi-mai à fin oct, horaire variable; 514-397-2000, www.laronde.com; métro Jean-Drapeau et autobus 767 ou métro Papineau, autobus 769)*, ce parc d'attractions aménagé à l'occasion de l'Exposition universelle de 1967 dans l'ancienne île Ronde, ouvre chaque été ses portes aux jeunes et aux moins jeunes. **L'International des Feux Loto-Québec** (voir p. 288), un concours international d'art pyrotechnique, s'y tient de juin à août.

››› *Empruntez le chemin qui longe la côte sud de l'île en direction de la Biosphère.*

En chemin, vous verrez l'**ancien cimetière militaire** de la garnison britannique, stationnée dans l'île Sainte-Hélène de 1828 à 1870. La plupart des pierres tombales originales ont disparu. Un monument commémoratif installé en 1937 les remplace.

Bien peu de pavillons d'Expo 67 ont survécu à l'usure du temps et aux changements de vocation des îles. L'un des rares survivants est l'ancien pavillon américain, qui représente un véritable monument à l'architecture moderne. Il s'agit du premier dôme géodésique complet à avoir dépassé le stade de la maquette. De 80 m de diamètre, à structure tubulaire en acier, il a malheureusement perdu son revêtement translucide en acrylique lors d'un incendie en 1976. Son concepteur est le célèbre ingénieur Richard Buckminster Fuller (1895-1983).

Depuis 1995, l'ancien pavillon américain abrite la **Biosphère** ★★ *(adultes 15$, enfants moins de 17 ans gratuit; 514-283-5000 et 855-773-8200, www.biosphere.ec.gc.ca; métro Jean-Drapeau)*, aujourd'hui un musée de l'environnement. On y présente notamment des expositions interactives portant sur la météorologie, les changements climatiques et les bienfaits de la nature sur notre bien-être physique et psychologique. Le musée propose aussi le spectacle multimédia immersif *Façonner l'avenir* et un parcours extérieur avec photos géantes de paysages naturels, urbains et industriels.

››› *Traversez le pont du Cosmos pour vous rendre à l'île Notre-Dame.*

L'**île Notre-Dame** est sortie des eaux du fleuve Saint-Laurent en l'espace de 10 mois, grâce aux 15 millions de tonnes de roc et de terre transportées sur le site depuis le chantier du métro. Comme il s'agit d'une île artificielle, on a pu lui donner une configuration fantaisiste en jouant autant avec la terre qu'avec l'eau. Ainsi l'île est traversée par d'agréables **canaux** et **jardins** ★★ *(métro Jean-Drapeau et autobus 767)*, aménagés à l'occasion des Floralies internationales de 1980. Au pavillon des activités nautiques situé près de la plage (voir plus bas), il est possible de louer des embarcations pour sillonner les canaux *(10$/h)*.

Situé sur l'île Notre-Dame, le **Casino de Montréal** *(entrée libre; 18 ans et plus; stationnement et vestiaire gratuits; tlj 24h sur 24; 514-392-2746 ou 800-665-2274, www.casinosduquebec.com/montreal; métro Jean-Drapeau et autobus 777)* est aménagé dans ce qui fut les pavillons de la France et du Québec lors de l'Exposition universelle de 1967. Dans le bâtiment principal, soit l'ancien **pavillon de la France** ★, conçu en aluminium, les galeries supérieures offrent une vue imprenable sur le centre-ville et le fleuve Saint-Laurent. Le bâtiment annexe, à l'allure d'une pyramide tronquée, que l'on voit immédiatement à l'ouest, est l'ancien **pavillon du Québec** ★. Après plusieurs années de travaux et 300 millions de dollars d'investissement, le Casino de Montréal a inauguré en 2013, pour ses 20 ans, un nouvel aménagement intérieur spectaculaire (dont un mur multimédia développé par l'entreprise Moment Factory) où diverses ambiances permettent aux joueurs comme aux visiteurs de jouir d'une atmosphère de fête. Environ 15 000 visiteurs quotidiens profitent des machines à sous, tables de jeu et restaurants (voir p. 217) du casino, qui renferme également un cabaret où sont présentés des spectacles et divers événements comme des galas de boxe.

À proximité se trouve l'accès à la **plage Jean-Doré** *(adultes 9$, enfants 4,50$; mi-juin à fin août tlj 10h à 19h; 514-872-2323; métro Jean-Drapeau et autobus 767, www.parcjean-drapeau.com)*, qui donne l'occasion aux Montréalais de se prélasser sur une vraie plage de

Le parc Jean-Drapeau et la Biosphère.

sable au milieu du fleuve Saint-Laurent. Le système de filtration naturel permet de garder l'eau du petit lac intérieur propre, sans devoir employer d'additifs chimiques. Le nombre de baigneurs que la plage peut accueillir est cependant contrôlé afin de ne pas déstabiliser ce système. La plage a été officiellement nommée en l'honneur de Jean Doré (1944-2015), le maire de Montréal qui permit son aménagement en 1989.

D'autres équipements de sport et de loisir s'ajoutent à ceux déjà mentionnés, soit le **Bassin olympique**, aménagé à l'occasion des Jeux de 1976, et le **circuit Gilles-Villeneuve** *(métro Jean-Drapeau et autobus 167)*, qui accueille le **Grand Prix du Canada** (voir p. 160), une course automobile de Formule 1.

Pour retourner dans le centre-ville de Montréal, prenez le métro à la station Jean-Drapeau.

Activités de plein air

Baignade

Les piscines du **Complexe aquatique de l'île Sainte-Hélène** (voir p. 214) et les eaux de la plage Jean-Doré (voir ci-dessus) permettent de se rafraîchir dans les îles quand les beaux jours d'été se pointent.

Planche à rame

Au parc Jean-Drapeau, l'entreprise **Kayak Sans Frontières** *(au pavillon des activités nautiques tout près de la plage Jean-Doré et du stationnement P5, 514-595-7873, www.ksf.ca)* propose des activités sur planche à rame, une grande planche de surf que l'on manœuvre à l'aide d'une pagaie.

Vélo

En partant du Vieux-Montréal, on peut accéder aux îles Notre-Dame et Sainte-Hélène. La piste traverse d'abord un secteur où sont établies diverses usines, puis passe par la Cité du Havre et traverse le pont de la Concorde. Il est facile de circuler d'une île à l'autre. Joliment paysagées, les îles constituent un havre de détente où il fait bon se promener en contemplant, au loin, la silhouette de Montréal.

Restaurants

Restaurants du Casino de Montréal
$-$$$$
Casino de Montréal, île Notre-Dame,
514-392-2709

Au dernier étage du Casino de Montréal, cinq restaurants sont ouverts aux joueurs comme aux visiteurs. **L'Instant** *($; 24h sur 24; pâtes et sandwichs)* et **Ajia** *($$; dîner seulement; cuisine asiatique)* sont des comptoirs de restauration rapide. Le **Pavillon 67** *($$$; dîner mer-dim, brunch dim)* propose un buffet à volonté de cuisine internationale (avec une belle variété de mets tels que magret de canard, grillades et pâtisseries maison). **Le Montréal** *($$$-$$$$; déjeuner et dîner tlj)* affiche un menu plus raffiné de cuisine internationale et offre une vue incroyable sur la ville. Enfin, **L'Atelier de Joël Robuchon** *($$$$; déjeuner et dîner tlj)*, inauguré en décembre 2016, permet aux Montréalais et aux joueurs ou visiteurs du Casino de découvrir la haute cuisine gastronomique du célèbre chef français.

Hochelaga-Maisonneuve

Bon à savoir

Pour visiter le quartier autrement, prenez place dans un Vélopousse et laissez-vous conduire par un des jeunes guides du quartier (voir p. 283).

Attraits

une journée

En 1883, la ville de Maisonneuve voit le jour dans l'est de Montréal à l'initiative de fermiers et de marchands canadiens-français. Dès 1889, les installations du port de Montréal la rejoignent, facilitant ainsi son développement. Puis, en 1918, cette ville autonome est annexée à Montréal, devenant de la sorte l'un de ses principaux quartiers ouvriers, francophone à 90%. Pour sa part, l'ancien village d'Hochelaga a intégré la ville de Montréal dès 1883. Au cours de son histoire, le quartier **Hochelaga-Maisonneuve** ★★ a été profondément marquée par des hommes aux grandes idées, qui ont voulu faire de ce coin de pays un lieu d'épanouissement collectif. Les frères Marius et Oscar Dufresne, à leur arrivée au pouvoir à la mairie de Maisonneuve en 1910, institueront une politique de démesure en faisant construire de prestigieux édifices publics de style Beaux-Arts destinés à faire de « leur » ville un modèle de développement pour le Québec français. Puis, le frère Marie-Victorin fonde en 1931, sur d'anciens terrains de la ville de Maisonneuve, le Jardin botanique de Montréal, aujourd'hui l'un des plus importants au monde. Enfin, en 1971, le maire Jean Drapeau inaugure dans Hochelaga-Maisonneuve les travaux de l'immense complexe sportif qui accueillera les Jeux olympiques de Montréal en 1976. Aujourd'hui, ce quartier populaire commence à se gentrifier, d'où son appellation plus moderne de « HoMa » (pour **Ho**chelaga-**Ma**isonneuve).

De la station de métro Pie-IX, montez la côte qui mène à l'angle de la rue Sherbrooke. Le circuit débute au Jardin botanique.

L'aménagement du vaste **Jardin botanique de Montréal** ★★★ *(le prix d'entrée comprend la visite de l'Insectarium : adultes 19,75$, enfants 10$, prix réduits en basse saison et pour les résidents du Québec, stationnement 12$/jour; des forfaits permettent de combiner ces visites à celle du Biodôme, du Planétarium et de la Tour de Montréal à prix avantageux; mi-mai à début sept tlj 9h à 18h, début sept à fin oct tlj 9h à 21h, nov à mi-mai mar-dim 9h à 17h; 4101 rue Sherbrooke E., 514-872-1400, http://espacepourlavie.ca; métro Pie-IX)* a été entrepris pendant la crise des années 1930 sur l'emplacement du Mont-de-la-Salle, la maison mère des Frères des Écoles chrétiennes, grâce à une initiative du frère Marie-Victorin, célèbre botaniste québécois. Les 10 serres d'exposition du jardin s'étirent derrière l'édifice Marie-Victorin de style Art déco, qui abrite

À ne pas manquer

Attraits

Jardin botanique de Montréal p. 218

Insectarium de Montréal p. 220

Château Dufresne p. 220

Stade olympique p. 222

Planétarium de Montréal p. 223

Biodôme de Montréal p. 222

Restaurants

Le Valois p. 226

État-Major p. 226

Achats

Arhoma p. 227

Coccinelle Jaune et Folle Guenille p. 227

Sorties

L'Espace Public p. 227

Le Jardin de Chine au Jardin botanique de Montréal.

entre autres l'Institut de recherche en biologie végétale et avoisine le Centre sur la biodiversité (intéressantes expositions temporaires autour de cette thématique), tous deux issus d'un partenariat entre l'Université de Montréal et le Jardin botanique. Les serres d'exposition sont ouvertes tout au long de l'année et reliées les unes aux autres. On peut notamment y voir une précieuse collection d'orchidées ainsi qu'un des plus importants regroupements de penjings hors d'Asie, dont fait partie la fameuse collection « Wu », donnée au jardin par le maître Wu Yee-Sun de Hong-Kong en 1984. Au mois d'octobre, les cucurbitacées sont de la fête dans la grande serre : plus de 800 citrouilles décorées célèbrent alors l'Halloween, pour le plus grand bonheur des enfants, petits et grands *(**Le Grand Bal des citrouilles**, oct tlj 9h à 21h)*.

Trente jardins thématiques extérieurs, ouverts du printemps à l'automne, conçus pour instruire et émerveiller le visiteur, s'étendent au nord et à l'ouest des serres. Parmi ceux-ci, il faut souligner une belle roseraie, le Jardin japonais et son pavillon de style *sukiya*, ainsi que le très beau Jardin de Chine, dont les pavillons ont été construits par des artisans venus exprès de Chine. Montréal étant jumelée, entre autres villes, à Shanghai, on a voulu en faire le plus vaste jardin du genre hors d'Asie. Le soir, en automne, ces deux jardins asiatiques se parent de centaines de lanternes qui créent une merveilleuse féerie de lumière et de fleurs *(**Jardins de lumière**, début sept à début nov tlj 9h à 21h)*.

Il faut aussi voir le Jardin des Premières-Nations, réalisé grâce au travail de plusieurs intervenants, dont plusieurs membres des Premières Nations. Dès la fondation du Jardin botanique, le frère Marie-Victorin avait imaginé un jardin de plantes médicinales utilisées par les Amérindiens. L'interprétation de ce jardin permet de se familiariser avec les cultures autochtones, et particulièrement avec leurs relations avec le monde végétal. On y apprend, par exemple, les multiples utilisations que les Hurons-Wendat et les Mohawks faisaient du maïs, des courges et des haricots. Les 11 nations autochtones du Québec sont représentées dans leur milieu de vie (la forêt de feuillus, la forêt de conifères et les territoires nordiques). Un pavillon d'exposition complète la visite.

L'Arboretum, sillonné de sentiers, occupe la partie nord du Jardin botanique. C'est dans ce secteur que se trouve la Maison de l'arbre, véritable centre d'interprétation qui permet de mieux comprendre la vie d'un arbre et des forêts. L'exposition permanente que l'on y présente reprend d'ailleurs la forme d'une moitié de tronc d'arbre où le visiteur circule entre les anneaux de croissance. La structure du bâtiment, formée d'un assemblage de poutres d'épinettes, rappelle un alignement d'arbres urbains. On remarque plus particulièrement les jeux d'ombre et de lumière qui suggèrent des ambiances forestières qui changent au fil des heures. À l'arrière, une terrasse permet de contempler l'étang, une diversité de plantes aquatiques et un charmant petit jardin d'arbres miniatures (de type bonsaï) nord-américains.

Depuis 2013, le Jardin botanique fait partie d'un grand complexe muséal nommé **Espace pour la vie**, dont font également partie l'Insectarium, le Biodôme et le Planétarium (tous décrits ci-dessous).

L'**Insectarium de Montréal** ★★★ *(voir le Jardin botanique pour les prix et horaires; 4581 rue Sherbrooke E., 514-872-1400; http://espacepourlavie.ca)*, le plus important musée entièrement consacré aux insectes en Amérique du Nord, est situé à l'est des serres du Jardin botanique. Ce musée vivant invite les visiteurs à découvrir le monde fascinant de plus de 160 000 spécimens d'insectes à l'aide d'une fourmilière, d'une bourdonnière, d'une ruche, de vivariums et de jeux interactifs. Diverses activités y sont organisées tout au long de l'année. Au moment de mettre sous presse, on annonçait d'importants travaux de rénovation visant à agrandir la superficie du musée; ces travaux, déjà reportés précédemment, devraient débuter en 2018.

À l'est du Jardin botanique et de l'Insectarium s'étend le **parc Maisonneuve** ★ *(délimité par le Jardin botanique, la rue Sherbrooke E., le boulevard Rosemont et la rue Viau; 4601 rue Sherbrooke E.; métro Viau)*, un vaste espace vert tout indiqué pour une promenade ou un pique-nique en été. En hiver, une belle patinoire et une dizaine de kilomètres de pistes de ski de fond font la joie des Montréalais.

Retournez sur le boulevard Pie-IX. Du côté ouest, tout juste au sud de la rue Sherbrooke Est, se dresse le Château Dufresne, qui fait partie d'un complexe muséal.

Le **Musée Dufresne-Nincheri** ★★ *(14$, donnant droit aussi au Studio Nincheri ci-dessous; mer-dim 10h à 17h; 2929 rue Jeanne-d'Arc, 514-259-9201, www.chateaudufresne.com; métro Pie-IX)* loge en partie dans le **Château Dufresne**, constitué en réalité de deux résidences bourgeoises jumelées de 22 pièces chacune, édifiées derrière une façade unique. Le château fut construit entre 1915 et 1918 pour les frères Marius et Oscar Dufresne, fabricants de chaussures et promoteurs d'un projet d'aménagement grandiose pour Maisonneuve, auquel la Première Guerre mondiale allait mettre un terme, engendrant la faillite de la municipalité. Leur demeure, œuvre conjointe de Marius Dufresne et de l'architecte parisien Jules Renard, devait former le noyau d'un quartier résidentiel bourgeois qui n'a jamais vu le jour. Elle est un des meilleurs exemples d'architecture Beaux-Arts à Montréal. Le Château Dufresne, bâtiment historique classé, a été décoré par Guido Nincheri et est inspiré du Petit Trianon de Versailles. On y propose des visites des pièces avec leur collection de meubles tout en faisant revivre l'histoire de ses occupants. Le musée comprend également le **Studio Nincheri** *(mer-dim 10h à 17h, visites guidées 4 fois par jour sans réservation; 1832 boul. Pie-IX, 514-259-9201)*, l'atelier où travailla le maître-verrier Guido Nincheri, dont les vitraux décorent quelque 200 églises en Amérique du Nord.

Redescendez la côte du boulevard Pie-IX, puis tournez à gauche dans l'avenue Pierre-De Coubertin.

★ Attraits

1. AV Jardin botanique de Montréal/ Le Grand Bal des citrouilles/Jardins de lumière
2. BU Insectarium de Montréal
3. CU Parc Maisonneuve
4. AV Musée Dufresne-Nincheri/Château Dufresne
5. BY Studio Nincheri
6. CV Parc olympique
7. BV Stade olympique/ Tour de Montréal
8. CV Biodôme de Montréal
9. CV Planétarium Rio Tinto Alcan
10. DV Aréna Maurice-Richard
11. CU Stade Saputo
12. AW Église Saint-Jean-Baptiste-de-la-Salle
13. BY Ancien hôtel de ville de Maisonneuve/ Bibliothèque Maisonneuve
14. BY Maison de la culture Maisonneuve
15. AY Promenade Ontario
16. AY Place Simon-Valois
17. CY Marché Maisonneuve
18. BY Place du Marché
19. CY Bain Morgan
20. CZ Caserne de pompiers n° 1 ou caserne Letourneux/ Théâtre Sans Fil
21. BY Église Très-Saint-Nom-de-Jésus

● Restaurants

22. AY Atomic Café
23. BZ Bistro Le Ste-Cath
24. AY État-Major
25. BY Hoche Café
26. AY Le Valois
27. DY Les Cabotins
28. AY Sata Sushi

■ Achats

29. AY Arhoma
30. AY Boucherie Beau-Bien
31. BZ Coccinelle Jaune
32. BZ Folle Guenille

Bars et boîtes de nuit

33. AY L'Espace Public
34. BY Monsieur Smith

Hochelaga-Maisonneuve
av. Laurier
Jardin botanique
Parc Maisonneuve
Stade Saputo
rue Viau
boul. St-Joseph Est
boul. Pie-IX
rue Sherbrooke Est
Parc olympique
Planétarium
Centre Pierre-Charbonneau
rue de Marseille
Stade olympique
Biodôme
Aréna Maurice-Richard
rue Rachel Est
VIAU
PIE-IX
av. Pierre-De Coubertin
av. Charlemagne
rue Sicard
rue Leclaire
rue Théodore
av. Aird
Parc Théodore
av. Desjardins
av. Letourneux
rue Hochelaga
av. Bennett
rue St-Clément
av. Bourbonnière
av. D'Orléans
av. Jeanne-d'Arc
rue de Rouen
av. De La Salle
Parc Ovila-Pelletier
Place du Marché
rue Ontario Est
av. Morgan
av. William-David
rue La Fontaine
av. Valois
rue Adam
rue Nicolet
rue Sainte-Catherine Est
rue Notre-Dame Est
0
200
400m
©ULYSSE
A
B
C
D
U
V
W
X
Y
Z

Le Parc olympique dans tous ses états

Montréal sera-t-elle prête à accueillir les Jeux olympiques en juillet 1976? Voilà une question qui demeure sur toutes les lèvres un an avant la tenue de ce prestigieux événement international.

À l'origine, le Parc olympique, dont la conception revient à l'architecte français Roger Taillibert, comprend trois infrastructures principales, c'est-à-dire le stade avec son mât et le vélodrome, qui est le premier des trois à être construit. Comme les plans de Taillibert demeuraient inachevés pour des raisons obscures, ce n'est qu'à l'issue de l'été 1974 que les ouvriers entament les travaux du stade. Or, une première crise pétrolière mondiale et une inflation galopante viennent augmenter considérablement les coûts du chantier, sans oublier de nombreux conflits de travail et vols de matériaux qui nuiront au bon déroulement des travaux.

Bien informé de ces problèmes, le Comité International Olympique (CIO) est très inquiet et songe même à retirer les Jeux de Montréal au profit de la ville de México. Pour contrer la menace du CIO, le gouvernement du Québec réagit en mettant sous tutelle le Comité organisateur des Jeux olympiques et instaure en novembre 1975 la Régie des installations olympiques (RIO). Cette dernière aura la dure mission de terminer les installations à temps.

Le 17 juillet 1976, c'est dans un stade inachevé que se déroule la cérémonie d'ouverture des Jeux olympiques de Montréal. Son mât atteint à peine la moitié des 169 m prévus par l'architecte. Il faudra patienter encore 11 ans avant que la « plus haute tour inclinée du monde », avec 175 m de hauteur et une inclinaison de 45°, ne fasse partie du paysage montréalais.

Jean Drapeau fut maire de Montréal de 1954 à 1957 et de 1960 à 1986. Il rêvait de grandes choses pour « sa » ville. D'un pouvoir de persuasion peu commun et d'une détermination à toute épreuve, il mena à bien plusieurs projets importants, notamment la construction du métro et de la Place des Arts, ainsi que la venue à Montréal de l'Exposition universelle de 1967 et, bien sûr, des Jeux olympiques d'été de 1976. Mais, pour cet événement international, il fallait doter la ville d'équipements à la hauteur.

Qu'à cela ne tienne, on irait chercher un visionnaire français qui dessinerait du jamais vu. C'est ainsi que naquirent, un milliard de dollars plus tard, le **Parc olympique** et sa pièce maîtresse, le Stade olympique, œuvre de l'architecte Roger Taillibert, également auteur du stade du Parc des Princes, à Paris.

Structure qui étonne par la courbure de ses formes organiques en béton, le **Stade olympique** ★★★ *(visite guidée 18$; tlj entre 10h et 16h, durée 20 min, départs des visites aux heures, billetterie au pied de la Tour de Montréal; 4545 av. Pierre-De Coubertin, 514-252-4141, http://parcolympique.qc.ca; métro Viau)*, de forme ovale, offre 56 000 places et sa tour penchée fait 165 m de hauteur. Au loin, on aperçoit les deux immeubles de forme pyramidale du Village olympique qui ont logé les athlètes en 1976. Le Stade olympique accueille chaque année différents spectacles et événements sportifs, et des activités sont organisées sur son esplanade en été.

La tour du stade, la plus haute tour penchée du monde, a été rebaptisée la **Tour de Montréal** *(adultes 23,25$, enfants 11,50$ incluant l'accès par le funiculaire, tarifs réduits pour les résidents du Québec; mar-dim ouverture à 9h, heure de fermeture variable selon les saisons)*. Un funiculaire grimpe à l'assaut de la structure, permettant de rejoindre l'Observatoire de la Tour, d'où les visiteurs peuvent contempler l'ensemble de l'Est montréalais. Au second niveau de l'Observatoire sont présentées des expositions diverses. On y trouve aussi une boutique. Le pied de la tour abrite les piscines du Complexe olympique, alors qu'à l'arrière se profile un gros cinéma multisalles.

L'ancien vélodrome, situé à proximité, a été transformé en un milieu de vie artificiel pour les plantes et les animaux, appelé le **Biodôme de Montréal** ★★★ *(adultes 19,75$, enfants 10$, tarifs réduits pour les résidents du Québec; des*

Stade olympique.

forfaits permettent de combiner cette visite à celles du Jardin botanique et de l'Insectarium, du Planétarium et de la Tour de Montréal, à prix avantageux; mi-juin à début sept tlj 9h à 18h, début sept à mi-juin mar-dim 9h à 17h; 4777 av. Pierre-De Coubertin, 514-868-3000, http://espacepourlavie.ca; métro Viau). Ce musée rattaché au Jardin botanique présente sur 10 000 m² cinq écosystèmes fort différents les uns des autres : la forêt tropicale humide, l'érablière des Laurentides, le golfe du Saint-Laurent, les côtes du Labrador et les îles subantarctiques. Ce sont des microcosmes complets qui comprennent végétation, mammifères et oiseaux en liberté, et qui offrent des conditions climatiques réelles. À l'instar de l'Insectarium (voir plus haut), le Biodôme subira également d'importants travaux de réaménagement en 2018.

Le **Planétarium Rio Tinto Alcan** ★★★ *(adultes 19,75$, enfants 10$, tarifs réduits pour les résidents du Québec; des forfaits permettent de combiner cette visite à celles du Jardin botanique et de l'Insectarium, du Biodôme et de la Tour de Montréal, à prix avantageux; mi-juin à début sept lun-mer 9h à 17h, jeu-sam 9h à 20h, mi-sept à début juin mar-mer 9h à 17h, jeu-sam 9h à 20h; 4801 av. Pierre-De Coubertin, 514-868-3000, http://espacepourlavie.ca; métro Viau)* complète admirablement l'ensemble Espace pour la vie qui entoure le Stade olympique. L'édifice à l'architecture futuriste, avec ses deux cônes tronqués en aluminium symbolisant des télescopes, renferme un vaste espace composé d'une salle d'exposition et de deux théâtres-dômes. L'exposition *EXO* raconte et explique l'apparition de la vie dans l'Univers et sur la Terre, à l'aide de nombreux écrans tactiles et interactifs qui permettent aux visiteurs de tous âges de s'approprier ces connaissances de façon ludique. Les spectacles des théâtres sont les points forts de la visite (en raison des horaires fixes et du nombre de places limité, nous vous conseillons de réserver vos places sur le site Internet du Planétarium pour vous assurer un siège à l'heure voulue). Ils entraînent les spectateurs dans un vertigineux voyage dans l'espace, vision artistique au Théâtre du Chaos et plus réelle au Théâtre de la Voie lactée, où le ciel montréalais est recréé grâce à un simulateur d'étoiles. Les projections sur les surfaces intérieures des dômes font vivre aux spectateurs une formidable expérience immersive.

L'**aréna Maurice-Richard** *(2800 rue Viau, 514-872-6666; métro Viau)* précède de 20 ans le Parc olympique, auquel il est maintenant rattaché. Sa patinoire est une des rares de l'est du Canada à respecter les normes internationales en matière de superficie pour le patinage de vitesse et le hockey. Depuis 1998, on peut admirer, devant l'entrée de l'aréna, une statue représentant Maurice Richard. Le hockey sur glace occupe une place bien particulière dans le cœur des Québécois. Plusieurs d'entre eux considèrent Maurice « Rocket » Richard (1921-2000) comme le plus grand hockeyeur de tous les temps. Cet aréna est désormais principalement consacré aux entraînements des sportifs de haut niveau.

Également situé dans le Parc olympique, le **stade Saputo** (voir p. 277) est le domicile de l'équipe de soccer de la métropole, l'Impact de Montréal.

››› *Revenez sur le boulevard Pie-IX et empruntez-le vers le sud.*

L'**église Saint-Jean-Baptiste-de-la-Salle** *(2583 boul. Pie-IX, angle rue Hochelaga, 514-255-7708; métro Pie-IX)* a été érigée entre 1963 et 1965 à l'occasion du renouveau liturgique de Vatican II. Dans un effort visant à conserver ses ouailles, le clergé catholique a chambardé les règles du culte, en introduisant une architecture audacieuse qui n'atteint pas toujours son objectif. Ainsi, sous cette mitre d'évêque évocatrice, se cache un intérieur déprimant en béton brut qui donne l'impression de s'abattre sur l'assistance. L'église porte le nom du fondateur de l'Institut des Frères des Écoles chrétiennes.

››› *Poursuivez vers le sud sur le boulevard Pie-IX, puis tournez à gauche dans la rue Ontario.*

Le coup d'envoi de la politique de grandeur de l'administration Dufresne fut donné en 1912 par la construction de l'**ancien hôtel de ville de Maisonneuve** ★ *(4120 rue Ontario E.)* selon les plans de l'architecte Cajetan Dufort. De 1925 à 1967, on y trouvait l'Institut du Radium, spécialisé dans la recherche sur le cancer. Depuis 1981, l'édifice abrite la **bibliothèque Maisonneuve**. À l'étage, un dessin « à vol d'oiseau » de Maisonneuve vers 1915 laisse voir les bâtiments prestigieux réalisés ainsi que ceux qui sont demeurés sur papier.

Depuis 2005, la **maison de la culture Maisonneuve** *(4200 rue Ontario E., 514-872-2200)* loge dans le très bel édifice de l'ancienne caserne de pompiers nº 45.

Du boulevard Pie-IX à la rue Saint-Germain à l'ouest, la **Promenade Ontario** *(www.promenadeshm.ca)* regroupe dans la rue Ontario la majorité des commerces du quartier. Avec ses vieilles boutiques populaires côtoyant de nouveaux cafés, restaurants et bars à la mode, elle est très représentative de la transition qui s'opère peu à peu ici, entre Hochelaga l'ouvrière et Maisonneuve la bohème branchée. La **place Simon-Valois**, aménagée à l'angle de l'avenue Valois, est un exemple de renouveau urbanistique réussi. L'été, elle sert de scène aux spectacles en plein air qui animent le quartier.

Le **marché Maisonneuve** ★ *(lun-mer 7h à 18h, jeu-ven 7h à 20h, sam 7h à 18h, dim 7h à 17h; 4445 rue Ontario E., www.marchespublics-mtl.com)* fait partie depuis 1995 des agréables marchés publics de Montréal. Vous y trouverez divers étals de commerçants : fruitier, boucher, poissonnier, boulanger, épiceries fines... Il loge dans un bâtiment relativement récent si on le compare avec celui, voisin, qui l'abritait autrefois. Ce dernier s'inscrivait dans un concept d'aménagement urbain hérité des enseignements de l'École des beaux-arts de Paris, appelé « Mouvement City Beautiful » en Amérique du Nord; il s'agit d'un mélange de perspectives classiques, de parcs de verdure et d'équipements civiques et sanitaires. Édifié dans l'axe de l'avenue Morgan en 1914, l'ancien marché Maisonneuve, dessiné par Marius Dufresne, fut la réalisation la plus ambitieuse instiguée par Dufresne. On trouve, au centre de la **place du Marché**, une œuvre importante du sculpteur Alfred Laliberté : *La fermière*.

››› *Empruntez l'avenue Morgan.*

Malgré sa petite taille, le **Bain Morgan** ★ *(1875 av. Morgan, 514-872-6657)* en impose par ses éléments Beaux-Arts : escalier monumental, colonnes jumelées, balustrade de couronnement et sculptures pâteuses du Français Maurice Dubert. À cela, il faut ajouter un autre bronze d'Alfred Laliberté : *Les petits baigneurs*. À l'origine, les bains publics servaient non seulement à la détente et aux plaisirs de la baignade, mais aussi à se laver, dans ces quartiers ouvriers où les maisons n'avaient pas toutes une salle de bain. Ce magnifique édifice est l'œuvre de Marius Dufresne et date de 1916. Sa piscine intérieure accueille des milliers de baigneurs chaque année.

››› *Empruntez la rue Sainte-Catherine vers l'ouest jusqu'à l'avenue Letourneux. Tournez à gauche.*

Maisonneuve pouvait s'enorgueillir de ses deux casernes de pompiers, dont une tout à fait originale et construite selon les dessins de Marius Dufresne en 1915. Celui-ci, en plus de sa formation d'ingénieur et d'homme d'affaires, s'intéressait beaucoup à l'architecture. Fort impressionné par l'œuvre de Frank Lloyd Wright, il a conçu la **caserne de pompiers nº 1** ou **caserne Letourneux** ★ *(411 av. Letourneux,*

La fermière d'Alfred Laliberté sur la place du Marché.

angle rue Notre-Dame) telle une variante de l'Unity Temple d'Oak Park, en banlieue de Chicago (1906). L'édifice compte donc parmi les premières réalisations de l'architecture moderne au Canada. Y loge depuis 2003 une troupe de théâtre de marionnettes géantes, le **Théâtre Sans Fil** *(www.theatresansfil.ca)*.

››› *Tournez à droite dans l'avenue Desjardins.*

Derrière l'impressionnante façade néoromane quelque peu terne de l'**église Très-Saint-Nom-de-Jésus** ★ *(1645 av. Desjardins, angle rue Adam)*, qui date de 1906, s'élabore un riche décor polychrome auquel a contribué l'artiste d'origine italienne Guido Nincheri, dont l'atelier, que l'on peut visiter (voir p. 220), était situé dans Maisonneuve. Elle abrite de grandes orgues des frères Casavant, réparties entre le jubé arrière et le chœur de l'église, ce qui est tout à fait inhabituel pour un temple catholique. Des tiges de métal retiennent la voûte de cette structure soumise aux mêmes caprices du sol que les maisons avoisinantes. Menacée de démolition parce qu'elle nécessitait d'importants travaux de réfection, cette église qui était fermée au culte depuis 2009 a finalement été rénovée à grands coûts et a rouvert ses portes aux fidèles en 2014.

››› Ⓜ *Poursuivez sur l'avenue Desjardins jusqu'à la station de métro Pie-IX.*

Activités de plein air

Escalade

L'un des plus grands centres d'escalade au monde, le **Centre d'escalade Horizon Roc** *(carte de membre 30$; lun-mar 7h30 à 23h, mer-ven 9h30 à 23h, sam 9h à 18h, dim 9h à 17h; 2350 rue Dickson, 514-899-5000, www.horizonroc.com; métro Assomption)* propose de l'escalade libre avec éducateurs pour les débutants et des parcours et compétitions pour les plus chevronnés.

Golf

La très grande partie du terrain de golf qui se trouvait autrefois au nord du Stade olympique a été détruite lors de la construction du Village olympique. Il y reste toutefois le **Golf municipal de Montréal** *(début mai à mi-oct; 22$; 4235 rue Viau, entre le boulevard Rosemont et la rue Sherbrooke, 514-872-4653)*, qui compte neuf trous et est ouvert à tous. Location d'équipement sur place.

Observation des oiseaux

Le **Jardin botanique de Montréal** (voir p. 218) reçoit, tout au long de l'hiver, la visite de nombreuses espèces d'oiseaux. Parmi celles que vous aurez la chance de rencontrer figurent le gros-bec errant, le pic mineur, la mésange à tête noire, le sizerin flamme et la sittelle à poitrine rousse.

Ski de fond

Il est possible de s'adonner aux plaisirs du ski de randonnée à travers la végétation hivernale du **Jardin botanique de Montréal** (voir p. 218). Environ 3 km de sentiers y font découvrir aux skieurs les nombreuses espèces d'arbres. Du côté du **parc Maisonneuve** (voir p. 220), une dizaine de kilomètres de sentiers permettent d'en faire le tour complet.

Atomic Café.

Restaurants

Atomic Café $

3606 rue Ontario E., 514-500-1905

L'Atomic Café ne fait malheureusement plus office de club vidéo, mais sa délicieuse ambiance rétro est toujours aussi agréable pour prendre une bouchée et siroter un bon espresso. Ouvert tous les jours jusqu'à minuit.

Hoche Café $

4299 rue Ontario E., 514-419-7997, www.facebook.com/hochecafe

Avec son design de grand loft urbain (haut plafond, mur de briques), ce chaleureux café offre un espace calme et reposant pour déguster un *latte* ou un *cappuccino* (excellent café torréfié par la maison Metropolis à Chicago) et avaler un bon *grilled cheese* ou une viennoiserie, dans un lieu à l'image d'HoMa.

Bistro Le Ste-Cath $-$$

4264 rue Ste-Catherine E., 514-223-8116, www.le-ste-cath.com

In Vivo, un pilier du quartier pendant une dizaine d'années, a fait place au Ste-Cath. Désormais géré par les responsables du Café Graffitti, une association qui favorise l'intégration sociale et les arts, Le Ste-Cath est aussi une vitrine pour la création jeunesse. Côté restauration, des plats d'inspiration internationale qui n'oublient pas les végétariens et de bons brunchs classiques la fin de semaine.

Les Cabotins $$-$$$

4821 rue Ste-Catherine E., 514-251-8817, http://restaurantcabotins.wordpress.com

Ancienne mercerie dont il a conservé certains éléments de décor, le restaurant Les Cabotins propose une cuisine française traditionnelle, mais relevée d'un soupçon d'excentricité. Le décor est aussi à cette image, doucement kitsch et chic à la fois, avec ses tables en formica et ses nombreuses lampes créant une ambiance intime. Brunch le dimanche dès 10h.

Sata Sushi $$-$$$

3349 rue Ontario E., 514-510-7282, www.satasushi.com

Le cadre joliment lambrissé de ce petit restaurant invite à une douce soirée intime pour déguster les spécialités de la maison : des sushis (et autres makis et sashimis) merveilleusement présentés. Les spécialités sortent de l'ordinaire, tel ce thon blanc grillé au chalumeau qui croustille sous la dent.

 État-Major $$$ 🍷

4005 rue Ontario E., 514-905-8288, http://etatmajor.ca

Les « apportez votre vin » n'ont pas toujours bonne presse, et pour cause. Mais il n'y a aucun souci à se faire à l'État-Major, où la cuisine soignée est à l'honneur. Comme chez son grand frère du Plateau, **Le Quartier Général** (voir p. 158), les ardoises peuvent varier en fonction du marché, mais on garde un souvenir ému du duo de veau (ris et longe) et des confitures maison différentes pour accompagner chaque fromage. À signaler, le service particulièrement attentionné et chaleureux.

 Le Valois $$$

25 place Simon-Valois, 514-528-0202, www.levalois.ca

Le quartier HoMa attire les restaurants à la mode. Style Art déco et plafond coloré de vitraux illuminés, grande salle en longueur digne d'une brasserie parisienne, énorme terrasse donnant sur la place Simon-Valois, bref, le décor est mis en place pour un bon repas. La carte alléchante du Valois propose des plats traditionnels de brasserie, bien réussis. Ouvert tous les jours, du petit déjeuner au dîner. Menu à petit prix *($$)* dès 21h30.

Le Valois.

Achats

Alimentation

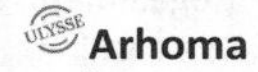

Arhoma

15 place Simon-Valois, 514-526-4662, www.arhoma.ca

Une excellente boulangerie-pâtisserie dont les pains originaux aux fruits secs et aux aromates se trouvent désormais chez de nombreux détaillants. Mais les habitants du quartier HoMa ont le plaisir ajouté de se fournir à la source.

Boucherie Beau-Bien

3748 Ontario E., 514-527-0221, www.boucherie-beaubien.com

Bien plus qu'une boucherie, Beau-Bien est également un traiteur, une épicerie fine et une institution presque centenaire, avec un service de connaisseurs à l'appui.

Artisanat

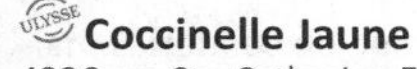

Coccinelle Jaune

4236 rue Ste-Catherine E., 514-259-9038, www.coccinellejaune.com

Une adorable boutique incontournable dans le quartier : on y trouve des bijoux, des accessoires et plein de bonnes idées pour décorer son intérieur ou faire des cadeaux originaux. La plupart des produits proposés ont été confectionnés par des artisans québécois, tout comme les vêtements de la boutique Folle Guenille (voir ci-dessous), qui partage la même adresse.

Vêtements et accessoires

Folle Guenille

4236 rue Ste-Catherine E., 514-845-0012, www.folleguenille.com

Cette boutique de vêtements féminins se spécialise dans la mode conçue par des écodésigners québécois, qui donnent une seconde vie aux habits usagés. Bonne conscience et originalité sont au rendez-vous dans ces lieux partagés par la Coccinelle Jaune (voir ci-dessus).

Bars et boîtes de nuit

L'Espace Public

3632 rue Ontario E., 514-419-9979, www.lespacepublic.ca

Cette brasserie artisanale concocte une sélection de bières qui se renouvelle continuellement. À déguster à la terrasse donnant sur la Promenade Ontario, ou dans l'accueillant local qui se transforme en salle de spectacle à l'occasion.

Monsieur Smith

4061 rue Ontario E., 514-507-1725, http://monsieursmith.ca

Monsieur Smith est le reflet de son quartier en pleine mutation. Anciens résidents et nouveaux venus y prennent leurs aises, autour d'un verre concocté avec (un brin trop de) sérieux, d'un hamburger largement au-dessus de la moyenne ou d'un match des Canadiens, et à la belle saison sur l'agréable petite terrasse à l'arrière.

Culture et divertissement

Salles de spectacle

Théâtre Denise-Pelletier

4353 rue Ste-Catherine E., 514-253-8974, www.denise-pelletier.qc.ca

Théâtre de répertoire.

Autour du canal de Lachine

La Petite-Bourgogne, Saint-Henri et Griffintown

Attraits

trois heures

La Petite-Bourgogne et Saint-Henri, aujourd'hui deux quartiers de Montréal, constituaient autrefois autant de municipalités autonomes. La ville de Saint-Henri-des-Tanneries et la Petite-Bourgogne, alors connue officiellement sous le nom de Ville de Sainte-Cunégonde, furent cependant toutes deux annexées à Montréal en 1905.

À ne pas manquer

Attraits

Marché Atwater p. 235
Les galeries d'art de Griffintown p. 236
Maison Saint-Gabriel p. 241
Parc des Rapides p. 243

Restaurants

Joe Beef, Liverpool House et Vin Papillon p. 236
Patrice Pâtissier p. 235
Chez Sophie p. 236
Restaurant SU p. 243
Le Fantôme p. 235
Nora Gray p. 236

Sorties

Canal Lounge p. 237
Benelux Verdun p. 243

Saint-Henri fut fondée à la fin du XVIIIe siècle autour de la tannerie de la famille Rolland, aujourd'hui disparue (elle était située à l'angle du chemin Glen et de la rue Saint-Antoine). À la suite de l'ouverture du canal de Lachine en 1825, la petite ville connut une croissance importante, les industries s'agglutinant dans sa partie sud, aux abords du canal. La prospérité de La Petite-Bourgogne fut également assurée par les industries du canal de Lachine, mais aussi par le transport ferroviaire, car elle était traversée par une série de voies ferrées aboutissant à la gare Bonaventure de la rue Peel (détruite en 1952). Les voies, démantelées au cours des années 1970, ont fait place à des logements dont l'allure banlieusarde ne cadre pas du tout avec le reste du quartier.

››› *De la station de métro Georges-Vanier, dirigez-vous vers le boulevard du même nom. Tournez à droite dans la petite rue Coursol.*

La station de métro et le boulevard Georges-Vanier honorent tous deux la mémoire du général Georges-Philias Vanier (1888-1967), premier gouverneur général francophone du Canada de 1959 à 1967.

La **rue Coursol** est bordée de coquettes maisons unifamiliales en rangée, construites vers 1875 pour les contremaîtres et les ouvriers spécialisés des usines de Sainte-Cunégonde. Les demeures Second Empire en pierre de la rue Saint-Antoine Ouest, plus au nord, étaient, quant à elles, habitées par les notables et des commerçants de la ville. Sainte-Cunégonde étant située à proximité des gares du centre-ville de l'époque (Bonaventure et Windsor), plusieurs des maisons de ces deux artères sont par la suite devenues des pensions pour les employés des chemins de fer travaillant sur les trains.

Avant 1960, la plupart de ces employés appartenaient à la communauté noire de Montréal. La **Petite-Bourgogne** ★ a donc été identifiée à cette communauté dès la fin du XIXe siècle,

Parisian Laundry.

La Petite-Bourgogne et Griffintown : pôle culturel

Comme son nom l'indique, la **Parisian Laundry** ★ *(mar-sam 12h à 17h; 3550 rue St-Antoine O., 514-989-1056, www.parisianlaundry.com)* était en effet une blanchisserie commerciale avant d'être rachetée en 2001 par un grand collectionneur montréalais. Ses larges fenêtres ainsi que ses structures de béton et d'acier, qui rappellent la vocation industrielle de la bâtisse, ont su être exploitées afin de mettre en valeur les œuvres contemporaines exposées.

Le **Théâtre Corona** *(2490 rue Notre-Dame O., 514-931-2088, www.theatrecorona.com)* anime la rue Notre-Dame avec ses concerts d'artistes québécois et internationaux et autres événements très attendus. Cet ancien cinéma de 1912 garde sa belle façade et son décor d'intérieur d'époque, fait rarissime à Montréal.

L'**Arsenal** ★ *(10$; mer-ven 10h à 18h, sam 10h à 17h; 2020 rue William, 514-931-9978, www.arsenalmontreal.com)* loge dans ce qui était un atelier de l'immense chantier naval des Marine Works Canada, fondé en 1846. Aujourd'hui, l'Arsenal se consacre aux œuvres d'art contemporaines, à travers ses collections permanentes, sa galerie et ses expositions temporaires. Depuis l'automne 2014, des concerts de musique classique y sont aussi présentés à l'occasion.

1700 La Poste *(mer-ven 11h à 18h, sam-dim 11h à 17h; 1700 rue Notre-Dame O., 438-384-1700, www.1700laposte.com)*, une galerie située dans un bureau de poste désaffecté et centenaire, a pour vocation de promouvoir les artistes visuels montréalais et québécois dans toutes les disciplines.

Aux abords de Griffintown, il ne faut pas manquer de voir aussi les excellentes expositions de la **Fonderie Darling** ★ *(745 rue Ottawa, 514-392-1554, www.fonderiedarling.org; voir aussi p. 167)*. À la belle saison, la galerie investit la rue Ottawa et le quartier avoisinant avec des œuvres et activités. Son restaurant, **Le Serpent** (voir p. 66), est devenu en peu de temps l'une des adresses les plus courues des gastronomes montréalais.

bien que celle-ci n'ait jamais formé la majorité de la population du quartier. Plusieurs de ces immigrants, arrivés des États-Unis au cours des années 1880-1890 en espérant un meilleur sort, ont largement contribué à l'histoire de la musique à Montréal. La Petite-Bourgogne est en effet le lieu de naissance des célèbres pianistes de jazz Oscar Peterson et Oliver Jones, et s'y trouvait un cabaret fameux, le Rockhead's Paradise, ouvert en 1928 à l'angle des rues Saint-Antoine et de la Montagne, où Louis Armstrong et Cab Calloway ont joué et chanté régulièrement (il est fermé depuis 1984).

››› *Tournez à gauche dans la rue Vinet.*

À l'angle des rues Vinet et Coursol se trouve l'**ancienne église St. Jude** *(2390 rue Coursol)*, aujourd'hui devenue The Bible-Way Pentecostal Church.

Anciennement nommée « église Sainte-Cunégonde », l'**église des Saints-Martyrs Coréens** ★ *(2461 rue St-Jacques, 514-932-4041)* est un vaste temple catholique de style Beaux-Arts dessiné par l'architecte Joseph-Omer Marchand en 1906. L'édifice, dont on remarque l'étonnant chevet arrondi, comporte une ingénieuse toiture à armature d'acier d'une seule portée permettant de dégager le vaste intérieur, complètement libre de colonnes et de piliers. Celui-ci, orné de belles boiseries et de toiles marouflées très colorées, mises en valeur par l'éclairage naturel provenant des larges ouvertures, a été endommagé lors de la fermeture de l'église en 1971. Celle-ci devait alors être démolie. Elle fut heureusement sauvée *in extremis* et ouverte de nouveau au culte catholique. La communauté coréenne de Montréal la fréquente aujourd'hui.

››› *Poursuivez dans la rue Vinet jusqu'à la rue Notre-Dame Ouest.*

L'**ancien hôtel de ville de Sainte-Cunégonde** *(en face du parc Vinet)*, édifié en 1904, servait également de bureau de poste, de caserne de pompiers et de poste de police. Il est devenu le Centre culturel Georges-Vanier. Le célèbre homme fort Louis Cyr (on peut voir sa statue à l'angle des rues Saint-Jacques et De Courcelle, à Saint-Henri) fut membre du corps policier de la municipalité pendant quelques années.

››› *Tournez à droite dans la rue Notre-Dame Ouest.*

Toute la section de la **rue Notre-Dame** comprise entre les rues Guy, à l'est, et Atwater, à l'ouest, a longtemps été surnommée « la rue des antiquaires » en raison de la présence de nombreux commerces de brocante d'antiquités locales. Ces boutiques aux mille trouvailles tendent depuis une dizaine d'années à laisser la place aux nouveaux restaurants et bars très courus et magasins d'un style plus moderne. Derrière s'étalent les usines vétustes bordant le canal de Lachine. Certaines d'entre elles ont été transformées en complexes d'habitation au cours des années 1980. Ce même décor se retrouve aussi dans le quartier de **Griffintown** ★, situé un peu plus à l'est. Compris entre l'autoroute Bonaventure à l'est, le boulevard Georges-Vanier à l'ouest, la rue Notre-Dame au nord et le canal de Lachine au sud, ce vieux faubourg industriel fait partie de ces secteurs nouvellement réhabilités où les anciens entrepôts, usines et écuries sont transformés ou disparaissent pour faire place à des immeubles d'habitation et des bureaux.

Au 2490 de la rue Notre-Dame Ouest, on peut voir la façade de l'ancien cinéma Corona (1912), reconverti en salle de spectacle : le **Théâtre Corona** (voir p. 237).

››› *Tournez à droite dans l'avenue Atwater.*

★ Attraits

1. DX Rue Coursol
2. DX Ancienne église St. Jude
3. DX Église des Saints-Martyrs Coréens
4. DY Ancien hôtel de ville de Sainte-Cunégonde
5. CY Rue Notre-Dame
6. DY Théâtre Corona
7. CX Église Saint-Irénée
8. CX Union United Church
9. BX Parc Saint-Henri
10. BX Place Saint-Henri
11. BX Caserne de pompiers no 23
12. BX Banque Laurentienne
13. AW Musée des ondes Émile Berliner
14. AX Église Saint-Zotique
15. AY Square Sir-George-Étienne-Cartier
16. BY Usine de la Merchants Manufacturing Company
17. BY Rue Saint-Augustin
18. CY Marché Atwater

● Restaurants

19. EY Bonnys
20. EY Chez Sophie
21. DY Dilallo Burger
22. CY EVOO
23. CY Gracia Afrika
24. DY Joe Beef
25. EY Junior
26. EY Le Fantôme
27. CY Lili & Oli
28. DY Liverpool House
29. FX Nora Gray
30. DY Patrice Pâtissier
31. DY Vin Papillon

■ Achats

32. DY Beige Style
33. CY Centre de diffusion d'art multidisciplinaire Dare-Dare
34. BW Era Vintage Wear
35. AY Galerie Elena Lee
36. BX La Gaillarde

Bars et boîtes de nuit

37. DY Burgundy Lion
38. CY Canal Lounge
39. CY Drinkerie Ste Cunégonde

▲ Hébergement

40. FY Hôtel Alt – Montréal

Autour du canal de Lachine
Petite-Bourgogne, Saint-Henri et Griffintown
VILLAGE SHAUGHNESSY
GRIFFINTOWN
PETITE-BOURGOGNE
POINTE-SAINT-CHARLES
SAINT-HENRI
WESTMOUNT
VERDUN
LUCIEN-L'ALLIER
GEORGES-VANIER
ATWATER
LIONEL-GROULX
CHARLEVOIX
PLACE-SAINT-HENRI
boul. René-Lévesque
Tunnel Ville-Marie
rue Guy
rue Saint-Jacques
rue Richmond
rue Notre-Dame Ouest
rue Barré
rue William
rue Ottawa
La Poste
rue St-Martin
rue des Seigneurs
Parc Oscar-Peterson
rue Canning
L'Arsenal
boul. Georges-Vanier
rue Sainte-Catherine
av. Blanchard
rue Coursol
rue Blake
rue Quesnel
rue Lionel-Groulx
rue Vinet
Parc Vinet
rue Sainte-Cunégonde
des Éclusiers
rue Saint-Patrick
rue Centre
av. Atwater
boul. Dorchester
rue Saint-Antoine Ouest
rue Charlevoix
rue Marin
rue Walker
av. Greene
rue Delisle
Doré
Ste-Émilie
rue Bérard
Tunnel Atwater
Parisian Laundry
720
Bel-Air
Rose-de-Lima
rue Bourget
rue Turgeon
rue Irène
Pl. Guay
rue Saint-Augustin
av. Laporte
rue Agnès
Autoroute Ville-Marie
rue du Couvent
Parc Louis-Cyr
rue De Richelieu
rue Saint-Ferdinand
rue Saint-Philippe
rue Sainte-Marguerite
rue Beaudoin
rue Lacasse
du Square-Sir-G.-Étienne-Cartier
rue Lenoir
rue Sainte-Émilie
rue Saint-Ambroise
Canal de Lachine
rue Delinelle
rue De Courcelle
0
250
500m
©ULYSSE
A
B
C
D
E
F
W
X
Y
Z

L'**église Saint-Irénée** *(3044 rue Delisle, 514-932-3341)* est une de ces églises dont les clochers de cuivre verdi perçaient le profil bas des quartiers ouvriers de Montréal. Elle fut construite en 1912 avec une partie des murs de l'église de 1904, incendiée en 1911. Son intérieur étriqué est l'œuvre des architectes MacDuff et Lemieux. On remarque tout particulièrement les courbures exagérées des arcs et les motifs très « Belle Époque » employés dans la décoration.

Du côté ouest de l'avenue Atwater commence **Saint-Henri** ★. La romancière canadienne Gabrielle Roy a merveilleusement décrit ce quartier et sa vie quotidienne dans son roman *Bonheur d'occasion* (1945).

››› *Empruntez la rue Delisle vers l'ouest.*

À l'angle des rues, on aperçoit l'**Union United Church** *(3007 rue Delisle, 514-932-8731)*. Érigée en 1899, cette église est la première à avoir été fondée par la communauté noire au Québec. L'Union United Church a accueilli des événements ou personnalités emblématiques, telles les conférences de Nelson Mandela et Desmond Tutu. On y donne à l'occasion des concerts de musique gospel.

››› *Tournez à droite dans la rue Rose-de-Lima, puis à gauche dans la rue Saint-Antoine.*

Tout comme à Sainte-Cunégonde, le quartier des notables de Saint-Henri était situé en bordure de la rue Saint-Antoine. Le beau **parc Saint-Henri** ★ *(entre l'avenue Laporte, la place Guay, la rue Agnès et la rue St-Antoine)*, bordé de demeures anciennes et orné d'une fontaine en fonte surmontée d'une copie de la statue de Jacques Cartier (1893) qui se trouve à l'intérieur de la station de métro Place-Saint-Henri, a servi de pôle d'attraction aux nantis de la ville.

››› *Reprenez la rue Saint-Antoine à gauche, puis tournez à gauche dans la rue du Couvent. Poursuivez vers le sud, puis tournez à droite dans la rue Saint-Jacques pour rejoindre la place Saint-Henri, qui gravite autour de la station de métro du même nom.*

La **place Saint-Henri**, autrefois exceptionnelle, a été transformée au point d'être méconnaissable. Dans un effort effréné de modernisation, le collège, l'école, le couvent et l'église, dont la façade néo-Renaissance faisait front sur le flanc nord de la place, ont été rasés en 1969-1970 pour être remplacés par l'école polyvalente et la piscine publique, dont on aperçoit le mur de briques aveugle.

Seuls quelques bâtiments ont survécu à la vague de changements des années 1960, entre autres la **caserne de pompiers n° 23** datant de 1931, de style Art déco, construite sur l'emplacement de l'ancien hôtel de ville de Saint-Henri, et la **Banque Laurentienne** *(4080 rue St-Jacques)*. Ce dernier édifice appartenait auparavant à la Banque d'Épargne de la Cité et du District de Montréal, dont les succursales bancaires à travers Montréal présentent une qualité architecturale qui mérite d'être soulignée. Sans oublier l'**ancien bureau de poste**, au 538 de la place Saint-Henri, qui loge aujourd'hui un restaurant.

Un crochet par le petit **Musée des ondes Émile Berliner** *(5$; ven-dim 14h à 17h, mer sur rendez-vous; 1001 rue Lenoir, local E-206, 514-932-9663, www.moeb.ca; métro Place-Saint-Henri)* vous permettra d'en savoir plus sur les inventions audiovisuelles mondiales. La mission du Musée des ondes Émile Berliner est de préserver et faire connaître le patrimoine de l'industrie du son. Le musée présente, entre autres objets, des téléviseurs ainsi qu'une variété d'appareils radio des années 1920 à 1970.

››› *Revenez à la place Saint-Henri et traversez-la pour rejoindre la rue Notre-Dame. Tournez à droite dans cette rue et suivez-la jusqu'à l'église Saint-Zotique.*

L'**église Saint-Zotique** *(4565 rue Notre-Dame O., 514-932-3341)* a été érigée par étapes, entre 1910 et 1927, pour la paroisse Saint-Zotique, qui était à cette époque la plus pauvre de Saint-Henri et qui a été fusionnée à la paroisse Saint-Irénée en 2001. C'est pourquoi l'église est revêtue de briques, matériau moins coûteux que la pierre. Ses deux clochers néobaroques, dont un a récemment perdu sa lanterne, sont posés sur une structure qui n'est pas sans rappeler les bâtiments industriels du canal de Lachine, tout proche.

Le **square Sir-George-Étienne-Cartier** ★ *(rue Notre-Dame O., en face de l'église St-Zotique)* honore la mémoire de l'un des pères de la Confédération canadienne. Il fait partie des améliorations sanitaires consenties par Montréal, qui avait fort mauvaise réputation en la matière. L'espace vert, entouré de triplex montréalais, a remplacé en 1912 les abattoirs de Saint-Henri, desquels se dégageait une odeur putride qui avait envahi tout le secteur. On

Parc Saint-Henri.

L'ancien bureau de poste et la Banque Laurentienne sur la place Saint-Henri.

Un détail de la caserne de pompiers n° 23.

note la présence d'une jolie fontaine en fonte au milieu du square.

Traversez le square et empruntez la rue Sainte-Émilie vers l'est. Tournez à droite dans la rue Saint-Ferdinand, puis à gauche dans la rue Saint-Ambroise, qui longe le canal de Lachine.

L'**usine de la Merchants Manufacturing Company** *(4000 à 4030 rue St-Ambroise)* a été pendant longtemps le principal employeur de Saint-Henri. Dans cette usine acquise par la compagnie Dominion Textile au début du XXe siècle, on fabrique alors des tissus, des couvertures, des draps et des vêtements en tout genre. Les femmes travaillent en grand nombre dans l'usine, qui connaîtra la première grève du textile à Montréal, en 1891. L'édifice en briques rouges tout en longueur, construit en 1880, est un bon exemple de l'architecture industrielle de la fin du XIXe siècle, caractérisée par de grandes ouvertures vitrées et par des tours d'escalier coiffées de corniches de briques. Il abrite maintenant, sous le nom de Château Saint-Ambroise, de très nombreuses petites entreprises.

La **rue Saint-Augustin** *(immédiatement à l'est de la voie ferrée qui desservait les usines du canal de Lachine)* regroupe certaines des maisons les plus anciennes de Saint-Henri, où ont longtemps vécu les familles les plus pauvres. Elles sont de bois (parfois recouvertes d'aluminium, plus récemment) et de taille modeste. L'une d'elles, la maison Clermont (1870) *(110 rue St-Augustin)*, a été admirablement restaurée en 1982, ce qui donne une bonne idée de ce type d'habitat ouvrier à l'état neuf. Ces habitations ont servi de décor au roman de Gabrielle Roy *Bonheur d'occasion*.

Marché Atwater.

Le marché Atwater : nos marchands préférés

En plus d'être agréable à visiter, le marché Atwater est l'endroit idéal pour faire le plein de provisions en vue d'un pique-nique aux abords du canal de Lachine. Voici quelques marchands chez qui vous pourrez faire de belles trouvailles.

Marché Atwater.

Boucheries et charcuteries : haut lieu des amateurs de viande montréalais, le marché Atwater compte plusieurs boucheries et charcuteries de qualité, notamment la **Boucherie Adélard Bélanger**, la **Boucherie Les Fermes Saint-Vincent** et la **Boucherie charcuterie de Tours**, où s'approvisionnent plusieurs grands restaurants montréalais.

Fruits et légumes : la **Fruiterie Atwater** pour un peu de tout, ainsi que les colorés étals extérieurs où les producteurs québécois proposent leurs spécialités.

Fromagerie : la **Fromagerie Atwater** pour sa sélection et son personnel connaisseur.

Épicerie fine : **Les Douceurs du marché**, l'un des incontournables du marché Atwater. Ses tablettes débordent de trésors culinaires parmi ses quelque 3000 produits fins!

Pour prendre une bouchée : la **Boulangerie Première Moisson** pour ses viennoiseries, la **Brûlerie aux Quatre Vents** pour ses bons cafés torréfiés sur place et **Chocolats Geneviève Grandbois**, probablement la meilleure chocolaterie en ville.

››› 🚶 *Suivez la rue Saint-Ambroise jusqu'au marché Atwater.*

Le **marché Atwater** ★★ *(lun-mer 7h à 18h, jeu 7h à 19h, ven 7h à 20h, sam-dim 7h à 17h; 138 av. Atwater, www.marchespublics-mtl.com)* est un marché public très fréquenté par les BCBG de Montréal. Élégante réalisation Art déco, il fut construit en 1932 dans le cadre des programmes de création d'emplois de la Crise (1929). Renommé notamment pour ses boucheries de qualité et ses produits régionaux, le marché Atwater est devenu un véritable quartier général de ce qui se fait de mieux en matière d'agriculture biologique. De mai à octobre *(jeu-lun)*, plusieurs comptoirs de restauration en plein air (crêperie, rôtisserie, cuisine asiatique) s'installent devant l'entrée du marché. Pour connaître nos marchands préférés, consultez l'encadré à ce sujet (voir ci-contre).

››› 🚶 Ⓜ *Terminez votre parcours à la station de métro Lionel-Groulx, construite sur l'ancienne emprise des voies ferrées de Sainte-Cunégonde, en suivant l'avenue Atwater vers le nord.*

Restaurants

Dilallo Burger $
2523 rue Notre-Dame O., 514-934-0818, www.dilalloburger.ca
Choisissez sans hésiter le « spécial tout garni » de Dilallo. Ce gros hamburger est composé d'une boulette épaisse et très juteuse. Une rondelle de poivron rouge et une tranche de capicollo donnent une touche italienne à ce sandwich, un véritable régal montréalais depuis 1929. Argent comptant uniquement.

Lili & Oli $
2713 rue Notre-Dame O., 514-932-8961
Ce petit rendez-vous de quartier sert un excellent café dans une ambiance paisible. Terrasse arrière en été.

Bonnys $-$$
1748 rue Notre-Dame O., 514-931-4136, www.bonnys.ca
Dans un décor sympathique, Bonnys concocte des plats végétariens et végétaliens, tous préparés à partir d'ingrédients bios. Empanadas, salades, hamburgers (aux lentilles, au tempeh ou aux champignons), chilis et lasagnes garnissent le menu.

Patrice Pâtissier $-$$$
2360 rue Notre-Dame O., 514-439-5434, http://patricepatissier.ca
On vient avec plaisir pour la carte simple du midi, composée de salades, soupes et sandwichs, ou pour le menu plus élaboré certains soirs, autour des vins sélectionnés par la compagne sommelière du chef. Mais personne ne résiste aux créations du pâtissier chouchou des Montréalais, Patrice Demers. Sur quelle douceur gourmande jeter son dévolu : cannelé, verrine à la camomille, tartelette au citron ou financier à l'érable? Dilemme.

Gracia Afrika $$ 🍷
3506 rue Notre-Dame O., 514-357-6699 ou 514-713-1061, http://graciaafrika.com
Ce serait peu dire que d'affirmer que la cuisine congolaise est peu représentée à Montréal. Bibi Ntumba essaie d'y remédier avec un charme tout ensoleillé. Son poulet sauce aux cacahuètes et son ragoût de chèvre aux épices valent l'attente, que certains, il faut le dire, trouvent parfois longue. Mais avec votre propre bouteille de vin et de la bonne compagnie, vous ne verrez pas le temps passer.

Junior $$-$$$
1964 rue Notre-Dame O., 514-944-8636,
La cuisine des îles Philippines doit autant à son passé colonial espagnol et américain qu'aux produits asiatiques. L'escabèche de poisson, frit puis baigné dans une marinade à la sauce soja; l'adobo, un mijoté de poulet ou de porc qui fait office de plat national; le gâteau de manioc... bref, tous vous donneront un bel aperçu de cette cuisine méconnue. L'établissement est décontracté, bon enfant et bariolé, à l'instar du pays.

EVOO $$$-$$$$
3426 rue Notre-Dame O., 514-846-3886, http://restaurantevoo.com
Les bonnes adresses se multiplient dans la rue Notre-Dame. Le restaurant EVOO (pour Extra Virgin Olive Oil) en fait partie. Si le décor de la grande salle à manger ne réinvente rien, la carte affiche des plats originaux à la cuisson précise et à la présentation soignée (ravioli de queue de bœuf au cacao, cerf fumé au thé du Labrador et à la prune marinée).

ULYSSE **Le Fantôme $$$-$$$$**
1832 rue William, 514-846-1832, http://restofantome.ca
Nouvelle adresse courue de Griffintown, le Fantôme occupe un local discret de la rue William. Le chef Jason Morris, qui a roulé sa bosse chez Milos, à la Maison Boulud et chez Grumman 78, y présente un menu qui sait surprendre – sandwich au foie gras avec confiture et beurre d'arachide

sur pain brioché (!) et canard aux trompettes-de-la-mort et purée de dattes fumées sauront réjouir les gastronomes aventuriers.

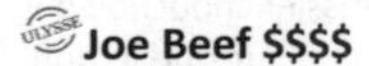

Joe Beef $$$$

2491 rue Notre-Dame O., 514-935-6504, www.joebeef.ca

La « recette » du restaurant culte des chefs Fred Morin et David McMillan : des plats simples mais inoubliables par leur mise en valeur d'ingrédients de première qualité, en plus d'un nom mémorable qui fait référence à un tenancier de taverne montréalais du XIXe siècle (et malgré son nom, ne vous attendez pas à trouver seulement des plats de viande au menu : les poissons et fruits de mer sont également bien représentés). Pour profiter au maximum de l'ambiance unique de l'endroit, demandez une place au bar, où vous serez très bien servi. Les mêmes propriétaires gèrent deux autres restos voisins, tout aussi recommandés : la **Liverpool House** *($$$; 2501 rue Notre-Dame O., 514-313-6049)*, qui propose une cuisine italienne et française réinventée dans une atmosphère chaleureuse, et le **Vin Papillon** *($$$; 2519 rue Notre-Dame O., http://vinpapillon.com)*, un bar à vin qui sert aussi d'excellents petits plats recherchés où les légumes sont à l'honneur (mais qui ne prend pas les réservations). En été, chacune des trois adresses s'ouvre sur une splendide terrasse arrière.

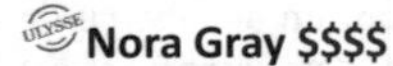

Nora Gray $$$$

1391 rue St-Jacques, 514-419-6672, http://noragray.com

À l'instar du restaurant **Graziella** (voir p. 69) mais dans une ambiance plus conviviale, Nora Gray propose une cuisine italienne raffinée et réconfortante qui n'hésite pas à sortir des sentiers battus (*soppressini* à l'encre de seiche, oursins et moules; steak d'aubergine et bolognaise aux lentilles; saucisse *cotechino* et haricots cocos au vin rouge). La carte des vins accompagne admirablement le menu et les cocktails maison sont délicieux.

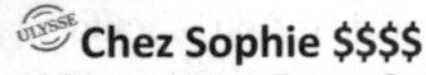

Chez Sophie $$$$

1974 rue Notre-Dame O., 438-380-2365, www.chezsophiemontreal.com

Après un périple international, la Montréalaise Sophie Tabet est revenue pour ouvrir l'une des grandes tables du moment. Elle a façonné une carte qui est le reflet de ses voyages, entre classicisme et créativité, comme le démontre son œuf mollet aux truffes et au parmesan ou son bar enrobé d'une croûte de poutargue (œufs de mulet séchés). On y trouve d'excellents vins français et italiens, proposés en salle par son mari sommelier. Le midi, notez la table d'hôte à trois services, à prix plus que raisonnable *($$)*.

Achats

Déco

Beige Style

2480 rue Notre-Dame O., 514-989-8585, www.beigestyle.com

Dans une rue mieux connue pour ses antiquaires, Beige Style se démarque depuis plusieurs années par ses meubles, ses objets pour la maison et ses petits cadeaux recherchés, stylés mais non dépourvus de fantaisie.

Galeries d'art

Galerie Elena Lee

Complexe du Canal Lachine, 4710 rue St-Ambroise, local 127, 514-844-6009, www.galerieelenalee.com

Galerie d'art contemporain spécialisée en objets de verre.

Centre de diffusion d'art multidisciplinaire Dare-Dare

angle av. Atwater, av. Greene et rue Doré, 514-849-3273, www.dare-dare.org

Ses bureaux occupent un abri mobile installé près du marché Atwater, mais le centre de diffusion Dare-Dare a ceci de particulier qu'il ne présente pas ses œuvres dans des galeries, mais plutôt dans différents espaces publics qui varient selon les projets. Consultez le site Internet pour la programmation.

Vêtements et accessoires

Era Vintage Wear

1999 rue du Collège, local 44, 514-543-8750, www.facebook.com/eravintagewear

Des années folles jusqu'aux années 1990, les époques se mêlent chez Era Vintage Wear, mais la qualité des vêtements est une constante. Les filles y trouveront des robes de rêve et des accessoires au charme fou.

La Gaillarde

4019 rue Notre-Dame O., 514-989-5134, www.lagaillarde.ca

Organisme sans but lucratif, La Gaillarde présente à la fois des créations d'écodésigners québécois (vêtements créés à partir de retaille de tissus), des vêtements revalorisés, une section de fripes à saveur *vintage* et une autre de retaille de tissus neufs, vendus en vrac.

La piste cyclable au bord du canal de Lachine.

Bars et boîtes de nuit

Burgundy Lion

2496 rue Notre-Dame O., 514-934-0888, www.burgundylion.com

Les anglophiles y viennent pour une vraie ambiance londonienne : des pintes à tout-va, des *scotch eggs* (œufs durs enrobés de chair à saucisse et de panure) et d'autres spécialités de la bonne cuisine de pub... et un niveau sonore très élevé.

Canal Lounge

mai à sept; quai Atwater, sur le canal de Lachine derrière la terrasse du marché Atwater, 514-451-2665, www.facebook.com/pg/canallounge

Aménagé sur une vieille péniche rénovée, ce « *lounge* flottant » estival accueille ses convives depuis 2016. Entièrement vitré, décoré de plantes et de fleurs et doté d'une minuscule terrasse sur la partie arrière de son toit, il permet de prendre un verre ou une bouchée dans un environnement tout à fait unique qui rappelle les péniches d'Amsterdam (ville dont l'un des deux propriétaires est d'ailleurs originaire).

Drinkerie Ste Cunégonde

2661 rue Notre-Dame O., 514-439-2364, www.drinkerie.ca

La Drinkerie aurait pu être la copie conforme des bars sans âme qui poussent comme des champignons pour attirer un public assoiffé mais pas très regardant sur les détails. En revanche, ici on trouve un bon choix de bières, un gin-tonic « jardinier » renforcé à la vodka, au concombre et aux herbes fraîches, des en-cas plus que corrects et, certains soirs, du jazz.

Culture et divertissement

Salles de spectacle

Théâtre Corona

2490 rue Notre-Dame O., 514-931-2088, www.theatrecorona.com

Concerts et spectacles variés.

Hébergement

Hôtel Alt – Montréal $$$-$$$$

120 rue Peel, 855-823-8120, http://montreal.althotels.ca/fr

L'Hôtel Alt du quartier Griffintown offre un très bon rapport qualité/prix avec ses tarifs fixes à 159$ par nuitée. À proximité du canal de Lachine, du Vieux-Port et du centre-ville, il propose des chambres modernes et lumineuses au décor sobre, dont certaines permettent de profiter d'une vue sur le centre-ville ou le fleuve.

Pointe-Saint-Charles

Bon à savoir

Le vélo est la meilleure façon de parcourir ce circuit. Vous pouvez en louer un chez My Bicyclette (voir p. 272), situé de l'autre bord du canal face à la terrasse du marché Atwater.

Attraits

trois heures

La pointe Saint-Charles a été nommée ainsi par les marchands de fourrures Charles Le Moyne et Jacques Le Ber, à qui fut d'abord concédé le terrain. Ils le vendirent à Marguerite Bourgeoys, qui y aménagera la ferme Saint-Gabriel des sœurs de la Congrégation de Notre-Dame en 1668. La nature pastorale des lieux sera grandement troublée entre 1821 et 1825 par la construction du canal de Lachine, berceau de la Révolution industrielle canadienne qui va attirer dans le secteur des filatures et des moulins.

Le village de Saint-Gabriel se forme alors sur la pointe Saint-Charles au sud des manufactures. La construction du pont Victoria, entre 1854 et 1860, et l'aménagement de diverses infrastructures ferroviaires près du fleuve Saint-Laurent feront de Saint-Gabriel une véritable petite ville.

Les Irlandais, omniprésents sur les chantiers de ces deux projets majeurs (le canal et le pont), s'établiront nombreux à Saint-Gabriel et dans d'autres villages plus au nord (Griffintown, Sainte-Anne et Victoriatown), dont il ne reste malheureusement que peu de trace. Le village de Saint-Gabriel, annexé à Montréal en 1887 et rebaptisé « Pointe-Saint-Charles », est situé à proximité du centre-ville, mais en est isolé par le canal et des autoroutes, et est traversé en son centre par des voies ferrées. On y retrouve un riche patrimoine issu de la révolution industrielle.

De nos jours, **Pointe-Saint-Charles** ★ se présente tel un quartier ouvrier dont la structure de production vieillissante ne génère plus guère d'emplois, sauf dans le Parc d'entreprises Saint-Charles, qui s'étend le long du fleuve Saint-Laurent entre les ponts Victoria et Champlain (ce dernier étant voué à la disparition à l'aube de 2018 pour être remplacé par un nouveau pont qui portera le même nom). Quelques usines ont été reconverties en complexes d'habitation, alors que les abords du canal de Lachine, fermé en 1970 puis rouvert à la navigation de plaisance en 2002, ont été transformés en un beau parc linéaire doté d'une agréable piste cyclable.

››› *De la station de métro Charlevoix, dirigez-vous vers l'est par la rue Centre. Le circuit peut aussi être facilement parcouru à bicyclette à partir de la piste cyclable du canal de Lachine.*

Victimes d'une famine épouvantable causée par la maladie de la pomme de terre, les Irlandais fuiront en grand nombre leur île pour trouver refuge au Canada. Beaucoup ne dépasseront cependant pas la Grosse Île, en aval de Québec. Parmi les autres, plusieurs se rendront travailler dans les chantiers coloniaux. Cette main-d'œuvre bon marché et non spécialisée vivra longtemps dans la misère. Ses premières maisons de bois d'allure médiévale, construites dans Victoriatown (aussi appelé « Village-aux-Oies »), n'ont pas survécu au progrès.

L'**église Saint-Gabriel** *(2157 rue Centre, 514-937-3597; métro Charlevoix)* fut érigée en 1893 par la communauté irlandaise catholique de Pointe-Saint-Charles. Au même moment s'élevait, sur la propriété voisine, l'église catholique des Canadiens français (voir ci-dessous). Les deux édifices imposants ont en effet été construits côte à côte selon les plans des mêmes architectes (Perrault et Mesnard), vision inusitée qui permet véritablement d'attribuer à Montréal le surnom de « ville aux cent clochers ». Le décor intérieur d'origine de l'église Saint-Gabriel a été détruit en 1959 par un incendie. Il a été remplacé par un décor minimaliste qui met en valeur les épais murs de moellons de l'édifice. On remarque le beau presbytère néoroman aux accents Queen Anne qui avoisine l'église.

Détruite par les flammes en 1913, l'**église Saint-Charles** ★ *(2125 rue Centre, 514-932-5335; métro Charlevoix)* fut rebâtie l'année suivante avec son allure néoromane originale. L'intérieur, aux colonnes peintes en faux marbre, mérite une petite visite. Le presbytère de la paroisse Saint-Charles est, à l'opposé de celui de l'église Saint-Gabriel, une œuvre symétrique influencée par l'École des beaux-arts.

››› *Tournez à gauche dans la rue Island. Traversez la rue Saint-Patrick pour rejoindre le canal de Lachine.*

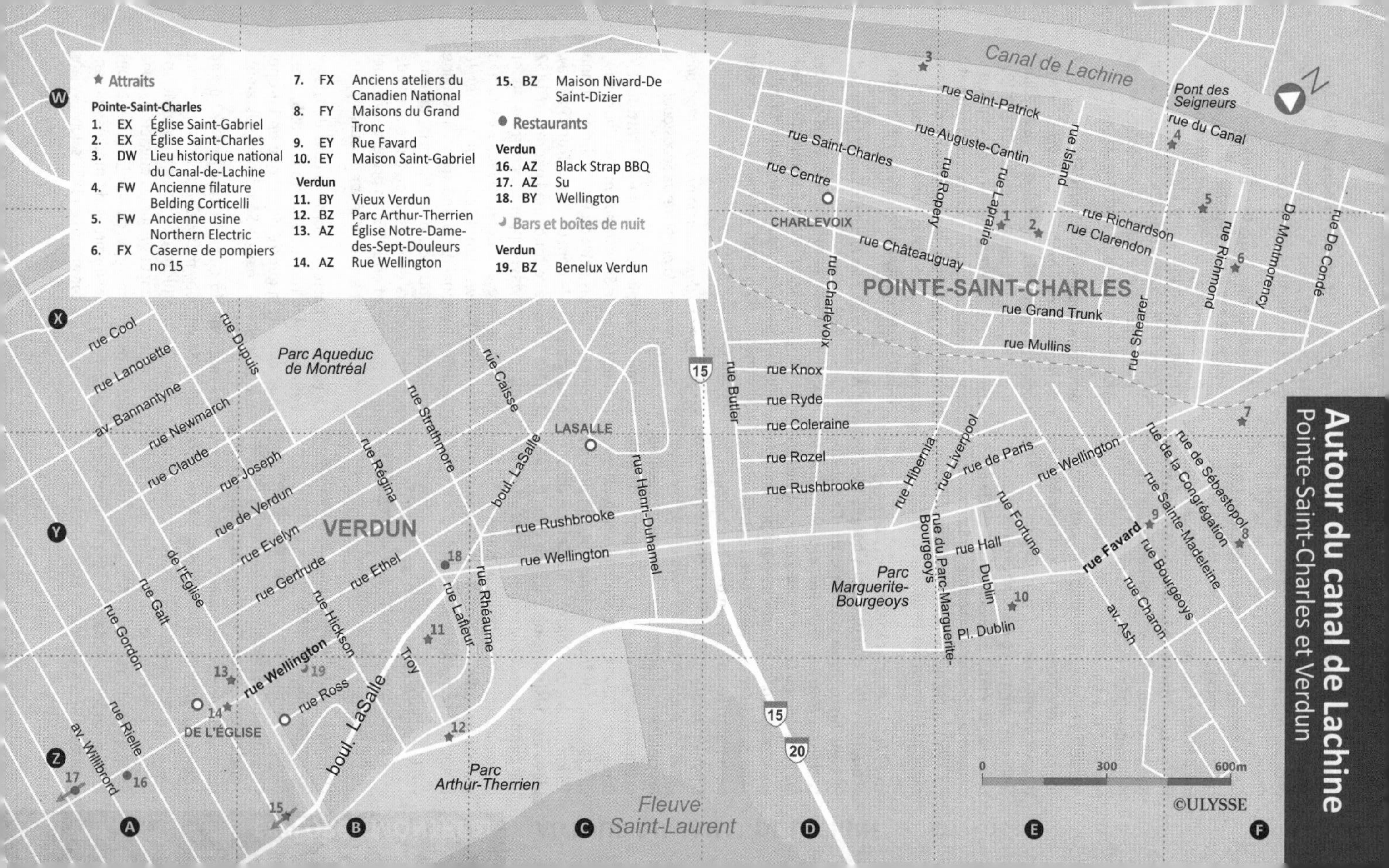

Autour du canal de Lachine
Pointe-Saint-Charles et Verdun
©ULYSSE
0
300
600m
Attraits
Pointe-Saint-Charles
1. EX Église Saint-Gabriel
2. EX Église Saint-Charles
3. DW Lieu historique national du Canal-de-Lachine
4. FW Ancienne filature Belding Corticelli
5. FW Ancienne usine Northern Electric
6. FX Caserne de pompiers no 15
7. FX Anciens ateliers du Canadien National
8. FY Maisons du Grand Tronc
9. EY Rue Favard
10. EY Maison Saint-Gabriel
Verdun
11. BY Vieux Verdun
12. BZ Parc Arthur-Therrien
13. AZ Église Notre-Dame-des-Sept-Douleurs
14. AZ Rue Wellington
15. BZ Maison Nivard-De Saint-Dizier
Restaurants
Verdun
16. AZ Black Strap BBQ
17. AZ Su
18. BY Wellington
Bars et boîtes de nuit
Verdun
19. BZ Benelux Verdun
Canal de Lachine
Pont des Seigneurs
POINTE-SAINT-CHARLES
VERDUN
LASALLE
CHARLEVOIX
DE L'ÉGLISE
Parc Marguerite-Bourgeoys
Parc Aqueduc de Montréal
Parc Arthur-Therrien
Fleuve Saint-Laurent
rue De Condé
De Montmorency
rue Richmond
rue du Canal
rue Shearer
rue Richardson
rue Clarendon
rue Island
rue Saint-Patrick
rue Auguste-Cantin
rue Laprairie
rue Ropery
rue Grand Trunk
rue Mullins
rue Saint-Charles
rue Châteauguay
rue Centre
rue Charlevoix
rue Butler
rue Knox
rue Ryde
rue Coleraine
rue Rozel
rue Rushbrooke
rue de Sébastopol
rue de la Congrégation
rue Sainte-Madeleine
rue Bourgeoys
rue Charon
av. Ash
rue Favard
rue Wellington
rue de Paris
rue Fortune
rue Hall
Dublin
Pl. Dublin
rue Liverpool
rue Hibernia
rue du Parc-Marguerite-Bourgeoys
rue Henri-Duhamel
boul. LaSalle
rue Caisse
rue Rhéaume
rue Lafleur
rue Strathmore
rue Régina
Troy
rue Ethel
rue Hickson
rue Ross
rue Gertrude
rue Evelyn
rue de Verdun
rue Joseph
rue Claude
av. Bannantyne
rue Newmarch
rue Lanouette
rue Cool
rue Dupuis
de l'Église
rue Galt
rue Gordon
rue Rielle
av. Willibrord

Une ferme appartenant aux Messieurs de Saint-Sulpice, alors seigneurs de l'île de Montréal, occupait toute la partie nord de la pointe Saint-Charles au XVIIe siècle. Les Sulpiciens, soucieux de développer leur île, entreprennent en 1689 de creuser un canal à même la rivière Saint-Pierre, qui délimite leur propriété, afin de contourner les fameux rapides de Lachine, qui entravent la navigation sur le fleuve Saint-Laurent en amont de Montréal. Ces prêtres visionnaires entament les travaux avant même d'en demander la permission à leur ordre ou d'obtenir des fonds du roi, deux conditions qui leur seront refusées. Les travaux furent donc interrompus jusqu'en 1821, alors que commence le chantier du canal actuel. Le canal fut élargi à deux reprises par la suite. L'ouverture de la Voie maritime du Saint-Laurent en 1959 entraîne cependant la désuétude du canal, qui fermera en 1970.

En 1978, le Service canadien des parcs se porte acquéreur du canal et de ses berges et crée le **Lieu historique national du Canal-de-Lachine** ★ *(entre le Vieux-Port de Montréal et le lac Saint-Louis à Lachine, 514-283-6054, http://www.pc.gc.ca/canallachine)* pour préserver la mémoire du rôle majeur que le canal a joué dans l'histoire du pays en tant que berceau de l'industrialisation. Puis naît l'idée de rouvrir le canal, de réaménager ses rives et de revitaliser les quartiers limitrophes. Le canal de Lachine est finalement rouvert à la navigation de plaisance en 2002. Une belle piste polyvalente suit le canal sur toute sa longueur, soit près de 15 km, du Vieux-Montréal au **Centre de services aux visiteurs de Lachine** (voir p. 246). Elle permet aux cyclistes, aux marcheurs et aux amateurs de patin à roues alignées de déambuler tranquillement au bord du canal, aux beaux aménagements paysagers.

››› *Longez le canal vers l'est pour jouir des vues sur les bâtiments industriels et sur les gratte-ciel du centre-ville de Montréal.*

L'eau du canal fut utilisée non seulement pour la navigation, mais également comme force motrice. Ainsi, l'énergie hydraulique servait à faire tourner les machines d'une filature de soie, l'**ancienne filature Belding Corticelli** ★ *(1790 rue du Canal; métro Charlevoix)*, construite en 1884. Le bâtiment en briques rouges à structure de fonte a depuis été rénové pour accueillir des lofts. Un peu plus loin se dressent les anciens édifices de la raffinerie de sucre Redpath, fondée par John Redpath en 1854. Redpath, originaire du Berwickshire, en Écosse, était père de 17 enfants et fut un des principaux donateurs de l'Université McGill. Ces bâtiments sont aussi devenus des immeubles en copropriété.

››› *Revenez dans la rue Saint-Patrick en traversant le complexe résidentiel de l'ancienne filature Belding Corticelli. Vous franchirez alors un des rares bras du canal (1825) qui n'ait pas été comblé. Tournez à gauche dans la rue Saint-Patrick, puis à droite dans la rue Richmond, qui longe l'ancienne usine Northern Electric.*

L'**ancienne usine Northern Electric** *(1751 rue Richardson; métro Charlevoix)* abrite aujourd'hui les condos Nordelec. Le vaste édifice monolithique a été construit entre 1913 et 1926 pour la Northern Electric Company, qui y fabriquait divers appareils d'usage courant fonctionnant à l'électricité. En face se trouve la vieille **caserne de pompiers n° 15** *(1255 rue Richmond)*, bâtie en 1903 dans un style vaguement néoroman.

››› *Continuez dans la rue Richmond vers le sud.*

Aux alentours de la rue Mullins, vous pourrez voir de bons exemples de l'architecture résidentielle ouvrière de Pointe-Saint-Charles. Certaines maisons ont même conservé leur fenestration d'origine.

››› *Tournez à droite dans la rue Wellington, puis à gauche dans la petite rue de Sébastopol.*

Les **anciens ateliers du Canadien National** *(à l'est de la rue de Sébastopol; métro Charlevoix)* étaient autrefois ceux du Grand Tronc, connu en anglais sous le nom de Grand Trunk Railway, société ferroviaire fondée à Londres en 1852 dans le but de développer les chemins de fer au Canada. Elle a fusionné avec la Canadian Northern Railway en 1923 pour former le Canadien National. Le Grand Tronc, à l'origine de la construction du pont Victoria, aménagera ses ateliers de réparation à proximité de la sortie du pont en 1856. Un projet résidentiel et industriel est actuellement en cours.

La rue de Sébastopol borde la cour de triage. Cette dernière rue fut ouverte en 1855, alors que sévissait la guerre de Crimée en Europe, marquée par le siège de Sébastopol (Ukraine).

Les **maisons du Grand Tronc** *(n°s 422 à 444 rue de Sébastopol; métro Charlevoix)* comptent parmi les premiers exemples d'habitations spécialement conçues pour les ouvriers par une entreprise en Amérique du Nord. Ces « maisons de compagnie », inspirées de modèles britanniques, ont été construites en 1857 selon les plans de Robert Stephenson (1803-1859), ingénieur-concepteur du pont Victoria et fils de l'inventeur de la locomotive à vapeur. Des sept maisons de quatre logements chacune, dessinées par Stephenson, près de la moitié ont été démolies.

››› *De la rue de Sébastopol, empruntez la rue Favard.*

La **rue Favard** et les rues avoisinantes sont bordées d'exemples variés d'architecture résidentielle ouvrière avec jeux de briques, boiseries et incrustations de terre cuite. Les noms des rues indiquent que nous sommes sur les anciennes terres des sœurs de la Congrégation de Notre-Dame. Ces terres furent loties graduellement, ce qui explique que le quartier semble de plus en plus neuf à mesure que l'on se rapproche de la maison de la ferme Saint-Gabriel.

››› *Tournez à gauche dans la place Dublin.*

La **Maison Saint-Gabriel** ★★ *(10$; mi-jan à mi-juin et début sept à fin déc mar-dim 13h à 17h, fin juin à début sept mar-dim 11h à 18h; 2146 place Dublin, 514-935-8136, www.maisonsaint-gabriel.qc.ca; métro Charlevoix et autobus 57)* est un précieux témoin de la vie quotidienne en Nouvelle-France. La maison de ferme et la grange voisine, aujourd'hui entourées par la ville, ont été construites entre 1662 et 1698. L'ensemble fut acquis de la famille Le Ber par Marguerite Bourgeoys en 1668, afin d'y installer la communauté religieuse des Dames de la Congrégation de Notre-Dame, qu'elle avait elle-même fondée en 1653. La maison a par la suite servi d'école pour les petites Amérindiennes et de foyer d'accueil pour les « Filles du Roy », ces jeunes femmes sans famille envoyées de Paris à Montréal par Louis XIV pour y prendre mari. Restaurée en 1966, elle expose aujourd'hui des objets des XVIIe et XVIIIe siècles appartenant à la communauté. Le bâtiment lui-même présente un grand intérêt, puisqu'on peut notamment y voir une des seules authentiques charpentes du XVIIe siècle en Amérique du Nord ainsi que de rares éviers en pierre noire.

››› *Empruntez la place Dublin, puis la rue du même nom vers le nord. Tournez à gauche dans la rue Wellington.*

Vous y verrez deux églises néogothiques en brique de la fin du XIXe siècle *(625 rue Fortune et 2183 rue Wellington)*, un ancien bain public *(2188 rue Wellington)* de style Art déco, construits pendant la crise des années 1930, ainsi qu'une rangée de maisons victoriennes, dessinées vers 1875 par l'architecte de l'hôtel de ville de Montréal, Henri-Maurice Perrault.

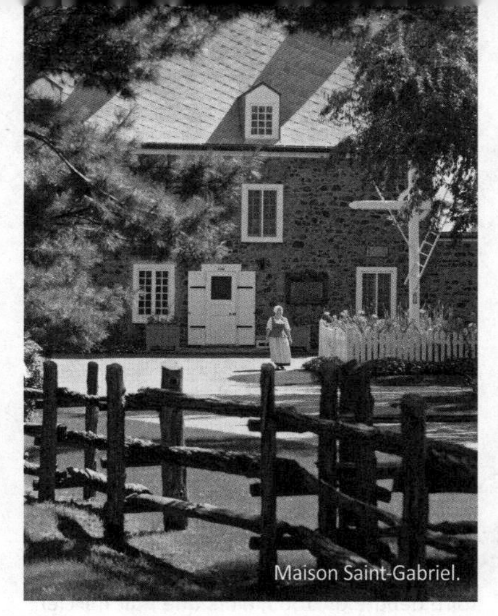

Maison Saint-Gabriel.

Activités de plein air

Kayak

Le canal de Lachine est très agréable à parcourir en kayak. Géré par l'entreprise **Aventures H2O**, le **Centre nautique du Canal de Lachine** *(mai à oct tlj 9h à 21h; 2985-B rue St-Patrick, 514-842-1306, www.aventuresh2o.com)*, situé un peu à l'est du marché Atwater et au sud du canal, loue des kayaks *(25$/h)*, mais aussi des pédalos *(15$/h)*, des bateaux électriques *(50$/h)* et des rabaskas pouvant accueillir 13 personnes *(50$/h)*. On y propose aussi des cours de kayak de mer.

Vélo

Les abords du **canal de Lachine** ont été réaménagés dans le but de mettre en valeur cette voie de communication importante au cours des XIXe et XXe siècles. Depuis, une piste cyclable fort agréable longe le canal (sur une section, il y en a même une de chaque côté du canal). Très prisée par les Montréalais, elle mène du **Vieux-Port** (voir p. 57) au **parc René-Lévesque** (voir p. 246), cette mince bande de terre qui s'avance dans le lac Saint-Louis à Lachine et d'où la vue est splendide. Le parc René-Lévesque offre quelques bancs et tables de pique-nique. On peut boucler sa promenade vers le Vieux-Port en empruntant la **piste cyclable des Berges**, qui longe le fleuve à LaSalle et Verdun. Plusieurs oiseaux fréquentent les abords du Saint-Laurent en cette partie de l'île, et vous aurez peut-être la chance d'apercevoir des hérons et des canards.

Verdun

››› *La promenade à pied conduisant à Verdun à partir de Pointe-Saint-Charles dure une dizaine de minutes. Longez la rue Wellington jusqu'au boulevard LaSalle. Tournez à gauche dans la rue Lafleur, qui débouche sur l'avenue Troy.*

Attraits

une à deux heures

Aujourd'hui annexée à Montréal, **Verdun** ★ était jadis une ville autonome d'environ 60 000 habitants. Nombre des descendants des immigrants irlandais catholiques, mélangés aux Canadiens français par métissage, y ont élu domicile dans l'entre-deux-guerres. Son histoire débute en 1665, alors que huit miliciens s'installent en bordure du fleuve à l'ouest de la ferme Saint-Gabriel. Ces colons armés, surnommés « les Argoulets », seront néanmoins massacrés par les Iroquois. En 1671, le territoire est concédé en fief à Zacharie Dupuis, originaire de Saverdun, près de Carcassonne, qui lui donne le nom de Verdun en souvenir de son ancienne ville. Entre 1852 et 1856, on aménage le canal de l'Aqueduc dans la partie nord des terres de Verdun. Un village voit le jour au sud du canal, mais mettra du temps à se développer à cause des crues printanières fréquentes. À la suite de l'aménagement d'une digue en bordure du fleuve (1895), le développement s'accélère. Le **vieux Verdun** *(à l'est de la rue Willibrord; métro De l'Église)* recèle quantité d'immeubles montréalais typiques auxquels s'ajoutent de charmantes loggias dont on retrouve une étonnante variété.

Dans les années 1930 et 1940, plusieurs familles originaires des îles de la Madeleine ont été attirées dans le secteur par les emplois offerts par l'hôpital du Christ-Roi, tout proche. On exigeait alors des infirmiers et infirmières le bilinguisme intégral, car l'hôpital desservait une population mi-francophone, mi-anglophone. Les Madelinots (comme on appelle les habitants des îles de la Madeleine) comptaient, à l'époque, parmi les seuls Québécois à pouvoir s'exprimer aisément dans les deux langues officielles du Canada.

Au bout de l'avenue Troy se trouve une des entrées du **parc Arthur-Therrien**, qui longe le fleuve Saint-Laurent. Dans le parc, on bénéficie d'une belle vue sur les gratte-ciel du centre-ville de Montréal, à l'est, et sur les immeubles d'habitation de l'île des Sœurs, au sud.

››› *Longez le parc Arthur-Therrien vers l'ouest jusqu'à l'Auditorium de Verdun, puis empruntez l'avenue de l'Église jusqu'à la rue Wellington.*

Érigée entre 1911 et 1914, l'**église Notre-Dame-des-Sept-Douleurs** ★ *(4155 rue Wellington, 514-761-3496; métro De l'Église)* est l'une des plus vastes églises paroissiales de l'île de Montréal. On remarque particulièrement le décor néobaroque de l'intérieur. En face se trouve une belle banque Art déco datant de 1931.

À ce niveau, la **rue Wellington** s'égaie de nombreux restaurants et boutiques *(www.promenadewellington.com)*.

››› *La station de métro De l'Église se trouve à l'angle des rues Wellington et Galt. D'ici, vous pourrez en profiter pour faire une escapade facultative au bord du fleuve en prenant le bus 58 Ouest devant la station de métro.*

Située au pied des rapides de Lachine du côté de Verdun, la **Maison Nivard-De Saint-Dizier** *(entrée libre, visites guidées 3$; mi-mai à mi-oct mer-ven 12h à 17h, sam-dim 10h à 17h, St-Jean-Baptiste à fin août aussi mar 12h à 17h; 7244 boul. LaSalle, 514-765-7284, http://maisonnivard-de-saint-dizier.com; métro De l'Église, bus 58 Ouest)*, un remarquable exemple de l'architecture rurale du début du Régime français qui date de 1710, est aujourd'hui un musée et site archéologique. Ses fondations reposent sur le plus grand site archéologique préhistorique connu de l'île de Montréal révélant une occupation autochtone qui remonte à plus de 5 000 ans.

Activités de plein air

Acrobaties et voltige

Montréal est la capitale mondiale des arts du cirque et l'**École de cirque de Verdun** *(5190 boul. La Salle, 514-768-5812, www.e-cirque-verdun.com)* est le principal centre de formation ouvert au grand public. Des ateliers d'une journée ou des formations plus longues et pointues sont proposés aux enfants, ados et adultes, et même aux familles.

À la découverte des rapides de Lachine

Parc des Rapides.

Situé à LaSalle, le **parc des Rapides** ★★ *(entre le boulevard LaSalle et le fleuve Saint-Laurent, LaSalle; accès par la 6e Avenue; 514-367-6540)* est le meilleur endroit pour voir, entendre et humer les célèbres rapides de Lachine. Ouvert sur le fleuve, il permet aussi d'observer les oiseaux migrateurs qui ont trouvé refuge dans les environs, entre autres la plus grande colonie de hérons au Québec après celle du lac Saint-Pierre. Pour s'aventurer sur les eaux, on peut louer des kayaks chez **Kayak Sans Frontières** (voir plus bas), ou encore prendre part aux différentes expéditions organisées par la dynamique entreprise **Rafting Montréal** *(rafting adultes 47$, enfants 29$; jet-boating adultes 56$, enfants 36$; 8912 boul. LaSalle, LaSalle, 514-767-2230 ou 800-324-7238, www.raftingmontreal.com)*. Pour ceux qui préfèrent s'initier en douceur, le circuit « familial » emprunte un parcours plus calme.

Kayak

Kayak Sans Frontières *(fin mai à fin sept; 7700 boul. LaSalle, LaSalle, 514-595-7873, www.ksf.ca)* offre des cours et loue des embarcations *(25$/jour)* pour s'attaquer aux rapides de Lachine. Équipement complet fourni. On y propose aussi des cours de surf en rivière (voir ci-dessous).

Surf

Du surf à Montréal? Oui c'est possible, sur les rapides de Lachine entre autres, où l'on surfe sur des vagues perpétuelles. Cours et location d'équipement *(35$/jour)* auprès de Kayak Sans Frontières (voir ci-dessus).

Restaurants

Black Strap BBQ $-$$
4436 rue Wellington, 514-507-6772,
www.blackstrapbbq.ca

Ce petit comptoir-restaurant sert de la viande fumée (sur place) à la mode du sud-ouest des États-Unis. Poulet grillé, côtes levées, viande effiloché et ailes de poulet peuvent s'accompagner des traditionnels légumes braisés et fèves barbecue, ou d'une bonne poutine québécoise. L'endroit est simple, convivial, et plaira tout particulièrement aux gourmands.

Su $$$
5145 rue Wellington, 514-362-1818,
www.restaurantsu.com

Un petit détour par Verdun vous fera voyager jusqu'en Turquie, dans ce restaurant au décor raffiné et moderne, agrémenté de belles touches turquoise. La cuisine de la chef Fisun Ercan est du même ordre : les classiques turcs côtoient les recettes traditionnelles revisitées, dans une courte carte qui s'adapte aux saisons. En tout temps, vous pouvez opter pour un repas de mezzé. La sélection des vins est très intéressante, avec plusieurs bouteilles offertes à bon prix.

Wellington $$$ 🍷
3629 rue Wellington, 514-419-1646,
www.restaurantwellington.com

Le bistro Wellington propose une très bonne cuisine française à prix raisonnable, d'autant plus qu'on peut apporter son vin. En plus des plats traditionnels comme la bavette à l'échalote et le boudin maison, on retrouve quelques curiosités au menu, comme ces croquettes de porc barbecue.

Bars et boîtes de nuit

Benelux Verdun
4026 rue Wellington, 514-508-5592,
www.brasseriebenelux.com

Installée dans une ancienne banque, cette brasserie artisanale est l'un des rares bars de Verdun, qui fut jadis une « ville sèche ». On déguste uniquement les bières maison (d'inspiration belge, allemande et américaine) à l'intérieur dans un beau cadre moderne, ou dehors, dans une bien plaisante cour arrière.

L'ouest de l'île

une journée

Bon à savoir

Pointe-Claire et Sainte-Anne-de-Bellevue sont les deux villes les plus agréables de ce circuit pour faire une pause café ou déjeuner. On y trouve de bons établissements et des endroits pour pique-niquer au bord de l'eau.

Seul véritable circuit riverain dans l'île de Montréal, l'ouest de l'île ★★ regroupe plusieurs vieux villages tout en offrant les plus beaux panoramas sur le fleuve Saint-Laurent et les lacs Saint-Louis et des Deux Montagnes. Bien que la plupart des villes qui le forment aujourd'hui aient été fondées par des colons français, nombre d'entre elles sont aujourd'hui peuplées d'une majorité d'anglophones, d'où le nom plus usité de *West Island*. Aussi ne faut-il pas s'étonner d'entendre davantage la langue de Shakespeare que celle de Molière dans les commerces et le long des rues résidentielles, qui ne sont pas sans rappeler celles des banlieues américaines aisées.

Ce circuit ne fait pas partie des circuits pédestres urbains de ce guide, car il s'étend sur près de 50 km. Il peut cependant être parcouru à bicyclette, puisqu'une bonne part du trajet longe soit une piste cyclable bien aménagée ou des routes à vitesse réduite. Il est même possible de se rendre au point de départ du circuit en suivant la piste du canal de Lachine depuis le Vieux-Montréal. Les automobilistes qui partent du centre-ville devront quant à eux emprunter l'autoroute 20 Ouest jusqu'à la sortie de la 32e avenue à Lachine. Ils suivront ensuite la 32e avenue vers le sud pour rejoindre le boulevard Saint-Joseph qu'ils emprunteront vers l'est en suivant la rive du fleuve jusqu'à ce qu'il devienne le chemin du Musée puis le boulevard LaSalle, où se trouve le premier attrait décrit ci-dessous.

À ne pas manquer

Attraits

Parc René-Lévesque p. 246

Complexe culturel Guy-Descary p. 248

Arboretum Morgan p. 252

Chemin Senneville p. 253

Parc-nature du Cap-Saint-Jacques p. 253

Lieu historique national du Commerce-de-la-Fourrure-à-Lachine p. 240

Salle Émile-Legault p. 256

Église Sainte-Geneviève p. 255

Musée des maîtres et artisans du Québec p. 257

★ Attraits

Dorval
1. DY Île Dorval
2. DX Parc Jacques-de-Lesseps
3. DY Maison Beaurivage
4. DY Maison André Legault dit Deslauriers
5. DY Maison Minnie Louise Davis
6. DY Maison Brown
7. DY Musée d'histoire et du patrimoine de Dorval

Pointe-Claire
8. CY Stewart Hall/ Centre culturel de Pointe-Claire
9. CY Maison Antoine-Pilon
10. CY Église Saint-Joachim
11. CY Couvent des sœurs de la Congrégation de Notre-Dame
12. CY Moulin

Beaconsfield
13. BY Le Bocage

Sainte-Anne-de-Bellevue
14. AY Collège Macdonald
15. AY Zoo Ecomuseum
16. AY Arboretum Morgan
17. AY G. D'Aoust & Cie
18. AY Maison Simon-Fraser
19. AY Lieu historique national du Canal-de-Sainte-Anne-de-Bellevue
20. AY Chemin Senneville
21. BX Parc-nature de l'Anse-à-l'Orme
22. AX Parc-nature du Cap-Saint-Jacques
23. AX Ferme écologique du Cap-Saint-Jacques

Sainte-Geneviève
24. BX Église Sainte-Geneviève
25. BX Maison d'Ailleboust-de Manthet
26. BX Ancien monastère Sainte-Croix
27. DW Parc-nature du Bois-de-Liesse
28. DW Parc-nature du Bois-de-Saraguay

Saint-Laurent
29. EW Pensionnat Notre-Dame-des-Anges
30. EW Église Saint-Laurent
31. EW Chapelle mariale Notre-Dame-de-l'Assomption/ Presbytère/Ancien hangar à grain
32. EW Collège de Saint-Laurent
33. EW Salle Émile-Legault
34. EW Musée des maîtres et artisans du Québec

● Restaurants

Dorval
35. DY Crème Glacée Safari

Pointe-Claire
36. CY Le Bilboquet
37. CY Le Gourmand
38. CY Wild Willy's
39. CY Ye Olde Orchard

Sainte-Anne-de-Bellevue
40. AY Restaurant Cape Cod

Saint-Laurent
41. EX Gibeau Orange Julep

▲ Hébergement

Dorval
42. DX Aloft Montréal Airport
43. DX Hôtel Marriott Terminal Aéroport de Montréal

L'ouest de l'île
LAVAL
DEUX-MONTAGNES
CHOMEDEY
SAINTE-DOROTHÉE
SAINTE-MARTHE-SUR-LE-LAC
POINTE-CALUMET
Rivière des Prairies
ROXBORO
DOLLARD-DES-ORMEAUX
SAINT-LAURENT
MONT-ROYAL
WESTMOUNT
MONTRÉAL
HAMPSTEAD
SUD-OUEST
CÔTE-SAINT-LUC
MONTRÉAL-OUEST
VERDUN
L'ÎLE-BIZARD – SAINTE-GENEVIÈVE
PIERREFONDS
Lac des Deux Montagnes
KIRKLAND
POINTE-CLAIRE
DORVAL
LACHINE
LASALLE
SENNEVILLE
BEACONSFIELD
BAIE-D'URFÉ
SAINTE-ANNE-DE-BELLEVUE
L'ÎLE-PERROT
PINCOURT
Lac Saint-Louis
KAHNAWAKE
SAINTE-CATHERINE
CHÂTEAUGUAY
Fleuve Saint-Laurent
av. Papineau
av. Christophe-Colomb
rue Saint-Denis
boul. Saint-Laurent
rue Jean-Talon
boul. O'Brien
av. Ste-Croix
boul. Gouin
boul. de la Côte-Vertu
ch. de la Côte-Sainte-Catherine
rue Sherbrooke
boul. des Sources
boul. St-Jean
boul. St-Charles
boul. Henri-Bourassa
ch. du Bord-du-Lac
Ch. de l'Anse-à-l'Orme
rue Lakeshore
boul. Saint-Joseph
rue Saint-Patrick
boul. Newman
boul. LaSalle
Old Châteauguay Rd.
Voir la carte de Lachine p. 247
BAIE-D'URFÉ Ville de banlieue
SAINT-LAURENT Arrondissement de Montréal
0 4 8km
©ULYSSE
W X Y Z
A B C D E F
1 2 3,4 5 6,7 8 9 10,11,12 13 14 15 16 17,18,19 20 21 22 23 24,25,26 27 28 29,30,31 32,33,34 35 36,37,39 38 40 41 42 43

Lachine ★★

Attraits

En 1667, les Messieurs de Saint-Sulpice concèdent des terres dans l'ouest de l'île de Montréal à l'explorateur René Robert Cavelier de La Salle. Celui-ci, obsédé par l'idée de trouver un passage vers la Chine, « découvrira » finalement la Louisiane à l'embouchure du Mississippi. Par dérision, les Montréalais désigneront dorénavant ses terres comme étant « La Chine », nom qui est devenu officiel par la suite. En 1689, les habitants de Lachine ont été victimes du pire massacre iroquois du Régime français. Mais plutôt que de quitter les lieux, la population augmenta et deux forts furent construits pour la protéger en raison du site stratégique de Lachine, en amont des rapides du même nom qui entravent toujours la navigation sur le fleuve Saint-Laurent. Aussi les précieuses fourrures de l'hinterland, destinées au marché européen, devaient-elles être débarquées à Lachine et transportées à pied jusqu'à Montréal, située en aval des rapides. Dans les années qui suivirent l'ouverture du canal de Lachine en 1825, plusieurs industries s'installèrent à Lachine, qui a alors connu une urbanisation importante. Aujourd'hui, son industrie vieillissante est heureusement compensée par son site enchanteur, qui attire toujours une population enthousiaste.

Le **moulin Fleming** *(entrée libre; mi-mai mi-juin dim 13h à 17h, mi-juin à fin août sam-dim 13h à 17h; 9675 boul. LaSalle, parc Stinson, 514-367-6439; métro Angrignon et autobus 110 ou 106)*, même s'il est situé sur le territoire de l'arrondissement de LaSalle, est étroitement lié au développement de Lachine, dont il faisait partie autrefois. Construit en 1816 pour un marchand écossais, il adopte la forme conique des moulins américains. Une exposition raconte son histoire. Le moulin propose aussi des animations théâtrales de 45 min les dimanches à 14h, de la mi-mai à la fin août.

Suivez le boulevard LaSalle jusqu'au chemin du Musée. Tournez à gauche pour rejoindre le stationnement du Musée de Lachine, qui fait face au chemin de LaSalle.

Le **Musée de Lachine** ★ *(entrée libre; avr à nov mer-dim et mar durant l'été 12h à 17h; 1 ch. du Musée, 514-634-3478, www.facebook.com/museedelachine; métro Angrignon et autobus 110)* loge dans un ancien poste de traite *(maison Le Ber-Le Moyne, 110 ch. de LaSalle)* et dans l'ancien entrepôt de fourrures (la Dépendance) percé de meurtrières. La maison Le Ber-Le Moyne est une des plus vieilles structures qui subsistent dans la région de Montréal : sa construction remonte à 1670. À cette époque, Lachine constituait le dernier lieu habité de la vallée du Saint-Laurent, avant les contrées sauvages à l'ouest, ainsi que le point d'arrivée des cargaisons de fourrures, qui ont représenté pendant longtemps la principale richesse naturelle du Canada et la véritable raison d'être de sa colonisation par la France. Le bâtiment a été construit pour Jacques Le Ber et Charles Le Moyne, riches marchands de Montréal. Ce musée historique existe depuis 1948. Il présente des objets ayant appartenu aux habitants de cette maison, retrouvés lors de fouilles archéologiques. Le musée comprend aussi un centre d'arts visuels, le **Pavillon Benoît-Verdickt**, qui expose une intéressante collection d'art contemporain.

Poursuivez sur le chemin du Musée, puis tournez à gauche dans le chemin du Canal.

Ce qu'on appelle le **Musée plein air de Lachine** ★ *(tlj du lever au coucher du soleil; 514-634-3478)* est en fait constitué de 50 sculptures qui ponctuent le parc René-Lévesque (voir ci-dessous), d'autres parcs riverains du lac Saint-Louis et le site du Musée de Lachine.

Trois étroites langues de terre aménagées de main d'homme forment l'**embouchure du canal de Lachine**, à la manière d'un estuaire évasé et tentaculaire. Le **parc René-Lévesque** ★★, accessible à partir du chemin du Canal, est parsemé de plusieurs sculptures contemporaines et permet de découvrir le majestueux lac Saint-Louis. Le Yachting Club (club nautique) occupe la seconde bande de terre, alors que la **promenade du Père-Marquette** ★ et le **parc Monk** ★ s'inscrivent entre l'entrée initiale du canal, inauguré en 1825, et l'élargissement de 1848.

Construit à l'entrée du canal et avoisinant l'écluse restaurée, le **Centre de services aux visiteurs de Lachine** *(entrée libre; mi-juin à mi-oct lun-ven10h à 17h, sam-dim 10h à 18h; 514-364-4490, www.pc.gc.ca)* permet de bien se préparer à la visite du canal. Ici, on vous indiquera tous les services offerts le long du canal (**Lieu historique national du Canal-de-Lachine**, voir p. 240) et on vous racontera son

★ **Attraits**

1. CZ Moulin Fleming
2. CY Musée de Lachine/Pavillon Benoît-Verdickt
3. AX Musée plein air de Lachine
4. CY Embouchure du canal de Lachine
5. AX Parc René-Lévesque
6. BY Promenade du Père-Marquette
7. CY Parc Monk
8. CY Centre de services aux visiteurs de Lachine
9. BY Lieu historique national du Commerce-de-la-Fourrure-à-Lachine
10. BY Couvent Sainte-Anne
11. CY Église anglicane St. Stephen's
12. BX Église Saints-Anges
13. BX Église St. Andrew's United
14. AW Complexe culturel Guy-Descary
15. AW Fort Rolland
16. AW Maison Quesnel
17. AW Maison Picard

● **Restaurants**

18. BX Il Fornetto
19. BW Marius et Fanny

histoire et son patrimoine. Vous y trouverez un casse-croûte, un comptoir de vente, des terrasses pour des vues d'ensemble, en plus de pouvoir y faire un circuit extérieur d'interprétation. En outre, des expositions y ont cours, avec photos et objets anciens, cartes et plans d'époque, ainsi que jeux interactifs.

En suivant à pied ou à vélo la promenade du Père-Marquette, il est possible d'atteindre le Lieu historique national du Commerce-de-la-Fourrure-à-Lachine.

La traite des fourrures a représenté, pendant près de deux siècles, la principale activité économique de la région montréalaise. Lachine a joué un rôle primordial dans l'acheminement des peaux vers le marché européen, à tel point que la fameuse Compagnie de la Baie d'Hudson en fit le centre névralgique de ses activités. Le **Lieu historique national du Commerce-de-la-Fourrure-à-Lachine** ★★ *(adultes 3,90$, enfants 1,90$; fin juin à début sept tlj 10h à 17h; 1255 boul. St-Joseph, 514-637-7433, www.pc.gc.ca; métro Angrignon et autobus 195)* préserve l'ancien entrepôt de la compagnie, bâti en 1803. On y présente divers objets de traite et des exemples de fourrures et de vêtements fabriqués avec ces peaux. Une exposition interactive ramène le visiteur directement au XIXe siècle. De leur côté, des expositions temporaires retracent la vie des trappeurs, des « voyageurs » et des communautés autochtones qui, au XVIIe siècle, effectuaient la plupart des voyages en quête de pelleteries, ainsi que la vie des dirigeants des puissantes compagnies françaises et anglaises qui se livraient une lutte pour le monopole de ce commerce lucratif. Des activités spécialement conçues pour les enfants sont proposées, ainsi que des découvertes du canal de Lachine en rabaska *(7,80$; juil et août sam-dim à 10h30, 13h et 14h15, réservations recommandées).*

Reprenez le boulevard Saint-Joseph en direction ouest.

En 1861, les Sœurs de Sainte-Anne acquièrent la maison construite en 1833 pour Sir George Simpson, alors gouverneur de la Compagnie de la Baie d'Hudson. Elles érigent leur maison mère puis le **couvent Sainte-Anne** ★ *(1280 boul. St-Joseph, 514-637-4616; métro Angrignon et autobus 195)* autour du bâtiment initial, qu'elles font finalement démolir pour le remplacer, en 1889, par l'imposante chapelle coiffée d'un dôme argenté aux accents russes. Aujourd'hui la propriété du Collège Sainte-Anne, le couvent ne peut être visité, mais on peut tout de même admirer l'édifice de l'extérieur.

Derrière le couvent se trouve l'**église anglicane St. Stephen's** *(25 12e Avenue)*, construite en 1831 pour servir de temple au personnel cadre de la Compagnie de la Baie d'Hudson. L'humble bâtiment de moellons vaguement néogothique fait contraste avec l'immense église catholique située à proximité (voir ci-dessous).

Jusqu'en 1865, l'église catholique de Lachine se trouvait plus à l'est, dans l'enceinte du fort Rémy. Cette année-là, on inaugura une église de style néogothique français sur le site actuel, au centre de la ville. Malheureusement, un violent incendie la détruisit en 1915. L'**église**

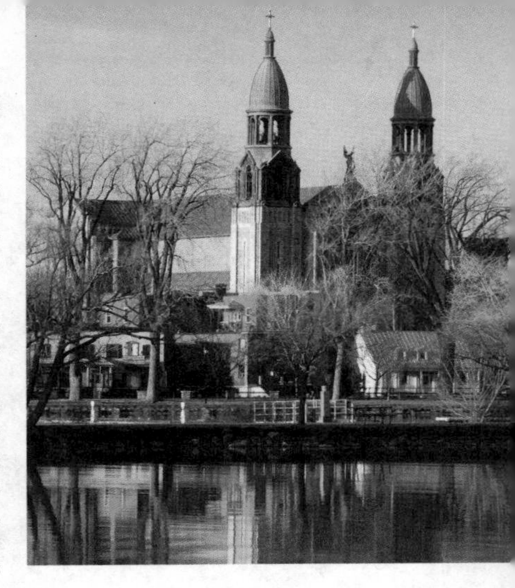

Saints-Anges *(1400 boul. St-Joseph, 514-637-8345)* actuelle fut érigée sur les ruines de la précédente en 1919 et 1920. Le vaste édifice paroissial arbore le style néoroman.

L'**église St. Andrew's United** *(1560 boul. St-Joseph, 514-634-1467)*, autrefois associée au culte presbytérien, avoisine l'église catholique. Elle a été construite dans le style néogothique en 1832. Un incendie a endommagé son clocher il y a quelques années. On remarque, au 1550 du boulevard Saint-Joseph, la belle résidence (1845) du pasteur de l'église, aux ouvertures encadrées par des colonnettes néoclassiques.

La Dawes Brewery a ouvert ses portes à Lachine en 1811 afin de procurer de la bière aux trappeurs et marchands de passage. L'entreprise a fermé ses portes en 1922 à la suite de la fusion de plusieurs petites brasseries de la région. Ces installations, parmi les plus anciennes du genre en Amérique, ont toutefois survécu de part et d'autre du boulevard Saint-Joseph. Du côté du lac, on aperçoit la brasserie (deux bâtiments en moellons édifiés vers 1850) ainsi que la résidence de Thomas Amos Dawes, fils du fondateur de l'entreprise, construite en 1862. Du côté de la ville se trouvent la grande glacière, transformée en appartements (1878), et le vieil entrepôt, situé à l'extrémité de la 21e Avenue (vers 1820). Les restes du quartier ouvrier qui gravitait autour de la brasserie complètent l'ensemble d'une rare valeur anthropologique.

Le **complexe culturel Guy-Descary** ★★ *(entrée libre; ven 18h à 21h, sam-dim 12h à 17h; 2901 boul. St-Joseph, 514-634-3471, poste 302;*

L'église Saints-Anges et le couvent Sainte-Anne, à Lachine.

métro Angrignon et autobus 195) comprend en fait trois des anciens bâtiments de la Dawes Brewery : l'Entrepôt, la Maison du brasseur et la Vieille brasserie. Il abrite une belle salle de spectacle, une salle d'exposition temporaire et une autre salle pour son exposition permanente sur la fabrication de la bière, ainsi que des salles de réception.

Poursuivez vers l'ouest sur le boulevard Saint-Joseph.

Un monument commémoratif rappelle que le **fort Rolland** *(à l'ouest de la 34e Avenue)*, principal poste de traite à Lachine au XVIIe siècle, était situé à cet endroit. Une garnison militaire y était cantonnée pour assurer la défense des habitants et pour surveiller le transbordement des précieuses cargaisons de peaux. Au passage, on peut apercevoir quelques belles maisons datant du Régime français, entre autres la **maison Quesnel** *(5010 boul. St-Joseph)*, construite vers 1750, et la **maison Picard** *(5430 boul. St-Joseph)* datant de 1719.

À Dorval, le boulevard Saint-Joseph prend le nom de chemin du Bord-du-Lac, mais il s'agit essentiellement de la même route.

Activités de plein air

Navigation de plaisance

La restauration des écluses du canal de Lachine a amené la réouverture de cette voie historique à la navigation de plaisance. L'**École de Voile de Lachine** *(3045 boul. St-Joseph, Lachine, 514-634-4326, http://voilelachine.com)* fait la location de planches à voile, de petits voiliers ainsi que de dériveurs légers, et elle propose des cours privés ou de groupe.

Vélo

Pour de l'information sur la piste cyclable qui longe le canal de Lachine depuis le Vieux-Port, voir p. 217.

Restaurants

Marius et Fanny $
3119 rue Victoria, 514-637-2222,
www.mariusetfanny.com
Cette boulangerie-pâtisserie est l'endroit tout indiqué pour faire vos emplettes en vue d'un délicieux pique-nique. En plus des salades et sandwichs gourmands, on y trouve des irrésistibles gâteaux, viennoiseries et chocolats. Tout est fait maison. Pour emporter uniquement. Autre adresse sur le Plateau *(4439 rue St-Denis)*.

Il Fornetto $$-$$$
1900 boul. St-Joseph, 514-637-5253,
http://ilfornetto.com
Situé aux abords du port de plaisance de Lachine, Il Fornetto est idéal pour ceux qui aiment se promener sur le bord du lac Saint-Louis après un copieux repas. Il rappelle les trattorias avec son ambiance bruyante et son service sympathique. Les pizzas cuites au four à bois sont à essayer. Petite terrasse en saison.

Dorval ★

Attraits

En 1691, le sieur d'Orval acheta de la succession de Pierre Le Gardeur de Repentigny le fort de La Présentation, établi par les Sulpiciens en 1667, et lui donna son nom. Puis, de 1790 à 1821, la petite **île Dorval**, située en face de la ville, devint le point de départ des coureurs des bois et des « voyageurs » de la Compagnie du Nord-Ouest, qui se rendaient, chaque année, dans les régions de l'Outaouais et des Grands Lacs en quête de peaux de castor. Dorval fait partie de la banlieue aisée de Montréal et est surtout connue pour renfermer dans ses limites l'aéroport international Pierre-Elliott-Trudeau. D'ailleurs, si vous êtes passionné d'aviation, faites un détour pour vous rendre au **parc Jacques-de-Lesseps** *(à l'angle des rues Halpern et Jenkins)*, qui fut inauguré en 2012 aux abords de l'aéroport. Portant le nom de l'aviateur français qui fut en 1910 le premier pilote à survoler Montréal, ce petit parc compte des bancs et des gradins où vous pourrez vous installer pour admirer les avions atterrir et décoller.

On trouve encore à Dorval d'anciennes maisons de ferme soigneusement restaurées par des familles anglo-saxonnes qui ont su respecter l'héritage français du Québec, ou du moins son côté décoratif...

Les murs de pierres, à la base de la **maison Beaurivage** *(900 ch. du Bord-du-Lac)*, seraient ceux du fort de La Présentation des Messieurs de Saint-Sulpice, construit au XVIIe siècle. Au n° 940, on peut apercevoir la **maison André Legault dit Deslauriers**, dotée de murs coupe-feu décoratifs (1817). Elle a servi de maison d'été à Lord Strathcona, l'un des principaux actionnaires du Canadien Pacifique, avant d'être restaurée soigneusement en 1934.

La **maison Minnie Louise Davis** *(1240 ch. du Bord-du-Lac)*, qui date de 1922, montre l'intérêt porté par certains architectes d'origine britannique et leurs clients envers l'architecture traditionnelle du Québec dans l'entre deux-guerres, allant jusqu'à bâtir de nouvelles demeures dans le style du XVIIIe siècle. Percy Nobbs, professeur d'architecture à l'Université McGill, a tracé les plans de la maison Davis, que sa propriétaire a baptisée *Le Canayen*.

Certains des principaux clubs sportifs de la bourgeoisie anglo-saxonne de Montréal étaient autrefois installés à Dorval, entre autres le Royal Montreal Golf Club, le plus vieux club de golf en Amérique du Nord (il fut fondé en 1873), et le Royal St. Lawrence Yacht Club, créé en 1888, dont on peut encore apercevoir les installations en bordure du lac Saint-Louis. Mais le plus étrange de ces clubs est sans contredit le Forest and Stream Club, qui loge dans l'ancienne villa d'Alfred Brown, la **maison Brown** *(1800 ch. du Bord-du-Lac)*, construite en 1872. L'institution est toujours en activité, mais a connu de meilleurs jours dans les années 1920, alors qu'on servait le thé à des dizaines de personnes dans ses jardins, les samedis et les dimanches après-midi d'été.

Les anciennes écuries de ce club privé accueillent le **Musée d'histoire et du patrimoine de Dorval** *(entrée libre; jeu-dim 13h à 16h30; 1850 ch. du Bord-du-Lac, 514-633-4314, www.ville.dorval.qc.ca/fr/loisirs-culture/musee-dhistoire-et-du-patrimoine-de-dorval)*. La reconstitution de ces écuries occupe d'ailleurs une partie du musée, le reste étant consacré à l'exposition d'objets anciens illustrant le patrimoine local.

Poursuivez en direction de Pointe-Claire.

Restaurants

Crème Glacée Safari $
539 ch. du Bord-du-Lac, 514-631-9669
On ne trouve ici que des crèmes glacées faites maison, aux nombreux parfums qui satisferont gourmets et gourmands.

Hébergement

Aloft Montréal Airport $$$
500 av. McMillan, 514-633-0900, www.aloftmontrealairport.com
L'hôtel Aloft est la preuve qu'une nuit à proximité d'un aéroport n'est pas obligatoirement glauque. Décor moderne et audacieux, espaces communs attirants, chambres spacieuses, services pratiques pour les voyageurs, le tout à des prix corrects, bref, une bonne affaire. Navette gratuite pour l'aéroport.

Hôtel Marriott Terminal Aéroport de Montréal $$$$
800 place Leigh-Capreol, 514-636-6700 ou 877-231-0748, www.marriott.com
Accessible directement depuis le terminal des départs pour les États-Unis, le splendide

Marriott est le choix le plus pratique pour qui doit séjourner à tout prix à proximité de l'aéroport. Chambres modernes et lumineuses, piscine intérieure et salle d'exercices avec vue sur les pistes, spa, restaurant, rien ne manque pour assurer le confort des voyageurs en transit.

Pointe-Claire ★

Attraits

L'une des premières missions implantées sur le pourtour de l'île de Montréal par les Messieurs de Saint-Sulpice, Pointe-Claire, bien qu'elle fasse partie de la banlieue aisée de Montréal, a conservé son noyau de village initial. Le chemin du Bord-du-Lac, qui traverse les localités de l'ouest de l'île, de Lachine à Sainte-Anne-de-Bellevue en passant par Pointe-Claire, était jusqu'en 1940 la seule route pour se rendre de Montréal à Toronto en voiture.

Stewart Hall *(entrée libre; parc ouvert toute l'année; galerie d'art lun-ven 8h30 à 21h, sam 9h30 à 17h, dim 13h à 17h, sam fermé de juillet à août; 176 ch. du Bord-du-Lac, 514-630-1220)*, une maison faite sur le long, a été construite en 1915 pour l'industriel Charles Wesley MacLean. Depuis 1963, elle abrite le **Centre culturel de Pointe-Claire** et est donc ouverte au public, ce qui permet d'en voir les intérieurs et de bénéficier depuis sa galerie arrière de vues imprenables sur le lac Saint-Louis. La galerie d'art renferme des œuvres d'art contemporain canadien et présente des expositions temporaires qui reflètent les différentes communautés de l'ouest de l'île de Montréal.

La **maison Antoine-Pilon** *(258 ch. du Bord-du-Lac)*, une petite habitation en pièce sur pièce, est la plus vieille structure de Pointe-Claire puisque sa construction remonte à 1710. Une restauration a permis de lui redonner son apparence d'antan.

Tournez à gauche dans la rue Sainte-Anne pour atteindre la pointe Claire, qui s'avance dans le lac Saint-Louis, où sont regroupés les bâtiments institutionnels de l'ancien village.

L'**église Saint-Joachim** ★ *(2 rue Ste-Anne)*, de style néogothique, date de 1882, et son clocher, fort original, domine l'ensemble institutionnel. Il s'agit de l'une des dernières œuvres de Victor Bourgeau, à qui l'on doit de nombreuses églises dans la région de Montréal. Son intérieur flamboyant en bois polychrome, orné de nombreuses statues, mérite une petite visite. Le **couvent des sœurs de la Congrégation de Notre-Dame** *(1 rue Ste-Anne)* a été construit en 1867 sur la portion sud de la pointe balayée par les vents. Quant au **moulin** *(1 rue St-Joachim)*, pour lequel on ne pouvait trouver meilleur emplacement, il a été construit dès 1709 par les Messieurs de Saint-Sulpice.

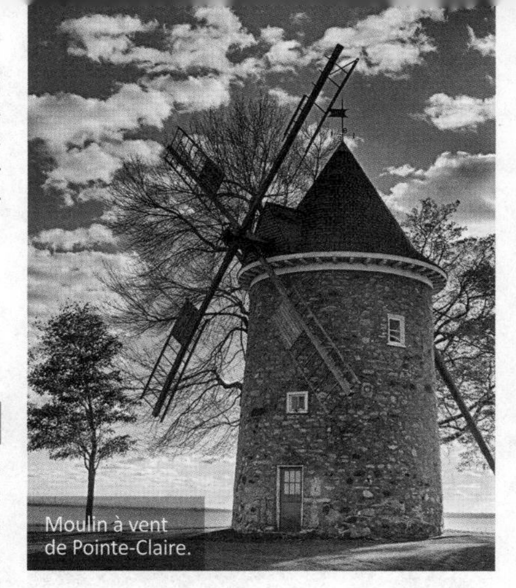
Moulin à vent de Pointe-Claire.

Reprenez le chemin du Bord-du-Lac en direction de Beaconsfield et de Baie-d'Urfé. Ces deux municipalités forment le cœur du West Island. On y trouve cependant des propriétés anciennes ayant appartenu à de grandes familles canadiennes-françaises.

Restaurants

La ville de Pointe-Claire s'avère très agréable pour une pause repas. Pour le dessert ou à tout moment de la journée, vous aurez le choix entre deux bons glaciers : **Wild Willy's** *(20 rue Cartier, 514-695-5022)* et **Le Bilboquet** *(309 ch. du Bord-du-Lac, 514-505-0680)*.

Ye Olde Orchard $$-$$$

322 ch. du Bord-du-Lac, 514-694-5858, www.yeoldeorchard.com

Rien de plus naturel qu'un pub celtique dans cette région anglophone de l'île. Dans ce restaurant installé dans une vieille demeure au décor chaleureux, la clientèle se presse à côté de la cheminée en hiver et prend place sur la terrasse arrière en été. La carte propose des spécialités anglaises, irlandaises et indiennes. Bonne variété de bières locales et importées.

Le Gourmand $$$-$$$$
42 rue Ste-Anne, 514-695-9077,
www.restaurantlegourmand.ca
Aménagé dans une maison ancienne en pierre tout à fait ravissante, Le Gourmand est le restaurant tout indiqué pour savourer une soupe chaude par un frais midi d'automne, ou encore une salade fraîche par un torride après-midi d'été. Le menu du soir affiche des mets français et internationaux. Décor au charme rustique et intime, belle terrasse en été.

Beaconsfield ★

Attraits

Jean-Baptiste de Valois, descendant direct de la famille royale de France, s'est installé au Canada en 1723. Son fils, Paul Urgèle Gabriel, fit construire **Le Bocage** ★ *(26 ch. du Bord-du-Lac)* en 1810. Notez que les maisons à façade en pierre de taille étaient chose rarissime en milieu rural au début du XIXe siècle et que celle-ci faisait donc état du statut particulier du propriétaire de la demeure. En 1874, cette dernière fut vendue à Henri Menzies, qui transforma la propriété en vignoble. L'expérience fut un échec lamentable en raison du sol peu propice, mais surtout à cause de l'exposition du site aux vents froids comme aux vents chauds. Menzies a eu davantage de succès en rebaptisant le domaine « Beaconsfield » en l'honneur du premier ministre britannique Disraeli, fait Lord Beaconsfield par la reine Victoria. De 1888 à 1966, la maison a accueilli un club privé avant de devenir le pavillon du club nautique de Beaconsfield.

Sainte-Anne-de-Bellevue

Attraits

Tout comme Lachine, Sainte-Anne-de-Bellevue possède un centre plus ou moins dense, agglutiné le long de la route panoramique qui prend ici le nom de « rue Sainte-Anne ». On y trouve de nombreuses boutiques et des restaurants qui sont, pour la plupart, dotés d'agréables terrasses donnant sur l'eau à l'arrière des établissements. On peut alors apercevoir en face les maisons de l'île Perrot. Le village doit son existence à l'écluse qui permet, de nos jours, aux embarcations de plaisance de passer du lac Saint-Louis au très beau lac des Deux Montagnes, dans lequel se déverse la rivière des Outaouais.

En arrivant à Sainte-Anne-de-Bellevue, on est surpris d'apercevoir une série d'édifices néobaroques anglais, tel le **collège Macdonald** ★ *(21111 ch. du Bord-du-Lac)*, tous revêtus de briques orangées et entourant une vaste pelouse d'herbe rase. Ils font partie du campus Macdonald du département d'agriculture de l'Université McGill, édifié entre 1905 et 1908. Une partie des immeubles abrite aussi le cégep John Abbott.

Le **Zoo Ecomuseum** ★ *(adultes 16,25$, enfants 9,75$; tlj 9h à 17h, fermeture de la billetterie à 16h; de Montréal prendre l'autoroute 40 O., sortie 44, et suivre les panneaux; 21125 ch. Ste-Marie, 514-457-9449, www.ecomuseum.ca)* a pour mission de faire connaître la faune et la flore de la plaine du Saint-Laurent, et il présente, dans un vaste parc bien aménagé, quelque 115 espèces animales, dont des loups, des caribous et des ours noirs. On y trouve également une section réservée aux oiseaux, reptiles et mammifères nocturnes.

Non loin de là, l'**Arboretum Morgan** ★★ *(adultes 7$, enfants 3,50$; tlj 9h à 16h; autoroute 40 O., sortie 41, ou autoroute 20 O., sortie 39, 150 ch. des Pins, angle ch. Ste-Marie, 514-398-7811, www.morganarboretum.org)* s'étend sur 245 ha, ce qui en fait le plus grand arboretum du Canada. On dénombre ici quelque 500 espèces végétales, principalement des arbres, et plus de 170 essences indigènes que l'on peut observer le long des 25 km de pistes boisées et de sentiers écologiques. Un agréable sentier de raquette en boucle de 5 km a été aménagé et permet ainsi aux visiteurs d'observer les traces bien marquées dans la neige des différents oiseaux et mammifères qui ont élu domicile sur le territoire.

Au centre du village se trouve le magasin général **G. D'Aoust & Cie** *(73 rue Ste-Anne, 514-457-5333, http://gdaoust.com)*. Ce type de commerce familial, autrefois très répandu, a presque disparu du paysage québécois. Fondé en 1902, le magasin D'Aoust vendait de tout, de la farine aux bottines, en passant par les couvertures de laine et le tabac à priser. De nos jours, on peut surtout s'y procurer des meubles,

Zoo Ecomuseum.

des vêtements et des objets décoratifs. Mais si l'on s'y rend, c'est d'abord pour observer le fonctionnement de son convoyeur de monnaie Lamson, l'un des seuls du genre au Canada encore en fonction. Ce système de câbles, de poulies et de rails suspendus, qui relie les différents rayons du magasin à une caisse centrale, a été installé en 1924.

Vers 1960, la **maison Simon-Fraser** *(153 rue Ste-Anne)* devait être démolie pour permettre la construction de la rampe du pont de l'autoroute 20. Cette ancienne demeure datant de 1798 fut sauvée par une société historique, mais le pont qui fut construit quelques années plus tard passe à moins de 5 m de la maison. Ce marchand montréalais était l'un des dirigeants de la Compagnie du Nord-Ouest, spécialisée dans la traite des fourrures. C'est ici que le poète irlandais Thomas Moore (1779-1852) a séjourné lors de son voyage en Amérique en 1804. Il y a composé la célèbre *Canadian Boat Song*, qui honore la mémoire des « voyageurs » qui passaient par Sainte-Anne-de-Bellevue, en route vers les forêts du Bouclier canadien. Le bâtiment a abrité jusqu'en 2016 la Coopérative du Grand Orme, qui y tenait une épicerie et un café; fermée au public au moment de mettre sous presse, la maison patrimoniale attendait sa nouvelle vocation.

On se trouve ici sur la pointe occidentale de l'île de Montréal, soit à 50 km de Pointe-aux-Trembles, située à l'extrémité est. Le **Lieu historique national du Canal-de-Sainte-Anne-de-Bellevue** *(mi-mai à mi-oct; 170 rue Ste-Anne, 514-457-5546, www.pc.gc.ca)* est bordé par une agréable promenade qui permet d'observer le fonctionnement des portes de l'écluse et le remplissage des bassins, dans lesquels se pressent les embarcations. Une aire de pique-nique se trouve à proximité. L'église Sainte-Anne (1859) et le couvent font face à l'écluse, au nord des ponts.

Suivez la courbe de la rue Sainte-Anne, puis tournez à gauche dans le chemin Senneville.

Le **chemin Senneville** ★★ traverse Senneville, la plus rurale de toutes les municipalités de l'île de Montréal. On y voit en effet les dernières fermes de l'île ainsi que de vastes propriétés sur la rive du lac des Deux Montagnes. Le cadre champêtre se prête merveilleusement aux balades à bicyclette. On traverse ensuite Pierrefonds, où se trouvent deux parcs riverains : le **parc-nature de l'Anse-à-l'Orme** *(stationnement 9$/jour; ch. de l'Anse-à-l'Orme, angle boul. Gouin O., 514-280-6871)*, exclusivement destiné aux amateurs de planche à voile et de dériveur, et le **parc-nature du Cap-Saint-Jacques** ★★ *(stationnement 9$/jour;*

chalet d'accueil, 20099 boul. Gouin O., 514-280-6871), qui occupe une pointe de 288 ha qui s'avance dans le lac des Deux Montagnes, sur les rives duquel s'étend une plage publique (location de canots et pédalos). Des sentiers ont été aménagés afin de mettre en valeur la faune et la flore variées du parc; ils se transforment en sentiers de raquette et en pistes de ski de fond l'hiver. La **Ferme écologique du Cap-Saint-Jacques** *(183 ch. du Cap-St-Jacques, Pierrefonds, 514-280-6743)* offre des visites gratuites de ses installations.

››› *À Pierrefonds, le chemin Senneville prend le nom de «boulevard Gouin». Ce boulevard traverse tout le reste de l'île jusqu'à la pointe est.*

Activités de plein air

Observation des oiseaux

Une centaine d'espèces d'oiseaux peuvent être observées dans le parc-nature du Cap-Saint-Jacques (voir ci-dessus), parmi lesquelles se trouvent des échassiers, des rapaces, des passereaux ainsi que plusieurs oiseaux aquatiques. Canards branchus, grands ducs et buses à queue rousse profitent, entre autres, de ce milieu naturel.

Restaurants

Le village de Sainte-Anne-de-Bellevue, avec sa promenade le long du canal du même nom, est un autre endroit sympathique pour se restaurer dans l'ouest de l'île.

Restaurant Cape Cod $$-$$$
160 rue Ste-Anne, 514-457-0081,
www.peterscapecod.ca

Comme en Nouvelle-Angleterre, ce grand restaurant se spécialise dans les plats de poisson et fruits de mer, frais ou frits, comme ces *crab cakes* et autres *lobster rolls*. Vous admirerez les poissons frais du jour en passant devant la cuisine à aire ouverte. La grande salle lumineuse et les deux terrasses donnant sur le canal sont invitantes.

Ferme écologique du Cap-Saint-Jacques.

Sainte-Geneviève ★

Attraits

Le vieux village de Sainte-Geneviève constitue une enclave francophone dans le territoire de Pierrefonds. Son origine remonte à 1730, alors que l'on construit un fortin pour défendre le portage des rapides du Cheval-Blanc, sur la rivière des Prairies, que longe le village. Au XIXe siècle, les « cageux », ces solides gaillards qui descendent par voie d'eau les trains de bois (aussi appelés les « cages ») en direction de Québec, s'arrêtent à Sainte-Geneviève. Les cages y sont reformées en radeaux afin de « passer » les nombreux rapides de la rivière des Prairies. Cette méthode de flottage du bois sera graduellement remplacée par le transport ferroviaire à partir de 1880.

L'**église Sainte-Geneviève** ★★ *(16037 boul. Gouin O., 514-696-4489)* est le seul bâtiment de la famille Baillairgé de Québec dans la région de Montréal. Thomas Baillairgé, qui en a conçu les plans en 1836, lui a donné une imposante façade néoclassique à deux clochers, qui a influencé l'architecture des églises catholiques de toute la région au cours des années 1840 et 1850. L'intérieur s'inspire d'une église de Rotterdam, de l'architecte Guidici, aujourd'hui disparue. On remarque le tabernacle et son tombeau (Ambroise Fournier, sculpteur), ainsi que la *Sainte Geneviève* du chœur (Ozias Leduc, artiste peintre).

Tout comme l'église, la **maison d'Ailleboust-de Manthet** *(15886 boul. Gouin O.)* est de facture néoclassique. Elle a été construite en 1845 et habitée par les d'Ailleboust de Manthet, l'une des grandes familles canadiennes-françaises des XVIIIe et XIXe siècles qui s'est illustrée, à plusieurs reprises, dans les domaines tant militaire que civil.

Au tournant de la route, on aperçoit l'**ancien monastère Sainte-Croix** ★ *(15693 boul. Gouin O.)*, de style lombard, que l'on dirait sorti tout droit du Moyen Âge. Il s'agit, en fait, d'un édifice construit en 1932, selon les plans du talentueux architecte Lucien Parent, pour les Pères de Sainte-Croix. Le cloître, au centre, est un havre de paix et de sérénité. L'édifice, vendu en 1968, abrite le cégep Gérald-Godin, auquel ont été apportés des ajouts nettement plus contemporains.

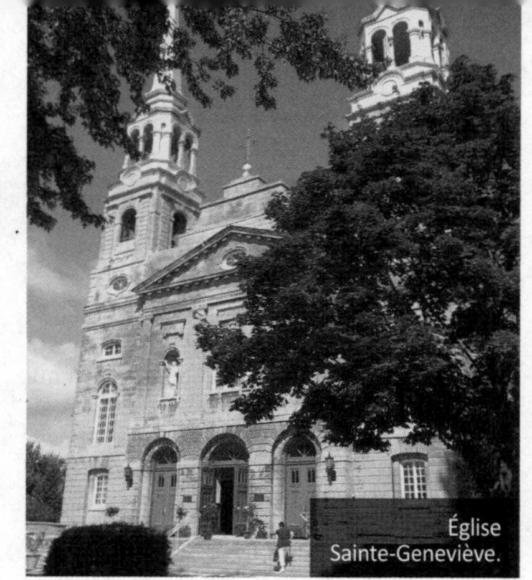

Église Sainte-Geneviève.

Continuez sur le boulevard Gouin.

Après avoir traversé la portion est de Pierrefonds, on atteint Roxboro. Plus loin se trouvent deux espaces verts, le parc-nature du Bois-de-Liesse et le parc-nature du Bois-de-Saraguay.

Aménagé sur un vaste site de part et d'autre du boulevard Gouin, le **parc-nature du Bois-de-Liesse** ★ *(stationnement 9$/jour; Maison Pitfield, 9432 boul. Gouin O., Pierrefonds, 514-280-6729; Accueil des Champs, 3555 rue Douglas-B.-Floreani, 514-280-6678)* est pourvu d'une belle forêt d'arbres feuillus et de champs de fleurs sauvages. Une faune variée, tant aquatique qu'ailée, l'habite. Des sentiers de randonnée pédestre (avec passerelles japonaises et postes d'observation pour admirer la nature), des voies cyclables et des pistes de ski de fond sillonnent cet espace vert, également équipé pour la raquette et la glissade en hiver.

Un peu plus à l'est se trouve le **parc-nature du Bois-de-Saraguay** *(aucune infrastructure d'accueil sur place, stationnement et accès aux sentiers sur l'avenue Jean-Bourdon; 514-280-6729)*, qui s'étend au sud du boulevard Gouin. Inauguré en 2016, il compte 1,8 km de sentiers de randonnée dans une forêt riveraine ancienne ponctuée de marais et de marécages. Tout indiqué pour une courte promenade, le parcours est de toute beauté, mais n'oubliez pas votre chasse-moustiques!

Tournez à droite dans le boulevard O'Brien, puis prenez la voie d'embranchement qui conduit à l'avenue Sainte-Croix, que vous suivrez jusqu'à la fin du circuit.

Saint-Laurent ★

Attraits

Le secteur résidentiel de Saint-Laurent est concentré sur le cinquième du territoire de ce qui était autrefois une municipalité autonome, aujourd'hui annexée à Montréal. Tout le reste est accaparé par un vaste parc industriel qui en faisait la seconde ville en importance au Québec sur ce plan. Saint-Laurent s'est développée à l'intérieur des terres à la suite de la signature du traité de la Grande Paix de Montréal avec les tribus iroquoises en 1701. La venue des pères, des frères et des sœurs de Sainte-Croix en 1847, à l'instigation de Mgr Ignace Bourget, second évêque de Montréal, va permettre la croissance du village, dominé par les institutions de cette communauté originaire du Mans, en France.

L'ancien couvent des Sœurs de Sainte-Croix, le **pensionnat Notre-Dame-des-Anges** *(821 av. Ste-Croix)*, a été fondé en 1862. La chapelle moderne de l'architecte Gaston Brault a été ajoutée en 1953. Une aile de l'édifice abritait autrefois le collège Basile-Moreau, l'une des seules institutions du Québec qui offrait un enseignement supérieur en français aux jeunes femmes avant la Révolution tranquille. En 1970, le couvent est devenu le cégep anglophone Vanier.

L'**église Saint-Laurent** ★ *(805 av. Ste-Croix)*, construite en 1835, s'inspire de la basilique Notre-Dame de Montréal, inaugurée six ans plus tôt. Malheureusement, les pinacles ainsi que les créneaux de la façade et des bas-côtés ont été supprimés dès 1868, et le magnifique décor intérieur néogothique, exécuté par François Dugal et Janvier Archambault entre 1836 et 1845, a été altéré lors de la frénétique vague de renouveau de Vatican II, au début des années 1960. Il s'agissait pourtant du plus vieux décor néogothique subsistant dans un lieu de culte catholique au Québec.

Au sud de l'église se trouvent la **chapelle mariale Notre-Dame-de-l'Assomption**, le **presbytère** et l'**ancien hangar à grain** (1810), où les paroissiens pouvaient payer leur dîme « en nature », c'est-à-dire sous forme de grains ou d'autres denrées. Celui-ci abrite maintenant la salle paroissiale.

C'est dans la maison située au 696 de l'avenue Sainte-Croix que furent hébergés les pères et les frères de Sainte-Croix à leur arrivée au Canada en 1847. Dès 1852, ils emménageront dans leur collège, situé de l'autre côté de la rue. L'édifice a cependant été modifié et agrandi à plusieurs reprises. Au cours de son histoire, le **Collège de Saint-Laurent** ★ *(625 av. Ste-Croix; métro Du Collège)* s'est démarqué par son avant-gardisme. Ainsi, il n'a pas hésité à former des gens d'affaires à une époque où l'on privilégiait la prêtrise, le droit, la médecine ou le notariat. Au cours des années 1880, on y a créé un musée de sciences naturelles, qui sera logé dans une tour octogonale en 1896. La même année, le collège se dote d'un auditorium de 300 places pour les représentations de théâtre des élèves. En 1968, le collège devient cégep dans la foulée de la Révolution tranquille, et les prêtres qui ont fondé et piloté l'institution pendant plus de 100 ans n'ont que quelques jours pour faire leurs valises... En 1928, la direction du Collège de Saint-Laurent décide de construire une nouvelle chapelle, car l'ancienne déborde d'élèves. Cependant, un ancien diplômé de l'institution, alors président du comité exécutif de la Ville de Montréal, propose le rachat et la reconstruction, à Saint-Laurent, de l'église presbytérienne St. Paul, située rue Dorchester (aujourd'hui le boulevard René-Lévesque) sur l'emplacement de l'actuel hôtel Fairmont Le Reine Elizabeth. L'édifice, exproprié par la société ferroviaire du Canadien National en 1926, doit être détruit pour faire place aux voies ferrées de la gare Centrale. Le projet de reconstruction est accepté malgré son caractère inusité.

En 1930-1931, le temple protestant, dessiné en 1866 selon les plans de l'architecte Frederick Lawford, est démonté pierre par pierre et remonté à Saint-Laurent, avec quelques modifications apportées par Lucien Parent, pour sa nouvelle vocation de chapelle catholique. Ainsi, le sous-sol est exhaussé pour permettre l'aménagement d'un auditorium moderne. Cette salle jouera au cours des années 1930 et 1940 un grand rôle dans l'évolution des arts au Québec grâce, notamment, aux Compagnons de Saint-Laurent, une troupe de théâtre fondée par le père Paul-Émile Legault en 1937, au sein de laquelle plusieurs comédiens québécois ont appris leur métier. Toujours active et rouverte en 2011 après d'importants travaux de rénovation, la **Salle Émile-Legault** ★★ *(613 av. Ste-Croix, 514-747-2727; métro Du Collège)* présente régulièrement du théâtre, des

Gibeau Orange Julep.

concerts, des variétés, des ciné-conférences et du cinéma.

En 1968, lors de la transformation du collège en cégep, la chapelle perd son utilité. Le Musée d'art de Saint-Laurent, fondé en 1963 par Gérard Lavallée, s'y installe en 1979 et présente des collections de meubles québécois, d'outils et de tissus traditionnels, ainsi que plusieurs objets d'art religieux des XVIIIe et XIXe siècles. Modernisme oblige, le **Musée des maîtres et artisans du Québec** ★★ *(7$; mer-dim 12h à 17h; 615 av. Ste-Croix, 514-747-7367, www.mmaq.qc.ca; métro Du Collège)* a pris le relais du Musée d'art de Saint-Laurent en 2003, avec une exposition permanente sur les métiers du bois, du métal et du textile. On y trouve toujours une collection de plus de 10 000 objets d'art ancien et de tradition artisanale couvrant les XVIIIe et XIXe siècles. Le musée a ainsi été rebaptisé pour mieux signaler sa mission, tout en offrant un programme éducatif plus consistant et mieux adapté à sa collection. L'audioguide remet ces objets en contexte, grâce à des contes de Fred Pellerin. Une boutique proposant des produits artisanaux se trouve sur place.

Pour retourner au centre-ville de Montréal, poursuivez vers le sud dans le chemin Lucerne, tournez à gauche dans la rue Jean-Talon et enfin à droite dans le chemin de la Côte-des-Neiges.

Musée des maîtres et artisans du Québec.

Restaurants

Gibeau Orange Julep $

7700 boul. Décarie, angle rue Paré, 514-738-7486

Située au sud du secteur de Saint-Laurent, cette énorme orange qui trône sur le bord du boulevard Décarie est kitsch à souhait, mais elle vaut le détour, tant pour son architecture que pour son jus d'orange crémeux, tous les deux uniques en leur genre. On y commande aussi des hot-dogs et hamburgers, que l'on peut manger assis aux tables à l'extérieur en été. De nombreux collectionneurs de vieilles voitures américaines se réunissent dans son stationnement en été les mercredis soir.

Restaurants par types de cuisine

Grecque

Haïtienne

Indienne

Indonésienne

Iranienne

Italienne

Japonaise

Latino-américaine

Libanaise

Méditerranéenne

Mexicaine

Moyen-orientale

Péruvienne

Petits déjeuners et brunchs

Le métro de Montréal.

Montréal pratique

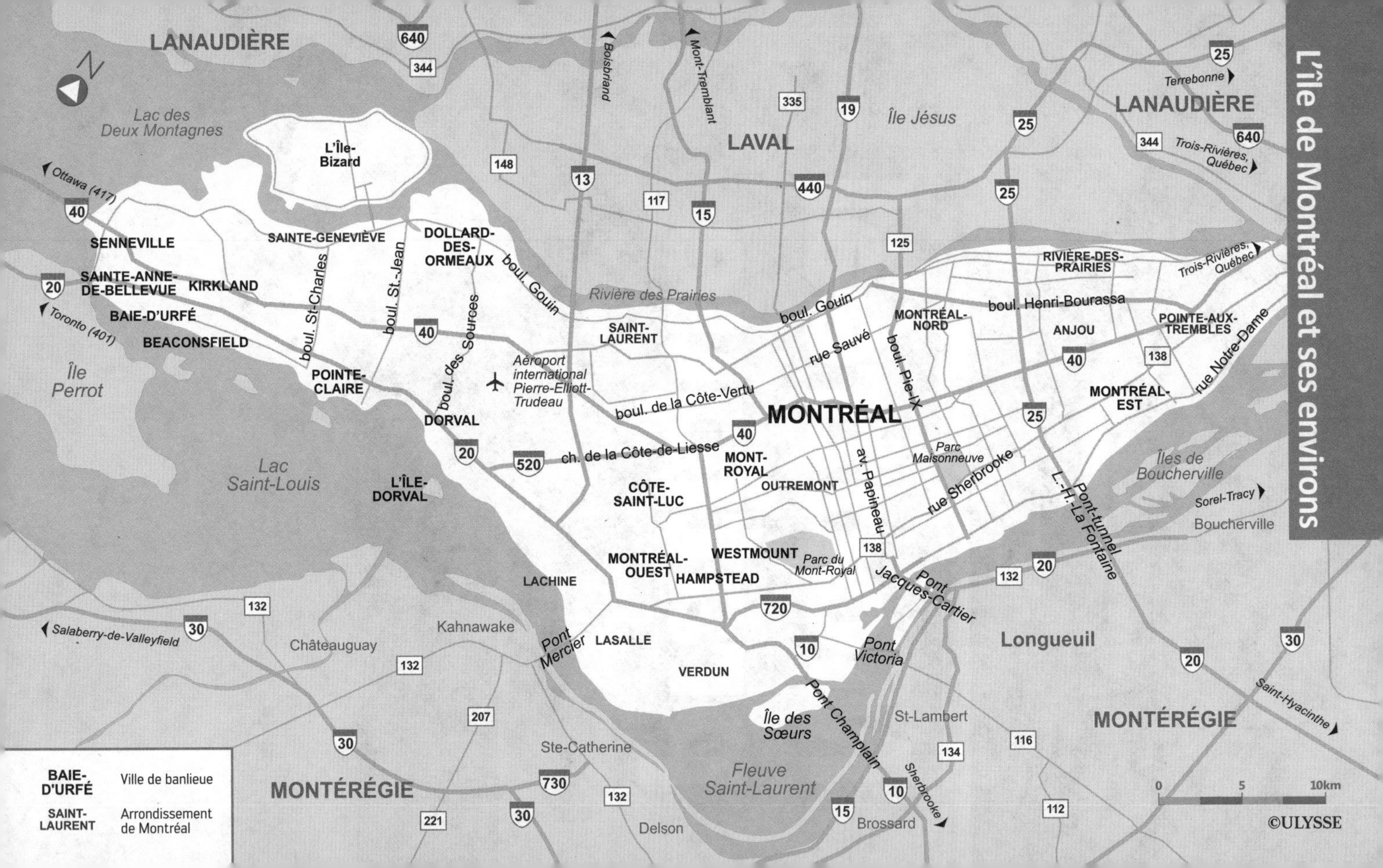
L'île de Montréal et ses environs
LANAUDIÈRE
Lac des Deux Montagnes
L'Île-Bizard
Ottawa (417)
SENNEVILLE
SAINTE-GENEVIÈVE
DOLLARD-DES-ORMEAUX
SAINTE-ANNE-DE-BELLEVUE
KIRKLAND
BAIE-D'URFÉ
BEACONSFIELD
Toronto (401)
Île Perrot
POINTE-CLAIRE
DORVAL
boul. St-Charles
boul. St.-Jean
boul. des Sources
boul. Gouin
Aéroport international Pierre-Elliott-Trudeau
Lac Saint-Louis
L'ÎLE-DORVAL
LACHINE
Boisbriand
Mont-Tremblant
LAVAL
Île Jésus
Rivière des Prairies
SAINT-LAURENT
boul. de la Côte-Vertu
ch. de la Côte-de-Liesse
CÔTE-SAINT-LUC
MONT-ROYAL
OUTREMONT
MONTRÉAL-OUEST
HAMPSTEAD
WESTMOUNT
Parc du Mont-Royal
MONTRÉAL
rue Sauvé
boul. Pie-IX
av. Papineau
MONTRÉAL-NORD
boul. Henri-Bourassa
Parc Maisonneuve
rue Sherbrooke
RIVIÈRE-DES-PRAIRIES
ANJOU
POINTE-AUX-TREMBLES
rue Notre-Dame
MONTRÉAL-EST
Trois-Rivières, Québec
Terrebonne
Îles de Boucherville
Sorel-Tracy
Boucherville
Pont-tunnel L.-H.-La Fontaine
Pont Jacques-Cartier
Pont Victoria
Pont Champlain
Pont Mercier
LASALLE
VERDUN
Île des Sœurs
Longueuil
St-Lambert
Brossard
Sherbrooke
Saint-Hyacinthe
MONTÉRÉGIE
Fleuve Saint-Laurent
Kahnawake
Châteauguay
Ste-Catherine
Delson
Salaberry-de-Valleyfield
0 5 10km
©ULYSSE
BAIE-D'URFÉ Ville de banlieue
SAINT-LAURENT Arrondissement de Montréal

Ce chapitre a pour but de vous aider à planifier votre voyage avant votre départ et une fois sur place. Ainsi, il offre une foule de renseignements précieux aux visiteurs venant de l'extérieur concernant les procédures d'entrée au Canada et les formalités douanières. Il renferme aussi plusieurs indications générales qui pourront vous être utiles lors de vos déplacements.

Formalités d'entrée

Passeport et visa

Pour la plupart des citoyens des pays de l'Europe de l'Ouest, un passeport valide suffit et aucun visa n'est requis pour un séjour de moins de trois mois au Canada (il est possible de demander une prolongation de trois mois – un billet de retour ainsi qu'une preuve de fonds suffisants pour couvrir le séjour peuvent alors être demandés). Les voyageurs étrangers dispensés de visa, qui entrent ou transitent au Canada par avion, doivent cependant obtenir une autorisation de voyage électronique (AVE), dont le coût s'élève à 7$ (valide pour 5 ans ou la durée du passeport). Pour connaître la liste des pays dont les citoyens doivent faire une demande de visa de séjour, et pour faire une demande d'AVE en ligne, consultez le site Internet d'**Immigration et Citoyenneté Canada (CIC)** *(888-242-2100, www.cic.gc.ca)*.

La plupart des pays n'ayant pas de convention avec le Canada en ce qui concerne l'assurance maladie-accident, il est conseillé de se munir d'une telle couverture.

L'arrivée

Par avion

L'**aéroport international Pierre-Elliott-Trudeau de Montréal**, nommé en hommage à l'ancien premier ministre canadien et que l'on peut aussi tout simplement appeler **Montréal-Trudeau** (il est encore parfois appelé par son ancien nom : aéroport Dorval), est situé à une vingtaine de kilomètres du centre-ville de Montréal, soit à plus ou moins 20 min en voiture. Pour se rendre au centre-ville au départ de l'aéroport, il faut prendre l'autoroute 20

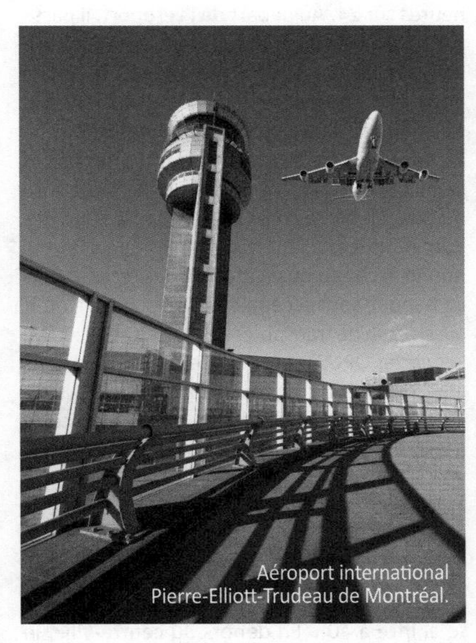
Aéroport international Pierre-Elliott-Trudeau de Montréal.

Est jusqu'à la jonction avec l'autoroute Ville-Marie (720), direction « Centre-ville, Vieux-Montréal ».

Pour tout renseignement concernant les services d'aéroport (arrivées, départs et autres), contactez le Centre d'information des **Aéroports de Montréal (ADM)** *(514-394-7377 ou 800-465-1213, www.admtl.com)*.

À noter que les voyageurs en provenance des États-Unis ou continuant leur voyage « aux États » disposent également de deux aéroports américains : le **Plattsburgh International Airport** *(877-242-6752, www.flyplattsburgh.com)* et le **Burlington International Airport** *(802-863-1889, www.btv.aero)*. La station de bus de Plattsburgh, à 8 km de l'aéroport et à 100 km du centre de Montréal, est desservie par cinq bus **Trailways** (voir p. 266) par jour dans les deux sens, alors que le service entre Montréal et l'aéroport de Burlington (155 km) est assuré quatre fois par jour dans les deux sens par **Greyhound** (voir p. 266).

Accès au centre-ville ou à l'aéroport en transports en commun

La navette **747** *(www.stm.info)* de la Société des transports de Montréal (STM) est le moyen le plus pratique et le plus économique pour effectuer le trajet entre l'aéroport et le centre-ville. Ce bus fonctionne tous les jours de l'année, 24 heures sur 24. Au départ de l'aéroport, il passe par neuf arrêts différents au centre-ville (principalement le long du boulevard René-Lévesque), entre la station de métro Lionel-Groulx et le terminus de la Gare d'autocars de Montréal. La durée du trajet varie entre 45 min et 1h. Le billet coûte 10$ et peut être acheté à bord du bus (en pièces uniquement) ou à l'une des bornes situées avant la sortie de l'aéroport qui donne accès au bus (cartes bancaires et billets de banque sont acceptés). Le billet donne droit aussi à 24h de transport sur le réseau de la STM. Les cartes OPUS mensuelles et hebdomadaires, ainsi que les cartes touristiques de un à trois jours de la STM, permettent de prendre cette navette sans frais supplémentaires.

Accès à la ville par taxi

L'aéroport Montréal-Trudeau est desservi par de nombreuses voitures de taxi. Le tarif fixe entre le centre-ville et l'aéroport (ou vice-versa) se chiffre à 40$. En dehors du centre-ville, le tarif en vigueur est celui affiché au compteur. Tous les taxis desservant l'aéroport Montréal-Trudeau sont tenus d'accepter les principales cartes de crédit.

Location de voitures

La plupart des grandes agences de location de voitures sont représentées à l'aéroport Montréal-Trudeau.

En voiture

Si vous partez de Québec, vous pouvez emprunter l'autoroute 20 Ouest jusqu'au pont Champlain, puis prendre l'autoroute Bonaventure, qui mène directement au centre-ville. Vous pouvez aussi arriver par l'autoroute 40 Ouest, que vous devez emprunter jusqu'à l'autoroute Décarie (15), d'où vous devez suivre les indications vers le centre-ville.

En arrivant d'Ottawa, empruntez l'autoroute 40 Est jusqu'à l'autoroute Décarie (15), que vous devez prendre en suivant les indications vers le centre-ville.

De Toronto, vous arrivez sur l'île de Montréal par l'autoroute 20 Est, puis vous devez prendre l'autoroute Ville-Marie (720) en suivant les indications vers le centre-ville.

Des États-Unis, en arrivant par l'autoroute 10 (Cantons-de-l'Est) ou l'autoroute 15, vous entrez à Montréal par le pont Champlain et l'autoroute Bonaventure.

Par autocar

La **Gare d'autocars de Montréal** *(1717 rue Berri, 514-842-2281, www.gamtl.com; métro Berri-UQAM)* est desservie par des compagnies comme **Greyhound** *(800-661-8747, www.greyhound.ca)*, **Orléans Express** *(888-999-3977, www.orleansexpress.com)* et **Trailways** *(800-858-8555, www.trailwaysny.com)*. On y trouve un comptoir de location de voitures.

Par train

La gare de train de Montréal, soit la **gare Centrale** *(895 rue De La Gauchetière O., 514-989-2626; métro Bonaventure)*, se trouve en plein centre-ville. Les trains de **VIA Rail** *(888-842-7245, www.viarail.ca)* desservent les grands centres urbains du Québec et du reste du Canada, et permettent également de rejoindre des régions plus éloignées de la province comme la Gaspésie, le Saguenay–Lac-Saint-Jean et l'Abitibi-Témiscamingue.

Un train de VIA Rail traversant le centre-ville de Montréal.

Les déplacements dans la ville

En voiture

La ville de Montréal étant bien desservie par les transports publics et le taxi, il n'est pas nécessaire d'utiliser une voiture pour la visiter. D'autant plus que la majorité des attraits touristiques sont relativement rapprochés les uns des autres, et que tous les circuits que nous vous proposons se font à pied, sauf « L'ouest de l'île ». Il est néanmoins aisé de se déplacer en voiture. Au centre-ville, les places de stationnement, bien qu'assez chères, sont nombreuses. Il est possible de se garer dans la rue, mais il faut être attentif aux panneaux limitant les périodes de stationnement et indiquant les secteurs réservés aux détenteurs de vignette. Le contrôle des véhicules stationnés indûment est fréquent et sévère.

Quelques conseils

En **hiver**, le déneigement après une tempête vous oblige à déplacer votre voiture lorsque des panneaux orange l'annonçant sont installés dans les rues. De plus, un véhicule routier émettant un signal avertisseur vous rappellera de dégager la voie.

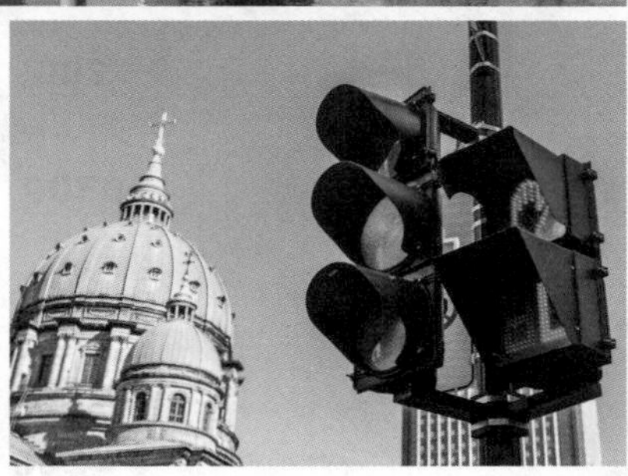

Lorsqu'un **autobus scolaire** (de couleur jaune) est à l'arrêt (feux clignotants allumés), vous devez obligatoirement vous arrêter, quelle que soit la voie où vous circulez. Tout manquement à cette règle est considéré comme une faute grave.

Le port de la **ceinture de sécurité** est obligatoire, même pour les passagers arrière.

Attention aux **voies réservées aux autobus**! Elles sont identifiées par un large losange blanc peint sur la chaussée ainsi que par des panneaux qui indiquent clairement les heures pendant lesquelles vous devez vous abstenir de circuler dans ces voies, sauf pour effectuer un virage à droite.

Notez que le **virage à droite au feu rouge** est interdit partout sur l'île de Montréal. Ailleurs au Québec, il est autorisé, sauf aux intersections où il y a un panneau d'interdiction.

Carte de repérage :
la numérotation civique à Montréal

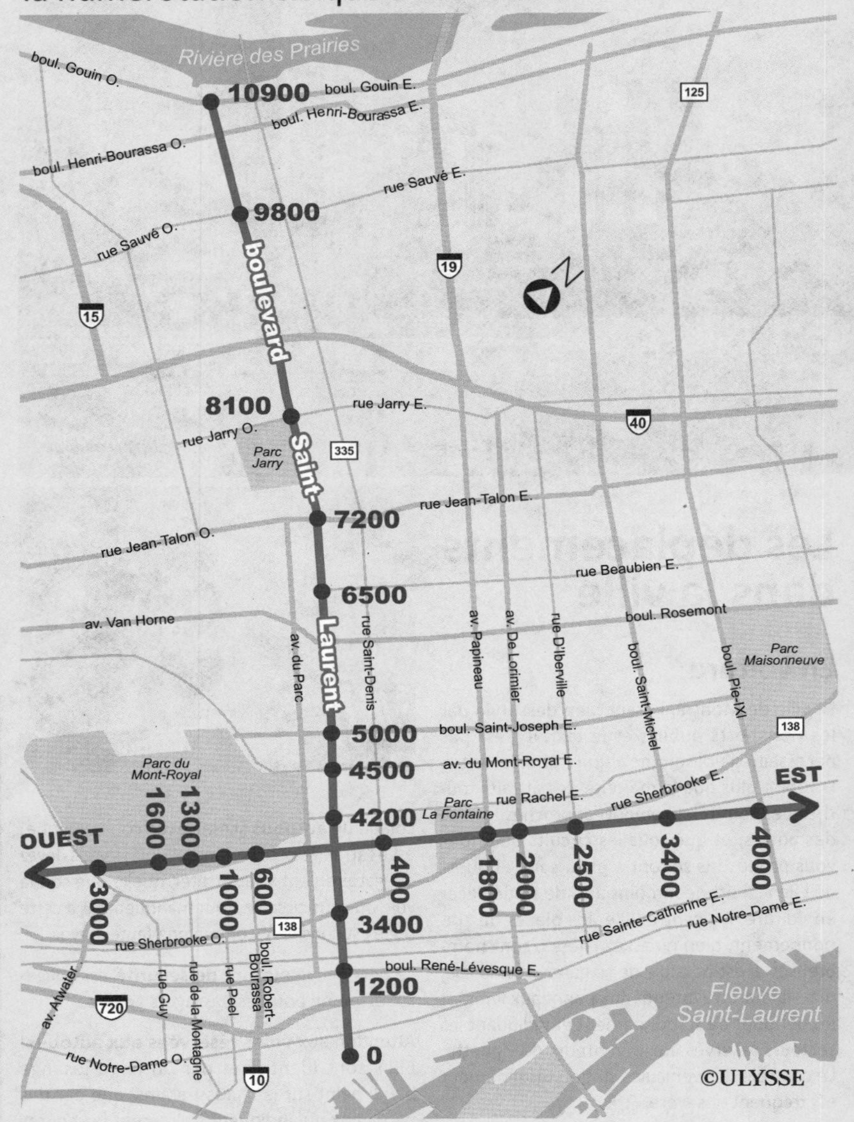

Traversant toute l'île de Montréal du nord au sud, le boulevard Saint-Laurent, qu'on appelle communément la *Main*, sert de point de repère à la numérotation civique de la ville. Au sud du boulevard, près du fleuve Saint-Laurent, la numérotation civique débute à 0 et augmente graduellement vers le nord de l'île. Et à l'ouest comme à l'est du boulevard, la numérotation débute aussi à 0 et augmente graduellement dans chacune de ces directions.

Les **sens uniques** sont nombreux à Montréal et peuvent parfois vous faire tourner en rond. Une rue peut par exemple être à sens unique vers le nord, puis devenir à sens unique vers le sud un peu plus loin. Cependant, leur direction alterne généralement : si une rue se dirige vers le nord, habituellement la suivante se dirige vers le sud. Surveillez bien les panneaux de signalisation!

Accidents et pannes

En cas d'accident grave, d'incendie ou d'une autre urgence, composez le 911 ou le 0. Si vous vous trouvez sur l'autoroute, rangez-vous sur l'accotement et faites fonctionner vos feux de détresse. S'il s'agit d'une voiture louée, vous devrez avertir au plus tôt l'agence de location. N'oubliez jamais de remplir une déclaration d'accident (constat à l'amiable). En cas de désaccord, demandez l'aide de la police.

Location de voitures

Pour louer une voiture, il faut avoir au moins 21 ans et posséder son permis depuis au moins un an. Toutefois, si vous avez entre 21 ans et 25 ans, certaines compagnies imposeront une franchise collision de 500$ et parfois un supplément journalier. Une carte de crédit est indispensable pour le dépôt de garantie. La carte de crédit doit être au même nom que le permis de conduire.

Outre les comptoirs à l'aéroport et à la Gare d'autocars de Montréal, voici quelques adresses d'agences de location de voitures au cœur de Montréal :

Avis
1225 rue Metcalfe, 514-866-2847

Budget
gare Centrale, 895 rue De La Gauchetière O., 514-866-7675

Enterprise
1005 rue Guy, 514-931-3722

National
1200 rue Stanley, 514-878-2771

Partage de véhicules

Une option pratique, écologique et économique, pour les résidents du Québec qui ne possèdent pas leur propre automobile, est le service de partage de véhicules, offert notamment par l'entreprise **Communauto** *(www.communauto.com)*. Pour adhérer à Communauto, il faut s'inscrire pour une durée minimale d'un an et payer un forfait (à partir de 40$). Par la suite, les divers tarifs et échelles de prix de l'entreprise permettent de « louer » un véhicule pour vos déplacements de courte ou longue durée. Notez qu'un droit d'adhésion de 500$ est requis pour les forfaits permettant les trajets de longue durée (le montant est entièrement remboursable après un an si vous décidez de quitter le service).

Plusieurs dizaines de stations de collecte des véhicules sont présentes à Montréal et ses environs (Laval et Rive-Sud), mais aussi à Québec et ses environs (Lévis), Sherbrooke et Gatineau. Communauto propose aussi la location en libre-service Auto-mobile, qui permet, à partir d'Internet, de réserver une voiture électrique stationnée dans la rue et de l'utiliser jusqu'à votre destination, où vous pourrez la garer en bordure du trottoir dans une zone non tarifée (à condition qu'il soit possible de la laisser à cet endroit jusqu'à la fin de la journée du lendemain). Plus d'information sur *www.communauto.com/auto-mobile*.

L'entreprise **car2go** *(35$ de frais d'adhésion et 0,41$/min; il faut avoir au moins 19 ans et 3 ans d'expérience de conduite; www.car2go.com)* propose un service similaire qui permet à ses membres d'utiliser, sans réservation, des voitures mises à leur disposition. Le concept est semblable à celui du Bixi, le système de location de vélos en libre-service (voir p. 271) : il s'agit simplement de déverrouiller la voiture à l'aide de sa carte de membre, puis de la stationner après utilisation n'importe où à l'intérieur des zones desservies (sauf dans un stationnement payant ou avec parcomètre).

En transports en commun

Autobus et métro

Il est fort aisé de visiter Montréal en ayant recours aux transports publics, car la ville est pourvue d'un réseau d'autobus et de métro qui couvre bien l'ensemble de son territoire. Les stations de métro se remarquent au panneau fléché bleu et blanc portant l'inscription « Métro ». Les arrêts d'autobus, identifiés par un poteau surmonté d'un petit panneau blanc et bleu, se trouvent au coin des rues.

Pour utiliser le réseau de la **Société de transport de Montréal** *(www.stm.info, application sur iOS et Android)*, on doit se procurer une carte OPUS (rechargeable) au prix de 83$ (valable pour un mois) ou de 25,75$ (valable pour une semaine, du lundi au dimanche). La carte touristique, quant à elle, permet d'utiliser l'autobus et le métro pour 24h à compter de la première validation *(10$)* ou trois jours consécutifs *(18$)*. On peut également acheter une carte pour 2 *(6$)* ou 10 passages *(27$)*, ou encore opter pour payer 3,25$ à chaque voyage. Les enfants, les jeunes de moins de 25 ans et les personnes âgées de 65 ans ou plus bénéficient de prix réduits. Tout adulte ayant un titre de transport valide peut voyager, les samedis, dimanches et jours fériés, avec cinq enfants de moins de 12 ans, pour lesquels ce sera gratuit. Toutes les cartes sont en vente dans les stations de métro. **Notez que les chauffeurs d'autobus ne vendent pas de cartes et ne font pas de monnaie. Pour emprunter un bus sans carte, vous devrez déposer le montant exact *(3,25$)* en pièces dans la machine. Les billets de banque ne sont pas acceptés et la machine ne rend pas la monnaie.**

Les lignes verte et orange du métro sont en service du lundi au vendredi et le dimanche de 5h30 à 0h30 (dernier départ des terminus) ainsi que le samedi de 5h30 à 1h. La ligne jaune, quant à elle, est en service du lundi au vendredi et le dimanche de 5h30 à 1h ainsi que le samedi de 5h30 à 1h30. La ligne bleue, pour sa part, fonctionne tous les jours de 5h30 à 0h15.

La plupart des circuits d'autobus suivent le même horaire que le métro. Cependant, il existe des lignes d'autobus de nuit, identifiées à chaque arrêt par une demi-lune. Les autobus de nuit circulent donc de minuit à 5h le long des artères principales de la ville et à une fréquence somme toute assez régulière. Aux principaux arrêts du réseau, un petit panneau donne l'horaire du passage des autobus ainsi que le parcours qu'ils effectuent.

Notez qu'un service appelé « Entre deux arrêts » permet aux femmes qui en sentent la nécessité de se faire déposer où elles le désirent sur le trajet d'un autobus à partir de 19h30 de septembre à avril et à partir de 21h de mai à août, pourvu qu'elles en fassent la demande à l'avance au chauffeur et que celui-ci juge sécuritaire de s'arrêter à l'endroit désiré. De plus, certains autobus de la STM sont adaptés pour les personnes à mobilité réduite.

À la station Berri-UQAM, il est possible de se procurer les Planibus, l'horaire détaillé et le circuit de chaque autobus du réseau. C'est de plus à cette station que vous pouvez récupérer, pendant les heures de bureau, les petits objets oubliés dans le métro ou dans les autobus.

Pour connaître les horaires des autobus, composez le 514-288-6287 (les sept derniers chiffres correspondant aux lettres du mot « AUTOBUS » sur le clavier du téléphone). Pour toute autre information, visitez le site Internet *www.stm.info* ou composez le 514-786-4636.

En taxi

Taxi Co-op :
514-725-9885, www.taxi-coop.com

Taxi Diamond :
514-273-6331, http://taxidiamond.com

Uber :
www.uber.com/cities/montreal

Téo Taxi :
http://teomtl.com
Nouveau service de taxi inauguré en 2015 dont la flotte est entièrement constituée de véhicules électriques.

À vélo

Le vélo demeure un des moyens les plus agréables pour se déplacer en été. Des pistes cyclables ont été aménagées afin de relier entre eux nombre de quartiers de la ville. Pour faciliter ses déplacements, on peut se procurer une carte des pistes cyclables aux bureaux d'information touristique, ou encore acheter les guides Ulysse ***Balades à vélo à Montréal*** ou ***Le Québec cyclable***.

La **Société de transport de Montréal (STM)** *(514-786-4636, www.stm.info)* permet aux usagers de transporter un vélo dans le métro, mais pose certaines conditions.

En tout temps, les cyclistes peuvent garer leur vélo près d'une station de métro, la STM mettant à leur disposition plusieurs supports à bicyclettes.

Les automobilistes n'étant pas toujours attentifs, les cyclistes doivent être vigilants et sont d'ailleurs tenus de respecter la signalisation routière et de prendre garde aux intersections. En outre, bien que le casque de sécurité ne soit pas encore obligatoire à Montréal, il est fortement conseillé d'en porter un.

La piste cyclable du boulevard De Maisonneuve, au centre-ville.

Location de vélos

D'avril à novembre, la Ville de Montréal propose **Bixi** *(www.bixi.com)*, son système de location de vélos en libre-service. Moyennant des frais d'abonnement *(5$/24h; 30$/30 jours; 55$/« demi-saison » – avr à juil ou août à nov; 87$/1 an; les utilisateurs occasionnels paient 2,95$ pour un « aller simple », 5$ pour 24h et 14$ pour 72h)* et des frais d'utilisation calculés par tranche de 30 min *(1,75$ à 7$ et plus; les premières 45 min sont gratuites)*, ce service permet d'emprunter l'un des 5 200 vélos Bixi à l'une des 460 stations disséminées dans la ville. Relativement cher pour la location de plus longue durée, Bixi demeure très pratique pour les courts déplacements de 30 min ou moins.

Les vélos Bixi.

Sur le Plateau Mont-Royal, les **Béciks Verts** sont prêtés gratuitement *(il faut fournir deux pièces d'identité; juin à août tlj 10h à 18h; kiosque d'information de la place Gérald-Godin, face à*

Une navette maritime.

la station de métro Mont-Royal). Arrivez tôt le matin pour avoir la chance d'en profiter.

En plus de faire la location de vélos, **Ça Roule Montréal** *(27 rue de la Commune E., 514-866-0633, www.caroulemontreal.com)* organise des tours guidés sur les thèmes de l'architecture, l'art urbain, la culture et même la gourmandise.

La jolie boutique **Fitz & Follwell** *(115 av. du Mont-Royal O., 514-840-0739, www.fitzandfollwell.com)* loue des vélos urbains en plus de proposer des visites guidées (voir p. 285).

Située de l'autre côté du canal de Lachine en face du marché Atwater et directement sur la piste cyclable, la petite entreprise **My Bicyclette** *(mi-avr à mi-oct tlj 10h à 19h; 2985-C rue St-Patrick, 514-317-6306, www.mybicyclette.ca)* loue des vélos (avec ou sans équipement pour enfants) et fait aussi des réparations et des visites guidées à vélo (réservations nécessaires).

Eco Récréo *(quai Jacques-Cartier, 514-465-0594; 350 circuit Gilles-Villeneuve, île Notre-Dame, 844-465-0594, www.ecorecreo.ca)* fait la location de quadricycles et de pédalos sur les quais du Vieux-Port, et de vélos haut de gamme, vélos électriques et Segways sur l'île Sainte-Hélène.

À pied

Montréal est une ville on ne peut plus facile à parcourir à pied. Sa trame de rues forme un échiquier presque parfait avec les artères nord-sud et est-ouest.

Les artères est-ouest sont divisées par le boulevard Saint-Laurent. Ainsi, les adresses dans ces rues débutent à zéro au niveau du boulevard Saint-Laurent et vont croissant soit vers l'est, soit vers l'ouest. Le point cardinal est généralement ajouté au nom de ces rues.

Sur les artères nord-sud, les adresses se suivent aussi en commençant à zéro au fleuve (sud de l'île). Le nº 4176 de la rue Saint-Denis se trouve à peu près à la même hauteur que le nº 4176 de l'avenue Papineau ou de la rue Saint-Urbain. Consultez le plan de la numérotation civique à Montréal (voir en fin d'ouvrage) pour apprendre à vous orienter rapidement.

En bateau

Toutes les navettes fluviales accueillent les piétons et les cyclistes.

Les **Croisières AML** *(514-281-8000, www.navettesmaritimes.com)*, qui gèrent les **Navettes maritimes du Saint-Laurent**, assurent la liaison entre le Vieux-Port de Montréal (quai Jacques-Cartier), l'île Sainte-Hélène *(7,75$; mi-juin à début sept tlj, mi-mai à mi-juin et début sept à mi-oct sam-dim; 9 à 13 liaisons/jour)* et le port de plaisance de Longueuil *(même tarif, même horaire)*.

Les **Croisières Navark** *(514-871-8356, www.navark.ca)*, quant à elles, disposent d'un **bateau-passeur** *(adultes 10$ aller-retour,*

Le festival Montréal en lumière, sur l'esplanade de la Place des Arts.

enfants de moins de 6 ans gratuit, incluant l'accès au parc national des Îles-de-Boucherville; en été, sam-dim et jours fériés) qui fait la navette entre le parc de la Promenade Bellerive (dans le quartier Mercier-Est) et l'île Charron, qui donne accès au parc national.

Les Croisières Navark offrent également deux services de **navette** :

- sur le lac Saint-Louis *(10$; en été, sam-dim et jours fériés)*, entre la marina de Lachine et le parc de la Commune, situé près de l'île Saint-Bernard à Châteauguay
- sur le fleuve Saint-Laurent *(10$; en été, lun-ven et week-ends de la Fête du Canada et de la Fête du Travail)*, entre Varennes (parc de la Commune), Pointe-aux-Trembles (quai de la maison Beaudry) et Repentigny (parc Saint-Laurent)

Renseignements utiles, de A à Z

Activités culturelles

La vie culturelle est intense à Montréal. Tout au long de l'année, les Montréalais peuvent ainsi découvrir diverses facettes de la culture québécoise et mondiale. C'est ainsi que des spectacles et des films de tous les pays, des expositions d'artistes de toutes tendances, ainsi que des festivals pour tous les âges et tous les goûts, y sont présentés. Le magazine ***Voir*** *(http://voir.ca)*, distribué gratuitement tous les mois, donne un aperçu des principaux événements culturels qui se tiennent à Montréal.

Pour connaître les films à l'affiche et les horaires dans la plupart des salles de cinéma de la ville, consultez le site Internet *www.cinemamontreal.com*.

Billetteries

Deux principaux réseaux de billetterie distribuent les billets de spectacles, de concerts et d'événements sportifs. Ils offrent aussi un service de vente par téléphone et par Internet. Il faut alors payer au moyen de sa carte de crédit. Des points de vente où l'on peut payer en espèces se trouvent dans certains établissements culturels et institutions à travers la ville. Des frais de service, variant d'un spectacle à l'autre, sont ajoutés au prix des billets.

Admission
855-790-1245, www.admission.com

Ticketpro
514-790-1111 ou 866-908-9090, www.ticketpro.ca

Ceux qui veulent profiter de billets à prix réduit peuvent se rendre au guichet de **La Vitrine** *(lun 11h à 18h, mar-ven 11h à 20h, dim 11h à 18h; 2 rue Ste-Catherine E., 514-285-4545 ou 866-924-5538, www.lavitrine.com)*. La sélection varie de jour en jour et l'on y trouve, en vrac, des offres de dernière minute, des promotions sur les spectacles dans les salles de théâtre, grandes et petites, ou encore des pré-ventes de billets à des prix intéressants pour les festivals.

Aînés

Des tarifs avantageux pour les transports et les spectacles sont souvent offerts aux aînés. N'hésitez pas à les demander ou à contacter le **Réseau FADOQ** *(4545 av. Pierre-De Coubertin, 514-252-3017 ou 800-544-9058, www.fadoq.ca)*.

Animaux

Si vous avez décidé de voyager avec votre animal de compagnie, sachez qu'en règle générale les animaux sont interdits dans plusieurs commerces, notamment les magasins d'alimentation, les restaurants et les cafés. Il est toutefois possible d'utiliser le service de transport en commun avec les animaux de petite taille s'ils sont dans une cage ou dans vos bras. Enfin, vous pouvez promener votre chien dans tous les parcs, en autant qu'il soit tenu en laisse et que vous ramassiez ses besoins. Sur le Plateau Mont-Royal, le **parc La Fontaine** (voir p. 150), entre autres espaces verts comporte une aire clôturée où les chiens peuvent courir en toute liberté; plusieurs autres parcs de la ville offrent aussi ces aires d'exercice pour chiens. Aucune restriction ne s'applique aux chiens-guides.

Argent et services financiers

La monnaie

L'unité monétaire est le dollar ($), lui-même divisé en cents. Un dollar = 100 cents.

La Banque du Canada émet des billets de 5, 10, 20, 50 et 100 dollars et des pièces de 5, 10, 25 cents ainsi que de 1 et 2 dollars. Notez que la pièce d'un cent (*penny*) a été retirée de la circulation en 2013 (les commerçants arrondissent les prix en conséquence).

Les banques

Le meilleur moyen de retirer de l'argent consiste à utiliser une carte bancaire dans les distributeurs automatiques. Notez que votre banque vous facturera des frais fixes pour chaque transaction; par conséquent, il vaut mieux éviter de retirer de petites sommes.

Les normes qui régissent les numéros d'identification personnels (NIP) varient d'un pays à l'autre et même d'une banque à l'autre (certains numéros ont quatre chiffres alors que d'autres en ont cinq), et il est possible que votre transaction soit refusée dans certains distributeurs automatiques. En cas de refus, vous pourrez tout simplement essayer un autre distributeur ou vous rendre dans une autre institution financière, en vous assurant qu'elle adhère au même réseau bancaire international que votre banque (par exemple, les réseaux « Plus » ou « Cirrus »). Nous vous suggérons aussi, autant que faire se peut de voyager avec au moins deux cartes d'institutions bancaires différentes pour augmenter vos chances d'effectuer des transactions.

Taux de change

1$CA	=	0,71€
1$CA	=	0,77$US
1$CA	=	0,76CHF
1€	=	1,42$CA
1$US	=	1,32$CA
1CHF	=	1,31$CA

N.B. Les taux de change sont donnés à titre indicatif et ils fluctuent en tout temps.

Bars et boîtes de nuit

Du coucher du soleil jusque tard dans la nuit, Montréal vit aux rythmes parfois endiablés, parfois plus romantiques de ses établissements nocturnes. Des terrasses de la rue Saint-Denis aux bars branchés du boulevard Saint-Laurent, en passant par les *pubs* et les *lounges* de la rue Crescent, sans oublier les boîtes du Village gay, il en existe pour tous les goûts. Dans certains cas, un droit d'entrée ainsi que des frais pour le vestiaire sont exigés. La vente d'alcool cesse au plus tard à 3h du matin; certains établissements peuvent rester ouverts, mais il faudra dans ce cas se contenter de boissons non alcoolisées.

Climat

Montréal bénéficie généralement d'un climat agréable. Du moins y fait-il moins froid qu'ailleurs au Québec! En hiver, les températures peuvent descendre à -25°C. En été, le thermomètre peut monter à plus de 30°C, et la

Théâtre Rialto.

L'hiver dans le quartier Rosemont.

L'été sur l'esplanade de la Place des Arts.

canicule qui frappe en juillet plonge la ville dans une torpeur caractéristique, attirant une grande affluence dans les espaces verts et les piscines publiques. Chacune des saisons au Québec a son charme et influe non seulement sur les paysages, mais aussi sur le mode de vie des Québécois et leur comportement.

Météo

Pour les prévisions météorologiques d'Environnement Canada, composez le 514-283-3010 ou visitez le site Internet *www.meteo.gc.ca*. Vous pouvez aussi capter la chaîne câblée MétéoMédia (17) ou visiter son site Internet *(www.meteomedia.com)*. Pour connaître l'état des routes, composez le 511, visitez le site *www.quebec511.gouv.qc.ca* ou téléchargez l'application *Québec 511* sur iOS ou Android.

Moyennes des températures et des précipitations

	Maximum (°C)	Minimum (°C)	Précipitations (mm)
Janvier	-5,7	-14,7	78
Février	-3,9	-12,9	61
Mars	2,2	-6,7	74
Avril	10,7	0,6	78
Mai	19	7,7	76
Juin	23,6	12,7	83
Juillet	26,2	15,6	91
Août	24,8	14,3	93
Septembre	19,7	9,4	93
Octobre	12,7	3,4	78
Novembre	5,3	-2,1	93
Décembre	-2,2	-10,4	81

Décalage horaire

Au Québec, il est six heures plus tôt qu'en Europe et trois heures plus tard que sur la côte ouest de l'Amérique du Nord. Tout le Québec (sauf les îles de la Madeleine, qui ont une heure de plus) est à la même heure (dite « heure de l'Est »). Le passage à l'heure avancée (l'heure d'été) se fait le deuxième dimanche de mars; et le passage à l'heure normale (l'heure d'hiver), le premier dimanche de novembre.

Drogues

Absolument interdites (même les drogues dites « douces »). Aussi bien les consommateurs que les revendeurs risquent de très gros ennuis s'ils sont trouvés en possession de drogues. Au moment de mettre sous presse, le gouvernement fédéral prévoyait toutefois déposer au printemps 2017 un projet de loi visant à retirer du Code criminel la consommation et la possession de cannabis à des fins récréatives.

Électricité

Partout au Québec, la tension est de 110 volts. Les prises d'électricité sont à deux fiches plates avec ou sans une troisième fiche de terre, et l'on peut trouver des adaptateurs sur place.

Enfants

Dans les transports publics, en général, les enfants de 5 ans et moins ne paient pas; il existe aussi des rabais pour les 12 ans et moins. Pour les activités ou les spectacles, la même règle s'applique parfois; renseignez-vous avant d'acheter vos billets. Dans la plupart des restaurants, des chaises pour enfants sont disponibles, et certains proposent même des menus pour enfants. Quelques grands magasins offrent aussi un service de garderie payant. Pour d'autres conseils sur les voyages en famille, consultez le guide Ulysse *Voyager avec des enfants*.

Une partie du Canadien de Montréal au Centre Bell.

Grand Prix du Canada.

Événements sportifs

Course automobile

Grand Prix du Canada

Circuit Gilles-Villeneuve, île Notre-Dame, 514-350-0000, www.circuitgillesvilleneuve.ca

La folie de la Formule 1 s'empare de Montréal à la mi-juin. De nombreuses animations se déroulent durant la fin de semaine entourant le Grand Prix du Canada, tant sur le site que dans la ville, notamment rue Crescent.

Cyclisme

Festival Go vélo Montréal

514-521-8356 ou 800-567-8356, www.veloquebec.info/fr/govelo/Festival-Go-velo-Montreal

Le Festival Go vélo Montréal se tient à la fin de mai et se termine par le **Tour de l'Île de Montréal**, qui attire quelque 30 000 cyclistes sur un parcours d'environ 50 km. Pendant le festival, d'autres événements sont organisés, entre autres le Défi métropolitain et le Tour la Nuit.

Le **Grand Prix cycliste de Montréal** *(mi-sept; http://gpcqm.ca)* est une épreuve du circuit World Tour qui attire l'élite mondiale du cyclisme professionnel.

Football

Stade Percival-Molson

475 av. des Pins O., 514-787-2525, www.montrealalouettes.com

Les **Alouettes de Montréal** de la Ligue canadienne de football (LCF) jouent leurs matchs au stade Percival-Molson, au pied du mont Royal. La saison régulière débute à la fin du mois de mai, pour se terminer à la fin du mois d'octobre. Il faut assister, ne serait-ce qu'une seule fois, à une partie des Alouettes, pour profiter de la vue imprenable sur le centre-ville et, bien sûr, pour encourager l'équipe montréalaise, comme le font les 20 000 spectateurs.

Hockey

Centre Bell

1260 rue De La Gauchetière O., 514-790-2525 ou 877-668-8269, www.canadiens.com

Les parties de hockey à domicile de la célèbre équipe du **Canadien de Montréal** (de la Ligue nationale de hockey) sont présentées au Centre Bell. On y joue 41 matchs durant la saison régulière (octobre à début avril). Puis commencent les séries éliminatoires, aux termes desquelles l'équipe gagnante remporte la légendaire Coupe Stanley. Les billets s'arrachent plusieurs semaines voire plusieurs mois à l'avance.

Soccer

Stade Saputo

Parc olympique, 4750 rue Sherbrooke E., 514-328-3668, www.impactmontreal.com

L'**Impact de Montréal** présente ses matchs de mars à octobre et vous promet du vrai football européen comme il s'en joue sur le Vieux Continent. L'équipe fait partie de la Major League Soccer nord-américaine.

Tennis

Stade Uniprix

285 rue Gary-Carter, 514-273-1234 ou 866-338-2685, www.stadeuniprix.com

Au stade Uniprix, situé dans le **parc Jarry** (voir p. 202), les meilleurs joueurs ou joueuses de tennis du circuit mondial participent, chaque année au début du mois d'août, à la **Coupe Rogers** *(www.rogerscup.com)*. Le tournoi se joue simultanément à Montréal et Toronto : les années paires la compétition féminine se déroule à Montréal et la compétition masculine s'y déroule les années impaires.

Gays et lesbiennes

Montréal offre de nombreux services à la communauté gay. Ils sont surtout concentrés dans un secteur de la ville appelé le **Village gay**, situé principalement le long de la rue Sainte-Catherine entre la rue Saint-Hubert et l'avenue Papineau, ainsi que dans les rues attenantes.

La faune gay qui ne se reconnaît pas dans les clubs festifs majoritairement masculins du Village gay appréciera certainement la richesse de la culture *queer* du quartier du Mile-End et des environs de la Petite Italie. Ici, un beau mélange d'artistes, de *foodies*, de *straights* et de lesbiennes fréquente des établissements plus sobres où trônent la musique *indie*, les trouvailles gastronomiques, l'art sous toutes ses formes et une ouverture d'esprit rafraîchissante.

Vers la mi-août, le grand défilé des **Célébrations de la Fierté Montréal** (voir p. 289) rassemble une importante population gay et lesbienne, en provenance de Montréal, d'ailleurs au Québec et d'un peu partout dans le monde.

Des magazines gratuits, tels ***Être*** *(www.etre.net)* et ***Fugues*** *(www.fugues.com)*, sont disponibles dans les bars et autres commerces gays. Ils contiennent des renseignements sur la communauté gay.

Hébergement

Montréal compte une myriade d'hôtels et d'auberges de toutes catégories. Le prix des chambres varie grandement d'une saison à l'autre. La semaine du Festival international de jazz de Montréal, au début du mois de juillet, est la plus demandée de l'année; il est donc recommandé de réserver longtemps à l'avance si vous prévoyez séjourner à Montréal pendant cette période.

Les prix varient selon le type d'hébergement choisi. Il faut généralement ajouter aux prix affichés une taxe de 5% (la TPS : taxe fédérale sur les produits et services) et la taxe de vente du Québec de 9,975%. Une autre taxe est applicable au Québec : la « Taxe sur l'hébergement », instaurée pour soutenir l'infrastructure touristique de la région. Elle varie selon les régions et s'élève à 3,5% à Montréal, mais n'est pas imposée aux campings ni aux auberges de jeunesse. Consultez nos conseils sur l'hébergement touristique au *www.guidesulysse.com/hebergement*.

Les tarifs mentionnés dans ce guide s'appliquent, sauf indication contraire, à une chambre standard pour deux personnes, avant taxe et en haute saison.

$	**moins de 60$**
$$	**de 60$ à 100$**
$$$	**de 101$ à 150$**
$$$$	**de 151$ à 225$**
$$$$$	**plus de 225$**

Les prix indiqués sont ceux qui avaient cours au moment de mettre sous presse. Ils sont, bien sûr, sujets à changement en tout temps. De plus, souvenez-vous de bien vous informer des forfaits proposés et des rabais offerts aux corporations, membres de diverses associations, etc.

Hôtels

Les établissements hôteliers sont nombreux à Montréal et ils varient du modeste hôtel au palace luxueux. Dans la plupart des établissements, les tarifs de fin de semaine sont souvent plus bas parce que l'importante clientèle d'affaires loge à l'hôtel surtout en semaine. Les associations professionnelles, les membres de clubs automobiles et les aînés peuvent profiter de rabais. En réservant votre chambre, renseignez-vous sur les forfaits, primes et réductions possibles.

Gîtes touristiques

Contrairement aux hôtels, les chambres des gîtes touristiques n'ont pas toujours leur propre salle de bain. Ils offrent l'avantage, outre le prix, de faire partager une ambiance plus familiale. Notez cependant que les cartes de crédit ne sont pas acceptées partout. Le petit déjeuner est souvent compris dans le prix de la chambre.

Auberges de jeunesse

Elles sont de plus en plus nombreuses à Montréal, et quelques gîtes touristiques font aussi office d'auberges de jeunesse. On en trouve dans les principaux quartiers centraux.

Universités

L'hébergement dans les universités reste assez compliqué à cause des nombreuses restrictions

Le Village gay.

Place d'Armes Hôtel & Suites.

qu'il comporte : il n'est proposé qu'en été (de la mi-mai à la mi-août) et l'on doit réserver longtemps à l'avance. Toutefois, ce type d'hébergement reste moins cher que les formules « classiques » et peut s'avérer agréable. Les prix sont plus avantageux pour les personnes qui détiennent une carte d'étudiant valide, mais ils restent très intéressants même pour les non-étudiants. La literie est fournie et en général une cafétéria sur place permet de prendre le petit déjeuner (non compris).

Université de Montréal (voir p. 173)

Université du Québec à Montréal (voir p. 96)

Université McGill (voir p. 97)

Université Concordia (voir p. 119)

Camping

La pratique du camping et du caravaning n'est pas possible sur l'île de Montréal, mais les campeurs et caravaneurs trouveront par contre de nombreux terrains tout autour de l'île, soit à Laval, en Montérégie, dans les Laurentides et dans la région de Lanaudière. L'un des plus proches terrains de camping est situé dans le **parc national des îles de Boucherville** *(www.sepaq.com/pq/bou)*, qui propose 54 emplacements pour tentes et 15 autres pour les roulottes et les véhicules récréatifs.

Le site Internet *www.campingquebec.com* ainsi que le **Centre Infotouriste** *(514-873-2015 ou 877-266-5687)* sauront guider les amateurs d'hébergement en plein air.

Location d'appartements

Louer un appartement s'avère une formule pratique et économique pour les moyens et longs séjours, particulièrement si vous visitez Montréal en famille ou en groupe. Ces logements sont généralement tout équipés, vaisselle, draps et connexion Internet compris. Des agences immobilières jouent souvent le rôle d'intermédiaires entre les propriétaires et les locataires. Un séjour minimal est souvent requis. Visitez les sites Internet suivants pour trouver le logement qui vous convient.

www.hebergementmontreal.com

www.montrealstays.com

www.mystudiomontreal.com

www.ragq.com

www.trylon.ca

Divers sites Internet spécialisés permettent aussi d'entrer en contact avec des particuliers proposant une chambre ou un appartement en location courte durée. Il importe de demeurer vigilant, notamment en vérifiant les commentaires laissés par d'autres locataires.

www.airbnb.com

www.homeaway.com

www.roomorama.com

www.homelidays.com

www.vrbo.com

Horaires

En règle générale, les magasins et petits commerces respectent les horaires suivants :

lun-mer 10h à 18h

jeu-ven 10h à 21h

sam 9h ou 10h à 17h

dim midi à 17h

On trouve également un peu partout au Québec des magasins généraux d'alimentation de quartier (dépanneurs) qui sont ouverts plus tard et parfois 24 heures sur 24.

Jours fériés

Voici la liste des jours fériés au Québec. À noter : la plupart des services administratifs et des banques sont fermés ces jours-là.

Jour de l'An et le lendemain
1er et 2 janvier

Le vendredi précédant la fête de Pâques

Le lundi suivant la fête de Pâques

Journée nationale des patriotes
lundi précédant le 25 mai

Fête nationale des Québécois
24 juin

Fête du Canada
1er juillet

Fête du Travail
1er lundi de septembre

Action de grâce
2e lundi d'octobre

Jour du Souvenir
11 novembre

Noël et le lendemain
25 et 26 décembre

Laveries

On trouve des laveries dans tous les quartiers. Dans la majorité des cas, du détergent (lessive) est vendu sur place. Bien qu'il y ait souvent des changeurs de billets ou un employé sur place, il est préférable d'apporter une quantité suffisante de pièces de monnaie avec soi.

Musées

Dans la majorité des cas, les musées sont payants. Des tarifs réduits sont accordés aux gens âgés de 60 ans ou plus ainsi qu'aux enfants et familles.

Avec la *Carte Musées Montréal*, offerte par la **Société des directeurs des musées montréalais** *(514-845-6873, www.museesmontreal.org)*, vous aurez accès à 41 musées et attraits majeurs montréalais ainsi qu'au réseau de transport en commun durant trois jours consécutifs, le tout pour seulement 80$ ou 75$ sans titre de transport (les trois jours peuvent alors être échelonnés sur trois semaines).

La *Carte Musées Montréal* est disponible dans les établissements suivants :

la plupart des musées et attraits participants;

au **Bureau d'accueil touristique du Vieux-Montréal** *(174 rue Notre-Dame E., 514-873-2015)*;

au **Centre Infotouriste de Montréal** *(1255 rue Peel, angle rue Ste-Catherine, 514-873-2015 ou 877-266-5687)*;

à la **Société des musées de Montréal** *(333 rue Peel, 514-845-6873)*;

au guichet de **La Vitrine** *(2 rue Ste-Catherine E., 514-285-4545, www.lavitrine.com)*.

Parcs

Vous trouverez de l'information utile sur les parcs de Montréal en visitant le site Internet *www.ville.montreal.qc.ca/grandsparcs*. Dans un grand nombre de parcs, la ville offre un accès Wi-Fi gratuit à travers son réseau « Île sans fil ».

Pourboire

Le pourboire s'applique à tous les services rendus à table, c'est-à-dire dans les restaurants ou autres établissements où l'on vous sert à table (la restauration rapide n'entre donc pas dans cette catégorie). Il est aussi de rigueur entre autres dans les bars, les boîtes de nuit et les taxis. Ne pas donner de pourboire est très, très mal vu!

Selon la qualité du service rendu, il faut compter environ 15% de pourboire sur le montant avant les taxes. Il n'est généralement pas, comme en Europe, inclus dans l'addition, et le client doit le calculer lui-même et le remettre à la serveuse ou au serveur. Les porteurs dans les aéroports et les chasseurs dans les hôtels reçoivent généralement 2$ par valise. Les femmes de chambre, quant à elles, s'attendent à recevoir 2$ ou plus par personne par jour.

Presse écrite

À Montréal, vous trouverez sans problème la presse internationale. Les grands quotidiens montréalais sont ***La Presse*** *(depuis 2016, seule l'édition du samedi est imprimée, le journal n'étant diffusé les autres jours que dans sa version numérique : www.lapresse.ca)*, ***Le Devoir*** *(www.ledevoir.com)* et ***Le Journal de Montréal*** *(www.journaldemontreal.com)*, en français, et ***The Gazette*** *(www.montrealgazette.com)*, en anglais. En semaine, les journaux

Pavillon Jean-Noël Desmarais du Musée des beaux-arts de Montréal.

gratuits ***Métro*** *(www.journalmetro.com)* et ***24 Heures*** *(www.24hmontreal.canoe.ca)* sont largement diffusés.

Le magazine mensuel ***Voir*** *(http://voir.ca)* est distribué gratuitement dans plusieurs lieux publics tels que les bars, les restaurants et certaines boutiques. Il couvre les activités culturelles qui font bouger Montréal.

Autre publication intéressante pour les visiteurs qui désirent découvrir la culture montréalaise et québécoise, ***Urbania*** *(http://urbania.ca)* est un magazine publié quatre fois par année qui se distingue par son graphisme éclaté et ses thématiques anticonformistes.

Renseignements touristiques

En Europe

Les personnes qui désirent obtenir de la documentation générale sur le Québec avant leur départ peuvent appeler :

En France : numéro vert (appel gratuit depuis un poste fixe) : 0.800.90.77.77 *(lun-mar-jeu-dim 14h à 23h, mer 16h à 23h).*

En Belgique : numéro sans frais (depuis un poste fixe) : 0-800-78 532 *(lun-mar-jeu-dim 14h à 23h, mer 16h à 23h).*

En Suisse et de partout dans le monde : 1-514-873-2015 *(lun-mar-jeu-ven 14h à 23h, mer 16h à 23h, sam-dim 15h à 23h, heure de Montréal).*

The Abbey Bookshop
La librairie canadienne de Paris
29 rue de la Parcheminerie, Paris 5e, métro et RER St-Michel et métro Cluny La Sorbonne, 01.46.33.16.24, https://abbeybookshop.wordpress.com

Cette librairie propose des livres sur le Canada ou encore d'auteurs canadiens, en anglais et en français.

La Librairie du Québec
30 rue Gay-Lussac, Paris 5e, RER Luxembourg, 01.43.54.49.02, www.librairieduquebec.fr

On y trouve un grand choix de livres sur le Québec et le Canada, ainsi que toute l'édition du Québec et du Canada francophone dans tous les domaines.

Sur place

Tourisme Québec
514-873-2015 ou 877-266-5687, www.quebecoriginal.com

Centre Infotouriste de Montréal
fin juin à fin sept tlj 9h à 19h, sept, oct et avr à fin juin tlj 9h à 18h, nov à mars tlj 9h à 17h; 1255 rue Peel, angle rue Ste-Catherine, métro Peel, 514-873-2015 ou 877-266-5687, www.tourisme-montreal.org

Bureau d'accueil touristique du Vieux-Montréal
mai tlj 10h à 18h, juin à sept tlj 9h à 19h, oct tlj 9h à 18h; 174 rue Notre-Dame E. (angle place Jacques-Cartier), métro Champ-de-Mars, 514-873-2015

Si vous comptez visiter plusieurs attraits touristiques pendant votre séjour, sachez qu'il est possible de se procurer le ***Passeport MTL*** *(84$/48h ou 95$/72h; http://passeportmtl.com)*, une carte à puce qui donne gratuitement accès à 23 attraits importants de la ville, dont le Musée des beaux-arts, le Musée d'art contemporain et les différentes institutions qui composent le complexe muséal Espace pour la vie. Le *Passeport MTL* donne également un accès illimité au réseau de transport en commun de la STM pendant la période choisie (48h ou 72h).

Restaurants

Montréal est devenue une destination de prédilection pour les gourmets et gourmands en tous genres. Le savant mélange d'excellents produits du terroir québécois avec une cuisine aux accents internationaux séduit les jeunes talents et les chefs renommés d'ici et d'ailleurs. Le résultat est l'embarras du choix et une offre sans cesse renouvelée.

Par ailleurs, Montréal compte plusieurs restaurants où l'on peut apporter sa bouteille de vin. Cette particularité étonnante pour les Européens vient du fait que, pour pouvoir vendre du vin, il faut détenir un permis de vente d'alcool assez coûteux. Certains restaurants voulant offrir à leur clientèle des formules économiques détiennent dès lors un autre permis qui permet aux clients d'apporter leur bouteille de vin. Dans la majorité des cas, un panonceau vous signalera cette possibilité. Dans ce guide, nous avons identifié les établissements qui permettent à leurs clients d'apporter leur vin avec le symbole suivant : 🍷. **Vous trouverez la liste complète des établissements où vous pouvez apporter votre vin dans le répertoire des restaurants par types de cuisine (voir p. 258).**

Les Québécois appellent le petit déjeuner le « déjeuner », le déjeuner le « dîner » et le dîner le « souper ». Ce guide suit cependant la nomenclature internationale, à savoir petit déjeuner, déjeuner et dîner. Dans la majorité des cas, les restaurants proposent un menu du jour. Servi le midi (et parfois le soir), il offre souvent un choix d'entrées et de plats, un café et un dessert. La table d'hôte, tout comme la formule du midi, peut également être intéressante.

Sauf indication contraire, les prix mentionnés dans ce guide s'appliquent à un repas pour une personne, excluant les boissons, les taxes (voir ci-dessous) et le pourboire (voir p. 280).

$	**moins de 15$**
$$	**de 15$ à 25$**
$$$	**de 26$ à 50$**
$$$$	**plus de 50$**

Santé

Pour les personnes en provenance de l'Europe ou des États-Unis, aucun vaccin n'est nécessaire. D'autre part, il est vivement recommandé, surtout pour les séjours à moyen ou long terme, de souscrire une assurance maladie. Il existe différentes formules et nous vous conseillons de les comparer. Emportez vos médicaments, surtout ceux qui exigent une ordonnance. Sauf indication contraire, l'eau est potable partout au Québec.

Taxes

Contrairement à l'Europe, les prix affichés le sont **hors taxes** dans la majorité des cas. Il y a deux taxes : la TPS (taxe fédérale sur les produits et services) de 5% et la TVQ (taxe de vente du Québec) de 9,975% sur les biens et sur les services. **Taxe spécifique à l'hébergement** (voir p. 64).

Télécommunications

L'indicatif régional principal de l'île de Montréal est le 514; un second indicatif, le 438, a été introduit progressivement depuis 2006. Tout autour de l'île, l'indicatif est le 450 et le 579. La composition locale à 10 chiffres (indicatif régional + numéro de téléphone) est requise sur tout le territoire québécois.

Pour les appels interurbains, faites le 1 suivi de l'indicatif de la région où vous appelez, puis le numéro de votre correspondant. Les numéros de téléphone précédés de **800**, **844**, **855**, **866**, **877** ou **888** vous permettent de communiquer avec votre correspondant sans encourir de frais si vous appelez du Canada et souvent même des États-Unis. Notez que le chiffre 1 doit toujours être composé pour ces numéros sans frais. Si vous désirez joindre un téléphoniste, faites le **0**.

La terrasse du Jardin Nelson, sur la place Jacques-Cartier dans le Vieux-Montréal.

Les voyageurs qui souhaitent utiliser leurs propres téléphones GSM déverrouillés achèteront une carte SIM *(10$)* auprès d'un des nombreux magasins de **Rogers** *(www.rogers.com)*, **Fido** *(www.fido.ca)*, **Bell** *(www.bell.ca)* ou **Telus** *(www.telus.com)* et choisiront parmi les nombreux forfaits prépayés selon leurs besoins (5$ à 40$).

Les téléphones publics résistent mieux ici que dans d'autres pays et sont encore assez répandus. Pour les appels locaux, la communication coûte 0,50$ pour une durée illimitée. Pour les interurbains (beaucoup plus onéreux), munissez-vous de pièces de 25 cents, ou bien procurez-vous une carte d'appel en vente chez les marchands de journaux, les dépanneurs et les pharmacies.

Pour appeler en Belgique, faites le **011-32** puis l'indicatif régional (Anvers **3**, Bruxelles **2**, Gand **91**, Liège **4**) et le numéro de votre correspondant.

Pour appeler en France, faites le **011-33** puis le numéro à 10 chiffres de votre correspondant en omettant le premier zéro.

Pour appeler en Suisse, faites le **011-41** puis l'indicatif régional (Berne **31**, Genève **22**, Lausanne **21**, Zurich **1**) et le numéro de votre correspondant.

Urgences

Partout au Québec, vous pouvez obtenir de l'aide en faisant le **911**. Certaines régions, à l'extérieur des grands centres, ont leur propre numéro d'urgence; dans ce cas, faites le **0**.

Vins, bières et alcools

Au Québec, les alcools sont régis par une société d'État : la **Société des alcools du Québec (SAQ)** *(www.saq.com)*. Les meilleurs vins, bières et alcools sont donc vendus dans les magasins administrés par cette société, et qui se trouvent un peu partout sur le territoire montréalais. De bonnes bières importées ou canadiennes et des vins corrects se vendent aussi dans les épiceries et les dépanneurs. Il faut être âgé d'au moins 18 ans pour acheter et consommer de l'alcool.

Visites guidées

Plusieurs entreprises de services touristiques organisent des balades à Montréal, proposant aux visiteurs de partir à la découverte de la ville à pied, en autobus, à vélo ou en bateau. En voici quelques-unes reconnues pour l'intérêt de leurs circuits.

À pied

Amarrages Sans Frontières (RT)

avr à nov; 7426 rue St-Denis, 514-272-7049, www.amarragessansfrontieres.com

L'équipe d'Amarrages Sans Frontières vous invite à partir à la découverte des différentes communautés culturelles de Montréal. Entre 20$ et 22$ suivant les parcours.

Architectours (Héritage Montréal)

514-286-2662, www.heritagemontreal.qc.ca

Ces promenades à pied sillonnent divers quartiers et sont axées sur l'architecture, l'histoire et l'urbanisme. Les visites sont organisées les fins de semaine, du début d'août à la fin de septembre. Elles durent en moyenne 2h et coûtent 15$ par personne.

Kaléidoscope

toute l'année; 6592 av. De Chateaubriand, 514-990-1872, www.tourskaleidoscope.com

Une grande variété de tours guidés est proposée par Kaléidoscope, traitant de l'architecture, de la littérature, de la gastronomie, des ruelles, de la ville souterraine ou encore des différents quartiers de Montréal. À partir de 15$.

Local Montréal

toute l'année; 866-451-9158, http://localmontrealtours.com

Les tours gastronomiques de Local Montréal vous entraînent à pied dans une découverte culinaire du Mile-End *(3h; 49$)* ou du Vieux-Montréal *(3h; 59$)*, dégustations incluses.

VDM

2360 rue Notre-Dame O., local 203, 514-933-6674, www.toursculinairesmontreal.com

Les tours culinaires de VDM ont lieu tous les samedis de mai à octobre. Les tours *Saveurs et Arômes du Vieux-Montréal* et *Dégustez la Petite Italie* durent 2h30 et incluent des dégustations. L'hiver, ils proposent un tour gourmand dans le Montréal souterrain. À partir de 59$.

Guidatour

en été pour tous, en hiver pour les groupes seulement; 360 rue St-François-Xavier, bureau 400, 514-844-4021 ou 800-363-4021, www.guidatour.qc.ca

Tous les jours de juin à octobre, cette entreprise organise de nombreuses excursions à travers les artères de la ville, permettant aux voyageurs de découvrir l'histoire de Montréal, son développement, son architecture et sa vie culturelle. Les visites durent de 1h30 à 3h. Parmi les visites proposées, notons ***Les Fantômes de Montréal*** *(juil à oct; http://fantommontreal.com)*, qui invite à la découverte des légendes, personnages célèbres et crimes historiques ayant Montréal comme scène.

En autocar

Gray Line Montréal

Centre Infotouriste de Montréal, 1255 rue Peel, 514-934-1222 ou 800-461-1223, www.grayline.com/things-to-do/canada/montreal/

Cette entreprise propose une visite guidée d'une durée de 3h30 *(adultes 55$, enfants 35$)* qui permet de découvrir quelque 200 points d'intérêt et d'obtenir une bonne vue d'ensemble de la ville.

En bateau

Le Bateau-Mouche

tlj mi-mai à mi-oct; quai Jacques-Cartier, Vieux-Port de Montréal, 514-849-9952 ou 800-361-9952, www.bateaumouche.ca

Croisières commentées sur le fleuve pour voir Montréal sous un angle nouveau. Le jour, les excursions durent 1h *(25$; départs à 11h, 14h30, 16h et 17h30)* ou 1h30 *(29$; départ à 12h30)*. Le soir, un dîner est servi à bord, avec tenue de ville requise *(à partir de 110$; départ à 19h, durée 3h)*. Des soirées spéciales sont aussi organisées, notamment pour assister aux feux d'artifice lancés de La Ronde. Il faut se présenter au moins une demi-heure avant les heures de départ indiquées.

Croisières AML Montréal

quai King-Edward, Vieux-Port de Montréal, 866-856-6668, www.croisieresaml.com

Plusieurs croisières sur le fleuve à compter de 29,95$. La durée et le coût de ces excursions varient selon le forfait choisi. AML organise aussi des croisières en soirée avec repas à bord.

Le petit navire

mi-mai à mi-oct; quai Jacques-Cartier, Vieux-Port de Montréal, 514-602-1000, www.lepetitnavire.ca

Propulsés par un silencieux et écologique moteur électrique, ces petits bateaux dotés de beau pont en acajou proposent des croisières bien commentées dans le Vieux-Port *(19,55$; durée 45 min)* et le canal de Lachine *(26$; durée 1h45)*. Des sorties spéciales permettent d'apprécier les feux d'artifice de La Ronde depuis le fleuve *(40$)* et un permis d'alcool permet de boire un verre sur le bateau.

Le Bateau-Mouche.

Amphi Tours *(adultes 35$, enfants 18$; mai à fin oct; départ à l'angle de la rue de La Commune et du boulevard St-Laurent, 514-849-5181, www.montreal-amphibus-tour.com)* propose des visites guidées à la fois dans le Vieux-Montréal (sur terre) et le Vieux-Port (sur l'eau) à bord d'un autobus amphibie. Une expérience qui plaira sûrement aux enfants! Ils organisent aussi des soirées pour admirer les feux d'artifice lancés de La Ronde.

À vélo

Les entreprises **Ça Roule Montréal** et **My Bicyclette** (voir p. 272) organisent différentes visites guidées thématiques à vélo.

Fitz & Follwell
115 av. du Mont-Royal O., 514-840-0739, www.fitzandfollwell.com

Une jolie boutique pour les cyclistes urbains qui propose des découvertes à pied ou à vélo (location sur place) des quartiers (Plateau, Mile-End) et particularités de Montréal (ville souterraine, l'hiver en ville…).

Vélopousse Maisonneuve *(adultes 20$, enfants 10$, familles 35$; mi-juin à fin sept jeu-dim 11h à 19h, durée 1h; 514-523-2400, poste 234, www.velopousse.com)* est une excellente initiative communautaire qui permet de découvrir le quartier d'Hochelaga-Maisonneuve confortablement installé sur la banquette arrière d'un tricycle. Les jeunes guides-conducteurs racontent le passé et le présent de leur quartier, en faisant découvrir autant la réalité sociale que les bons petits commerces du coin. Un Vélopousse accueille confortablement deux adultes et un enfant.

Voyageurs à mobilité réduite

Kéroul
4545 av. Pierre-De Coubertin, 514-252-3104, www.keroul.qc.ca

Interlocuteur privilégié de Tourisme Québec en matière d'accessibilité, Kéroul est un organisme québécois à but non lucratif qui développe et fait la promotion du tourisme et de la culture accessibles. Pour connaître la liste des établissements touristiques accueillant les personnes à mobilité réduite, rendez-vous sur leur site Internet et suivez le lien *Services aux voyageurs/La Route Accessible*.

Association québécoise pour le loisir des personnes handicapées
4545 av. Pierre-De Coubertin, 514-252-3144, www.aqlph.qc.ca

Vous pouvez obtenir l'adresse des associations organisant des activités de loisir ou de sport en communiquant avec l'Association québécoise de loisir pour personnes handicapées.

Calendrier des événements

Janvier

Fête des neiges

sur quatre fins de semaine entre la mi-janvier et le début février; parc Jean-Drapeau, 514-872-6120, www.parcjeandrapeau.com/fr/fete-des-neiges-de-montreal

Une fête familiale pour célébrer les plaisirs et les activités de l'hiver (ski de fond, trottinette des neiges, traîneau à chiens, patin, toboggans géants, sculpture sur glace...).

Igloofest

mi-jan à mi-fév; 514-904-1247, www.igloofest.ca

Pendant quatre fins de semaine *(jeu-sam)* consécutives à partir de la mi-janvier, l'Igloofest offre un antidote au froid hivernal et une occasion de danser en plein air dans un village d'igloos aménagé sur le quai Jacques-Cartier dans le Vieux-Port.

Février

Les Rendez-vous du cinéma québécois

mi-fév à début mars; 514-526-9635, www.rvcq.com

Depuis 1982, ce festival célèbre le cinéma québécois par le biais de divers événements. En plus de présenter des courts et longs métrages de fiction et des documentaires, le festival propose des soirées de rencontre à la Cinémathèque québécoise avec différents artisans de l'industrie.

Montréal en lumière

fin fév à mi-mars; 514-288-9955 ou 855-864-3737, www.montrealenlumiere.com

Le festival Montréal en lumière, qui se déroule sur trois semaines, apporte un brin de magie à l'hiver québécois. Des spectacles sont présentés en plein air et le populaire événement « Nuit blanche à Montréal » propose plus de 150 activités en tous genres pour les noctambules. Dans le volet « Gastronomie » du festival, des chefs chevronnés, venus de partout dans le monde, proposent dégustations, repas et ateliers. Sur la place des Festivals et l'esplanade de la Place des Arts, le festival présente aussi des concerts, de la danse, du théâtre et des activités familiales.

Mars

Festival international du film sur l'art

mi-mars à début avr; 514-874-1637, www.artfifa.com

Le Festival international du film sur l'art (FIFA) met à l'affiche des films portant sur différentes disciplines artistiques, notamment la peinture, la danse, l'architecture, le théâtre, la musique et la photographie.

Défilé de la Saint-Patrick

mi-mars; 514-436-1512, www.montrealirishparade.com

Le vert est à l'honneur alors que le tout Montréal célèbre la fête des Irlandais avec un grand défilé dans la rue Sainte-Catherine au centre-ville.

Avril

Vues d'Afrique

fin avr à début mai; 514-284-3322, www.vuesdafrique.org

Le festival Vues d'Afrique fait la promotion du cinéma africain et créole. Les films sont présentés à la Cinémathèque québécoise.

Festival littéraire international de Montréal Metropolis bleu

fin avr à début mai; 514-932-1112, www.metropolisbleu.org

Le festival Metropolis bleu rassemble près de 300 auteurs, journalistes et éditeurs du monde entier, pour plus d'une centaine d'activités littéraires diverses en plusieurs langues, notamment en français, en anglais et en espagnol.

Mai

Festival TransAmériques

fin mai à début juin; 514-844-3822 ou 866-984-3822, www.fta.qc.ca

Le Festival TransAmériques (FTA), dédié à la création contemporaine, réunit deux disciplines des arts de la scène: la danse et le théâtre. Des œuvres d'ici et d'ailleurs qui font découvrir aux initiés comme aux profanes toute une étendue de richesses artistiques et scéniques.

Piknic Électronik

mai à sept; 514-904-1247, www.piknicelectronik.com

Présentés les dimanches de mai à septembre au parc Jean-Drapeau (la piste de danse se trouve sous le stabile d'Alexander Calder, *L'Homme*, sur l'île Sainte-Hélène), les Piknic Électronik proposent des concerts en plein air de musiciens électroniques et autres DJ. Une belle occasion de se trémousser en plein air tout en pique-niquant.

Juin

Suoni Per Il Popolo

tout le mois de juin; 4873 boul. St-Laurent, 514-284-0122, http://suoniperilpopolo.org

Présenté à la Casa Del Popolo et à La Sala Rossa, le festival Suoni Per Il Popolo (Sons pour le peuple) rassemble les dernières découvertes de la scène musicale montréalaise, en plus des grands noms de la musique actuelle, du jazz, du rock underground et de la musique électronique.

Festival de musique de chambre de Montréal

début à mi-juin; 514-489-7444, www.festivalmontreal.org

Ce festival propose surtout des concerts de musique de chambre de musiciens réputés sur la scène internationale, mais aussi de jazz et d'autres genres musicaux.

Mondial de la bière

mi-juin; Palais des congrès, 201 av. Viger O., 514-722-9640, http://festivalmondialbiere.qc.ca

Plus important festival du genre en Amérique du Nord, le Mondial de la bière propose la dégustation de plus de 250 marques de bières provenant des cinq continents.

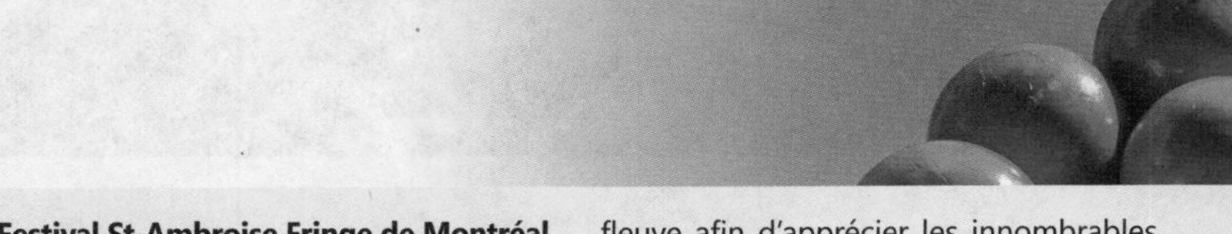

Festival St-Ambroise Fringe de Montréal
fin mai à mi-juin; 514-849-3378,
www.montrealfringe.ca

Chaque année, le Festival St-Ambroise Fringe de Montréal présente un nombre impressionnant de spectacles et de pièces de théâtre avant-gardistes. Les billets, à bas prix, permettent à tous de profiter de cet élan de créativité marginale.

FrancoFolies de Montréal
mi-juin; 514-876-8989 ou 855-372-6267,
www.francofolies.com

Durant ce festival, des artistes provenant d'Europe, des Antilles françaises, du Québec, du Canada français et d'Afrique présentent des spectacles où l'on découvre les talents et les spécialités de chacun. Tous les amateurs «francofous» se regroupent alors sur la place des Festivals ou sur le site compris entre le complexe Desjardins et la Place des Arts, rue Sainte-Catherine.

L'International des Feux Loto-Québec
fin juin à début août; 514-397-2000,
www.internationaldesfeuxlotoquebec.com

Concours international d'art pyrotechnique, L'International des Feux Loto-Québec présente les meilleurs artificiers du monde à La Ronde (île Sainte-Hélène), qui proposent des spectacles pyromusicaux d'une grande qualité. Les représentations peuvent avoir lieu les mercredi, vendredi ou samedi, mais toujours à 22h. Une foule de Montréalais se pressent alors à La Ronde *(droit d'entrée)*, ainsi que sur le pont Jacques-Cartier (qui est alors fermé à la circulation), sur la **plage de l'Horloge** (voir p. 64) et sur le bord du fleuve afin d'apprécier les innombrables fleurs de feux qui colorent pendant une demi-heure le ciel de leur ville.

Festival international de jazz de Montréal (FIJM)
fin juin à début juil; 514-871-1881 ou 855-299-3378, www.montrealjazzfest.com

Pendant les journées du FIJM, autour du quadrilatère de la Place des Arts et sur la place des Festivals, se dressent les scènes où sont présentés de multiples spectacles rythmés sur des airs de jazz. Ces journées sont l'occasion de descendre dans les rues pour se laisser emporter par l'atmosphère joyeuse émanant de ces excellents concerts en plein air présentés gratuitement.

Juillet

Festival Juste pour rire/ Just for Laughs Festival
mi-juil à la fin juil; 514-845-2322 ou 888-244-3155, www.hahaha.com

L'humour et la fantaisie sont à l'honneur durant le Festival Juste pour rire, qui accueille des humoristes venus de divers pays. Les spectacles ont lieu sur la place des Festivals et à la Place des Arts, mais aussi dans la rue, pour le plaisir des francophones comme des anglophones.

Montréal Complètement Cirque
début juil à mi-juil; 514-376-8648 ou 888-376-8648, www.montrealcompletementcirque.com

Ce festival organisé par la **TOHU** (voir p. 209) met un brin de folie en ville pendant les 10 jours où de nombreuses troupes venues du monde entier se pro-

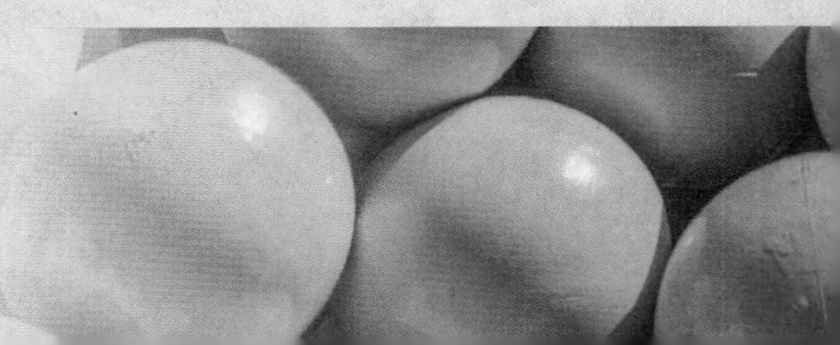

duisent sous des chapiteaux, dans des salles de spectacle ou dans la rue. La diversité et la surprise sont toujours au rendez-vous.

Festival international Nuits d'Afrique
mi-juil à fin juil; 514-499-9239, www.festivalnuitsdafrique.com

Montréal prend un air de fête tout au long du Festival international Nuits d'Afrique. Plusieurs concerts et activités en plein air sont alors offerts dans le Quartier des spectacles. Les grands noms de la musique africaine, antillaise et caribéenne présentent également leurs concerts en salle.

Festival international de films Fantasia
mi-juil à début août; www.fantasiafestival.com

Ce petit festival fondé en 1996 s'est maintenant taillé une belle place dans le monde cinématographique grâce à sa spécialisation dans le film de genre. Courts et longs métrages d'horreur, de fantastique, de science-fiction, d'arts martiaux ou encore d'animation sont au programme dans une ambiance conviviale.

Août

Mutek
mai-août; 514-871-8646, www.mutek.org

Le festival de musique électronique Mutek est devenu une référence mondiale dans le genre, avec des éditions aujourd'hui présentées à l'étranger. À Montréal, une cinquantaine de concerts sont proposés sur cinq jours dans différentes salles de la ville.

Présence Autochtone
début août à mi-août; 514-623-9949, www.presenceautochtone.ca

Installé sur la place des Festivals, Présence Autochtone est un festival organisé par l'organisme « Terres en vues ». Au menu : projection de films en plein air, pièces de théâtre, concerts, danses, expositions et démonstrations du savoir-faire amérindien et inuit.

Osheaga
début août; 855-310-2525, www.osheaga.com

Le parc Jean-Drapeau accueille des milliers de festivaliers pendant ces trois jours de concerts où la crème des groupes et musiciens internationaux actuels se produit. C'est l'un des plus grands festivals de musique au Canada.

Fierté Montréal
mi-août; 514-903-6193, www.fiertemontrealpride.com

Le célèbre défilé haut en couleur de la Fierté gay s'accompagne d'une semaine de festivités avec expositions et spectacles en tout genre.

Festival des films du monde de Montréal
fin août à début sept; 514-848-3883, www.ffm-montreal.org

Le Festival des films du monde de Montréal se tient dans diverses salles de cinéma de la ville. Pendant ces jours de compétition cinématographique, des films provenant de différents pays sont présentés au public montréalais. À l'issue de la compétition, bon nombre de prix sont décernés aux films les plus méritoires, dont le Grand Prix des Amériques.

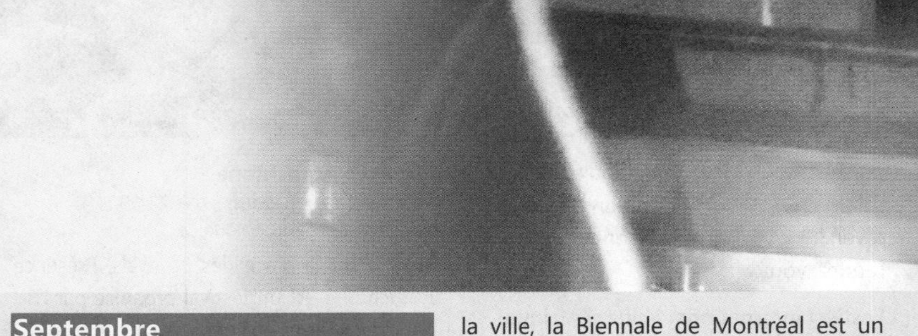

Septembre

Pop Montréal
mi-sept; 514-842-1919,
www.popmontreal.com

Le festival de musique Pop Montréal est un incontournable pour les mélomanes montréalais. Pendant cinq jours, quelque 400 artistes d'ici et d'ailleurs, bien établis ou émergents, présentent des concerts dans différentes salles de la métropole.

Festival international de la littérature
fin sept à début oct; www.festival-fil.qc.ca

Juste au moment de la rentrée littéraire, le Festival international de la littérature (FIL) célèbre les mots de la langue française. Poésie, événements, spectacles, bref, le FIL n'est ni statique ni ennuyant. Il met les écrits en musique et en lumière et attire de nombreux écrivains et artistes internationaux.

Octobre

Biennale de Montréal
début oct à début jan, années paires;
514-521-7340, www.biennalemontreal.org

Présentée depuis 2014 au Musée d'art contemporain et dans différents lieux de la ville, la Biennale de Montréal est un rendez-vous culturel qui propose de découvrir la métropole grâce à la rencontre de divers artistes liés aux domaines des arts visuels et médiatiques.

Festival du nouveau cinéma
début oct à mi-oct; 514-282-0004,
www.nouveaucinema.ca

Le Festival du nouveau cinéma a pour vocation la diffusion et le développement du cinéma d'auteur et de la création numérique.

Festival Phénomena
mi-oct; www.festivalphenomena.com

Une belle programmation de spectacles dynamiques, d'installations d'artistes et de projections à tendance alternative qui marque le paysage culturel du Mile-End.

Festival interculturel du conte du Québec
mi-oct à fin oct; 514-439-7939,
www.festival-conte.qc.ca

Présenté tous les deux ans (années impaires) et s'étirant sur une dizaine de jours, ce festival propose une grande fête des mots, avec plus de 90 conteurs provenant d'un peu partout dans le monde

Novembre

Cinémania
début nov à mi-nov; 514 878-2882,
www.festivalcinemania.com

Ce festival de films francophones offre une programmation variée, allant des valeurs sûres internationales aux films indépendants, sans oublier la production locale.

MTL à TABLE
début nov à mi-nov;
www.tourisme-montreal.org/mtlatable

Pendant 11 jours au début de novembre, plus de 150 restaurants de la métropole proposent lors de cet événements des menus à prix fixe variant de 21$ à 41$. Différentes activités et des ateliers culinaires sont également organisés. Une belle occasion de découvrir les bonnes tables de la métropole.

Coup de cœur francophone
début nov à mi-nov; 514-253-3024,
www.coupdecoeur.ca

Le festival Coup de cœur francophone réunit des musiciens de la scène nationale et internationale. Une bonne occasion de découvrir les musiciens de la relève ou de redécouvrir des artistes bien établis dans un contexte différent.

Décembre

Noël dans le parc
514-281-8942, www.noeldansleparc.com

Du 1er décembre jusqu'au jour de Noël, l'événement « Noël dans le parc » célèbre le temps des Fêtes avec plus de 100 spectacles et animations (danse, théâtre, musique, contes, arts du cirque, etc.) dans différents parcs montréalais.

Salon des métiers d'art du Québec
mi-déc; Place Bonaventure,
901 rue De La Gauchetière O., 514-861-2787,
www.salondesmetiersdart.com

Tous les ans se tient, à la Place Bonaventure, le Salon des métiers d'art du Québec. Cette exposition, qui dure une dizaine de jours, est l'occasion pour les artisans québécois d'exposer et de vendre les fruits de leur travail.

Index

Les numéros en **gras** renvoient aux cartes.

C

INDEX C

D

E

F

G

H

I

J

K

L

M

N

O

P

Q

R

Restaurants *(suite)*

S

T

U

V

W

Z

Crédits photographiques

p. 2© iStockphoto.com/Pgiam; p. 5 © iStockphoto.com/benedek; p. 6 © iStockphoto.com/Onfokus; p. 8 © iStockphoto.com/PLBernier; p. 10 © www.flickr.com/photos/chunso/9316051443/ CC BY 2.0; p. 12 © www.flickr.com/photos/kevin53/13313548944/CC BY 2.0; p. 20 © iStockphoto.com/Pgiam; p. 23 © Shutterstock.com/Richard Cavalleri; p. 26 © iStockphoto.com/mtcurado; p. 27 © commons.wikimedia.org/wiki/File:Jeanne_Mance.jpg, Creative Commons Attribution-Share Alike 3.0 Unported; p. 28 © iStockphoto.com/Onfokus; p. 31 © iStockphoto.com/buzbuzzer; p. 34 © wikipedia.org/wiki/Fichier:Paul-Emile_Borduas.JPG/CC BY-SA 3.0; p. 37 © www.flickr.com/photos/husseinabdallah/7463518188/CC BY 2.0; p. 37 © iStockphoto.com/scottiefone; p. 39 © iStockphoto.com/AWelshLad; p. 41 © wikipedia.org/wiki/Fichier:Gilles_Vigneault_Chantauvent_Natashquan_1989.jpg/CC BY-SA 3.0; p. 41 © wikipedia.org/wiki/File:Norman_McLaren_drawing_on_film_-_1944.jpg; p. 43 © By Jean-Pierre Lavoie (Own work) [CC BY-SA 3.0 (http://creativecommons.org/licenses/by-sa/3.0)], via Wikimedia Commons; p. 43 © Rénald Laurin/Montréal Complètement Cirque; p. 45 © Cossette.phil [CC BY-SA 3.0 (http://creativecommons.org/licenses/by-sa/3.0)], via Wikimedia Commons; p. 46 © iStockphoto.com/SKLA; p. 49 © Pierre Ledoux; p. 49 © iStockphoto.com/ gregobagel; p. 50 © iStockphoto.com/gregobagel; p. 53 © iStockphoto.com/mikeinlondon; p. 54 © Pierre Ledoux; p. 55 © iStockphoto.com/Knogami; p. 57 © iStockphoto.com/DanyMerc; p. 59 © iStockphoto.com/Vladone; p. 60 © iStockphoto.com/Pgiam; p. 61 © iStockphoto.com/gregobagel; p. 63 © iStockphoto.com/Mlenny; p. 65 © iStockphoto.com/sharbers; p. 65 © iStockphoto.com/gregobagel; p. 66 © Thierry Ducharme; p. 68 © Philippe Thomas; p. 71 © Thierry Ducharme; p. 73 © Michel Julien; p. 75 © iStockphoto.com/buzbuzzer; p. 76 © iStockphoto.com/Mlenny; p. 79 © iStockphoto.com/NicolasMcComber; p. 79 © iStockphoto.com/aladin66; p. 81 © Pierre Ledoux; p. 81 © iStockphoto.com/lyonulka; p. 81 © Dreamstime.com/Grandmaisonc; p. 82 © iStockphoto.com/mathieukor; p. 83 © iStockphoto.com/moskoo; p. 85 © Photo: Festival International de Jazz de Montréal, Frédérique Ménard-Aubin; p. 87 © Dreamstime.com/Wangkun Jia; p. 87 © Shutterstock.com/Denis Roger; p. 89 © David Giral; p. 91 © Karine Mancuso; p. 93 © iStockphoto.com/Lisa-Blue; p. 95 © Philippe Renault/hemis.fr; p. 97 © Dreamstime.com/Michel Bussieres; p. 97 © FrancoFolies de Montréal, Frédérique Ménard-Aubin; p. 98 © No machine-readable author provided. Gene.arboit assumed (based on copyright claims). [GFDL (http://www.gnu.org/copyleft/fdl.html), CC-BY-SA-3.0 (http://creativecommons.org/licenses/by-sa/3.0/) or CC BY-SA 2.5-2.0-1.0 (http://creativecommons.org/licenses/by-sa/2.5-2.0-1.0)], via Wikimedia Commons; p. 100 © Dreamstime.com/G G; p. 103 © www.flickr.com/photos/73416633@N00/508410117/ Sandra Cohen-Rose and Colin Rose CC BY 2.0; p. 105 © MTLskyline [CC BY-SA 3.0 (http://creativecommons.org/licenses/by-sa/3.0)], via Wikimedia Commons; p. 105 © Stéphane Batigne [GFDL (http://www.gnu.org/copyleft/fdl.html) ou CC BY 3.0 (http://creativecommons.org/licenses/by/3.0)], via Wikimedia Commons; p. 107 © Jeangagnon [CC BY-SA 3.0 (http://creativecommons.org/licenses/by-sa/3.0)], via Wikimedia Commons; p. 109 © Jeangagnon [CC BY-SA 3.0 (http://creativecommons.org/licenses/by-sa/3.0)], via Wikimedia Commons; p. 111 © Jean-Michel Othoniel / SODRAC (2016). Photo: MBAM, Denis Farley; p. 113 © Photo: Denis Farley; p. 117 © Photo: Denis Farley; p. 119 © Dreamstime.com/Artefficient; p. 123 © Denis Farley; p. 125 © www.flickr.com/photos/85264217@N04/9291954493, CC BY 2.0; p. 127 © Philippe Thomas; p. 129 © James Brittain; p. 133 © iStockphoto.com/Pgiam; p. 136 © Dreamstime.com/Martine Oger; p. 137 © Alfred Boisseau (1823-1906) [Public domain or Public domain], via Wikimedia Commons; p. 139 © Philippe Thomas; p. 141 © Claude Morneau; p. 143 © Eric Sehr [CC BY-SA 4.0 (http://creativecommons.org/licenses/by-sa/4.0)], via Wikimedia Commons; p. 147 © iStockphoto.com/MarcBruxelle; p. 149 © iStockphoto.com/chrisbradshaw; p. 151 © iStockphoto.com/Tony Tremblay; p. 157 © Philippe Thomas; p. 159 © Philippe Thomas; p. 161 © Claude Morneau; p. 163 © Richporter Research in Lighting; p. 165 © Claude Morneau; p. 169 © iStockphoto.com/fhogue; p. 169 © iStockphoto.com/JayBoivin; p. 169 © iStockphoto.com/Hadimor; p. 171 © Shutterstock.com/De naibank; p. 173 © iStockphoto.com/dan_prat; p. 175 © Dreamstime.com/Danechka; p. 178 © Shutterstock.com/maxi_kore; p. 179 © Pikauba (a.k.a .Chicoutimi) [Public domain], via Wikimedia Commons; p. 185 © Philippe Renault/hemis.fr; p. 187 © Shawn in Montreal at English Wikipedia (Transferred from en.wikipedia to Commons.) [Public domain], via Wikimedia Commons; p. 189 © Claude Morneau; p. 191 © Pascal Biet; p. 193 © Gilles Y. Hamel [CC BY-SA 3.0 (http://creativecommons.org/licenses/by-sa/3.0)], via Wikimedia Commons; p. 197 © www.flickr.com/photos/art_inthecity/6799157812/ CC BY 2.0; p. 197 © Denis Farley; p. 200 © Denis Farley; p. 203 © iStockphoto.com/NicolasMcComber; p. 205 © Pierre Ledoux; p. 207 © David Giral; p. 209 © Jbonnard [CC BY-SA 3.0 (http://creativecommons.org/licenses/by-sa/3.0)], via Wikimedia Commons; p. 213 © Miguel Legault; p. 214 © Shutterstock.com/jbd30; p. 217 © Philippe Renault/hemis.fr; p. 219 © Dreamstime.com/Martine Oger; p. 223 © David Giral; p. 225 © Dreamstime.com/Antoine Rouleau; p. 226 © www.flickr.com/photos/redtuna/14774563447/françois lafontaine/CC BY 2.0; p. 227 © Le Valois; p. 229 © Nicolas Ruel, avec la permission de PARISIAN LAUNDRY; p. 233 © Jeangagnon CC BY-SA 3.0, https://commons.wikimedia.org/w/index.php?curid=16016299; p. 233 © Jeangagnon [CC BY-SA 3.0 (http://creativecommons.org/licenses/by-sa/3.0)], via Wikimedia Commons; p. 233 © www.flickr.com/photos/73416633@N00/1423541538/ CC BY 2.0 Sandra Cohen-Rose and Colin Rose; p. 234 © Philippe Renault/hemis.fr; p. 234 © Philippe Thomas; p. 237 © Shutterstock.com/Vlad G; p. 241 © Philippe Renault/hemis.fr; p. 243 © iStockphoto.com/buzbuzzer; p. 249 © Shutterstock.com/MBphotography; p. 251 © Rachelita [CC BY-SA 3.0 (http://creativecommons.org/licenses/by-sa/3.0)], via Wikimedia Commons; p. 253 © www.flickr.com/photos/nuriamp/30663877591/ nuria mpascual CC BY-SA 2.0; p. 254 © www.flickr.com/photos/parcoursriverain/8514392450/ CC BY 2.0; p. 255 © Jeangagnon [CC BY-SA 3.0 (http://creativecommons.org/licenses/by-sa/3.0)], via Wikimedia Commons; p. 257 © iStockphoto.com/thisisaghosttown; p. 257 © Philippe Renault/hemis.fr; p. 259 © iStockphoto.com/fcafotodigital; p. 261© iStockphoto.com/KazanovskyAndrey ; p. 265 © iStockphoto.com/buzbuzzer; p. 267 © iStockphoto.com/buzbuzzer; p. 267 © iStockphoto.com/bakerjarvis; p. 271 © iStockphoto.com/NicolasMcComber; p. 271 © iStockphoto.com/matsou; p. 272 © iStockphoto.com/Hadimor; p. 273 © Jean-François Leblanc, Montréal en Lumière; p. 275 © Denis Farley; p. 275 © iStockphoto.com/photosmax; p. 275 © iStockphoto.com/buzbuzzer; p. 277 © Philippe Renault/hemis.fr; p. 277 © Philippe Renault/hemis.fr; p. 279 © iStockphoto.com/Marc Bruxelle; p. 279 © iStockphoto.com/crazycroat; p. 281 © Photo MBAM, Christine Guest; p. 283 © iStockphoto.com/Imageegaml; p. 285 © iStockphoto.com/buzbuzzer; p. 287 © iStockphoto.com/buzbuzzer; p. 289 © iStockphoto.com/MarcBruxelle; p. 291 © iStockphoto.com/Eloi_Omella; p. 292 © iStockphoto.com/Terraxplorer

Symboles utilisés dans ce guide

Petit déjeuner inclus dans le prix de la chambre

½p Demi-pension (dîner, nuitée et petit déjeuner)

pc Pension complète

tc Tout compris

Apportez votre vin

Le label Ulysse

Chacun des établissements décrits dans ce guide s'y retrouve en raison de ses qualités et particularités. Le label Ulysse indique ceux qui se distinguent parmi ce groupe déjà sélect.

Classification des attraits touristiques

★★★ À ne pas manquer

★★ Vaut le détour

★ Intéressant

Classification de l'hébergement

L'échelle utilisée donne des indications de prix pour une chambre standard pour deux personnes, avant taxe, en vigueur durant la haute saison.

$	moins de 60$
$$	de 60$ à 100$
$$$	de 101$ à 150$
$$$$	de 151$ à 225$
$$$$$	plus de 225$

Classification des restaurants

L'échelle utilisée dans ce guide donne des indications de prix pour un repas complet pour une personne, avant les boissons, les taxes et le pourboire.

$	moins de 15$
$$	de 15$ à 25$
$$$	de 26$ à 50$
$$$$	plus de 50$

Tous les prix mentionnés dans ce guide sont en dollars canadiens.

Légende des cartes

- Aéroport international
- Aéroport régional
- Autoroute
- Camping
- Capitale de pays
- Capitale régionale
- Chemin de fer
- Cimetière
- Église
- Frontière internationale
- Frontière régionale
- Gare ferroviaire
- Gare routière
- Glacier
- Hôpital
- Information touristique
- Marché
- Montagne
- Musée
- Parc ou réserve
- Phare
- Plage
- Point de vue
- Point d'intérêt
- Port
- Réserve faunique
- Route
- Ruines
- Sentier pédestre
- Station de métro
- Station de ski alpin
- Stationnement
- Terrain de golf
- Traversier (ferry)
- Traversier (navette)
- Volcan

Tous les symboles ne sont pas nécessairement utilisés dans ce guide.